КРЕМЛЬ

«МОСКВА»

МАНЕЖНАЯ ПЛОЩАДЬ

ГОСУДАРСТВЕННЫЙ ИСТОРИЧЕСКИЙ МУЗЕЙ

ЦЕНТР... МУЗЕЙ В. И. ЛЕНИНА

ГУМ (ГОСУДАРСТВЕННЫЙ УНИВЕРСАЛЬНЫЙ МАГАЗИН)

КРАСНАЯ ПЛОЩАДЬ

МАНЕЖ

МАВЗОЛЕЙ ЛЕНИНА

АРСЕНАЛ

ЗДАНИЕ СОВЕТА МИНИСТРОВ СССР

СПАССКАЯ БАШНЯ

ДВОРЕЦ СЪЕЗДОВ

УСПЕНСКИЙ СОБОР

ЦАРЬ-ПУШКА

ПОКРОВСКИЙ СОБОР (ХРАМ ВАСИЛИЯ БЛАЖЕННОГО)

ЦАРЬ-КОЛОКОЛ

ГРАНОВИТАЯ ПАЛАТА

КОЛОКОЛЬНЯ ИВАНА ВЕЛИКОГО

АРХАНГЕЛЬСКИЙ СОБОР

БЛАГОВЕЩЕНСКИЙ СОБОР

БОЛЬШОЙ КРЕМЛЕВСКИЙ ДВОРЕЦ

МОСКВА

ПАРК КУЛЬТУРЫ И ОТДЫХА «СОКОЛЬНИКИ»

...ЫШЕВСКИЙ

10

...МОЛЬСКАЯ ПЛ.

11

ПЕРВОМАЙСКИЙ

КАЛИНИНСКИЙ

...КРЕСТЬЯНСКАЯ ПЛ.

38

ЖДАНОВСКИЙ

...САРСКИЙ

МОСКВА

1 СТАДИОН «ДИНАМО»
2 САВЕЛОВСКИЙ ВОКЗАЛ
3 «СОВЕТСКАЯ»
4 ЦЕНТРАЛЬНЫЙ ТЕАТР СОВЕТСКОЙ АРМИИ
5 РИЖСКИЙ ВОКЗАЛ
6 ИППОДРОМ
7 БЕЛОРУССКИЙ ВОКЗАЛ
8 «ЛЕНИНГРАДСКАЯ»
9 ЛЕНИНГРАДСКИЙ ВОКЗАЛ
10 ЯРОСЛАВСКИЙ ВОКЗАЛ
11 КАЗАНСКИЙ ВОКЗАЛ
12 ВЫСОТНЫЕ ЗДАНИЯ
13 МОСКОВСКИЙ ЗООЛОГИЧЕСКИЙ САД
14 «ПЕКИН»
15 ЦЕНТРАЛЬНЫЙ ТЕАТР КУКОЛ
16 МОСКОВСКАЯ КОНСЕРВАТОРИЯ ИМЕНИ П. И. ЧАЙКОВСКОГО
17 ПЛАНЕТАРИЙ
18 МОССОВЕТ
19 БОЛЬШОЙ ТЕАТР
20 ПОЛИТЕХНИЧЕСКИЙ МУЗЕЙ
21 «КОЛИЗЕЙ»
22 МОСКОВСКИЙ ГОРОДСКОЙ ДОМ ПИОНЕРОВ
23 КУРСКИЙ ВОКЗАЛ
24 КИЕВСКИЙ ВОКЗАЛ
25 «УКРАИНА»
26 МУЗЕЙ ИЗОБРАЗИТЕЛЬНЫХ ИСКУССТВ ИМЕНИ А. С. ПУШКИНА
27 ОТКРЫТЫЙ ПЛАВАТЕЛЬНЫЙ БАССЕЙН «МОСКВА»
28 НОВО-ДЕВИЧИЙ МОНАСТЫРЬ
29 МУЗЕЙ-УСАДЬБА ЛЬВА Н. ТОЛСТОГО
30 МУЗЕЙ Л. Н. ТОЛСТОГО
31 ВДНХ, РАЗДЕЛ «СТРОИТЕЛЬСТВО И АРХИТЕКТУРА»
32 ЦЕРКОВЬ НИКОЛЫ В ХАМОВНИКАХ
33 ЦЕНТРАЛЬНЫЙ ПАРК КУЛЬТУРЫ И ОТДЫХА ИМЕНИ ГОРЬКОГО
34 ЦЕРКОВЬ ИОАННА ВОИНА
35 ЦЕРКОВЬ «ВСЕХ СКОРБЯЩИХ»
36 ТРЕТЬЯКОВСКАЯ ГАЛЕРЕЯ
37 ПАВЕЛЕЦКИЙ ВОКЗАЛ
38 ЦЕРКОВЬ КРУТИЦКОГО
39 МГУ (МОСКОВСКИЙ ГОСУДАРСТВЕННЫЙ УНИВЕРСИТЕТ)
40 ЦЕНТРАЛЬНЫЙ СТАДИОН ИМЕНИ В. И. ЛЕНИНА
41 АКАДЕМИЯ НАУК СССР
42 МУЗЕЙ АРХИТЕКТУРЫ
43 ВСЕСОЮЗНАЯ БИБЛИОТЕКА ИМЕНИ В. И. ЛЕНИНА
44 ТЕЛЕЦЕНТР
45 ДВОРЕЦ ПИОНЕРОВ НА ЛЕНИНСКИХ ГОРАХ

НАБ.	НАБЕРЕЖНАЯ	Б.	БОЛЬШАЯ
ПЛ.	ПЛОЩАДЬ	М.	МАЛАЯ
ПР.	ПРОСПЕКТ		
УЛ.	УЛИЦА		МЕТРО

Modern Russian II

A Project of Syracuse University
under contract with the United States Office of Education

ABOUT *Modern Russian*

In February 1960 the University of Michigan sponsored a conference of scholars to "develop criteria for a two-year college sequence of specialized materials for learning the Russian language." In its proposal to the U.S. Office of Education for funds to support the conference, the University of Michigan stated its view that "The urgency of our national need to improve and increase the study of the Russian language in our schools and colleges and the comparative dearth and inadequacy of existing materials for this purpose dictate the collaboration of the U.S. Office of Education with the Russian language specialists . . . in the production of a complete two-year college level course in Russian." The proposal advised that "pertinent decisions regarding personnel, institutional sponsorship, and methodology for the production of such a course should be made only on a broadly established basis of consensus among a widely representative group of scholars and specialists in this field." The twenty-seven scholars and specialists listed on the page opposite collaborated at the conference to achieve that consensus, and designated nine persons, similarly listed, as an Advisory Committee to the project.

Recommendations arising from the February 1960 conference and from the Advisory Committee resulted in the naming and empowering of the Working Committee: Dr. Clayton L. Dawson, Professor and Chairman of the Slavic Department at Syracuse University (project coordinator); Dr. Charles E. Bidwell, Associate Professor and Chairman of the Department of Slavic Languages and Literatures, University of Pittsburgh; and Dr. Assya Humesky, Associate Professor of Russian Language and Literature, University of Michigan. Syracuse University undertook to house and administer the entire project and assumed responsibility for the preparation of the new materials. Both the University of Michigan conference and the University of Syracuse project to produce the two-year course were supported by the U.S. Office of Education, under authority of Title VI of the National Defense Education Act.

The University of Michigan, the University of Pittsburgh, and Syracuse University cooperated by granting leaves of absence to Drs. Humesky, Bidwell, and Dawson respectively. Along with these universities, The American University, the Foreign Service Institute, Georgetown University, Indiana University, St. John's University, the State University College at New Paltz, New York, and the University of Washington participated in the field testing of materials prior to publication, providing helpful suggestions and encouragement. Generous help was provided in typing, advising, and recording by a large group of native Russians teaching in the Slavic Department of Syracuse University. Professors Robert L. Baker of Indiana University and Tatiana Cizevska of the University of Illinois contributed timely information on culture and current usage out of their recent experience in the Soviet Union. Finally, special critical evaluations and recommendations were provided by Professors Baker, Richard Burgi of Princeton University, Kurt Klein of the University of Illinois, and Laurence C. Thompson of the University of Washington.

Modern Russian, together with the recordings and the teacher's manual prepared to accompany it, unique in both content and techniques in the Russian field, is the fruition of this cooperative group effort.

Modern Russian II

A Project of Syracuse University
under contract with the United States Office of Education

Clayton L. Dawson   *Coordinator, Syracuse University*

Assya Humesky   *University of Michigan*

in consultation with **Charles E. Bidwell**   *University of Pittsburgh*

Harcourt, Brace & World, Inc.   New York / Chicago / Burlingame

SOURCES OF PHOTOGRAPHS

Title page: The Moscow Kremlin at Night.
              Brian Brake from Magnum Photos

482 Jerry Cooke
506 Jerry Cooke
532 M. Alpert
552 Harrison Forman
576 Jerry Cooke
598 Jerry Cooke
618 Ruth Coleman
642 J. Allan Cash from Rapho-Guillumette
666 Henri Cartier-Bresson from Magnum Photos
686 Marc Riboud from Magnum Photos
708 Jerry Cooke
734 Marc Riboud from Magnum Photos
760 Cornell Capa from Magnum Photos
786 Marc Riboud from Magnum Photos
810 Henri Cartier-Bresson from Magnum Photos
832 Jerry Cooke
858 Sovfoto
882 Cornell Capa from Magnum Photos

Endpaper maps of Moscow and the Soviet Union by Klaus Grutzka

This work was produced pursuant to a contract between Syracuse University and the U.S. Office of Education, Department of Health, Education and Welfare.

Library of Congress Catalog Card Number 64–13285

Printed in the United States of America

Contents

Modern Russian II

A Project of Syracuse University
under contract with the United States Office of Education

PREPARATION FOR CONVERSATION **На аэропо́рте Вну́ково**

аэропо́рт — airfield, airport
Вну́ково — Vnukovo (name of airport)
на аэропо́рте Вну́ково — at Vnukovo airport
Во́т мы́ и на аэропо́рте Вну́ково. — Well, here we are at Vnukovo airport.
Никола́й Никола́евич! Во́т не ожида́л! — Nikolay Nikolaevich! I didn't expect to see you!

лете́ть (II, u-d)[1], лечу́, лети́шь, –я́т — to be flying; to be on one's way (by air)
Вы́ то́же лети́те? — Are you flying, too?

провожа́ть (I) — to see off
Не́т, я́ провожа́л жену́. — No, I was seeing my wife off.

улете́ть (pfv II) — to fly away, leave (by air)
Она́ то́лько что улете́ла в Ки́ев. — She just left for Kiev.
родны́е, –ы́х — relatives (close)
Она́ то́лько что улете́ла в Ки́ев, к родны́м. — She just left for Kiev, to see her relatives.

А вы́ куда́? — And where are you going?

Го́рький — Gorky (name of city)
Я́ лечу́ в Го́рький. — I'm flying to Gorky.

командиро́вка — assignment, travel order, mission
посыла́ть (I) — to send
посыла́ть в командиро́вку — to assign, send on business
Меня́ посыла́ют в командиро́вку. — I'm being assigned there.
Меня́ посыла́ют на ме́сяц в командиро́вку. — I'm being assigned there for a month.

Во́т ка́к! — You don't say!

куда́-нибудь [kudáṇibuṭ] — somewhere, anywhere
Всегда́ ва́с куда́-нибудь посыла́ют. — They're always sending you somewhere.

отправля́ться (I) — to depart, start out
самолёт — airplane, aircraft
А когда́ ва́ш самолёт отправля́ется? — And when does your plane depart?

---

[1] The abbreviation u-d stands for unidirectional as opposed to m-d for multidirectional in reference to simple verbs of motion.

В де́сять два́дцать.

    отпра́виться (pfv II), отпра́влюсь, отпра́вишься, –ятся

До́лжен бы́л отпра́виться в де́сять два́дцать.

    расписа́ние

По расписа́нию до́лжен бы́л отпра́виться в де́сять два́дцать.

    бюро́ (indecl n)
    спра́вочный

В спра́вочном бюро́ сказа́ли, что опозда́ет.

    со́рок

Самолёт опозда́ет на со́рок мину́т.

В спра́вочном бюро́ сказа́ли, что опозда́ет мину́т на со́рок.

    быва́ть (I)

Э́то ча́сто быва́ет.

    отстава́ть (I) (*like* дава́ть)
    часы́, –о́в (pl only)

Мои́ часы́ немно́го отстаю́т.

    оди́ннадцать [aḍínətcəṭ]
    че́тверть (f)
    без че́тверти

По мои́м часа́м без че́тверти оди́ннадцать.

Посмо́трим: по мои́м часа́м без че́тверти оди́ннадцать, но они́, ка́жется, немно́го отстаю́т.

Ско́лько на ва́ших часа́х?

    ро́вный
    ро́вно

По мои́м часа́м ро́вно оди́ннадцать.

Мои́ часы́ спеша́т.

По мои́м часа́м ро́вно оди́ннадцать, но мои́ всегда́ спеша́т.

    висе́ть (II)
    стена́ (nom *and* acc pl: сте́ны; acc sg: сте́ну)

Во́н та́м на стене́ вися́т часы́.

    прове́рить (pfv II) (*like* ве́рить)

Сейча́с прове́рим.

    оказа́ться (pfv I) (*like* каза́ться)

Мои́ часы́ оказа́лись пра́вильными.

Без че́тверти оди́ннадцать. Мои́ оказа́лись пра́вильными.

    ма́сса вре́мени

Так у ва́с ещё ма́сса вре́мени.

At 10:20.

    to depart, leave, go (*or* start out)

It was supposed to have left at 10:20.

    schedule, timetable

According to the schedule it was supposed to have departed at 10:20.

    office, bureau, desk
    information (adj)

At the information desk they said it would be late.

    forty

The plane will be forty minutes late.

At the information desk they said it would be about forty minutes late.

    to happen, be the case; to visit, frequent

That often happens.

    to lag, be slow, be behind
    watch, clock

My watch is a little slow.

    eleven
    quarter, fourth
    a quarter of, a quarter to

It's a quarter to eleven by my watch.

Let's see, by my watch it's a quarter to eleven, but I think it's a little slow.

What does your watch say?

    smooth; even, equal
    even; exactly, sharp

According to my watch it is exactly eleven.

My watch is fast.

It's exactly eleven by my watch, but mine's always fast.

    to hang, be hanging
    wall

There's a clock over there on the wall.

    to check, verify

Let's check it now.

    to turn out, to be, prove to be, happen to be; find oneself

My watch proved to be correct.

A quarter to eleven. Mine turned out to be right.

    plenty of time, lots of time

So you still have plenty of time.

Не хоти́те ли зайти́ в буфе́т? | Wouldn't you like to stop in at the snack bar?
    чего́-нибудь (gen of что́-нибудь) | something
Не хоти́те ли зайти́ в буфе́т чего́-нибудь вы́пить? | Wouldn't you like to stop in at the snack bar and have something to drink?

С удово́льствием. | Fine!

    поза́втракать (pfv I), поза́втракаю, –ешь, –ют | to have breakfast, have lunch
Я́ не успе́л поза́втракать. | I didn't have time to eat breakfast.
    торопи́ться (II), тороплю́сь, торо́пишься | to rush, be in a hurry
Я́ та́к торопи́лся, что не успе́л поза́втракать. | I was in such a hurry that I didn't have time to eat breakfast.

    у́тром | in the morning, this morning
У́тром я́ та́к торопи́лся, что не успе́л поза́втракать. | I was in such a rush this morning, I didn't have time to eat breakfast.
    закуси́ть (pfv II), закушу́, заку́сишь, –ят | to have a bite (or snack)
    бы́ть не про́чь | to not mind, have no objection
Я́ не про́чь закуси́ть. | I wouldn't mind having a bite to eat.
    призна́ться | to tell the truth, I must confess
Я́, призна́ться, и закуси́ть не про́чь. | I wouldn't mind having a bite to eat, I must confess.

Я́, призна́ться, и закуси́ть не про́чь. У́тром та́к торопи́лся, что не успе́л поза́втракать. | To tell the truth, I wouldn't mind having a bite to eat. I was in such a rush this morning I didn't have time to eat breakfast.

    пи́во | beer
    заку́ска | light snack, bite (to eat); (pl) appetizers, hors d'œuvres

Зака́жем заку́ску и пи́ва. | Let's order a snack and some beer.
    како́й-нибудь | some, sort sort of; any
Зака́жем каку́ю-нибудь заку́ску и пи́ва. | Let's order some sort of snack and beer.
Ну́ так сейча́с зака́жем каку́ю-нибудь заку́ску и пи́ва. | Well, now let's order a snack of some sort and beer.

    во́дка | vodka
Жа́ль, что во́дки не́т. | Too bad there's no vodka.
    встре́ча | encounter, meeting; welcome
    прия́тный | pleasant, agreeable, nice
Вы́пьем за прия́тную встре́чу. | Let's drink to a pleasant encounter.
    а то́ | otherwise, or else; that way
    вы́пили бы | could have drunk, might have drunk
Жа́ль, что во́дки не́т, а то́ вы́пили бы за прия́тную встре́чу. | Too bad there's no vodka; that way we could have drunk to a pleasant encounter.
    ка́к сле́дует | properly
Жа́ль, что во́дки не́т, а то́ вы́пили бы ка́к сле́дует за прия́тную встре́чу. | Too bad there's no vodka; that way we could have drunk a proper toast to a pleasant encounter.

SUPPLEMENT

    встреча́ть (I) | to meet, encounter, greet
Кто́ его́ встреча́ет на аэропо́рте? | Who's meeting him at the airport?

за́втракать (I)	to eat breakfast, eat lunch
Я обы́чно за́втракаю до́ма.	I usually eat breakfast (*or* lunch) at home.
за́втрак	breakfast, lunch
Она́ пригласи́ла меня́ на за́втрак.	She invited me for breakfast (*or* lunch).
ро́дственник	relative, relation
ро́дственница	relative, relation (f)
Прие́хали все́ ро́дственники.	All our relatives have arrived.
Она́ моя́ ро́дственница.	She's a relative of mine.
оди́ннадцать [aḍínətcəṭ]	eleven
двена́дцать [dͮyinátcəṭ]	twelve
трина́дцать [tͬrinátcəṭ]	thirteen
четы́рнадцать [čitírnətcəṭ]	fourteen
пятна́дцать [p̦itnátcəṭ]	fifteen
шестна́дцать [šisnátcəṭ]	sixteen
семна́дцать [șimnátcəṭ]	seventeen
восемна́дцать [vəșimnátcəṭ]	eighteen
девятна́дцать [ḍiɣitnátcəṭ]	nineteen
два́дцать [dvátcəṭ]	twenty
три́дцать [tͬrítcəṭ]	thirty
со́рок [sórək]	forty

На аэропо́рте Вну́ково[1]

И. И. — Ива́н Ива́нович   Н. Н. — Никола́й Никола́евич

И. И.   1 Никола́й Никола́евич! Во́т не ожида́л! Вы́ то́же лети́те?

Н. Н.   2 Не́т, я провожа́л жену́. Она́ то́лько что улете́ла в Ки́ев, к родны́м.[2] А вы́ куда́?

И. И.   3 В Го́рький.[3] Посыла́ют на ме́сяц в командиро́вку.[4]

Н. Н.   4 Во́т ка́к! Всегда́ ва́с куда́-нибудь посыла́ют. А когда́ ва́ш самолёт отправля́ется?

И. И.   5 По расписа́нию до́лжен бы́л отпра́виться в де́сять два́дцать, но в спра́вочном бюро́ сказа́ли, что опозда́ет мину́т на со́рок.[5]

Н. Н.   6 Э́то ча́сто быва́ет. Посмо́трим: по мои́м часа́м без че́тверти оди́ннадцать, но они́, ка́жется, немно́го отстаю́т. Ско́лько на ва́ших?[6]

И. И.   7 Ро́вно оди́ннадцать, но мои́ всегда́ спеша́т. Во́н та́м на стене́ вися́т часы́. Сейча́с прове́рим.

Н. Н.   8 Без че́тверти оди́ннадцать. Мои́ оказа́лись пра́вильными. Та́к у ва́с ещё ма́сса вре́мени. Не хоти́те ли зайти́ в буфе́т чего́-нибудь вы́пить?

И. И.   9 С удово́льствием. Я, призна́ться, и закуси́ть не про́чь. У́тром та́к торопи́лся, что не успе́л поза́втракать.[7]

Н. Н.   10 Ну́ так сейча́с зака́жем каку́ю-нибудь заку́ску и пи́ва.[8] Жа́ль, что во́дки не́т, а то́ вы́пили бы ка́к сле́дует за прия́тную встре́чу.

¹ Vnukovo airport is situated near a small town of the same name, twenty-four kilometers from Moscow. Most foreign dignitaries arriving in Moscow land there.

² **Родны́е** (*literally*, one's own) is an adjectival noun that is used in the plural to refer mostly to the members of one's immediate family; the noun **ро́дственники** refers to one's other relatives or relations. As an adjective, **родно́й** means *native* or *one's own*, for example: **Мо́й родно́й язы́к — англи́йский.**

³ The city of **Го́рький**, formerly **Ни́жний Но́вгород**, is located east of Moscow on the Volga River. It was the birthplace of the famous writer, Maxim Gorky (1868–1936) and was renamed in his honor in 1932.

⁴ **Командиро́вка** can refer to an official assignment involving travel, the trip itself, or the accompanying travel orders. Without a **командиро́вка** or some other type of travel permit, one cannot check into a hotel.

⁵ The use of cardinal numbers alone to tell time, as, for example, **в де́сять два́дцать** *at* 10:20, is largely reserved for such official purposes as rail and air departure and arrival times, broadcasting, and other scheduled activities.

⁶ **Ско́лько на ва́ших?** *What does your watch say?* is short for **Ско́лько вре́мени на ва́ших часа́х?** In asking for the time, either **Кото́рый ча́с?** or **Ско́лько вре́мени?** may be used. Similarly, *at what time* may be expressed by either **во ско́лько** or **в кото́ром часу́**, although the latter is more typical of older generation speakers.

⁷ Although **за́втрак** is the literal word for *breakfast* and **обе́д** for *dinner*, there is some overlapping in the usage of these nouns as well as in the usage of the derived verbs, **за́втракать** and **обе́дать**. Russians usually call their midday meal **за́втрак** and their late afternoon meal **обе́д**, although some consider **обе́д** the midday meal. Note the expressions **до обе́да** and **по́сле обе́да** *before noon* and *afternoon*. For some, breakfast is **ча́й**.

⁸ **Заку́ска** is any light snack; in the plural it refers to appetizers or hors d'œuvres. The verb **закуси́ть** means *to have a bite of something*, especially with an accompanying drink.

PREPARATION FOR CONVERSATION   **На самолёте**

чего́-то (gen of что́-то)	something
не хвата́ть (I)	to be missing, short (*or* lacking); to run out of
чего́-то не хвата́ет	something's missing
Ка́жется, чего́-то не хвата́ет.	Something seems to be missing.
бума́жник	wallet, billfold
Бума́жник е́сть.	My billfold is here.
по́л, –а; полы́, –о́в	floor
на полу́ [nəpalú]	on the floor

ná пол [nápəl]   onto the floor

чемода́нчик   suitcase (small)

Чемода́нчик на полу́.   The suitcase is on the floor.

поста́вить (pfv II) (*like* оста́вить)   to put (in standing position)

Чемода́нчик я́ на́ пол поста́вил.   I put the suitcase on the floor.

па́пка   folder, cardboard case (for carrying documents)

Ага́, па́пки не́т.   Ahh, the folder's missing.

бортпроводни́ца   stewardess

Где́ бортпроводни́ца?   Where's the stewardess?

Что́ вы́ и́щете, граждани́н?   What are you looking for, sir?

Вы́ что́-нибудь потеря́ли?   Have you lost something?

Я́ не ви́жу свое́й па́пки.   I don't see my folder.

А куда́ вы́ её положи́ли?   But where did you put it?

голова́, –ы́; го́ловы, голо́в (acc sg го́лову) head

над (*or* надо) (*plus* instr)   above, over

у себя́ над голово́й   above my head

Я́ её положи́л у себя́ над голово́й. I put it up over my head.

ря́дом   close by, next to each other

ря́дом с (*plus* instr)   alongside, next to

шля́па   hat

Я́ её положи́л у себя́ над голово́й, ря́дом со шля́пой. I put it up over my head, next to my hat.

укра́сть (pfv I) (past укра́л, –а, –о, –и; fut украду́, –ёшь, –у́т) to steal

Неуже́ли укра́ли?   Is it possible it's been stolen?

Да что́ вы́!   Why, what are you talking about!

красть (I) (*like* укра́сть)   to steal

Кто́ же бу́дет красть каку́ю-то па́пку? Just who would be stealing some sort of folder?

шпио́н   spy

А шпио́ны?   How about spies?

шути́ть (II), шучу́, шу́тишь, –ят to joke

Я́, коне́чно, шучу́.   I'm joking, of course.

исче́знуть (pfv I) [iščéznuţ] исче́зну, исче́знешь (irreg past исче́з, исче́зла, –о, –и) to vanish, disappear

Куда́ э́та па́пка исче́зла?   Where did the folder vanish [to]?

Но я́ про́сто не понима́ю, куда́ э́та па́пка исче́зла? But I simply don't understand where the folder vanished [to].

сиде́нье   seat

Па́пка упа́ла за сиде́нье.   The folder fell behind the seat.

вероя́тно   probably

Па́пка, вероя́тно, упа́ла за ва́ше сиде́нье. The folder probably fell behind your seat.

та́к и е́сть!   just as I thought! I was right!

Та́к и е́сть: во́т она́!   I was right; here it is!

никто́ (не)

Во́т ви́дите, никто́ её не кра́л.

So you see, nobody stole it.

благодари́ть (II)

Благодарю́ вас.

to thank

Thank you.

беспоко́иться (II), беспоко́юсь, –о́ишься

Я беспоко́ился.

в са́мом де́ле

Я в са́мом де́ле на́чал беспоко́иться.

to worry; to trouble oneself, bother

I was worried.

indeed, really

I really began to get worried.

ва́жный

В э́той па́пке ва́жные бума́ги.

довольно

В э́той па́пке дово́льно ва́жные бума́ги.

везти́ (I, u-d), везу́, везёшь, везу́т (past вёз, везла́, –о́, –и́)

Я в э́той па́пке везу́ дово́льно ва́жные бума́ги.

important

There are important papers in this folder.

rather, quite

There are rather important papers in this folder.

to be carrying (*or* taking) (by vehicle)

I'm carrying rather important papers in this folder.

осторо́жнее

Бу́дьте осторо́жнее!

в друго́й ра́з

В друго́й ра́з бу́дьте осторо́жнее!

more careful, more carefully

Be more careful!

next time, another time

Next time, be more careful!

класть (I) (pres кладу́, –ёшь, –у́т; past кла́л, –а, –о, –и)

В друго́й ра́з клади́те таки́е ве́щи в портфе́ль.

чемода́н

пря́тать (I), пря́чу, пря́чешь, –чут

В друго́й ра́з пря́чьте таки́е ве́щи в чемода́н.

Клади́те таки́е ве́щи в портфе́ль и́ли пря́чьте в чемода́н.

to put, place

Next time put such things in your briefcase.

suitcase

to hide, conceal

Next time hide such things in your suitcase.

Put such things in your briefcase or hide them in your suitcase.

Да я всегда́ пря́чу.

Сего́дня я э́того не сде́лал.

почему́-то

Сего́дня я почему́-то э́того не сде́лал.

Да я всегда́ пря́чу, но сего́дня почему́-то э́того не сде́лал.

I always do.

I didn't do it today.

for some reason, somehow

For some reason I didn't do it today.

I always do, but for some reason I didn't do it today.

SUPPLEMENT

кто́-то (gen *and* acc кого́-то)

Кто́-то укра́л мой чемода́н.

кто́-то из (*plus* gen)

Кто́-то из ва́ших друзе́й звони́л.

кто́-нибудь (gen *and* acc кого́-нибудь)

Кто́-нибудь звони́л?

кто́-нибудь из (*plus* gen)

Кто́-нибудь из мои́х знако́мых звони́л?

су́мка

Положи́те хле́б в свою́ су́мку.

су́мочка (var. of су́мка)

Положи́те клю́ч в свою́ су́мочку.

карма́н

someone, somebody

Somebody stole my suitcase.

one of

One of your friends phoned.

anybody, anyone, someone

Did anybody call?

one of, any (one) of

Did one (*or* any) of my friends phone?

bag, pouch

Put the bread in your bag.

small bag, handbag, purse, pocketbook

Put the key in your handbag.

pocket

Положи́те авторучку в карма́н руба́шки.	Put the pen in your shirt pocket.
спря́тать (pfv I)	to hide, conceal
Я спря́чу ключ в я́щик.	I'll hide the key in the drawer.
ста́вить (II)	to put (in standing position)
Не ста́вьте стака́н на́ пол!	Don't put your glass on the floor.
пошути́ть (pfv II)	to joke; to play (or pull) a joke
Я пошути́л.	I was joking.
исчеза́ть (I) [iščizáṭ]	to disappear, vanish
Куда́ он исчеза́ет по суббо́там?	Where does he disappear [to] on Saturdays?
повезти́ (pfv I) (like везти́)	to take (or carry) (by vehicle)
Я вас повезу́ за́ город по́сле обе́да.	I'll drive you to the country this afternoon.
у (plus gen) боли́т	to have an ache (or pain)
У меня́ боли́т голова́.	I have a headache.
У меня́ боле́ла голова́.	I had a headache.

На самолёте

И. И. — Ива́н Ива́нович   Б. — Бортпроводни́ца

И.И. 1 Ка́жется, чего́-то не хвата́ет. Бума́жник есть, чемода́нчик я на́ пол поста́вил. Ага́, па́пки нет.

Б. 2 Что́ вы и́щете, граждани́н? Вы что́-нибудь потеря́ли?

И.И. 3 Да́. Я не ви́жу свое́й па́пки.

Б. 4 А куда́ вы её положи́ли?

И.И. 5 У себя́ над голово́й, ря́дом со шля́пой. Неуже́ли укра́ли?

Б. 6 Да что вы! Кто́ же бу́дет красть каку́ю-то па́пку?

И.И. 7 А шпио́ны? Я, коне́чно, шучу́. Но про́сто не понима́ю, куда́ э́та па́пка исче́зла?

Б. 8 Она́, вероя́тно, упа́ла за ва́ше сиде́нье. Та́к и есть: вот она́. Вот ви́дите, никто́ её не крал.

И.И. 9 Благодарю́ вас.[1] А я в са́мом де́ле на́чал беспоко́иться — я в э́той па́пке везу́ дово́льно ва́жные бума́ги.

Б. 10 В друго́й ра́з бу́дьте осторо́жнее! Клади́те таки́е ве́щи в портфе́ль и́ли пря́чьте в чемода́н.[2]

И.И. 11 Да я всегда́ пря́чу, но сего́дня почему́-то э́того не сде́лал.

NOTES   [1] The expression **благодарю́ ва́с**, which was considered overly polite and old-fashioned for many years after the Revolution, is now coming back into vogue. Party members and young Communists are encouraged to be polite and use this expression.

[2] Notice here that the accusative case follows the preposition **в** when used with the verbs **класть** to put and **пря́тать** to hide. Correspondingly, in a question, **куда́** (rather than **где́**) is used for where: **Куда́ ты́ спря́тал клю́ч?** Where did you hide the key?

Basic sentence patterns

1. До аэропо́рта ну́жно е́хать почти́ ча́с.   It takes almost an hour to drive to the airport.
     _____ о́коло ча́са.   _____ about an hour _____.
     _____ полчаса́.   _____ half an hour _____.
     _____ со́рок пя́ть   _____ forty-five minutes _____.
               мину́т.
     _____ бо́льше ча́са.   _____ more than an hour _____.
     _____ два́ часа́.[1]   _____ two hours _____.

2. Когда́ отправля́ется ва́ш самолёт?   When does your plane depart?
     — В де́сять два́дцать.   At 10:20.
     — В оди́ннадцать.   At 11:00.
     — В двена́дцать.   At 12:00.
     — В ча́с.   At 1:00.
     — Без че́тверти два́.   At a quarter to two.

3. Когда́ вы́ отправля́етесь в   When do you leave for the assignment?
               командиро́вку?
     _____ они́ отправля́ются _____?   _____ they leave _____?
     _____ ты́ отправля́ешься _____?   _____ you leave _____?

4. Ско́лько вре́мени по ва́шим часа́м?   What time is it by your watch?
     — Ро́вно ча́с.   Exactly one o'clock.
     — Без че́тверти два́.   A quarter to two.
     — Пя́ть часо́в.   Five o'clock.

5. Мои́ часы́ отстаю́т на пя́ть мину́т.   My watch is five minutes slow.
     _____ спеша́т _____.   _____ fast.
     _____ иду́т пра́вильно.   _____ correct (or right).
     _____ иду́т непра́вильно.   _____ wrong.

6. Я́ уезжа́ю на ме́сяц.   I'm leaving for a month.
    Я́ та́м жи́л це́лый ме́сяц.   I lived there for a whole month.
    Я́ вы́йду на пя́ть мину́т.   I'll step out for five minutes.
    Я́ подожда́л пя́ть мину́т.   I waited for five minutes.

7. Мы́ ча́сто быва́ем в колхо́зе у родны́х.   We frequently visit our folks at the kolkhoz.
    Вы́ ча́сто быва́ете в клу́бе?   Do you often visit the club?

8. Что́ сего́дня на за́втрак?   What's for breakfast today?
     — Не зна́ю, говоря́т что́-то вку́сное.   I don't know; they say it's something tasty.
    Что́ бы́ло на за́втрак?   What was for breakfast?
     — Кака́я-то ка́ша.   Some kind of kasha.

9. Куда́ поста́вить ва́ш чемода́н?   Where should I put your suitcase?
     — Куда́-нибудь на́ пол.   Anywhere on the floor.
    Где́ мы́ поза́втракаем?   Where shall we eat breakfast?
     — Где́-нибудь в рестора́не.   In a restaurant somewhere.
    Кто́ на́м пока́жет доро́гу?   Who's going to show us the way?
     — Кто́-нибудь из э́того села́.   Someone from this village.

---

[1] Note that the genitive singular of **ча́с** has two possible stresses. After two, three, and four, the stress is on the ending: **два́ (три́, четы́ре) часа́**; otherwise, it is on the stem: **о́коло ча́са** *about an hour, about one o'clock*, **ме́ньше ча́са** *less than an hour.*

10. Кто́ ко мне́ приходи́л?

— Кто́-то из бюро́.

Где́ о́н жи́л?

— Где́-то за́ городом.

О́ля придёт?

— Не́т, она́ почему́-то не хо́чет.

Заче́м о́н берёт чемода́н?

— Зна́чит о́н ему́ заче́м-то ну́жен.

11. Не пря́чь от меня́ ничего́.

— Я́ не пря́чу.

Спря́чьте э́то куда́-нибудь.

— Я́ сейча́с спря́чу.

Куда́ ты́ всегда́ пря́чешь во́дку?

— Я́ её не пря́чу, она́ всегда́ стои́т в буфе́те.

12. Куда́ исче́з Никола́й?

— О́н лежи́т, у него́ боли́т голова́.

Куда́ исче́зла во́дка?

— Её кто́-то вы́пил.

Куда́ исче́зли ва́ши бра́тья?

— Они́ пошли́ за пи́вом и заку́сками.

13. Вы́ не заку́сите с на́ми?

— Благодарю́ ва́с, я́ тороплю́сь на самолёт.

— Я́ закушу́ где́-нибудь по доро́ге.

14. Сове́тую ва́м узна́ть расписа́ние в спра́вочном бюро́.

— Та́м виси́т объявле́ние, что бюро́ закры́то.

15. У меня́ никогда́ не хвата́ло вре́мени.

Е́сли у ва́с не бу́дет хвата́ть де́нег, обраща́йтесь ко мне́.

16. Обяза́тельно прове́рь у него́ докуме́нты.

— Коне́чно, прове́рю.

Вы́ прове́рили его́ бага́ж?

— Не́т, сейча́с прове́рим.

17. За́втрак оказа́лся о́чень вку́сным.

Оказа́лось, что самолёт уже́ улете́л.

18. Вы́ о нём не беспоко́йтесь!

— Я́ не беспоко́юсь.

Вы́ о ни́х не беспоко́йтесь!

— Мы́ не беспоко́имся.

19. О́н спря́тал что́-то в карма́н.

Она́ спря́тала ――― в су́мочку.

20. У меня́ укра́ли бума́жник.

Ту́т ча́сто краду́т ве́щи.

У меня́ э́тот па́рень укра́л часы́.

О́н уже́ не в пе́рвый ра́з крадёт.

Who came to see me?

Somebody from the office.

Where did he live?

Somewhere out of town.

Is Olya coming?

No, she doesn't want to for some reason.

What is he taking the suitcase for?

It means he needs it for some purpose or other.

Don't hide anything from me.

I'm not.

Hide this somewhere or other.

I'll hide it right away.

Where do you always hide the vodka?

I don't hide it; it's always in the sideboard.

Where did Nikolay disappear to?

He's lying down; he has a headache.

Where did the vodka disappear to?

Somebody drank it.

Where did your brothers disappear to?

They've gone to get beer and snacks.

Won't you have a bite with us?

Thanks, [but] I'm hurrying to catch a plane.

I'll have a bite somewhere along the way.

I advise you to find out the schedule at the information desk.

There's a notice posted there [saying] that the office is closed.

I never had enough time.

If you don't have enough money, come to me.

Be sure and check his documents.

I'll check them, of course.

Did you inspect his baggage?

No, we'll do it right away.

Breakfast proved to be very good.

It turned out the plane had already left.

Don't you worry about him!

I don't.

Don't you worry about them!

We don't.

He hid something in his pocket.

She ―――――― her purse.

My wallet was stolen.

Things are often stolen here.

That fellow stole my watch.

This isn't the first time he's stolen.

21. Я́ кладу́ в ча́й са́хар.

I'm putting sugar in my tea.

— Ты́ кладёшь сли́шком мно́го са́хару.

You're putting [in] too much sugar.

Pronunciation practice: review of assimilated clusters beginning with the letters с and з

A. с+с=long c   versus   с+з=long з

[ssóṇij] с Со́ней   [zzónəj] с зо́ной
with Sonya   with a zone
[ss̬évəm] с се́вом   [z̬z̬évəm] с зе́вом
with the sowing   with a pharynx

B. з+с=long c   versus   з+з=long з

[issálə] из са́ла   [izzálə] из за́ла
from fat   from a hall
[iss̬éṃiṇi] из се́мени   [iz̬z̬éḷiṇi] из зе́лени
from the seed   from greens

C. с+з=long з   versus   с+ж=long ж

[z̬z̬imój] с зимо́й   [žžinój] с жено́й
with winter   with the wife
[zzáḍi] сза́ди   [žžábəj] с жа́бой
from behind   with a frog

STRUCTURE AND DRILLS

The indefinite pronouns: кто́-то and кто́-нибудь; что́-то and что́-нибудь

MODELS

Кто́-то пришёл.   *Someone's* come.
Кто́-то стучи́т.   *Somebody's* knocking.
Кто́-то укра́л мо́й чемода́н.   *Somebody's* stolen my suitcase.
Вы́ кого́-нибудь здесь зна́ете?   Do you know *anybody* here?

Кто́-нибудь звони́л?   Did *anyone* call?
— Да́, кто́-то из Москвы́.   Yes, *someone* from Moscow.

Она́ с ке́м-нибудь говори́ла?   Did she talk with *anyone*?
— Да́, с ке́м-то из горсове́та.   Yes, with *somebody* from the gorsovet.

Они́ кому́-нибудь э́то пока́зывали? Did they show this to *anybody*?
— Да́, кому́-то из пединститу́та. Yes, to *someone* from the pedagogical institute.

Она́ о ко́м-нибудь писа́ла?   Did she write about *anyone*?
— Да́, о ко́м-то из ву́за.   Yes, about *somebody* from college.

Я хотéл вáм **чтó-то** предложи́ть.

А ты́, Тáня, нашлá **чтó-нибудь**?

Давáйте зайдём в буфéт **чегó-нибудь** закуси́ть.

Онá **чтó-нибудь** купи́ла?

— Дá, **чтó-то** интерéсное.

Онá **чегó-нибудь** вы́пила?

— Дá, **чегó-то** холóдного.

Они́ говори́ли о **чём-нибудь** интерéсном?

— Дá, кáжется, о **чём-то** óчень интерéсном.

I wanted to suggest *something* to you.

Tanya, did you find *anything*?

Let's stop in at the snack bar and have a bite of *something or other*.

Did she buy *anything*?

Yes, *something* interesting.

Did she drink *anything*?

Yes, *something* cold.

Did they talk about *anything* interesting?

Yes, about *something* very interesting, it seems.

■ REPETITION DRILL

Repeat the given models, noting that **ктó-нибудь** and **чтó-нибудь** are very indefinite and are most likely to be used in questions, commands, or statements expressed in the present or future. **Ктó-то** and **чтó-то**, on the other hand, are definite but not identified, and are most apt to be used in statements expressed in the past or present.

■ STRUCTURE REPLACEMENT DRILLS

1. *He's afraid of somebody.*
   Is he afraid of anybody?
   Óн когó-то бои́тся.
   Óн когó-нибудь бои́тся?
   Óн когó-то пригласи́л.
   Óн комý-то э́то сказáл.
   Óн комý-то писáл.
   Óн о кóм-то говори́л.
   Óн о кóм-то писáл.
   Óн с кéм-то говори́л.
   Óн с кéм-то познакóмился.

2. *She bought something.*
   Did she buy anything?
   Онá чтó-то купи́ла.
   Онá чтó-нибудь купи́ла?
   Онá чéм-то занимáется.
   Онá чемý-то ýчится.
   Онá о чём-то говори́ла.
   Онá чегó-то боя́лась.
   Онá чтó-то ви́дела.
   Онá чтó-то спря́тала.
   Онá чтó-то вы́пила.
   Онá на чтó-то надéялась.

■ QUESTION-ANSWER DRILLS

1. *Was anyone there?*
   Yes, somebody was.
   Ктó-нибудь бы́л там?
   Дá, ктó-то бы́л.
   Ктó-нибудь звони́л?
   Ктó-нибудь пришёл?
   Ктó-нибудь приéхал?
   Ктó-нибудь её провожáл?
   Ктó-нибудь её встречáл?
   Ктó-нибудь её повёз?
   Ктó-нибудь пéл?

2. *Is he afraid of anything?*
   Yes, he's afraid of something.
   Óн чегó-нибудь бои́тся?
   Дá, óн чегó-то бои́тся.
   Óн о чём-нибудь беспокóится?
   Óн чтó-нибудь говори́л?
   Óн чтó-нибудь купи́л?
   Óн чéм-нибудь бóлен?
   Óн чéм-нибудь интересýется?
   Óн чéм-нибудь зáнят?

■ STRUCTURE REPLACEMENT DRILLS

1. *The folder disappeared.*
   Something disappeared.
   Па́пка исче́зла.
   Что́-то исче́зло.
   Тётя исче́зла.
   Кто́-то исче́з.
   (де́ньги, де́ти, бума́жник,
   ро́дственники, бума́га, он)

2. *A suitcase is missing.*
   Something is missing.
   Не хвата́ет чемода́на.
   Чего́-то не хвата́ет.
   Не хвата́ет О́ли.
   Кого́-то не хвата́ет.
   (ло́жек, секретаря́, деревя́нной ло́жки,
   убо́рщицы, си́ней руба́шки)

3. *Does he need the secretary?*
   Does he need anyone?
   Ему́ ну́жен секрета́рь?
   Ему́ кто́-нибудь ну́жен?
   Ему́ ну́жен сто́л?
   Ему́ что́-нибудь ну́жно?
   (па́пка, помо́щник дире́ктора, бума́ги,
   а́тлас, дире́ктор)

4. *Is she interested in music?*
   Is she interested in anything?
   Она́ интересу́ется му́зыкой?
   Она́ че́м-нибудь интересу́ется?
   Она́ интересу́ется Ви́тей?
   Она́ ке́м-нибудь интересу́ется?
   (стиха́ми, учи́телем, рабо́той,
   инжене́ром, фи́зикой, джа́зом,
   до́ктором, пе́нием)

■ QUESTION-ANSWER DRILLS

1. *Who was that?*
   Someone from the office.
   Кто́ э́то бы́л?
   Кто́-то из бюро́.
   Кому́ о́н позвони́л?
   Кому́-то из бюро́.
   О ком он говори́л?
   С кем он прие́хал?
   У кого́ он бы́л?
   Кого́ он ви́дел?
   О ком он спра́шивал?
   Кого́ он пригласи́л?
   Кем он интересу́ется?

2. *Did he bring anything?*
   Yes, he brought something.
   О́н что́-нибудь принёс?
   Да́, о́н что́-то принёс.
   О́н что́-нибудь сказа́л?
   Да́, о́н что́-то сказа́л.
   Он с чем-нибудь не согла́сен?
   Он о чём-нибудь проси́л?
   Он чего́-нибудь бои́тся?
   Она чем-нибудь недово́льна?
   Она что-нибудь пе́ла?

■ RESPONSE DRILLS

1. *Someone's come.*
   Probably somebody from the office.
   Кто́-то пришёл.
   Наве́рно, кто́-нибудь из бюро́.
   О́н о ко́м-то спра́шивал.
   Наве́рно, о ко́м-нибудь из бюро́.
   О́н с ке́м-то говори́л.
   О́н кого́-то слу́шал.
   О́н кому́-то звони́л.
   О́н к кому́-то ходи́л.
   О́н с ке́м-то игра́л в ка́рты.
   О́н о ко́м-то писа́л.

2. *He's writing something.*
   Probably something interesting.
   О́н что́-то пи́шет.
   Наве́рно, что́-нибудь интере́сное.
   О́н о чём-то ду́мает.
   Наве́рно, о чём-нибудь интере́сном.
   О́н чём-то занима́ется.
   О́н что́-то пря́чет.
   О́н о чём-то говори́т.
   О́н над че́м-то рабо́тает.
   О́н что́-то у́чит.
   О́н чему́-то у́чится.

The indefinite pronouns are formed by adding the unstressed particles –нибудь and –то to the interrogatives кто́ and что́. Their declension is exactly like that of кто́ and что́.

	someone, somebody, anybody	someone, somebody	something, anything	something
NOM	кто́-нибудь	кто́-то	что́-нибудь	что́-то
ACC	(like gen)	(like gen)	(like nom)	(like nom)
GEN	кого́-нибудь	кого́-то	чего́-нибудь	чего́-то
PREP	о ко́м-нибудь	о ко́м-то	о чём-нибудь	о чём-то
DAT	кому́-нибудь	кому́-то	чему́-нибудь	чему́-то
INSTR	ке́м-нибудь	ке́м-то	че́м-нибудь	че́м-то

The particle –нибудь is always used for that which is indefinite, –то for that which is definite but unspecified or not yet defined.

As a general rule, the student should use –нибудь forms in questions, commands, and statements expressed in the future and –то forms in statements expressed in the past.

Compare Кто́-нибудь звони́л?   Did anyone (at all) call?
         Да́йте ему́ чего́-нибудь вы́пить.   Give him something to drink.
         Купи́те ей что́-нибудь недорого́е.   Buy her something (or other) inexpensive.
         Кто́-нибудь, наве́рно, принесёт вина́.   Someone will probably bring wine.

with   Кто́-то звони́л.   Somebody telephoned.
         О́н что́-то говори́л об уро́ке.   He was saying something about the lesson.
         Она́ чего́-то боя́лась.   She was afraid of something.

In present statements, forms with –то are more common, although those with –нибудь can be used if repeated action is described.

Compare Кто́-то стучи́т.   Somebody's knocking.
         Она́ кого́-то бои́тся.   She's afraid of somebody.
         К на́м кто́-то идёт.   Somebody's coming to see us.
         За э́тим столо́м кто́-то сиди́т.   Someone's sitting at that table.

with   По суббо́там к на́м всегда́   On Saturday somebody (or other) always comes
         кто́-нибудь прихо́дит.   to see us.
         За э́тим столо́м всегда́ кто́-нибудь   There's always someone sitting at that table.
         сиди́т.
         Она́ обы́чно покупа́ет что́-нибудь   She usually buys something interesting.
         интере́сное.

Other forms with the unstressed particles -нибудь and -то

Indefinite adverbs and adjectival modifiers are also formed by adding the unstressed particles –нибудь and –то to interrogatives.

где	where	где-нибудь	anywhere, some-where	где-то	somewhere
куда	where (to)	куда-нибудь	(to) anywhere, somewhere	куда-то	(to) somewhere
когда	when	когда-нибудь	sometimes, at any time, ever	когда-то	at one time, once
как	how	как-нибудь	in any way, somehow	как-то	in some way, somehow
почему	why	почему-нибудь	for any reason	почему-то	for some reason
какой	what (sort of)	какой-нибудь	a, any (sort of), some (kind of)	какой-то	some (kind of), a (certain), one
чей	whose	чей-нибудь	anyone (some-one) else's	чей-то	someone, (somebody) else's

MODELS

Он будет **где-нибудь** преподавать?
— Да, **где-то** в школе в Киеве.

Will he be teaching *somewhere*?
Yes, *somewhere* in a school in Kiev.

Они **куда-нибудь** едут?
— Да, **куда-то** за город.

Are they going *anywhere* (or *somewhere*)?
Yes, *somewhere* out of town.

Заходите к нам **когда-нибудь**.
Вы **когда-нибудь** были в Киеве?
— Да, был **когда-то** давно.

Come and see us *sometime*.
Have you *ever* been to Kiev?
Yes, *once* long ago.

Он должен **как-нибудь** достать денег.
Он **как-то** достал денег.

He must get some money *somehow or other*.
He got some money *somehow*.

Если вы **почему-нибудь** не сможете прийти,
то позвоните.

If for *any* reason you can't come, then call.

Он **почему-то** не пришёл.

For *some* reason he didn't come.

Мне нужен **какой-нибудь** стол.
— В соседней комнате есть **какой-то** стол.

I need a table of *some sort*.
There's *some sort* of table in the next room.

Я возьму **чью-нибудь** книгу по истории.
Он по ошибке взял **чью-то** книгу.

I'll borrow *somebody's* history book.
He took *somebody's* book by mistake.

■ REPETITION DRILL

Repeat the given models noting that in the various adverbial and adjectival forms with the unstressed particles –нибудь and –то, the pattern of usage is the same as for the indefinite pronouns; –нибудь forms are mostly used in questions, commands, and future constructions, while –то forms are mostly used in past and present tense constructions.

■ EXPANSION DRILLS

1. *He went away.*
   He went somewhere.
   Он уехал.
   Он куда-то уехал.
   Он учится.
   Он где-то учится.
   (позвонил, работает, улетел,
   преподаёт, спешит, закусил, торопится)

2. *There's an application lying here.*
   There's somebody's application lying here.
   Здесь лежит заявление.
   Здесь лежит чьё-то заявление.
   Здесь лежит шляпа.
   Здесь лежит чья-то шляпа.
   (письмо, бумаги, бумажник,
   авторучка, часы, папка, чемоданчик)

1. *When are you going to do it?*
   Don't worry, I'll do it sometime or other.
   Когда́ ты́ э́то сде́лаешь?
   Не беспоко́йся, когда́-нибудь сде́лаю.
   Куда́ ты́ пойдёшь?
   Не беспоко́йся, куда́-нибудь пойду́.
   Ка́к ты́ доста́нешь разреше́ние?
   Где́ ты́ поза́втракаешь?
   Когда́ ты́ ко́нчишь?
   Куда́ ты́ обрати́шься?
   Ка́к ты́ пое́дешь?

2. *Are they setting out for somewhere?*
   Yes, they're setting out for some place.
   Они́ куда́-нибудь отправля́ются?
   Да́, куда́-то отправля́ются.
   Они́ где́-нибудь устро́ились?
   Да́, где́-то устро́ились.
   Они́ куда́-нибудь торо́пятся?
   Они́ когда́-нибудь та́м бы́ли?
   Они́ ка́к-нибудь договори́лись?
   Они́ куда́-нибудь летя́т?
   Они́ че́м-нибудь недово́льны?

■ PATTERNED RESPONSE DRILLS

1. *He can take anybody's pen.*
   He's already taken somebody's.
   О́н мо́жет взя́ть чью́-нибудь ру́чку.
   О́н уже́ чью́-то взя́л.
   О́н мо́жет писа́ть каки́м-нибудь
   карандашо́м.
   О́н уже́ каки́м-то пи́шет.
   О́н мо́жет доста́ть где́-нибудь бума́ги.
   О́н мо́жет узна́ть ка́к-нибудь расписа́ние.
   О́н мо́жет устро́иться ка́к-нибудь на
   рабо́ту.
   О́н мо́жет принести́ чьё-нибудь
   заявле́ние.
   О́н мо́жет посмотре́ть в како́м-нибудь
   словаре́.

2. *My brother went to Moscow.*
   I'll go somewhere or other, too.
   Бра́т пое́хал в Москву́.
   Я́ то́же куда́-нибудь пое́ду.
   Бра́т написа́л интере́сный о́черк.
   Я́ то́же напишу́ како́й-нибудь о́черк.
   Бра́т встре́тил интере́сную де́вушку.
   Бра́т устро́ился на мясокомбина́т.
   Бра́т познако́мился с краси́вой де́вушкой.
   Бра́т купи́л интере́сные пласти́нки.
   Бра́т купи́л чёрное пи́во.
   Бра́т бу́дет рабо́тать на ста́нции.
   Бра́т бу́дет пе́ть наро́дные пе́сни.

DISCUSSION

Particular attention should be paid to **како́й-то** and **како́й-нибудь**. They are often used in Russian where English uses the indefinite article *a* or *an* in the sense of *a certain* or *some*.

На углу́ стоя́л **како́й-то** челове́к.   There was *a* (or *some*) man standing on the corner.
Ва́м **како́е-то** письмо́.   There's *a* letter for you (*or* There's *some sort of* letter for you.

Э́то рабо́та для **како́го-нибудь**   This is a job for *a* (or *some*) working man, not for a
рабо́чего, а не для профе́ссора.   professor.

Note also that **како́й-то** may be used with adjectives in the same way as English *sort of*, *kind of*.

О́н **како́й-то** безду́шный.   He's *kind of* unfeeling.

Prepositions за and под: the accusative versus the instrumental

MODELS

Поста́вьте маши́ну **за общежи́тие**.   Park the car *behind the dormitory.*
Маши́на стоя́ла **за общежи́тием**.   The car was parked (*or* standing) *behind the dormitory.*

Я поста́вил ведро́ **за две́рь.**	I put the bucket *behind the door.*
Ведро́ стоя́ло **за две́рью.**	The bucket was standing *behind the door.*
Ста́нем **под де́рево.**	Let's get *under a tree.*
Не сто́йте **под де́ревом!**	Don't stand *under a tree!*
Я поста́вил чемода́н **под сту́л.**	I put the suitcase *under the chair.*
Ва́ш чемода́н **под сту́лом.**	Your suitcase is *under the chair.*
Я поста́вил маши́ну **за́ угол.**	I parked the car *around* (lit. *behind*) *the corner.*
Маши́на стоя́ла **за угло́м.**	The car was parked *around the corner.*

■ REPETITION DRILL

Repeat the given models, noting that with both **под** and **за,** the instrumental case is used in locational (**гдé**) constructions, and the accusative case in destinational (**куда́**) constructions.

■ STRUCTURE REPLACEMENT DRILLS

1. *The [hand]kerchief fell off the table.*
   The [hand]kerchief is under the table.
   Плато́к упа́л со стола́.
   Плато́к лежи́т под столо́м.
   (с полки, с окна, со шкафа, со стула,
   с лестницы, с буфета, с машины)

2. *I parked the car behind the house.*
   The car's parked behind the house.
   Я поста́вил маши́ну за до́м.
   Маши́на стои́т за до́мом.
   (за общежи́тие, за кио́ск, за це́рковь,
   за избу́, за зда́ние, за комиссио́нный
   магази́н, за ста́нцию)

■ SUBJECT REVERSAL DRILLS

1. *Our house is beyond the lake.*
   The lake's beyond our house.
   На́ш до́м за о́зером.
   О́зеро за на́шим до́мом.
   Две́рь за шка́фом.
   Карти́на за па́пкой.
   Телефо́н за по́лками.
   Магази́н за теа́тром.
   Село́ за ле́сом.
   Лаборато́рия за библиоте́кой.
   Кио́ск за гости́ницей.
   Дере́вья за зда́нием.

2. *The notebooks were lying under the atlas.*
   The atlas was lying under the notebooks.
   Тетра́ди лежа́ли под а́тласом.
   А́тлас лежа́л под тетра́дями.
   Ка́мень лежа́л под ли́стьями.
   Коро́бка лежа́ла под словарём.
   Па́пка лежа́ла под портфе́лем.
   Но́ж лежа́л под бума́гами.
   Биле́т лежа́л под ка́ртой.
   Салфе́тки лежа́ли под па́пкой.
   Письмо́ лежа́ло под карти́ной.

DISCUSSION

Both **за** *behind, beyond* and **под** *under* are used with the accusative in answer to **куда́,** that is, where a change in position is involved:

Куда́ упа́л но́ж?	Where did the knife fall?
— Но́ж упа́л за буфе́т.	The knife fell behind the sideboard.
— Но́ж упа́л под буфе́т.	The knife fell under the sideboard.

When no change in position is involved, that is, in answer to the question **гдé,** the instrumental accompanies **за** and **под:**

Где был нож?	Where was the knife?
— Нож был за буфетом.	The knife was behind the sideboard.
— Нож был под буфетом.	The knife was under the sideboard.

The same contrast is observed in certain stereotyped expressions using **за**:

Compare	Садитесь **за стол.** (acc)	Sit down at the table.
with	Мы сидели **за столом.** (instr)	We were sitting at the table.
Compare	Я поставил машину **за угол.** (acc)	I parked the car around the corner.
with	Машина стоит **за углом.** (instr)	The car is parked around the corner.
Compare	Поедем **за город.** (acc)	Let's drive out of town.
with	Мы были **за городом.** (instr)	We were out of town.

Note that the stress sometimes shifts from the noun to the preposition: **за город** [zágərət], **за городом** [zágərədəm], **за угол** [záugəl].

Closed-stem verbs: verbs with infinitives ending in -сть, -сти, -зть, -зти, and -чь

Verbs whose basic stem ends in a consonant and which do not contain a linking vowel before the infinitive suffix are called "closed-stem" verbs. These are verbs with infinitives ending in –сть, –сти, –зть, –зти, and –чь. All belong to the first conjugation and are regular in the present and the future, but show certain special features in their past tense and infinitive. They belong to three main groups:

1. Verbs which lose the д of the stem throughout the past tense and replace it with с in the infinitive:

INFINITIVE	PAST	PRESENT-FUTURE	IMPERATIVE
класть (ipfv)	клал, –а, –о, –и	кладу, кладёшь	клади! кладите!
красть (ipfv)	крал, –а, –о, –и	краду, крадёшь	кради! крадите!
украсть (pfv)	украл, –а, –о, –и	украду, украдёшь	укради! украдите!
упасть (pfv)	упал, –а, –о, –и	упаду, упадёшь	упади! упадите!
пропасть (pfv)	пропал, –а, –о, –и	пропаду, пропадёшь	пропади! пропадите!

2. Verbs which lose the л in the masculine past tense form. Note particularly **расти**, which is spelled with the stem vowel **o** in the past tense and **a** in all other forms:

INFINITIVE	PAST	PRESENT-FUTURE	IMPERATIVE
расти (ipfv)	рос, росла, –ло, –ли	расту, растёшь	расти! растите!
принести (pfv)	принёс, принесла, –ло, –ли	принесу, принесёшь	принеси! принесите!
везти (ipfv)	вёз, везла, –ло, ли	везу, везёшь	вези! везите!
повезти (pfv)	повёз, повезла, –ло, –ли	повезу, повезёшь	повези! повезите!
ползти (ipfv)	полз, ползла, –ло, –ли	ползу, ползёшь	ползи! ползите!

3. Verbs which lose the л in the masculine past tense form, and have infinitives ending in –чь:

INFINITIVE	PAST	PRESENT-FUTURE	IMPERATIVE
печь (ipfv)	пёк, пекла, пекли	пеку, печёшь, пекут	пеки! пеките!
испечь (pfv)	испёк, испекла, испекли	испеку, испечёшь, испекут	испеки! испеките!
помочь (pfv)	помог, помогла, помогли	помогу, поможешь, помогут	помоги! помогите!

MODELS

Не клади́ туда́ руба́шек!	Don't put the shirts there!
Она́ и́х кладёт сюда́ в шка́ф.	She puts them here in the cupboard.
Она́ кла́ла руба́шки в шка́ф.	She was putting the shirts in the cupboard.
О́н кла́л руба́шки на сту́л.	He was putting the shirts on a chair.
Она́ не хо́чет и́х кла́сть туда́.	She doesn't want to put them there.
Кто́ ва́с повезёт на аэропо́рт?	Who'll take you to the airport?
Она́ на́с повезла́ —————.	She took us —————.
О́н на́с повёз —————.	He took us —————.
Я́ до́лжен и́х повезти́ ———.	I have to take them ———.
Я́ принесу́ ва́м стака́н молока́.	I'll bring you a glass of milk.
Принеси́те мне́ —————.	Bring me —————.
Она́ мне́ принесла́ ———.	She brought me ———.
О́н мне́ принёс —————.	He brought me ———.
Ва́м принести́ стака́н молока́?	Can I bring you a glass of milk?
Испеки́те пиро́г с гриба́ми.	Bake a mushroom pirog.
Я́ испеку́ —————.	I'll bake —————.
Она́ испекла́ —————.	She baked —————.
О́н испёк —————.	He baked —————.
Я́ собира́юсь испе́чь ———.	I plan to bake ———.

■ REPETITION DRILL

Repeat the given models, noting that verbs which pattern like **повезти́**, **принести́**, and **испе́чь** lose the past tense suffix л in the masculine form only, whereas verbs which pattern like **кла́сть** and **кра́сть** retain the л in *all* past forms, but lose their final stem consonant, д, in all these forms.

■ TRANSFORMATION DRILLS

1. *He's putting the money in his pocket.*
   He was putting the money in his pocket.
   О́н кладёт де́ньги в карма́н.
   О́н кла́л де́ньги в карма́н.
   (мы, Нина, они, сестра, вы, брат, Валя)

2. *We'll take all the luggage.*
   We took all the luggage.
   Мы́ повезём ве́сь бага́ж.
   Мы́ повезли́ ве́сь бага́ж.
   (сын, жена, директор, носильщики, семья, соседи, инженер, бабушка)

3. *The tree is growing fast.*
   The tree was growing fast.
   Де́рево растёт бы́стро.
   Де́рево росло́ бы́стро.
   (ребёнок, дети, сын, дочь, деревья, гриб, трава, город)

■ STRUCTURE REPLACEMENT DRILL

Bake a pirog!
It's necessary to bake a pirog.
Испеки́ пиро́г!
На́до испе́чь пиро́г.
Вези́ чемода́ны!
На́до везти́ чемода́ны.

Укради́ кусо́к пирога́!
Помоги́ ему́!
Принеси́ и́м во́дки!
Повези́ её в го́род!
Клади́ дете́й спа́ть!
Ползи́ по земле́!

1. *Who stole the pirogs?*
   I don't know who could have stolen them.
   Ктó укрáл пирогѝ?
   Я не знáю, ктó их мóг укрáсть.
   Ктó принёс пирогѝ?
   Я не знáю, ктó их мóг принестѝ.
   (вёз, крáл, испёк, повёз, пёк, укрáл, принёс)

2. *Did she want to bring something?*
   Yes, but she didn't.
   Онá хотéла чтó-то принестѝ?
   Дá, но не принеслá.
   Онá хотéла чтó-то испéчь?
   Дá, но не испеклá.
   (укрáсть, печь, туда класть, принести, испечь)

3. *What did you have in the luggage compartment?*
   I was hauling materials in it.
   Чтó у тебя́ бы́ло в багáжнике?
   Я тáм вёз материáлы.
   Чтó у неё бы́ло в багáжнике?
   Онá тáм везлá материáлы.
   (у них, у неё, у вас, у него, у инженера, у студентов)

4. *Did you put the napkins on the table?*
   I'm just putting them on.
   Ты́ положи́л на стóл салфéтки?
   Я как рáз кладу́.
   Вы́ положи́ли на стóл салфéтки?
   Мы́ как рáз кладём.
   (он, ты, они, вы, мать, ты, он, вы)

DISCUSSION

Verbs with infinitives ending in –чь and those ending in –ть or –ти directly preceded by a consonant are called "closed-stem" verbs. They all belong to the first conjugation and are completely regular in the present-future and imperative.

In the formation of the past tense and the infinitive, however, they show a more complicated patterning than the majority of Russian verbs.

1. Verbs like пéчь and мóчь lose the к or г of their present-future stem in the infinitive and, instead of –ть, they take –чь. In the past tense they lose the suffix л in the masculine form. Compare пёк with пеклá, and мóг with моглá.

2. Verbs like принестѝ and повезтѝ also lose the suffix л in the masculine past tense form. Compare принёс with принеслá.

3. Verbs like клáсть and упáсть replace the д of the present-future stem with с in the infinitive. They lose the д altogether in the past tense, but retain the л in all forms of the past: упáл, упáла, упáло, упáли.

Telling time on the hour and at a quarter to the hour[1]

MODELS

Котóрый чáс?	What time is it?
— Ужé чáс.	It's already one.
_____ двá часá.	_____ two o'clock.
_____ трѝ _____.	_____ three _____.
_____ четы́ре _.	_____ four _____.
_____ пя́ть часóв.	_____ five _____.

---

[1] Telling time in Russian with minutes is rather complicated and will be treated in more detail in a later lesson. In this section only time on the hour and a quarter to the hour will be practiced.

Ско́лько вре́мени?	What time is it?
— Без че́тверти четы́ре.	A quarter to four.
_____ семь.	_____ seven.
_____ двена́дцать.	_____ twelve.
Во ско́лько вы́ уезжа́ете?	What time are you leaving?
— В ча́с.	At one.
— В два́ часа́.	At two o'clock.
— В четы́ре __.	At four _____.
— В шесть часо́в.	At six _____.
В кото́ром часу́ вы́ уе́дете?	At what time will you leave?
— В два́ часа́.	At two o'clock.
— Без че́тверти два́.	At a quarter to two.
— В пя́ть часо́в.	At five o'clock.
— Без че́тверти пя́ть.	At a quarter to five.
— В де́вять часо́в.	At nine o'clock.
— Без че́тверти де́вять.	At a quarter to nine.

■ REPETITION DRILL

Repeat the given models, noting that (as in English) the word for *hours* (*o'clock*) can usually be omitted in Russian.

■ CUED QUESTION-ANSWER DRILLS

1. (*one*) *What time is it by your watch?*
   According to my watch it's a quarter to one.
   (ча́с) Ско́лько вре́мени по ва́шим часа́м?
   По мои́м часа́м без че́тверти ча́с.
   (два́) Ско́лько вре́мени по ва́шим часа́м?
   По мои́м часа́м без че́тверти два́.
   (три, четыре, пять, шесть, семь, восемь)

2. (*eight*) *What time does the movie begin?*
   At eight sharp.
   (во́семь) В кото́ром часу́ нача́ло фи́льма?
   Ро́вно в во́семь.
   (де́вять) В кото́ром часу́ нача́ло фи́льма?
   Ро́вно в де́вять.
   (десять, одиннадцать, двенадцать, час, два, три)

■ QUESTION-ANSWER DRILLS

1. *What time could it be? Six?*
   No, it's already seven.
   Кото́рый мо́жет бы́ть ча́с? Ше́сть?
   Не́т, уже́ се́мь часо́в.
   Кото́рый мо́жет быть ча́с? Се́мь?
   Не́т, уже́ во́семь часо́в.
   (девять, десять, одиннадцать, двенадцать, час, два, три, четыре, пять)

2. *What time does the plane leave—at two?*
   No, at a quarter to two.
   Во ско́лько отправля́ется самолёт, в два́?
   Не́т, без че́тверти два́.
   Во ско́лько отправля́ется самолёт, в четы́ре?
   Не́т, без че́тверти четы́ре.
   (час, двенадцать, семь, три, пять)

1. *My watch says twelve sharp.*
   Mine says a quarter to twelve.
   На мои́х часа́х ро́вно двена́дцать.
   А на мои́х без че́тверти двена́дцать.
   На мои́х часа́х ро́вно три́.
   А на мои́х без че́тверти три́.
   (шесть, восемь, двенадцать,
   одиннадцать, девять, два)

2. *It's already two o'clock, it seems.*
   No, it's still only a quarter to two.
   Уже́, ка́жется, два́ часа́!
   Не́т, ещё то́лько без че́тверти два́.
   Уже́, ка́жется, три́ часа́!
   Не́т, ещё то́лько без че́тверти три́.
   (четыре, пять, шесть, семь, восемь)

DISCUSSION

In telling time informally one may omit the genitive forms **часа́** and **часо́в**, just as in informal English the word *o'clock* may be omitted:

в два́ [часа́], в четы́ре [часа́]   at two [o'clock], at four [o'clock]
в пя́ть [часо́в], в се́мь [часо́в]   at five [o'clock], at seven [o'clock]

Since **ча́с** alone is used for *one o'clock*, obviously it cannot be omitted there. In **без че́тверти** constructions, **часа́** and **часо́в** are not used.

Note that in constructions using **без**, the preposition **в** is not used for *at*. Thus **без че́тверти пя́ть** can mean both *a quarter to five* and *at a quarter to five* depending upon the context.

Compare   Уже́ **без че́тверти пя́ть.**   It's *a quarter to five* already.
            Я́ приду́ **без че́тверти пя́ть.**   I'll come *at a quarter to five.*

with   Уже́ **пя́ть часо́в.**   It's already *five o'clock.*
            Я́ приду́ **в пя́ть часо́в.**   I'll come *at five o'clock.*

Note the following expressions for indicating the accuracy of a watch or clock:

Часы́ на стене́ иду́т пра́вильно.   The clock on the wall is right.
_____ спеша́т.   _____ fast.
_____ спеша́т на две́ мину́ты.   _____ two minutes fast.
_____ отстаю́т.   _____ slow.
_____ отстаю́т на пя́ть мину́т. _____ five minutes slow.

ПОВТОРЕ́НИЕ

Когда́ самолёт бы́л уже́ в во́здухе, Ива́н Ива́нович реши́л прове́рить свои́ ве́щи. Э́то, коне́чно, немно́го по́здно, но лу́чше по́здно, чем никогда́. Каза́лось, что всё на ме́сте — бума́жник, чемода́нчик. Но у Ива́на Ива́новича всё-таки бы́ло чу́вство, что чего́-то не хвата́ет. Так и оказа́лось: не́ было па́пки с ва́жными бума́гами. Ива́н Ива́нович на́чал беспоко́иться. В э́то вре́мя пришла́ бортпроводни́ца, и они́ на́чали вме́сте иска́ть па́пку. Ива́н Ива́нович пошути́л, что па́пку, вероя́тно, укра́ли шпио́ны. Но, коне́чно, никто́ её и не ду́мал кра́сть: она́ оказа́лась на полу́, за его́ сиде́ньем.

— Зайдём в столо́вую, заку́сим.

— Так, зна́чит, Ви́тя, на пра́ктику е́дешь, в колхо́з?

— Да́. Что́ же де́лать, е́сли посыла́ют? Во́т жи́знь!

— А ра́зве плоха́я? Та́м све́жий во́здух, прия́тная рабо́та...

— Да́, ты́ во́т шу́тишь, а мне́ совсе́м неве́село. В голове́ таки́е чёрные мы́сли, про́сто жи́ть не хо́чется.

— Ну́, ничего́. Это ведь то́лько на два́ го́да.

— Да́, два́ го́да — э́то до́лго. Мно́гое мо́жет случи́ться. Ка́тя, наве́рно, за́муж вы́йдет.

— Ну не́т, твоя́ Ка́тя не така́я. Она́ бу́дет тебя́ жда́ть. По́мнишь стихи́ «Жди́ меня́, и я́ верну́сь»?

— Ту́т не стихи́, а сама́ жи́знь.

— Ну во́т, ты́ опя́ть о жи́зни говори́шь. Это уже́ стано́вится ску́чным.

— Ну́, хорошо́. Ты́ же понима́ешь, в чём де́ло.

— Да́, коне́чно. Зна́ешь, что́? Дава́й пойдём, вы́пьем. Когда́ у тебя́ чёрные мы́сли, во́дка — лу́чший вра́ч.

— Ты́ пра́в. Пойдём.

— Кири́лл, почему́ ты́ та́к ра́но верну́лся с рабо́ты? Сейча́с то́лько без че́тверти пя́ть. Что́-нибудь случи́лось?

— Не́т, не́т, всё в поря́дке. Про́сто немно́го боли́т голова́.

— «Немно́го»? У тебя́ тако́й плохо́й ви́д. Я́ тебе́ не ве́рю. Это, наве́рно, что́-нибудь серьёзное. Позвони́ть врачу́?

— Не́т, пожа́луйста, не беспоко́йся. Я́ немно́го полежу́, и всё бу́дет хорошо́.

— А́х, како́й ты́ невозмо́жный! Никогда́ меня́ не слу́шаешь: говори́ла я́ тебе́ сего́дня у́тром — возьми́ тёплую ша́пку. Не́т, ты́ взя́л свою́ ста́рую шля́пу. Мне́ давно́ на́до бы́ло её вы́бросить. На дворе́ зима́, хо́лодно. Во́т и результа́т.

— Ири́на, ми́лая, я́, пра́вда, совсе́м здоро́в. Принеси́ мне́ то́лько немно́го горя́чего ча́ю, и всё бу́дет в поря́дке.

PREPARATION FOR CONVERSATION

Поéдем ловúть ры́бу

ловúть (II), ловлю́, лóвишь, –ят	to catch
ловúть ры́бу	to fish, catch fish
Поéдем ловúть ры́бу!	Let's go fishing!
вставáть (I), встаю́, –ёшь, –ю́т	to get up, rise
Тóля, вставáй!	Tolya, get up!
выходнóй (*full form* выходнóй дéнь)	day off (usually Sunday)
У нáс сегóдня выходнóй.	It's our day off today.
рекá, –и́; рéки, рéк	river
Поéдем нá реку ры́бу ловúть?	Shall we go to the river to fish?
дóждь, дождя́ (m) [došč, dažžá]	rain
Конéчно. Тóлько ты́ не бойшься, что бу́дет дóждь?	Sure, but aren't you afraid it'll rain?
тýча	dark cloud, storm cloud
нéбо, –а (pl небесá, небéс)	sky
Вúдишь, какúе на нéбе тýчи.	See what dark clouds there are in the sky.
сóлнце [sóncə]	sun, sunshine
Бу́дет сóлнце.	There'll be sunshine *or* It'll be sunny.
передавáть (I) (*like* давáть)	to broadcast, announce, say; to hand over, pass
По рáдио передавáли, что бу́дет сóлнце.	They said on the radio it'd be sunny.
Вúжу, но по рáдио передавáли, что бу́дет сóлнце.	I see, but they said on the radio it'd be sunny.
предсказáние	prediction, forecast
Прáвда, э́тим предсказáниям тру́дно вéрить.	It's hard to believe those forecasts, it's true.
Всё равнó поéдем.	Let's go anyhow.
дышáть (II), дышу́, ды́шишь, –ат	to breathe
нéчем дышáть	[it's] impossible to breathe (*lit.* [there's] nothing to breathe)
В гóроде нéчем дышáть.	It's impossible to breathe in town.
пря́мо	just; straight, directly

◀ **Пáрк в Петродворцé.**

В го́роде пря́мо не́чем дыша́ть.	It's just impossible to breathe in town.
Где́ бу́дем лови́ть?	Where shall we fish?
мо́ст, –а́; –ы́, –о́в	bridge
во́зле (*plus* gen)	by, beside, next to, near
Во́зле моста́.	Beside the bridge.
На ста́ром ме́сте, во́зле моста́.	At the old place, beside the bridge.
пойма́ть (pfv of лови́ть), пойма́ю, –ешь	to catch
шту́ка	item, piece, thing; trick
не́сколько шту́к	several
Та́м Бори́с не́сколько шту́к пойма́л.	Boris caught several there.
на дня́х	the other day; one of these days
Та́м Бори́с на дня́х не́сколько шту́к пойма́л.	Boris caught several there the other day.
зави́довать (I) (*plus* dat)	to envy, be jealous of
Зави́дую ему́ — ка́ждый де́нь мо́жет ры́бу лови́ть.	I envy him—he can go fishing every day.
ему́ везёт	he's lucky
И вообще́ ему́ везёт.	He has all the luck *or* He's lucky all the way around.
да́ча	summer place, summer cottage
У ни́х своя́ да́ча.	They have their own summer cottage.
ло́дка	boat
У ни́х своя́ ло́дка.	They have their own boat.
и... и...	both . . . and . . .
И да́ча у ни́х своя́, и ло́дка.	They have both their own summer cottage and a boat.
И вообще́ ему́ везёт — и да́ча у ни́х своя́, и ло́дка.	He's just generally lucky. They have both their own summer cottage and a boat.
изве́стный [izɣésnij]	well-known, noted, famous
У него́ ведь оте́ц — изве́стный учёный.	After all, his father is a well-known scientist.
поня́тный	understandable, clear
Это поня́тно, у него́ ведь оте́ц — изве́стный учёный.	That's understandable; after all, his father is a well-known scientist.
И то́ пра́вда.	That's true, too.
Дава́й пригласи́м Бо́рю с собо́й.	Let's invite Borya to come along.
поката́ться (pfv I), поката́юсь, поката́ешься	to go for a ride
На его́ ло́дке смо́жем поката́ться.	We can go for a ride in his boat.
пое́сть (pfv) (*like* е́сть)	to eat
И возьмём чего́-нибудь пое́сть.	And let's take something or other to eat.
обяза́тельно	for sure, without fail
И обяза́тельно возьмём чего́-нибудь пое́сть.	And let's be sure and take something or other to eat.
умере́ть (pfv I) (past у́мер, –ло, –ли; умерла́; fut умру́, умрёшь, умру́т)	to die

го́лод	hunger, famine
умере́ть с го́лоду	to die of hunger, starve to death
Мы́ не умрём с го́лоду.	We won't starve to death (*or* die of hunger).
Да́же е́сли ры́бы не пойма́ем, то́ не умрём с го́лоду.	Then, even if we don't catch any fish, we won't die of hunger.
Пра́вильно.	That's right.
карто́шка	potatoes
Я́ возьму́ карто́шки.	I'll bring some potatoes.
бе́рег (pl берега́)	bank, shore, coast
на берегу́	on the bank, on the shore, on the coast
Я́ возьму́ карто́шки, бу́дем пе́чь на берегу́.	I'll bring some potatoes; we'll bake them on the bank.
А я́ хле́ба, ча́ю и са́хару.	And I'll bring some bread, tea, and sugar.
со́ль (f)	salt
Ну́ и со́ли, коне́чно.	And some salt, too, of course.

SUPPLEMENT

идёт (шёл) до́ждь	it is (it was) raining
Сего́дня идёт до́ждь.	It's raining today.
Вчера́ шёл до́ждь.	It rained yesterday.
сне́г (pl –а́)	snow
идёт (шёл) сне́г	it is (it was) snowing
Вчера́ ве́сь де́нь шёл сне́г.	It snowed all day yesterday.
е́сть (irreg) (past е́л, е́ла, е́ло, е́ли; pres е́м, е́шь, е́ст, еди́м, еди́те, едя́т; imper е́шь! е́шьте!)	to eat
Вы́ еди́те грибы́?	Do you eat mushrooms?
— Не́т, я́ не е́м грибо́в.	No, I don't eat mushrooms.
съе́сть (pfv) (*like* е́сть)	to eat up, finish eating
Она́ съе́ла ве́сь су́п.	She ate up all the soup.
Ту́т оста́лось немно́го пирога́.	There's some pirog left.
Съе́шьте его́, пожа́луйста.	Finish [eating] it, please.

Пое́дем лови́ть ры́бу

В. — Ви́тя   Т. — То́ля

В. 1 То́ля, встава́й! У на́с сего́дня выходно́й — пое́дем на́ реку ры́бу лови́ть?[1] [2]

Т. 2 Коне́чно. То́лько ты́ не бои́шься, что бу́дет до́ждь? Ви́дишь, каки́е на не́бе ту́чи.

В. 3 Ви́жу, но по ра́дио передава́ли, что бу́дет со́лнце. Пра́вда, э́тим предсказа́ниям тру́дно ве́рить.

Т. 4 Всё равно́ пое́дем, в го́роде пря́мо не́чем дыша́ть. Где́ бу́дем лови́ть?

В. 5 На ста́ром ме́сте, во́зле моста́. Та́м Бори́с на дня́х не́сколько шту́к пойма́л.

Т. 6 Завидую ему — каждый день может рыбу ловить.

В. 7 И вообще ему везёт — и дача у них своя, и лодка.[3]

Т. 8 Это понятно, у него ведь отец — известный учёный.

В. 9 И то правда. Давай пригласим Борю с собой. На его лодке сможем покататься.[4]

Т. 10 Хорошо. И обязательно возьмём чего-нибудь поесть. Даже если рыбы не поймаем, то не умрём с голоду.

В. 11 Правильно. Я возьму картошки, будем печь на берегу.[5]

Т. 12 А я хлеба, чаю и сахару.[6] Ну и соли, конечно.

NOTES

[1] **Выходной** (*full form* **выходной день**) *day off* is used by many speakers instead of the word **воскресенье**, since Sunday is the usual day off. A six-day work week is typical for workers and students in the Soviet Union.

[2] Note the shift of stress from noun to preposition in the phrase **на реку**. When stressed, the accusative singular of **река** is **реку**, with a shift of stress from the ending in all other forms of the singular to the stem in the accusative singular. A number of other **жена**-nouns follow the same pattern of stress shift: **рука** (accusative **руку**), **нога** (**ногу**), **вода** (**воду**), **зима** (**зиму**), **стена** (**стену**), **среда** (**среду**), **голова** (**голову**), **пора** (**пору**), **душа** (**душу**), and **земля** (**землю**).

[3] A **дача** is a place in the country, usually rented; often it is simply a room in a peasant cottage. One must be very successful to have his own **дача**, as is the case with Borya's father.

[4] The verb **кататься** (perfective **покататься**) is like **ездить** and **ехать** in that it describes going by some means other than walking, for example, **кататься на лодке** *to go boating*, and **кататься на машине** *to go driving*. It differs from **ездить** (**ехать**), however, in that it describes going purely for the fun of it, with no particular destination. It is mostly used in prepositional constructions or with **где**, whereas **ездить** (**ехать**) is generally used with **куда** and the accusative.

Compare	Где вы катались на лодке?	Where did you go boating?
	— На озере.	On the lake.
with	Куда вы едете?	Where are you going?
	— На озеро.	To the lake.

Thus **кататься** (**покататься**) corresponds to the "on foot" verb, **гулять** (**погулять**), which describes walking for pleasure (strolling) and is also used with **где** and the prepositional.

[5] When Russians go fishing they often bring along potatoes to bake in an open fire on the bank. **Картошка** may refer to a single potato or to more than one, depending upon the context. Note also the masculine noun **картофель**, which has the same meaning but is used less often in colloquial Russian.

[6] The forms **чаю** and **сахару** are alternate genitive singular forms, commonly used in spoken Russian instead of the regular genitive singular forms, **чая** and **сахара**, when a part of a larger amount is indicated, that is, *some tea, some sugar*.

поспо́рить (pfv II)
Поспо́рим!
жара́
Ну́ и жара́!

to argue, dispute; to bet, wager
Let's make a bet!
heat
Boy, it's hot!

вы́купаться (pfv I), вы́купаюсь, –ешься
хорошо́ бы
Хорошо́ бы вы́купаться!

to bathe, take a bath; go for a dip (or swim)
it'd be nice
It'd be nice to go for a dip!

Подожди́, посиди́м ещё немно́го.
пусто́й
сты́дно
Сты́дно идти́ наза́д с пусты́ми рука́ми.
Подожди́, посиди́м ещё немно́го, а то́ сты́дно идти́ наза́д с пусты́ми рука́ми.

Wait a while, let's sit [and fish] a little longer.
empty
ashamed, it's a shame
It'd be a shame to go back empty-handed.
Wait a while, let's fish a little longer; after all, it'd be a shame to go back empty-handed.

Ка́к с пусты́ми? У тебя́ во́н три́ ры́бы.

What do you mean, empty-handed? You have three fish over there.

всего́
Э́то я́ всего́ одну́ ры́бу пойма́л.

in all, altogether, only, a total of
I'm the one who's only caught one fish.

купа́ться (I)
Ребя́та, пойдём купа́ться!
хвати́ть (pfv II)
Ребя́та, хва́тит уже́, пойдём купа́ться.

to bathe, swim
Let's go swimming, fellows!
to have enough; to last
I've already had it, fellows; let's go swimming.

Ну́, ла́дно.

Well, O.K.

пры́гать (I), пры́гаю, –ешь
Бу́дем пры́гать с моста́.

to jump, leap
Let's jump from the bridge.

уме́ть (I)
Я́ ещё не о́чень хорошо́ уме́ю.

to know how, be able
I'm still not very good at it or I don't know how to do it very well yet.

учи́ть (II)
Я́ ещё не о́чень хорошо́ уме́ю, хотя́ ты́ меня́ и учи́л.

to teach; to study
I'm still not very good at it, even though you did teach me.

Да э́то же про́сто.

Why, it's simple.

Смотри́: вот та́к.

Look, like this.

Ребя́та, пры́гайте, вода́ тёплая.

Jump in, fellows, the water's warm.

умира́ть (I), умира́ю, –ешь
Э́х, оди́н ра́з умира́ть!

to die
Oh well, you only die once.

Молоде́ц, Бо́ря!

Nice going, Borya!

плы́ть (I, u-d), плыву́, –ёшь (f past плыла́)
Э́й, Ви́тя, я́ к тебе́ плыву́!

to be swimming, floating, drifting; to be sailing
Hey, Vitya, I'm swimming toward you!

догоня́ть (I)
Бо́ря, догоня́й!

to catch up to, overtake
Catch up, Borya!

пла́вать (I, m-d)	to swim, float, drift; to sail
быстре́е	faster, more rapidly
Не могу́, ты́ пла́ваешь быстре́е.	I can't; you swim faster.
поплы́ть (pfv I) (*like* плы́ть)	to set out swimming (*or* sailing)
То́ля, поплывём к бе́регу.	Tolya, let's swim over to the shore.
перегна́ть (pfv II), перегоню́, перего́нишь (f past перегнала́)	to outdistance, surpass, leave behind
Посмо́трим, кто́ кого́ перего́нит.	We'll see who can outdistance whom.
поспо́рить (pfv II)	to argue, discuss; to bet
Ла́дно. Дава́й поспо́рим.	O.K., let's make a bet.
отда́ть (pfv) (*like* да́ть) (past о́тдал, –о, –и; f отдала́)	to give, hand over; to return; to pay
Я́ тебе́ отда́м свою́ ры́бу.	I'll give you my fish.
проигра́ть (pfv I)	to lose (a game or bet); to play (to the end)
Е́сли я́ проигра́ю, то́ отда́м тебе́ свою́ ры́бу.	If I lose, I'll give you my fish.
вы́играть (pfv I)	to win (a game or bet)
Е́сли я́ вы́играю, ты́ мне́ отда́шь всю́ твою́ ры́бу.	If I win, you'll give me all your fish.
Одну́ несча́стную ры́бу?	One miserable fish?
Ла́дно, я́ всё равно́ вы́играю.	O.K., I'm going to win anyway.
вопро́с	question
Э́то ещё вопро́с.	That remains to be seen.
Ну́, поплы́ли!	Well, we're off!
ура́	hurrah!
Ура́! То́ля вы́играл!	Hurrah! Tolya won!

SUPPLEMENT

вста́ть (pfv I) (*like* ста́ть)	to get up, rise
За́втра я́ вста́ну в се́мь.	Tomorrow I'll get up at seven.
ката́ться (I)	to ride, go for a ride
Мы́ ката́емся на ло́дке.	We're going for a boat ride.
пры́гнуть (pfv I), пры́гну, пры́гнешь	to jump
Посмотри́, о́н пры́гнул с моста́.	Look! He jumped off the bridge.
суме́ть (pfv I)	to be able; to know how
О́н суме́ет э́то сде́лать?	Will he be able to do it?
научи́ть (pfv II)	to teach
О́н научи́л меня́ пла́вать.	He taught me to swim.
изве́стно [izɣésnə]	it's known
всем изве́стно	everybody knows
Все́м изве́стно, что она́ выхо́дит за́муж.	Everybody knows she's getting married.
по́лный	full, complete
по́лное собра́ние сочине́ний	the complete works
У меня́ в библиоте́ке по́лное собра́ние сочине́ний Пу́шкина.	I have the complete works of Pushkin in my library.
ка́к ва́м (тебе́) не сты́дно	aren't you ashamed [of yourself]

Ка́к тебе́ не сты́дно!	Aren't you ashamed of yourself?
догна́ть (pfv II) (*like* перегна́ть)	to catch up to, overtake
СССР хо́чет догна́ть и перегна́ть Аме́рику.	The U.S.S.R. wants to overtake and surpass America.
спо́рить (II)	to argue, dispute; to bet
Не сто́ит об э́том спо́рить.	There's no use arguing about it.

Поспо́рим!

Б. — Бо́ря (Бори́с)   В. — Ви́тя (Ви́ктор)   Т. — То́ля (Анато́лий)

Б. 1 Ну́ и жара́! Хорошо́ бы вы́купаться!

В. 2 Подожди́, посиди́м ещё немно́го, а то́ сты́дно идти́ наза́д с пусты́ми рука́ми.

Т. 3 Ка́к с пусты́ми? У тебя́ во́н три́ ры́бы. Э́то я́ всего́ одну́ ры́бу пойма́л.

Б. 4 Ребя́та, хва́тит уже́, пойдём купа́ться.[1]

В. 5 Ну́, ла́дно. Бу́дем пры́гать с моста́.

Б. 6 Я́ ещё не о́чень хорошо́ уме́ю, хотя́ ты́ меня́ и учи́л.[2]

В. 7 Да э́то же про́сто. Смотри́: вот та́к. Ребя́та, пры́гайте, вода́ тёплая.

Б. 8 Э́х, оди́н ра́з умира́ть!

Т. 9 Молоде́ц, Бо́ря! Э́й, Ви́тя, я́ к тебе́ плыву́. Бо́ря, догоня́й!

Б. 10 Не могу́, ты́ пла́ваешь быстре́е.[3]

В. 11 То́ля, поплывём к бе́регу. Посмо́трим, кто́ кого́ перего́нит.

Т. 12 Ла́дно. Дава́й поспо́рим: е́сли я́ вы́играю, ты́ мне́ отда́шь всю́ твою́ ры́бу, а е́сли проигра́ю, то́ отда́м тебе́ свою́.

В. 13 Одну́ несча́стную ры́бу? Ла́дно, я́ всё равно́ вы́играю.

Т. 14 Э́то ещё вопро́с. Ну́, поплы́ли!

Б. 15 Ура́! То́ля вы́играл!

NOTES

[1] The verb купа́ться (perfective вы́купаться) means both *to take a bath* and *to go swimming* or *bathing*. Swimming, specifically, is usually expressed by the verbs пла́вать and плы́ть.

[2] The verb учи́ть can mean both *to study* and *to teach*. It requires the accusative for the thing *studied*, but the dative or the infinitive for the thing *taught*:

Где́ вы́ учи́ли ру́сский язы́к?	Where did you *study* Russian?
Она́ его́ учи́ла ру́сскому языку́.	She was *teaching* him Russian.
Вы́ меня́ учи́ли пла́вать.	You were *teaching* me [how] to swim.

The perfective научи́ть is used only in the sense *to teach* and is also accompanied by the dative or the infinitive for the thing taught:

Óн меня́ **научи́л** игре́ в ша́хматы.   He *taught* me the game of chess.
Óн меня́ **научи́л** игра́ть в ша́хматы.   He *taught* me [how] to play chess.

In the sense *to teach*, the person taught must be mentioned; otherwise the verb **преподава́ть** is used instead of **учи́ть (научи́ть)**:

Óн **преподаёт** ру́сский язы́к.   He *teaches* Russian.

The reflexive verb **учи́ться** (perfective **научи́ться**) means only *to study*, *to learn* and is accompanied by the dative or infinitive for the thing studied:

Óн ско́ро **научи́лся пла́вать.**   He soon *learned* [how] to swim.
Óн **у́чится** ру́сскому языку́.   He's *studying* Russian.

[3] The verbs **пла́вать** and **плы́ть** are both imperfective and form another set of multidirectional versus unidirectional verbs of motion. **Пла́вать** is the multidirectional imperfective describing the general activity (compare **ходи́ть**, **е́здить**), and **плы́ть** is the unidirectional imperfective describing the activity in process toward a goal (compare **идти́**, **е́хать**).

Óн хорошо́ **пла́вает.**   He *swims* well.
Óн **плывёт** к бе́регу.   He's *swimming* toward shore.

Note that **пла́вать** and **плы́ть** are not limited to the notion of *swimming* alone, but describe any movement on or in the water, whether swimming, floating, sailing, or drifting.

Ло́дка ме́дленно **плыла́** к бе́регу.   The boat was *drifting* slowly toward shore.
В воде́ **пла́вает** де́рево.   There's a tree *floating* in the water.

Basic sentence patterns

1. Я́ хочу́ бульо́на.   I want some consommé (*or* broth).
———— хле́ба.   ———————— bread.
———— молока́.   ———————— milk.
———— борща́.   ———————— borsch.

2. Она́ принесла́ ча́ю.   She brought some tea.
—————— са́хару.   ———————— sugar.
—————— су́пу.   ———————— soup.

3. Я́ вы́пью молока́.   I'll drink some milk.
———— ча́ю.   ———————— tea.
———— воды́.   ———————— water.
———— во́дки.   ———————— vodka.

4. Они́ вы́пили во́дки.   They drank vodka.
———— всю́ во́дку.   ————— all the vodka.
———— пи́ва.   ————— beer.
———— всё пи́во.   ————— all the beer.
———— ча́ю.   ————— tea.
———— ве́сь ча́й.   ————— all the tea.

5. Они́ уже́ пое́ли?
— Нет, они́ ещё не е́ли.
Вы уже́ пое́ли?
— Нет, я ещё не е́л.

Have they already eaten?
No, they haven't eaten yet.
Have you already eaten?
No, I haven't eaten yet.

6. Она́ е́ла бы́стро.
Она́ съе́ла два́ куска́ хле́ба.
Они́ е́ли с удово́льствием.
Они́ съе́ли все́ грибы́.

She ate quickly.
She ate two pieces (*or* slices) of bread.
They ate with gusto (*or* pleasure).
They ate up all the mushrooms.

7. Е́шьте, пожа́луйста.
— Спаси́бо, я е́м.
Съе́шь э́тот пиро́г.
— Хорошо́, я съе́м.
Пое́шь пе́ред рабо́той.
— Я пое́м.

Eat, please.
Thank you, I am eating.
Eat this pirog.
All right, I will.
Have something to eat before work.
I will.

8. Никто́ меня́ не учи́л пла́вать.
Я никого́ ту́т не зна́ю.
Я ни у кого́ не быва́ю.
Я ни к кому́ не хожу́.
Я э́того никому́ не скажу́.
Я ни с ке́м ту́т не знако́м.

No one taught me to swim.
I don't know anyone here.
I don't visit anybody.
I don't go to see anybody.
I won't tell it to a soul.
I don't know (I'm not acquainted with) anyone here.

Он нике́м не дово́лен.
Он ни о ко́м не спра́шивал.

He's not satisfied with anyone.
He didn't ask about anybody.

9. Ничто́ его́ не интересу́ет.
Я ничего́ не е́л.
Я ничему́ не ве́рю.
Я ничему́ не удивля́юсь.
Я ни о чём не беспоко́ился.
Он ниче́м не интересу́ется.

Nothing interests him.
I didn't eat a thing.
I don't believe a thing.
I'm surprised at nothing.
I didn't worry about a thing.
He's not interested in anything.

10. Ло́дка плывёт к бе́регу.
Где́ вы пла́ваете?
— Мы пла́ваем во́зле бе́рега.
Куда́ вы плывёте?
— Мы плывём на друго́й бе́рег.

The boat is drifting toward shore.
Where do you swim?
We swim along the shore.
Where are you swimming to?
We're swimming to the other bank.

11. Он со все́ми знако́м.
___ всех перегна́л.
___ все́м помога́ет.
___ обо все́х беспоко́ится.

He is acquainted with everybody.
___ surpassed everyone.
___ helps everybody.
___ worries about everybody.

12. Он съе́л всю́ колбасу́.
_____ ве́сь хле́б.
_____ всё пече́нье.
_____ все́ пироги́.

He ate up all the sausage.
_____ all the bread.
_____ all the cookies.
_____ all the pirogs.

13. Я его́ учу́ ру́сскому языку́.
Он у меня́ у́чится ру́сскому языку́.
Я учу́ э́ту америка́нку ру́сскому языку́.
Она́ у меня́ у́чится ру́сскому языку́.
Я и́х научи́л пла́вать.
Они́ научи́лись пла́вать.

I'm teaching him Russian.
He's studying Russian with me.
I'm teaching this American lady Russian.
She's studying Russian with me.
I taught them to swim.
They learned to swim.

14. У него́ не хвата́ло одно́й па́пки.	He was one folder short.
Он не мог э́того сде́лать одно́й руко́й.	He couldn't do it with one hand.
Она́ взяла́ чемода́н в одну́ ру́ку, а портфе́ль в другу́ю.	She took the suitcase in one hand and the brief-case in the other.
15. Он живёт тепе́рь оди́н.	He lives alone now.
Она́ живёт тепе́рь одна́.	She lives alone now.
Они́ живу́т тепе́рь одни́.	They live alone now.
16. Здесь, ка́жется, жил О́сипов?	Didn't Osipov live here?
— Да, но он у́мер ме́сяц тому́ наза́д.	Yes, but he died a month ago.
Здесь, ка́жется, жила́ О́сипова?	Didn't Mrs. Osipov live here?
— Да, но она́ умерла́ ме́сяц тому́ наза́д.	Yes, but she died a month ago.
17. Ва́ши часы́ спеша́т на трина́дцать мину́т.	Your watch is thirteen minutes fast.
Мои́ часы́ отстаю́т на четы́рнадцать мину́т.	My watch is fourteen minutes slow.
Вчера́ я опозда́л на пятна́дцать мину́т.	Yesterday I was fifteen minutes late.
Вчера́ вы опозда́ли на три че́тверти ча́са.	Yesterday you were three quarters of an hour late.
Вчера́ она́ опозда́ла бо́льше, чем на час.	Yesterday she was more than an hour late.
18. Ско́лько сто́ит э́та руба́шка?	How much is this shirt?
— Девятна́дцать рубле́й.	Nineteen rubles.
Ско́лько сто́ит э́тот костю́м?	How much is this suit?
— Со́рок рубле́й.	Forty rubles.
19. Во ско́лько отправля́ется по́езд?	At what time does the train leave?
— В час два́дцать.	At 1:20.
Во ско́лько отправля́ется самолёт?	At what time does the plane leave?
— В три три́дцать.	At 3:30.

Pronunciation practice: inconsistencies in spelling as compared with pronunciation

SIMPLIFICATION OF CONSONANT CLUSTERS

A. Clusters with medial д and т usually omit these letters in pronunciation.

1. здн, pronounced [zn] or [zņ]

[prázņik] пра́здник
feast

[póznə] по́здно
late

[najézņik] нае́здник
jockey

[zɣóznəjə] звёздное
starry

[pózņij] по́здний
late

2. стн, pronounced [sn] or [sņ]

[ļésņicə] ле́стница
stairs

[ņiščásņij] несча́стный
unfortunate

[úsņij] у́стный
oral

[šisnátcəţ] шестна́дцать
sixteen

[čásņij] ча́стный
private

[čésņij] че́стный
honest

3. **стл**, pronounced [sl] or [s̜l]

[slát̜] стлáть
  to spread
[paslát̜] постлáть
  to spread

[ščis̜l̜ívij] счастлúвый
  happy
[ščás̜l̜if] счáстлив
  happy

4. **рдц**, pronounced [rc]

[s̜ércə] сéрдце
  heart

B. The consonant **ч** is usually pronounced [š] before **т** and **н**.

[štó] чтó
  what
[pətamúštə] потомý что
  because

[kaņéšnə] конéчно
  of course
[skúšnə] скýчно
  boring

C. The consonant **в** is often omitted in speech when it occurs in clusters containing several consonants.

[zdrástujt̜i] здрáвствуйте
  hello

[čústujit̜i] чýвствуете
  you feel

D. The consonant **л** is not pronounced in the word **сóлнце**.

[sóncə] сóлнце
  sun

OTHER SPELLING INCONSISTENCIES

A. The consonant **г** is pronounced [v] in the genitive endings –**ого** and –**его** and the word **сегóдня**.

[fs̜ivó xaróš̜ivə] всегó хорóшего
  good-bye
[štó nóvəvə] чтó нóвого
  what's new
[s̜ivódņə] сегóдня
  today

[ņičivó] ничегó
  nothing; all right
[talstóvə] Толстóго
  of Tolstoy
[adnavó] одногó
  of one

B. The consonant **г** is pronounced [x] before **к** and **ч**.

[m̜áxķij] мя́гкий
  soft
[l̜óxķij] лёгкий
  light, easy
[m̜áxči] мя́гче
  softer

[l̜ixkó] легкó
  it's easy
[l̜éxči] лéгче
  easier

STRUCTURE AND DRILLS

Irregular verbs есть (imperfective) and поесть, съесть (perfectives)

	есть (ipfv)		поесть (pfv)
PAST	ел, ела, ело, ели	PAST	поел, –а, –о, –и
PRES	ем, ешь, ест	FUT	поем, поешь, поест,
	едим, едите, едят		поедим, поедите, поедят
IMPER	ешь! ешьте!	IMPER	поешь! поешьте!

The alternate perfective, **съесть** *to eat up, finish eating*, follows exactly the same conjugation pattern as **поесть**.

MODELS

Óн ещё не ел.	He hasn't eaten yet.
Она _____ ела.	She hasn't _____.
Они _____ ели.	They haven't _____.

На завтрак я ем кашу.	I eat kasha for breakfast.
_____ ты ешь ___.	You eat _____.
_____ он ест ___.	He eats _____.
_____ мы едим _.	We eat _____.
_____ вы едите _.	You eat _____.
_____ они едят _.	They eat _____.

Не ешь этого!	Don't eat that!
— ешьте ___!	_____ eat ___!

Я только что поел.	I just ate.
Она _____ поела.	She just _.
Мы _____ поели.	We just _.

Я поем позже.	I'll eat later.
Ты поешь ___.	You'll eat _.
Óн поест ___.	He'll eat _.
Мы поедим ___.	We'll eat _.
Вы поедите ___.	You'll eat ___.
Они поедят ___.	They'll eat ___.

Ты всё съел?	Have you finished [eating] everything?
_____ съела?	Have you _____?
Вы ___ съели?	Have you _____?

Ты съешь весь суп?	Are you going to eat up all the soup?
— Да, съем.	Yes, I am.
Вы съедите весь суп?	Are you going to eat up all the soup?
— Да, съедим.	Yes, we are.

■ TRANSFORMATION DRILLS

1. *He was eating kasha.*
   He ate the kasha.
   Óн ел кашу.
   Óн съел кашу.
   Ты ел хлеб.
   Ты съел хлеб.

   Она ела картошку.
   Они ели колбасу.
   Вы ели борщ.
   Она ела лапшу.
   Мы ели булку.

2. *He ate the kasha.*
   He'll eat the kasha.
   Óн съéл кáшу.
   Óн съéст кáшу.

   Онá съéла кáшу.
   Онá съéст кáшу.
   (я, мы, Кáтя, Олéг, они, он, вы)

■ QUESTION-ANSWER DRILLS

1. *Have you eaten already?*
   No, we'll eat later.
   Вы́ ужé éли?
   Нéт, мы́ поедим пóзже.
   Óн ужé éл?
   Нéт, óн поéст пóзже.
   (ты, дéти, инженéр, вы, вáши родители,
   сестрá, ты)

2. *Would you like a bite to eat?*
   Yes, we'll eat some bread and sausage.
   Вáм хóчется закусить?
   Дá, мы́ съедим хлéба с колбасóй.
   Им хóчется закусить?
   Дá, они съедя́т хлéба с колбасóй.
   (Тóле, тебé, друзья́м, ему, вáм, Вéре,
   туристам, тебé)

■ RESPONSE DRILLS

1. *It's time for me to eat.*
   I haven't eaten yet.
   Мнé порá éсть.
   Я́ ещё не éл.
   Вáм порá éсть.
   Вы́ ещё не éли.
   (ему, éй, нáм, Óле, Вите, дéтям)

2. *I'm having my breakfast.*
   I eat kasha for breakfast.
   Я́ зáвтракаю.
   На зáвтрак я́ éм кáшу.
   Сосéдка зáвтракает.
   На зáвтрак онá éст кáшу.
   (он, сосéди, уборщица, я, врáч, мы,
   сосéд, ты)

3. *You're not eating anything.*
   Please eat!
   Вы́ ничегó не едите.
   Éшьте, пожáлуйста.
   Ты́ ничегó не поéл.
   Поéшь, пожáлуйста.

   Ты́ ничегó не éшь.
   Вы́ ничегó не поéли.
   Ты́ ничегó не éл.
   Вы́ ничегó не едите.
   Ты́ ничегó не поéла.
   Вы́ ничегó не éли.

DISCUSSION

There are two commonly used perfectives for **éсть**: **поéсть** and **съéсть**. Of the two, **съéсть** is more restricted and usually requires that the thing eaten be mentioned (or implied), whereas **поéсть** does not.

Compare	Вы́ ужé поéли?	Have you already finished eating?
with	Óн съéл вéсь хлéб.	He ate up all the bread.

When the thing eaten is mentioned, the perfective verb **поéсть** requires the genitive case, whereas the imperfective verb **éсть** requires the accusative.

Compare	Óн поéл хлéба.	He ate some bread.
with	Óн éл хлéб.	He was eating bread.
	По утрáм я́ éм хлéб.	I eat bread in the morning.

The perfective verb **съéсть**, on the other hand, can be used with either the genitive or accusative, depending upon whether a part (gen) or the whole (acc) is eaten.

Compare	Óн съéл хлéба с мáслом.	He ate some bread and butter.
with	Óн съéл вéсь хлéб.	He ate up all the bread.

The nouns за́втрак and обе́д are not ordinarily used as direct objects of the verbs е́сть, пое́сть, and съе́сть in the sense *to eat breakfast* (or *dinner*). Instead, the verbs за́втракать, поза́втракать, обе́дать, and пообе́дать are used.

Вы́ уже́ пообе́дали?	Have you already eaten dinner?
Мы́ то́лько что поза́втракали.	We just ate breakfast.

The "partitive" genitive used after transitive verbs
to indicate a part of the whole

MODELS

Да́йте мне́ хле́ба.	Give me some bread.
Нале́й ему́ вина́.	Pour him some wine.
Хоти́те пи́ва?	Want some beer?
Возьми́ хле́ба и колбасы́.	Take some bread and sausage.
Наре́жь хле́ба.	Slice some bread.
Вы́пей во́дки.	Drink some vodka.
—————— воды́.	—————— water.
Хоти́те са́хару?	Want some sugar?
—————— ча́ю?	—————— tea?
—————— су́пу?	—————— soup?

■ REPETITION DRILL

Repeat the given models, noting that the genitive (rather than the accusative) is used for the direct object when only part of a larger amount is involved. Note also that some сто́л– nouns have an alternate form ending in –у or –ю as, for example, са́хару, су́пу, ча́ю.

■ QUESTION-ANSWER DRILLS

1. *Are we going to eat bread?*
   Yes, slice some bread.
   Мы́ бу́дем е́сть хле́б?
   Да́, наре́жь хле́ба.
   Мы́ бу́дем е́сть огурцы́?
   Да́, наре́жь огурцо́в.
   (пирог, булку, торт, колбасу, хлеб, огурцы)

2. *Do you drink vodka?*
   Yes, pour me some vodka, please.
   Вы́ пьёте во́дку?
   Да́, нале́йте мне́ во́дки, пожа́луйста.
   Вы́ еди́те ры́бу?
   Да́, положи́те мне́ ры́бы, пожа́луйста.
   (пьёте молоко, едите грибы, пьёте вино, едите огурцы, пьёте пиво, едите картошку)

■ STRUCTURE REPLACEMENT DRILLS

1. *He drank up the wine.*
   He drank some wine.
   О́н вы́пил вино́.
   О́н вы́пил вина́.
   (молоко, чай, лимонад, водку, воду, бульон, пиво)

2. *She's buying cookies.*
   She bought some cookies.
   Она́ покупа́ет пече́нье.
   Она́ купи́ла пече́нья.
   (молоко, рыбу, сахар, колбасу, вино, хлеб, чай, бумагу, пиво, водку)

1. *The potatoes are on the table.*
   Help yourself to some potatoes.
   Картóшка на столé.
   Возьмú себé картóшки.
   Чáй на столé.
   Возьмú себé чáю.

   (грибы, пирог, уха, булочки, сахар,
   водка, суп)

2. *You'll need warm shirts.*
   Take some warm shirts along.
   Вáм нужны́ бýдут тёплые рубáшки.
   Возьмúте с собóй тёплых рубáшек.
   Вáм нужнá бýдет бумáга.
   Возьмúте с собóй бумáги.

   (деньги, молоко, вода, хлеб, соль,
   булочки, вино, вода)

DISCUSSION

A few **стол**-nouns have an alternate genitive form ending in –у or –ю: **сáхару, нарóду, сýпу, вóз-духу, снéгу, чáю.** These are only used when quantity is involved and may be replaced by the regular genitive ending in –а or –я.

After some transitive verbs, the so-called "partitive" genitive is used instead of the normal accusative to specify a part of a larger amount, as compared with the whole amount. This usually corresponds to the English *some* or *any* (for the partitive genitive) as compared with *the* (for the accusative):

Дáйте мнé **винó**. Give me *the wine.*
Съéшь хлéб! Eat *the bread.*
Принесú **сáхар**. Bring *the sugar.*

Дáйте мнé **винá**. Give me *some wine.*
Поéшь **хлéба**. Eat *some bread.*
Принесú **сáхару**. Bring *some sugar.*

Except for the verb **хотéть** (ipfv), the partitive genitive is more likely to be used with perfective verbs, for example, **взя́ть, вы́пить, поéсть, купúть, нарéзать, дáть,** and **налúть**.

Negative pronouns никтó and ничтó;
negative adverbs никогдá, нигдé, никудá, and никáк

Note in the following models that negative pronouns and adverbs are regularly used in double negative constructions in Russian.

MODELS

Никтó не звонúл.
Óн никогó не вúдел.
Óн ни у когó не бывáет.
Óн никомý не звонúл.
Óн ни к комý не пошёл.
Óн никéм не довóлен.
Óн ни с кéм не говорúл.
Óн ни о кóм не спрáшивал.

Nobody telephoned.
He didn't see anyone.
He doesn't go to visit anyone.
He didn't call anyone.
He didn't go see anyone.
He isn't satisfied with anyone.
He didn't talk with anybody.
He didn't ask about anybody.

Ничтó её не интересýет.
Онá ничегó не потеря́ла.
Онá ничегó не бойтся.
Онá ничемý не удивля́ется.
Онá ни о чём не беспокóилась.
Онá ни к чемý не привы́кла.

Nothing interests her.
She didn't lose anything.
She's not afraid of anything.
She's not surprised at anything.
She wasn't worried about a thing.
She's not used to anything.

Она́ ни с че́м не согла́сна.		She doesn't agree with anything.
Она́ ниче́м не интересу́ется.		She's interested in nothing.

Я никогда́ не́ был в СССР.		I've never been in the U.S.S.R.
Я его́ нигде́ не ви́дел.		I didn't see him anywhere.
Я никуда́ не иду́.		I'm not going anywhere.
Я ника́к не могу́ доста́ть биле́ты.		There's no way I can get tickets.

Declension of **никто́** *no one, nobody* and **ничто́** *nothing, not anything*		
NOM	никто́	ничто́[1]
ACC-GEN	никого́	ничего́
PREP	ни о ко́м	ни о чём
DAT	никому́	ничему́
INSTR	нике́м	ниче́м

■ REPETITION DRILL

Repeat the given models, noting that the negative pronouns **никто́** and **ничто́** are treated as single words except when used with prepositions; in that case they are separated by the preposition.

■ QUESTION-ANSWER DRILLS

1. *Who was sitting there?*
   No one.
   Кто́ та́м сиде́л?
   Никто́.
   С ке́м она́ танцева́ла?
   Ни с ке́м.
   О ком она писала?
   Кого она видела?
   К кому она пошла?
   У кого она была?
   Кем она интересуется?

2. *What are they talking about?*
   Nothing.
   О чём они́ говоря́т?
   Ни о чём.
   Чего́ они́ боя́тся?
   Ничего́.
   С чем они согласны?
   К чему они привыкли?
   Что они пили?
   Чем они интересуются?

■ STRUCTURE REPLACEMENT DRILLS

1. *Someone's here.*
   There's no one here.
   Ту́т кто́-то е́сть.
   Ту́т никого́ не́т.
   Ту́т кто́-то бы́л.
   Ту́т никого́ не́ было.
   Тут о ком-то спрашивают.
   Тут у кого-то есть кофе.
   Тут кому-то предлагают работу.
   Тут кого-то ожидают.
   Тут о ком-то говорят.
   Тут кем-то интересуются.

2. *He's afraid of something.*
   He's not afraid of anything.
   О́н чего́-то бойтся.
   О́н ничего́ не бойтся.
   О́н что́-то потеря́л.
   О́н ничего́ не потеря́л.
   Он о чём-то забыл.
   Он что-то принёс.
   Он чем-то стучал.
   Он что-то преподаёт.
   Он о чём-то думает.
   Он чем-то занят.

---

[1] The nominative form **ничто́** is often replaced in conversational Russian by **ничего́**:
Ничто́ ему́ не нра́вилось. (formal)   Nothing pleased him.
Ничего́ ему́ не нра́вилось. (colloquial)

1. *Did anyone call?*
   No, no one called.
   Кто́-нибудь звони́л?
   Не́т, никто́ не звони́л.
   О́н кого́-нибудь провожа́л?
   Не́т, о́н никого́ не провожа́л.
   Он к кому́-нибудь пойдёт?
   Кто́-нибудь приходил?
   Он о ко́м-нибудь писал?
   Он кем-нибудь интересуется?
   Он кому́-нибудь нравится?
   Он с ке́м-нибудь знаком?

2. *Did you hear anything?*
   No, we heard nothing.
   Вы́ что́-нибудь слы́шали?
   Не́т, мы́ ничего́ не слы́шали.
   Вы́ о чём-нибудь договори́лись?
   Не́т, мы́ ни о чём не договори́лись.
   Вы что-нибудь поймали?
   Вы чему́-нибудь поверили?
   Вы о чём-нибудь спорили?
   Вы с чего́-нибудь прыгали?
   Вы что́-нибудь сварили?
   Вы чем-нибудь интересовались?
   Вы о чём-нибудь говорили?
   Вы что́-нибудь заработали?

3. *Where did you go?*
   Nowhere.
   Куда́ ты́ ходи́л?
   Никуда́.
   Где́ ты́ бы́л?
   Нигде́.
   Когда ты будешь это знать?
   Кого ты встретил?
   Куда тебя пригласили?
   Где ты работаешь?
   Что ты потерял?

4. *Were you ever in the U.S.S.R.?*
   No, never.
   Вы́ когда́-нибудь бы́ли в СССР?
   Не́т, никогда́ не́ был.
   Вы́ где́-нибудь ви́дели во́дку?
   Не́т, нигде́ не ви́дел.
   Вы когда-нибудь ели грибы?
   Вы как-нибудь можете достать билеты?
   Вы где-нибудь слышали об этом?
   Вы куда-нибудь собираетесь?

DISCUSSION

Negative pronouns and adverbs are used in double negative constructions in Russian.

Я́ **ничего́** не де́лаю.	I'm not doing *anything.*
Никто́ не кра́л ва́шего чемода́на.	*Nobody* stole your suitcase.
Я́ сего́дня **никуда́** не иду́.	I'm not going *anywhere* today.
Никого́ зде́сь не́т.	There's *no one* here.

The negative pronouns **никто́** and **ничто́** are formed by combining the negative particle **ни** with the interrogatives **кто́** and **что́**. These are written and treated as single words except when a preposition separates them.

Compare О́н **нике́м** не дово́лен.   He's not satisfied with *anybody.*

with   О́н **ни с ке́м** не говори́л.   He didn't talk to *anybody.*

Никто́ functions as the negative opposite of **кто́-то** and **кто́-нибудь**, and **ничто́** as the negative opposite of **что́-то** and **что́-нибудь**.

О́н **что́-то** купи́л. He bought *something.*   О́н **ничего́** не купи́л. He bought *nothing.*
Кто́-нибудь звони́л? Did *anyone* call?   **Никто́** не звони́л? Didn't *anyone* call?

The negative adverbs are formed by prefixing **ни–** to the interrogatives **когда́**, **где́**, **куда́**, and **ка́к**: **никогда́**, **нигде́**, **никуда́**, **ника́к**.

Declension of весь

Весь город об этом говорит.　　　　　　The whole town is talking about it.
Вся школа _____.　　　　　The whole school _____.
Всё общежитие _____.　　　　　The whole dormitory _____.
Все студенты об этом говорят.　　　　All the students are talking about it.

Мы весь день ловили рыбу.　　　　　　We fished all day long.
____ всю субботу _____.　　　　_____ all day Saturday.
____ всё лето _____.　　　　　_____ all summer long.
____ всё утро _____.　　　　　_____ all morning ____.

Мы говорили обо всём плане.　　　　　We talked about the entire plan.
_____ обо всём общежитии.　　_____ the entire dormitory.
_____ о (обо) всех рабочих.[1]　_____ all the workers.

Он всем доволен.　　　　　　　　　　He's satisfied with everything.
____ всеми _____.　　　　　　　　_____ everybody.

Всё в порядке.　　　　　　　　　　　Everything's in order.
Все в сборе.　　　　　　　　　　　　Everyone's here.
Она всему удивляется.　　　　　　　　She's surprised at everything.
____ всем _____.　　　　　　_____ everybody.

Я всего фильма не видел.　　　　　　I didn't see the whole film.
_ всего расписания _____.　　　　_____ the whole schedule.
_ всей картины_____.　　　　　　_____ the whole picture.
_ всех снимков _____.　　　　　　_____ all the snapshots.

	SINGULAR			PLURAL
	Masculine	*Neuter*	*Feminine*	
NOM	весь	всё	вся	все
ACC	(*like* nom *or* gen)	(*like* nom)	всю	(*like* nom *or* gen)
GEN	всего		всей	всех
PREP	всём			
DAT	всему			всем
INSTR	всем			всеми

■ STRUCTURE REPLACEMENT DRILL

Everyone in the city is talking about it.
The whole city is talking about it.
Все в городе об этом говорят.
Весь город об этом говорит.

Всё в школе об этом говорят.
Вся школа об этом говорит.
(в общежитии, в университете, в бюро,
в колхозе, в институте, на литфаке, на
заводе, в селе, в посольстве)

---

[1]Both о and обо are possible in the prepositional case: usually обо before всём, but о before всей. In the plural, either о or обо is possible: о всех or обо всех.

1. *Are there any more potatoes?*
   No, we've already eaten them all up.
   Картóшка ещё éсть?
   Нéт, мы́ ужé всю́ съéли.
   Хлéб ещё éсть?
   Нéт, мы́ ужé вéсь съéли.
   (огурцы́, печéнье, ры́ба, грибы́, су́п,
   лапша́, тóрт)

2. *Did you see the whole film?*
   No, I didn't see all of the film.
   Вы́ ви́дели вéсь фи́льм?
   Нéт, всегó фи́льма я́ не ви́дел.
   Вы́ ви́дели всю́ карти́ну?
   Нéт, всéй карти́ны я́ не ви́дел.
   (бумáги, расписáние, сни́мки, Еврóпу,
   гóрод, аэропóрт, Амéрику)

■ EXPANSION DRILLS

1. *We talked about institutes.*
   We talked about all the institutes.
   Мы́ говори́ли об институ́тах.
   Мы́ говори́ли о всéх институ́тах.
   Мы́ говори́ли о плáне.
   Мы́ говори́ли обо всём плáне.
   (о мостáх, о группе,
   о бортпроводни́цах, об истóрии,
   о рабóчих, об общежи́тии, о знакóмых,
   о предсказáниях)

2. *I'm pleased with the papers.*
   I'm pleased with all the papers.
   Я́ довóлен рабóтами.
   Я́ довóлен всéми рабóтами.
   Я́ довóлен этой гру́ппой.
   Я́ довóлен всéй этой гру́ппой.
   (этим факультéтом, студéнтами, этим
   ку́рсом, произвóдством, маши́нами,
   шкóлой)

■ QUESTION-ANSWER DRILLS

1. *What did you lose?*
   Everything.
   Чтó вы́ потеря́ли?
   Всё.
   Чéм вы́ интересу́етесь?
   Всéм.
   О чём вы говори́ли?
   К чему́ вы привы́кли?
   Чегó вы бои́тесь?
   Чéм вы довóльны?
   Чтó вы провéрили?
   О чём вы ду́маете?
   Чему́ вы вéрите?
   О чём вы спóрили?

2. *Who was there?*
   Everybody.
   Ктó тáм бы́л?
   Всё.
   О кóм óн спрáшивал?
   Обо всéх.
   Кому́ он помогáл?
   С кéм он познакóмился?
   К кому́ он обращáлся?
   У когó он бывáл?
   О ком он ду́мал?
   Когó он благодари́л?
   С кéм он спóрил?

DISCUSSION

In addition to their function as modifiers, the neuter singular and the plural of **вéсь** also serve as independent pronouns:

1. Neuter singular **всё** *everything, all:*

Всё бы́ло хорошó.	*Everything* was fine.
Ты́ **всё** знáешь.	You know *everything.*
Это **всё.**	That's *all.*

2. Plural **всё** *everyone, everybody, all*. Note that unlike the English *everyone, everybody,* **всё** is plural in Russian:

Всё бы́ли дово́льны.   *Everyone* was satisfied. (*Lit.* All were satisfied.)
Óн **всём** об э́том ска́жет.   He'll tell *everybody* about it.

A number of time expressions employ the accusative forms of **весь**: **всю неде́лю** *all week* (*long*), **всё у́тро** *all morning*, **всю зи́му** *all winter*, **весь ве́чер** *the whole evening*, **весь де́нь** *all day*, **всю суббо́ту** *all day Saturday*.

Declension of оди́н

In different contexts **оди́н** may mean not only *one*, but also *a, a single, only, alone, all by oneself, the same, one and the same,* and *a certain*. In meanings such as *only* and *alone*, it is used in the plural as well as in the singular. The plural form is also required with nouns used only in the plural, for example: **одни́ часы́** *one watch, one clock*.

MODELS

Óн **оди́н** э́то сде́лал.   He did it all *by himself*.
Она́ оста́вила и́х **одни́х** до́ма.   She left them *alone* at home.

У меня́ то́лько **одна́** ка́рта.   I have only *one* map.
У меня́ то́лько **одно́** перо́.   I have only *one* pen [point].
У ни́х то́лько **одни́** часы́.   They have only *one* clock.

Óн то́лько **оди́н** ра́з бы́л в Москве́.   He was in Moscow only *once* (that is, *one time*).
Та́ня нашла́ то́лько **оди́н** гри́б.   Tanya found only *one* mushroom.

Мы́ на **одно́м** ку́рсе, но ма́ло знако́мы. We're *the same* class year but not very well acquainted.

Мы́ в **одно́й** гру́ппе.   We're in *the same* group.

Одну́ мину́тку.   Just *a* minute!
Счита́йте от **одного́** до десяти́.   Count from *one* to ten!
Я́ хочу́ ко́мнату на **одного́**.   I want *a single* room (that is, a room for *one*).

Except for its stress, which is on the endings throughout, **оди́н** is declined like **э́тот**; the inserted vowel **и** occurs only in the form **оди́н**.

	SINGULAR			PLURAL
	Masculine	*Neuter*	*Feminine*	
NOM	оди́н	одно́	одна́	одни́
ACC	(*like* nom *or* gen)	(*like* nom)	одну́	(*like* nom *or* gen)
GEN	одного́		одно́й	одни́х
PREP	(об) одно́м			
DAT	одному́			одни́м
INSTR	одни́м			одни́ми

He left.
He left alone (or *by himself*).
О́н уе́хал.
О́н уе́хал оди́н.
Она́ уе́хала.
Она́ уе́хала одна́.
(мы, директор, вы, певица, друзья, она,
мой помощник, товарищи)

■ QUESTION-ANSWER DRILLS

1. *How many tourists did you see?*
   Only one.
   Ско́лько вы́ ви́дели тури́стов?
   То́лько одного́.
   Ско́лько вы́ ви́дели гости́ниц?
   То́лько одну́.
   (чемоданов, сумок, грибов, станций,
   девушек, парней, бумажников, папок,
   ло́док)

2. *Did you speak to any stewardesses?*
   Yes, I did talk to one.
   Вы́ говори́ли с бортпроводни́цами?
   Да́, говори́л с одно́й.
   Вы́ говори́ли со студе́нтами?
   Да́, говори́л с одни́м.
   (американками, колхозниками,
   учительницами, рабочими, соседками)

■ STRUCTURE REPLACEMENT DRILLS

1. *I don't see all the suitcases.*
   There's one suitcase I don't see.
   Я́ не ви́жу все́х чемода́нов.
   Я́ не ви́жу одного́ чемода́на.
   Я́ не ви́жу все́х бума́г.
   Я́ не ви́жу одно́й бума́ги.
   (билетов, лодок, сочинений, стаканов,
   чашек, ножей, салфеток)

2. *We saw lots of boats.*
   We saw only one boat.
   Мы́ ви́дели мно́го ло́док.
   Мы́ ви́дели то́лько одну́ ло́дку.
   Мы́ ви́дели мно́го прои́грывателей.
   Мы́ ви́дели то́лько оди́н прои́грыватель.
   (много машин, много общежитий,
   много чемоданов, много комнат,
   много домов, много квартир, много
   объявлений, много гостиниц, много
   иностранцев)

First conjugation verbs ending in -нуть or -нуться: отдохну́ть, пры́гнуть, верну́ться, просну́ться, привы́кнуть, исче́знуть

MODELS

Дава́йте отдохнём.	Let's take a rest.
_____ вернёмся домо́й.	____ go back home.
_____ пры́гнем.	____ jump.
Я́ та́м хорошо́ отдохну́.	I'll have a good rest there.
О́н _____ отдохнёт.	He'll _____.
Они́ _____ отдохну́т.	They'll _____.

Я скоро привыкну к этому.	I'll soon get used to it.
Он ⸺ привыкнет ⸺.	He'll ⸺.
Они ⸺ привыкнут ⸺.	They'll ⸺.
Я скоро вернусь.	I'll be back soon.
Он ⸺ вернётся.	He'll ⸺.
Они ⸺ вернутся.	They'll ⸺.
Он скоро проснётся.	He'll soon wake up.
Они ⸺ проснутся.	They'll ⸺.
Отдохни!	Take a rest!
Прыгни!	Jump!
Вернись!	Come back!
Проснись!	Wake up!
Он уже отдохнул.	He already took a rest.
Она ⸺ отдохнула.	She ⸺.
Он ⸺ вернулся.	He ⸺ returned.
Она ⸺ вернулась.	She ⸺.
Он ⸺ проснулся.	He ⸺ woke up.
Она ⸺ проснулась.	She ⸺.
Он уже привык к этому.	He's already used to it.
Она ⸺ привыкла ⸺.	She's ⸺.
Они ⸺ привыкли ⸺.	They're ⸺.
Куда он исчез?	Where did he disappear to?
⸺ она исчезла?	⸺ she ⸺?
⸺ они исчезли?	⸺ they ⸺?

■ REPETITION DRILL

Repeat the given models, noticing the pattern of these first conjugation verbs. Note especially the verbs **привыкнуть** and **исчезнуть**, which lose the suffix –ну– in the past tense.

■ RESPONSE DRILLS

1. *He needs to rest.*
   He already did.
   Ему нужно отдохнуть.
   Он уже отдохнул.
   Ему нужно проснуться.
   Он уже проснулся.
   (вернуться, прыгнуть, проснуться,
   отдохнуть, вернуться)

2. *There was no way the folder could get lost.*
   But somehow it did.
   Папка никак не могла исчезнуть.
   Но как-то исчезла.
   Портфель никак не мог исчезнуть.
   Но как-то исчез.
   (письмо, бумажник, заявление, сумка)

3. *You must jump.*
   Jump!
   Тебе надо прыгнуть.
   Прыгни!
   Тебе надо вернуться.
   Вернись!
   (проснуться, прыгнуть, отдохнуть,
   исчезнуть, вернуться)

4. *We won't be back.*
   You'll be back.
   Мы не вернёмся.
   Вернётесь.
   Мы не прыгнем.
   Прыгнете.
   (отдохнём, привыкнем, проснёмся,
   исчезнем, вернёмся, прыгнем)

1. *No one jumped?*
   No one could jump.
   Никто́ не пры́гнул?
   Никто́ не мо́г пры́гнуть.
   Никто́ не отдохну́л?
   Никто́ не мо́г отдохну́ть.
   (исчез, вернулся, привык, проснулся, прыгнул, отдохнул)

2. *Has he gotten used to getting up early?*
   Yes, and so has she.
   О́н уже́ привы́к ра́но встава́ть?
   Да́, и она́ то́же привы́кла.
   О́н уже́ просну́лся?
   Да́, и она́ то́же просну́лась.
   (исчез, отдохнул, вернулся, прыгнул, привык, проснулся)

DISCUSSION

Most verbs with infinitives ending in **–нуть** or **–нуться** retain the suffix **–ну–** in the past tense, especially if the stress falls on this syllable:

отдохну́ть	отдохну́л, отдохну́ла, –ло, –ли
верну́ться	верну́лся, –лась, –лось, –лись
просну́ться	просну́лся, –лась, –лось, –лись

Some with the stress on the syllable preceding **–ну–**, however, drop this suffix in the past tense, as well as the **л** of the masculine past tense form:

привы́кнуть	привы́к, привы́кла, –ло, –ли
исче́знуть	исче́з, исче́зла, –ло, –ли

Verbs ending in **–нуть** and **–нуться** are almost all perfective, and all belong to the first conjugation.

Two-stem first conjugation verbs ending in -овать or -евать

MODELS

Она́ лю́бит танцева́ть.	She loves to dance.
Она́ всю́ но́чь танцева́ла.	She danced all night.
Вы́ танцу́ете? Дава́йте потанцу́ем!	Do you dance? Let's dance!
Не танцу́й!	Don't dance!
Вы́ не должны́ ей зави́довать.	You shouldn't envy her.
Я́ никому́ не зави́довал.	I didn't envy anyone.
Я́ ва́м не зави́дую.	I don't envy you.
Не зави́дуй други́м!	Don't envy others!
О́н на́чал интересова́ться хи́мией.	He began to get interested in chemistry.
О́н интересова́лся хи́мией.	He was interested in chemistry.
О́н интересу́ется хи́мией.	He's interested in chemistry.
Интересу́йся бо́льше рабо́той!	Show more interest in the job!

■ REPETITION DRILL

Repeat the given models, noticing the regular pattern of alternation of stems for all verbs with infinitives ending in **–овать** or **–евать**.

1. *Where will you dance?*
   We always dance at the club.
   Гдé вы́ бу́дете танцева́ть?
   Мы́ всегда́ танцу́ем в клу́бе.
   Гдé о́н бу́дет танцева́ть?
   О́н всегда́ танцу́ет в клу́бе.

   (ты, она, мы, они, твоя подруга, этот парень, студенты)

2. *She was interested in physics, it seems?*
   Yes, and she's still interested in it.
   Она́, ка́жется, интересова́лась фи́зикой?
   Да́, она́ и сейча́с е́ю интересу́ется.
   Вы́, ка́жется, интересова́лись фи́зикой?
   Да́, я́ и сейча́с е́ю интересу́юсь.

   (он, ты, её сын, эти студенты, её дочь, Толя, Нина)

■ TRANSFORMATION DRILLS

1. *How do you feel?*
   How did you feel?
   Ка́к вы́ себя́ чу́вствуете?
   Ка́к вы́ себя́ чу́вствовали?
   Ка́к о́н себя́ чу́вствует?
   Ка́к о́н себя́ чу́вствовал?

   (ваши родители, директор, ваша соседка, они, ваш друг, её подруга, ваша мать)

2. *What would you advise?*
   What did you advise?
   Что́ ты́ посове́туешь?
   Что́ ты́ посове́товал?
   Что́ она́ посове́тует?
   Что́ она́ посове́товала?

   (врач, родные, учительница, ваш отец, ваша мать, ваши родители)

■ RESPONSE DRILLS

1. *I heard he's going to the kolkhoz.*
   I don't envy him.
   Я́ слы́шал, что о́н е́дет в колхо́з.
   Я́ ему́ не зави́дую.
   Мы́ слы́шали, что о́н е́дет в колхо́з.
   Мы́ ему́ не зави́дуем.

   (сестра слышала, ребята слышали, она слышала, они слышали, брат слышал, я слышал)

2. *You shouldn't be jealous.*
   Don't be jealous!
   Вы́ не должны́ зави́довать.
   Не зави́дуйте!
   Вы́ должны́ посове́товать.
   Посове́туйте!

   (танцевать, этим интересоваться, всем советовать, это чувствовать, ему посоветовать)

DISCUSSION

Verbs with infinitives containing the suffix **–ова** or **–ева** belong to the first conjugation. All show a regular and predictable alternation of stems, with the present-future and imperative based on a variant of the stem differing from that found in the infinitive and past tense:

Compare INFINITIVE: **сове́товать** *to advise*
PAST: **сове́товал, –а,** etc.

with PRESENT: **сове́тую, сове́туешь,** etc.
IMPERATIVE: **сове́туй! сове́туйте!**

Compare INFINITIVE: **ночева́ть** *to spend the night*
PAST: **ночева́л, –а,** etc.

with PRESENT: **ночу́ю, ночу́ешь,** etc.
IMPERATIVE: **ночу́й! ночу́йте!**

ПОВТОРЕ́НИЕ

Ва́ня с Ко́лей це́лый де́нь бы́ли на реке́. Они́ собира́лись лови́ть ры́бу, но бы́ло та́к жа́рко, что вме́сто э́того они́ реши́ли купа́ться. Они́ пры́гали в во́ду пря́мо с моста́ и плы́ли к бе́регу. Пото́м они́ нашли́ во́зле бе́рега ло́дку и поката́лись. О́коло ча́са и́м захоте́лось е́сть, но они́ ничего́ с собо́й не взя́ли. Пришло́сь лови́ть ры́бу. Они́ сиде́ли два́ часа́ и ника́к не могли́ ничего́ пойма́ть. Наконе́ц Ва́ня пойма́л одну́ большу́ю ры́бу, а Ко́ля две́ ма́леньких. Друзья́ ту́т же свари́ли и́х и съе́ли. Ры́ба показа́лась и́м о́чень вку́сной. Ва́ня да́же сказа́л, что никогда́ в жи́зни о́н не е́л тако́й вку́сной ры́бы.

— Зи́на, что́ ты́ собира́ешься де́лать за́втра?

— Ничего́ осо́бенного. А почему́ ты́ спра́шиваешь?

— Мы́ за́втра е́дем на о́зеро на це́лый де́нь. Хо́чешь с на́ми пое́хать?

— Коне́чно. Е́сли вы́ пойма́ете мно́го ры́бы, я́ сварю́ уху́.

— Что́ зна́чит «е́сли пойма́ете»? Коне́чно пойма́ем. Хо́чешь поспо́рим?

— Не́т, я́ спо́рить не хочу́. А что́ я́ должна́ с собо́й взя́ть? Хле́ба, колбасы́?

— Не беспоко́йся, у на́с всё е́сть. Е́сли хо́чешь, возьми́ каку́ю-нибудь кни́гу.

— Я́ по́сле экза́менов на кни́ги про́сто не могу́ смотре́ть. Хочу́ от ни́х отдохну́ть.

— Я́ слы́шал, что ва́ш сы́н отли́чник.

— Да́, Ви́тя прекра́сно у́чится. В э́том году́ конча́ет шко́лу.

— А в како́й институ́т о́н хо́чет поступи́ть?

— О́н са́м ещё не реши́л. О́н интересу́ется и те́хникой и языка́ми. Пе́ред ни́м хоро́шее бу́дущее.

— А во́т на́ша до́чь Ма́ша не хо́чет учи́ться.

— Да́? А что́ же она́ хо́чет де́лать?

— Ста́ть жено́й своего́ му́жа и ма́терью свои́х дете́й. Она́ выхо́дит за́муж.

— Так ра́но? Сра́зу по́сле шко́лы?

— Да́. Мы́ ей сове́товали подожда́ть, узна́ть лу́чше жи́знь, люде́й, но она́ ничего́ не хо́чет слы́шать, говори́т: «Я́ его́ люблю́ и хочу́ вы́йти за́муж».

PREPARATION FOR CONVERSATION **Слу́чай на база́ре**

что́ с (*plus* instr)	what's the matter with
Что́ с ва́ми?	What's the matter with you?
взволно́ван, –а, –о	upset, excited, agitated
Вы́ та́к взволно́ваны.	You're so upset.
база́р	market
У меня́ на база́ре укра́ли де́ньги.	Some money was stolen from me at the market.
Два́дцать пя́ть рубле́й.	Twenty-five rubles.
А́х, Бо́же мо́й!	Oh, my goodness!
Ка́к же э́то случи́лось?	How in the world did it happen?
сби́ть, собью́т (pfv I)[1] (imper сбе́й, сбе́йте!)	to knock off (*or* down)
мальчи́шка	little boy; urchin
Како́й-то мальчи́шка сби́л меня́ с но́г.	Some little brat knocked me off my feet.
Како́й-то мальчи́шка чу́ть не сби́л меня́ с но́г.	Some little brat almost knocked me off my feet.
ми́мо (*plus* gen)	past, by
бежа́ть (u-d) (irreg pres бегу́; бежи́шь, –и́т; –и́м, –и́те; бегу́т)	to be running
Како́й-то мальчи́шка бежа́л ми́мо меня́.	Some little brat was running past me.
Да како́й-то мальчи́шка бежа́л ми́мо, чу́ть не сби́л меня́ с но́г.	Why, some little brat was running past me and nearly knocked me off my feet.
кошелёк, –лька́	change purse
А пото́м смотрю́ — в су́мочке кошелька́ нет.	And then I look and find my change purse is missing from my bag.
негодя́й	villain, scoundrel
Во́т негодя́й!	The scoundrel!
Наде́юсь, его́ пойма́ли?	They caught him, I hope?

---

[1] Starting with this lesson, verbs will be given only in the infinitive and the third person plural of the present-future except where their other forms are not predictable.

◀ В Я́лте.

Дá, срáзу же.

дружи́нник

Дружи́нники спрáшивают, гдé дéньги.
Óн говори́т: «Не брáл я никаки́х дéнег».

ещё бы   [jiščóbɨ]
Ну́, ещё бы!

Да рáзве мóжно ему́ вéрить?

врáть, вру́т (I)
Óн врёт, конéчно.

увéрен, –а, –о, –ы
А я кáк-то не увéрена, что óн укрáл.

вóр, –а; –ы, –óв
похóжий (похóж)
похóж на (plus acc)
Óн не похóж на вóра.

Тогдá гдé же вáши дéньги?

всю́ду
Вы́ всю́ду искáли?

Вы́ смотрéли в кармáнах?

ды́рка
Подожди́те! Тáк и éсть: здéсь в кармáне
ды́рка.

подклáдка
А вóт и кошелёк за подклáдкой!

слáва
слáва Бóгу
Ну́, слáва Бóгу!

кончáться, кончáются (I)
«Всё хорошó, что хорошó кончáется».

мáльчик
бéдный
Бéдный мáльчик!

виновáтый (виновáт)
всё я виновáта (f speaker)

А всё я виновáта!

мили́ция
Сейчáс же позвоню́ в мили́цию.

отпусти́ть (pfv II), отпущу́, отпу́стят
Я позвоню́ в мили́цию, чтобы егó отпусти́ли.

Yes, right away.

"druzhinnik" (volunteer civilian militia-man)
The "druzhinniki" ask where the money is.
He says, "I didn't take any money."

of course
Well, of course he would!

Can you possibly believe him?

to lie, tell lies
He's lying, of course.

sure, confident
But I'm somehow not sure he did steal.

thief
like, similar
to look like, resemble
He doesn't look like a thief.

Then where is your money?

everywhere
Have you looked everywhere?

Have you looked in your pockets?

hole
Wait! That's it; there's a hole in my pocket here.

lining
And here's the change purse in the lining.

glory, praise
thank goodness
Well, thank goodness!

to end, to be finished; to be running out of
"All's well that ends well."

boy
poor
The poor boy!

guilty, to blame, at fault
it's all my fault (or I've been to blame all along)

And it's all my fault!

police, militia
I'll call the police right away.

to let go, dismiss, release
I'll call the police so he'll be released.

де́вочка		girl, young girl	
Она́ ещё ма́ленькая де́вочка.		She's still a little girl.	

Ordinal numbers from first through fortieth.

пе́рвый	first	двена́дцатый	twelfth
второ́й	second	трина́дцатый	thirteenth
тре́тий, тре́тья, –е	third	четы́рнадцатый	fourteenth
четвёртый	fourth	пятна́дцатый	fifteenth
пя́тый	fifth	шестна́дцатый [šisnátcətij]	sixteenth
шесто́й	sixth	семна́дцатый	seventeenth
седьмо́й	seventh	восемна́дцатый	eighteenth
восьмо́й	eighth	девятна́дцатый	nineteenth
девя́тый	ninth	двадца́тый	twentieth
деся́тый	tenth	тридца́тый	thirtieth
оди́ннадцатый [aḍínətcətij]	eleventh	сороково́й	fortieth

Слу́чай на база́ре

И. И. — Ири́на Ива́новна   Л. П. — Любо́вь Петро́вна

И. И. 1 Что́ с ва́ми? Вы́ та́к взволно́ваны.

Л. П. 2 У меня́ на база́ре укра́ли де́ньги.[1] Два́дцать пя́ть рубле́й.

И. И. 3 А́х, Бо́же мо́й! Ка́к же э́то случи́лось?

Л. П. 4 Да како́й-то мальчи́шка бежа́л ми́мо, чу́ть не сби́л меня́ с но́г.[2] А пото́м смо-
трю́ — в су́мочке кошелька́ не́т.

И. И. 5 Во́т негодя́й! Наде́юсь, его́ пойма́ли?

Л. П. 6 Да́, сра́зу же. Дружи́нники спра́шивают, где́ де́ньги, а о́н говори́т: «Не бра́л я́
никаки́х де́нег».[3]

И. И. 7 Ну́, ещё бы! Да ра́зве мо́жно ему́ ве́рить? Врёт, коне́чно.

Л. П. 8 А я́ ка́к-то не уве́рена, что о́н укра́л. Не похо́ж о́н на во́ра.

И. И. 9 Тогда́ где́ же ва́ши де́ньги? Вы́ всю́ду иска́ли? В карма́нах смотре́ли?

Л. П. 10 Подожди́те! Та́к и е́сть: здесь в карма́не ды́рка. А во́т и кошелёк за подкла́д-
кой!

И. И. 11 Ну́, сла́ва Бо́гу! «Всё хорошо́, что хорошо́ конча́ется».

Л. П. 12 Бе́дный ма́льчик! А всё я́ винова́та! Сейча́с же позвоню́ в мили́цию, чтобы его́
отпусти́ли.[4]

NOTES
[1] **База́р** is an outdoor market comparable to what we generally call *farmers'
markets*. After their assigned quota has been delivered to the government, the collective farmers are allowed to sell the remaining produce in the free market, setting their
own prices.

² **Ма́льчик** is the usual word for *boy*; **мальчи́шка** is a variant showing a more emotional attitude on the part of the speaker. In this Conversation, **мальчи́шка** is used in a derogatory way, but the word can be used without any sense of disapproval.

³ The **дружи́нники** are civilian volunteer militiamen, often members of the Young Communist Organization (Komsomol), who patrol the streets and make the rounds of clubs, restaurants, and bars trying to check the hooliganism or disorderliness resulting from too much drinking. There are mixed feelings about the **дружи́нники** because they are often overzealous, breaking up rock-and-roll parties and dances and attacking the **стиля́ги**, the young non-conformists who are considered too cosmopolitan in their dress and tastes to suit the government.

⁴ After the Revolution, the Soviets adopted the word **мили́ция** for *police*, limiting the meaning of the old word, **поли́ция**, to foreign police only. The functions of the **мили́ция** are similar to those of our police.

PREPARATION FOR CONVERSATION   **В мили́ции**

соста́вить, соста́вят (pfv II)	to compile, draw up, put together
протоко́л	report of proceedings, minutes
соста́вить протоко́л	to get the facts on record
Ну́, сейча́с соста́вим протоко́л.	Well, now let's get the facts on record.
Ка́к тебя́ зову́т?	What's your name?
Никола́й Верёвкин.	Nikolay Veryovkin.
роди́ться, родя́тся (pfv II) (past роди́лся, родила́сь, –ли́сь)[1]	to be born
Когда́ ты́ роди́лся?	When were you born?
а́вгуст	August
два́дцать восьмо́го	on the twenty-eighth
пятьдеся́т пе́рвого го́да	[of] the fifty-first year
Два́дцать восьмо́го а́вгуста пятьдеся́т пе́рвого го́да.	On the twenty-eighth of August, '51.
Где́ ты́ живёшь?	Where do you live?
На у́лице Ге́рцена.	On Herzen Street.
шестьдеся́т	sixty
до́м но́мер	number (of a building)
На у́лице Ге́рцена. До́м но́мер шестьдеся́т, кварти́ра се́мь.	On Herzen Street, number 60, apartment 7.
Та́к. Где́ ты́ у́чишься?	All right. Where do you go to school?
се́мьдесят	seventy
В се́мьдесят тре́тьей шко́ле.	At school 73. (*Lit.* At the seventy-third school.)
кла́сс	class, classroom, grade
Я́ в шесто́м кла́ссе.	I'm in the sixth grade.

---

¹ The past tense may also be stressed **роди́лся, роди́лась,** and **роди́лись.**

А почему́ ты́ не в шко́ле?	And why aren't you in school?
А почему́ ты́ не в шко́ле? Сего́дня ведь суббо́та.	And why aren't you in school? After all, today is Saturday.
Что́ ты́ на база́ре де́лал.	What were you doing at the market?
продукт	product; produce; (pl) food, groceries
Ма́ть посла́ла меня́ за проду́ктами.	My mother sent me to get groceries.
Она́ лежи́т больна́я.	She's sick in bed. (*Lit.* She's lying ill.)
Лу́чше не ври́!	Better not lie!
Говори́ пра́вду!	Tell the truth!
(Звони́т телефо́н.)	(The phone rings.)
найти́сь, найду́тся (pfv I)	to turn up, be found
Слу́шаю. Ага́, нашли́сь.	Hello. Ah, it's been found.
паренёк, –нька́	lad, my boy
Ну́, паренёк, всё в поря́дке, де́ньги нашли́сь. Мо́жешь идти́.	Well, my boy, everything's all right; the money's been found. You can go.

SUPPLEMENT

Cardinal and ordinal numbers from fifty to one hundred.

пятьдеся́т [pid̦d̦iṣát]	fifty	во́семьдесят [vóṣim̦d̦iṣit]	eighty
пятидеся́тый	fiftieth	восьмидеся́тый	eightieth
шестьдеся́т [šiẓd̦iṣát]	sixty	девяно́сто	ninety
шестидеся́тый	sixtieth	девяно́стый	ninetieth
се́мьдесят [ṣém̦d̦iṣit]	seventy	сто́	one hundred
семидеся́тый	seventieth	со́тый	one-hundredth

MONTHS OF THE YEAR

Note: All of the months are masculine and all are written with small letters.

янва́рь, –я́	January	ию́ль, –я	July
февра́ль, –я́	February	а́вгуст, –а	August
ма́рт, –а	March	сентя́брь, –я́	September
апре́ль, –я	April	октя́брь, –я́	October
ма́й, –я	May	ноя́брь, –я́	November
ию́нь, –я	June	дека́брь, –я́	December

число́, –а́; чи́сла, чи́сел	date, number
Како́е сего́дня число́?	What's today's date?
— Сего́дня два́дцать седьмо́е сентября́.	Today's the twenty-seventh of September.
Како́го числа́ конча́ются заня́тия?	[On] what date do classes end?
— Два́дцать седьмо́го ма́я.	[On] the twenty-seventh of May.
начина́ться, начина́ются (I)	to begin, start
Когда́ начина́ются заня́тия?	When do classes begin?
девятьсо́т [d̦iɣitsót]	nine hundred
ты́сяча [tíṣičə] or [tíščə]	one thousand
ты́сяча девятьсо́т шестьдеся́т тре́тий го́д	[the year] 1963
в ты́сяча девятьсо́т шестьдеся́т тре́тьем году́	in [the year] 1963

В милиции

М. — милиционер   Н. — Николай (Верёвкин)

М. 1 Ну, сейчас составим протокол. Как тебя зовут?

Н. 2 Николай Верёвкин.

М. 3 Когда ты родился?

Н. 4 Двадцать восьмого августа пятьдесят первого года.[1]

М. 5 Где ты живёшь?

Н. 6 На улице Герцена. Дом номер шестьдесят, квартира семь.[2]

М. 7 Так. Где ты учишься?

Н. 8 В семьдесят третьей школе, в шестом классе.

М. 9 А почему ты не в школе? Сегодня ведь суббота. Что ты на базаре делал?[3]

Н. 10 Меня мать послала за продуктами. Она лежит больная.

М. 11 Лучше не ври! Говори правду! (Звонит телефон.) Слушаю. Ага, нашлись. Ну, паренёк, всё в порядке, деньги нашлись. Можешь идти.

NOTES   [1] The Russian way of expressing the year differs sharply from ours. Whereas English uses "teen" numbers, as in nineteen fifty-one (1951), Russian uses the "hundred" system, that is, **тысяча девятьсот пятьдесят первый год** ([one] *thousand nine-hundred fifty-first year*). Undeclined cardinal numbers are used in Russian for all except the last number, which is expressed by the declined ordinal, and agrees with **год** *year*.

Это случилось в тысяча девятьсот пятьдесят **первом** году.   It happened in 1951.

Он родился в мае тысяча девятьсот пятьдесят **первого** года.   He was born in May 1953.

[2] The word **номер** in the combination **дом номер** is usually written using the Latin symbol № and may refer to the number address of any building, residential or otherwise. Only the first word is declined: **Мы живём в доме № 60 (номер шестьдесят)** *We live at number 60.*

[3] Soviet children attend school six days a week, although no homework may be assigned for weekends or holidays. The starting age for elementary school, which was formerly eight years, is now seven. Education is compulsory for ten years in the cities, but in rural areas this is often reduced to seven years. Children are required to wear uniforms to school.

Basic sentence patterns

1. В каком месяце вы родились?   In which month were you born?
   — В январе.   In January.
   — В феврале.   — February.

— В ма́рте.	In March.
— В апре́ле.	— April.
— В ма́е.	— May.
— В ию́не.	— June.

2. Когда́ у́мер ваш де́душка?   When did your grandfather die?
— В про́шлом году́, в ию́ле ме́сяце.   Last year, in the month of July.

_____ в а́вгусте _____.   _____ of August.
_____ в сентябре́ _____.   _____ of September.
_____ в октябре́ _____.   _____ of October.
_____ в ноябре́ _____.   _____ of November.
_____ в декабре́ _____.   _____ of December.

3. Како́е сего́дня число́?   What's the date today?
— Сего́дня пе́рвое октября́.   Today's the first of October.

_____ второ́е _____.   _____ second _____.
_____ тре́тье _____.   _____ third _____.
_____ четвёртое _____.   _____ fourth _____.

4. Како́е бы́ло вчера́ число́?   What was yesterday's date?
— Вчера́ бы́ло оди́ннадцатое ма́рта.   Yesterday was the eleventh of March.

_____ двена́дцатое _____.   _____ twelfth _____.
_____ трина́дцатое _____.   _____ thirteenth _____.
_____ четы́рнадцатое _____.   _____ fourteenth _____.
_____ пятна́дцатое _____.   _____ fifteenth _____.

5. Како́е бу́дет за́втра число́?   What will tomorrow's date be?
— За́втра бу́дет двадца́тое сентября́.   Tomorrow will be September twentieth.

_____ два́дцать второ́е ___.   _____ twenty-second.
_____ пя́тое ___.   _____ twenty-fifth.
_____ шесто́е ___.   _____ twenty-sixth.
_____ седьмо́е ___.   _____ twenty-seventh.
_____ восьмо́е ___.   _____ twenty-eighth.

6. Когда́ бу́дет конце́рт?   When will the concert be?
— Шестна́дцатого января́.   On the sixteenth of January.
— Семна́дцатого февраля́.   _____ seventeenth _ February.
— Восемна́дцатого ма́рта.   _____ eighteenth _____ March.
— Девятна́дцатого апре́ля.   _____ nineteenth _____ April.
— Двадца́того ма́я.   _____ twentieth _____ May.

7. Когда́ прие́дут ва́ши роди́тели?   When are your parents going to come?
— Два́дцать пе́рвого ию́ля.   On the twenty-first of July.

_____ второ́го _____.   _____ twenty-second _____.
_____ тре́тьего _____.   _____ twenty-third _____.
_____ четвёртого ___.   _____ twenty-fourth _____.
_____ шесто́го _____.   _____ twenty-sixth _____.
_____ восьмо́го _____.   _____ twenty-eighth _____.
— Тридца́того _____.   _____ thirtieth _____.
— Три́дцать пе́рвого_____.   _____ thirty-first _____.

8. Какого числа вы уезжаете?
   On what date are you leaving?
   — Пéрвого мáя.
   On the first of May.
   — Трéтьего ⸺.
   ⸺ third ⸺.
   — Пятнáдцатого ⸺.
   ⸺ fifteenth ⸺.
   — Двадцáтого ⸺.
   ⸺ twentieth ⸺.

9. В какóм годý родился их сын?
   In what year was their son born?
   — В пятьдесят шестóм годý.
   In '56.
   — В шестидесятом годý.
   ⸺ '60.
   — В шестьдесят пéрвом годý.
   ⸺ '61.
   ⸺⸺⸺ вторóм ⸺.
   ⸺ '62.

10. Когдá у вáс кончáются занятия?
    When do your classes end?
    — В начáле июня, четвёртого числá.
    At the beginning of June, on the fourth.
    — Четвёртого июня.
    On June fourth.
    — В концé мáя, двáдцать восьмóго числá.
    At the end of May, on the twenty-eighth.
    — Двáдцать восьмóго мáя.
    On May twenty-eighth.

11. Когдá вы бýдете в США?
    When will you be in the U.S.A.?
    — В сентябрé мéсяце.
    In the month of September.
    — В áвгусте ⸺.
    ⸺⸺⸺ of August.
    — В мáе ⸺.
    ⸺⸺⸺ of May.
    — В июле ⸺.
    ⸺⸺⸺ of July.

12. С какóго числá начинáются каникулы?
    On what date does vacation begin?
    — С восемнáдцатого декабря.
    On the eighteenth of December.
    — С девятнáдцатого ⸺.
    ⸺ nineteenth ⸺.
    — С двадцáтого ⸺.
    ⸺ twentieth ⸺.
    — С двáдцать пéрвого ⸺.
    ⸺ twenty-first ⸺.

13. Кáк дóлго продолжáются каникулы?
    How long does the vacation last?
    — От шестнáдцатого декабря до трéтьего января.
    From December 16 to January 3.
    — От восемнáдцатого декабря до пятого января.
    From December 18 to January 5.
    — С девятнáдцатого декабря по шестóе января.
    From December 19 through January 6.
    — С двадцáтого декабря по восьмóе января.
    From December 20 through January 8.

14. Гдé вы живёте?
    Where do you live?
    — На ýлице Гéрцена, в дóме № 61 (шестьдесят один).
    At number 61 Herzen Street.
    — На ýлице Гéрцена, в дóме № 72 (сéмьдесят двá).
    At number 72 Herzen Street.
    — На ýлице Гéрцена, в дóме № 83 (вóсемьдесят три).
    At number 83 Herzen Street.

15. Где́ здесь продаётся со́ль?

_____ вино́?

_____ бума́га?

Where is salt sold here?

_____ wine _____?

_____ paper _____?

16. Где́ здесь продаю́тся огурцы́?

_____ ю́бки?

_____ руба́шки?

Where are cucumbers sold here?

_____ skirts _____?

_____ shirts _____?

17. Э́то та́к не де́лается.

_____ пи́шется.

_____ чита́ется.

_____ говори́тся.

It isn't done that way.

_____ written _____.

_____ read _____.

_____ said _____.

18. Когда́ начина́ется уро́к?

_____ начнётся _____?

_____ начался́ _____?

_____ конча́ется _____?

_____ ко́нчится _____?

_____ ко́нчился _____?

When does the lesson begin?

_____ will _____?

_____ did _____?

_____ does _____ end?

_____ will _____?

_____ did _____?

19. Магази́н открыва́ется через ча́с.

_____ откро́ется _____.

_____ закрыва́ется _____.

_____ закро́ется _____.

The store opens in an hour.

_____ will open _____.

_____ closes _____.

_____ will close _____.

20. Та́м стро́ится но́вое общежи́тие.

____ стро́илось _____.

____ бу́дет стро́иться _____.

A new dorm is being built there.

_____ was _____.

_____ will be _____.

21. Мы́ встреча́лись на мосту́.

____ встреча́емся _____.

____ встре́тились _____.

____ встре́тимся _____.

____ бу́дем встреча́ться __.

We used to meet on the bridge.

We meet on the bridge.

We met _____.

We'll meet _____.

We'll meet _____.

22. Мы́ проща́лись с друзья́ми.

Мы́ не бу́дем проща́ться.

Мы́ уви́димся за́втра.

Мы́ давно́ не ви́делись.

Мы́ ча́сто ви́димся.

We were saying good-bye to our friends.

We won't say good-bye.

We'll see each other tomorrow.

We haven't seen each other for a long time.

We often see each other.

Pronunciation practice : clusters of two consonants with в as the second element

A. Consonant cluster тв pronounced [tv], [tɣ] or [tf].

1. Initial position

[tvaróg]   творо́г
cottage cheese

[tvórčistvə]   тво́рчество
creativity

[tɣórdəşt]   твёрдость
hardness

2. Medial position

[atvaṛíṭ] отвори́ть
to open
[natvój] на твóй
onto your

[atγét] отвéт
answer

3. Final position: тв pronounced [tf]

[maḷítf] моли́тв
of prayers
[bṛítf] бри́тв
of razors

[kḷátf] кля́тв
of oaths

B. Consonant cluster дв pronounced [dv] or [dγ].

1. Initial position

[dvúx] двýх
of two
[dγé] двé
two (f)

[dγínuṭ] дви́нуть
to move

2. Medial position

[nadvór] на двóр
outdoors
[ṃidγéṭ] медвéдь
bear

[nadγínuṭ] надви́нуть
to move over

STRUCTURE AND DRILLS

Months, dates, and ordinal numbers

MODELS

Какóе сегóдня числó?
— Сегóдня пéрвое октября́.
——————— вторóе ———.
——————— трéтье ———.

What's the date today?
It's the first of October today.
—————— second ——————.
—————— third ——————.

Вчерá бы́ло двадца́тое ноября́.
——————— два́дцать пéрвое.
——————— тридца́тое ноября́.

Yesterday was November twentieth.
——————————————— twenty-first.
——————————————— thirtieth.

Когдá э́то случи́лось?
— Четвёртого áвгуста.
— Пя́того ————.
— Шестóго ————.
— Двадца́того ———.
— Два́дцать седьмóго —.

When did it happen?
On the fourth of August.
—————— fifth ———.
—————— sixth ———.
—————— twentieth ——.
—————— twenty-seventh —.

Когда́ они́ прие́дут?	When will they arrive?
— В сре́ду, седьмо́го ма́я.	On Wednesday, May seventh.
_____ восьмо́го ____.	_____ eighth.
_____ девя́того ____.	_____ ninth.
_____ деся́того ____.	_____ tenth.
Како́го числа́ вы́ уезжа́ете?	On what date do you leave?
— Четы́рнадцатого ма́рта.	On the fourteenth of March.
— Девятна́дцатого _____.	_____ nineteenth _____.
— Двадца́того _____.	_____ twentieth _____.
— Два́дцать тре́тьего ____.[1]	_____ twenty-third _____.

■ REPETITION DRILL

Repeat the given models, noting that (1) the last element of the date employs the ordinal number (neuter singular to agree with **число**) and (2) combinations such as twenty-one, twenty-two, thirty-one, and so forth, use the non-declined cardinal number for the first part and the declined ordinal number for the second part. Note also that the genitive case is used to express the concept "on" a certain date.

■ QUESTION-ANSWER DRILLS

1. *What's the date tomorrow?*
   Tomorrow is the twenty-second of November.[2]
   Како́е за́втра число́?
   За́втра два́дцать второ́е ноября́.
   Како́е за́втра число́?
   За́втра два́дцать тре́тье ноября́.
   (24-ое–30-ое)

2. *Is today the sixth?*
   No, it's already the seventh.
   Сего́дня 6-ое?
   Не́т, сего́дня уже́ 7-ое.
   Сего́дня 8-ое?
   Не́т, сего́дня уже́ 9-ое.
   (10-ое, 12-ое, 14-ое, 16-ое, 18-ое, 20-ое, 22-ое, 24-ое)

3. *On what date do classes end?*
   On June eleventh.[3]
   Како́го числа́ конча́ются заня́тия?
   Оди́ннадцатого ию́ня.
   Како́го числа́ конча́ются заня́тия?
   Двена́дцатого ию́ня.
   (13-го–18-го)

4. *Were you born in September?*
   Yes, on the nineteenth of September.[4]
   Вы́ роди́лись в сентябре́?
   Да́, 19-го сентября́.
   Вы́ роди́лись в сентябре́?
   Да́, 20-го сентября́.
   (21-го–30-го)

■ STRUCTURE REPLACEMENT DRILLS

1. *We've lived here for twelve years.*
   It's the twelfth year we've been living here.
   Мы́ живём здесь двена́дцать ле́т.
   Мы́ живём здесь двена́дцатый го́д.
   Мы́ живём здесь два́дцать ле́т.
   Мы́ живём здесь двадца́тый го́д.
   (30, 19, 13, 18, 28, 17, 27)

2. *I've told you ten times.*
   I'm telling you for the tenth time.
   Я́ тебе́ де́сять ра́з говори́л.
   Я́ тебе́ деся́тый ра́з говорю́.
   Я́ тебе́ два́дцать ра́з говори́л.
   Я́ тебе́ двадца́тый ра́з говорю́.
   (30, 40, 50, 60, 10, 20)

---

[1] As in English, dates are normally written with numbers. The ending of the ordinal number may be indicated, for example, 1-ого or 1-го for **пе́рвого**, 3-е or 3-ье for **тре́тье**, 1-ом or 1-м for **пе́рвом**, 3-ьем or 3-м for **тре́тьем**, and so forth. The word for *year* is sometimes abbreviated in dates to г. (singular) or гг. (plural), for example, **в 1962 г.**; **1960, 1961 гг.**

[2] Continue in sequence until *the thirtieth of November* (24-ое–30-ое).

[3] Continue in sequence until *the eighteenth of June* (13-го–18-го).

[4] Continue in sequence until *the thirtieth of September* (21-го–30-го).

1. *It's May now.*
   It always rains here in May.
   Тепе́рь ма́й.
   В ма́е здесь всегда́ иду́т дожди́.
   Тепе́рь ию́нь.
   В ию́не здесь всегда́ иду́т дожди́.
   (ию́ль, а́вгуст, янва́рь, сентя́брь,
   ноя́брь, февра́ль)

2. *It was the month of May.*
   It was the twentieth of May.
   Бы́л ма́й ме́сяц.
   Бы́ло двадца́тое ма́я.
   Бы́л янва́рь ме́сяц.
   Бы́ло двадца́тое января́.
   (февра́ль, а́вгуст, ию́нь, сентя́брь,
   ию́ль, ноя́брь)

DISCUSSION

Ordinal numbers, with the exception of **тре́тий** *third*, are declined like the hard-stem adjectives. **Тре́тий** declines like **чей** *whose* except for the stress.

	SINGULAR			PLURAL
	Masculine	*Neuter*	*Feminine*	
NOM	тре́тий	тре́тье	тре́тья	тре́тьи
ACC	(*like* nom *or* gen)	(*like* nom *or* gen)	тре́тью	(*like* nom *or* gen)
GEN	тре́тьего		тре́тьей	тре́тьих
PREP	(о) тре́тьем			
DAT	тре́тьему			тре́тьим
INSTR	тре́тьим			тре́тьими

Non-reflexive versus reflexive verbs

Many reflexive verbs already encountered by the student also have non-reflexive forms. In the paired examples below illustrating both reflexive and non-reflexive usage, note that only the non-reflexive form can take an accusative direct object:

Не беспоко́йтесь! — Don't worry! *or* Don't trouble yourself!
Я не хоте́л ва́с беспоко́ить. — I didn't want to disturb you.

Не удивля́йтесь! — Don't be surprised!
Вы меня́ удивля́ете. — You surprise me.

Мы́ купа́лись в реке́. — We swam (*or* bathed) in the river.
Ма́ть купа́ла дете́й. — The mother bathed the children.

О́н на меня́ рассерди́лся. — He got mad at me.
О́н меня́ рассерди́л. — He made me mad.

Мы собира́емся по суббо́там.	We get together on Saturdays.
Собира́й свои́ ве́щи, и пое́дем!	Get your things together and let's go!
Знако́мьтесь, пожа́луйста.	Get acquainted with each other, please.
На́с не на́до знако́мить, мы́ уже́ знако́мы.	You don't need to introduce us; we're already acquainted.
Торопи́сь, мы́ опозда́ем.	Hurry [or] we'll be late.
Не торопи́ меня́, успе́ем.	Don't rush me; we'll make it [in time].
Поката́емся на ло́дке!	Let's go for a boat ride!
О́н поката́л меня́ на ло́дке.	He took me for a boat ride.
О́н обрати́лся ко мне́ за по́мощью.	He turned to me for help.
О́н хоте́л обрати́ть э́то в шу́тку.	He wanted to turn it into a joke.
О́н верну́лся в пя́ть часо́в.	He returned at five o'clock.
О́н верну́л мне́ все́ кни́ги.	He returned all the books to me.

■ STRUCTURE REPLACEMENT DRILLS

1. *I'm interested in everything.*
   Everything interests me.
   Я́ все́м интересу́юсь.
   Меня́ все́ интересу́ет.
   Она́ все́м интересу́ется.
   Её все́ интересу́ет.
   (вы, они́, ты, мы, он)

2. *I'm in a hurry.*
   Everybody hurries me.
   Я́ тороплю́сь.
   Все́ меня́ торо́пят.
   Она́ торо́пится.
   Все́ её торо́пят.
   (мы, вы, ты, он)

3. *He's interested in everything.*
   Everything interests him.
   О́н все́м интересу́ется.
   Его́ все́ интересу́ет.
   О́н на все́ се́рдится.
   Его́ все́ се́рдит.
   (обо все́м беспоко́ится, всему́
   удивля́ется, все́м занима́ется, на все́
   се́рдится)

4. *They've got to learn.*
   They have to be taught.
   И́м на́до научи́ться.
   И́х на́до научи́ть.
   И́м на́до познако́миться.
   И́х на́до познако́мить.
   (верну́ться, вы́купаться, поката́ться,
   собра́ться, торопи́ться, собира́ться,
   купа́ться, ката́ться)

■ RESPONSE DRILL

He got mad at something.
What made him mad?
О́н на что́-то рассерди́лся.
Что́ его́ рассерди́ло?
О́н чему́-то удивля́лся.
Что́ его́ удивля́ло?

О́н че́м-то интересова́лся.
О́н на что́-то серди́лся.
О́н че́м-то занима́лся.
О́н о че́м-то беспоко́ился.
О́н на что́-то рассерди́лся.
О́н чему́-то удивля́лся.

Ordinal numbers in dates including the year

В како́м году́ вы́ родили́сь?	In what year were you born?
— В ты́сяча девятьсо́т сороково́м году́.	In 1940.
_____ со́рок шесто́м.	— 1946.
_____ со́рок девя́том.	— 1949.

В како́м году́ роди́лся ва́ш бра́т?	In what year was your brother born?
— В ты́сяча девятьсо́т пятидеся́том году́.	In 1950.
_____ пятьдеся́т пе́рвом году́.	— 1951.
_____ второ́м ____.	— 1952.

В како́м году́ она́ родила́сь?	In what year was she born?
— В ты́сяча девятьсо́т шестидеся́том году́.	In 1960.
_____ шестьдеся́т пе́рвом году́.	— 1961.
_____ второ́м ____.	— 1962.
_____ тре́тьем ____.	— 1963.

В како́м году́ роди́лся ва́ш оте́ц?	In what year was your father born?
— В ты́сяча девятьсо́т пе́рвом году́.	— 1901.
_____ деся́том ____.	— 1910.
_____ оди́ннадцатом ____.	— 1911.

В како́м году́ родила́сь ва́ша ма́ть?	In what year was your mother born?
— В [ты́сяча девятьсо́т] семна́дцатом году́.	In '17.
_____ восемна́дцатом ____.	— '18.
_____ девятна́дцатом ____.	— '19.
_____ двадца́том ____.	— '20.

Когда́ вы́ родили́сь?	When were you born?
— Два́дцать пе́рвого февраля́ ты́сяча девятьсо́т тридца́того го́да.	On February 21, 1930.
_____ сороково́го ____.	_____ 1940.
_____ пятидеся́того ____.	_____ 1950.
_____ шестидеся́того _.	_____ 1960.

■ REPETITION DRILLS

Repeat the given models, noticing the patterning of dates in Russian. Note particularly that cardinal numbers are used for all but the last unit of a year date, which is an ordinal number.

■ READING DRILLS

The following drills are given for practice in reading numbers. Note the style of Russian abbreviations.

1. *Next year will be 1963.*
   Сле́дующий го́д бу́дет 1963-ий.
   (1964-ый, 1965-ый, 1966-ой, 1967-ой, 1968-ой)

2. *Today is the fifth of October '61.*
   Сего́дня 5-ое октября́ 61-го го́да.
   (62-го, 63-го, 64-го, 65-го, 66-го, 67-го)

3. *It happened in 1930.*
   Э́то случи́лось в 1930-ом году́.
   (1936-ом, 1933-ьем, 1939-ом, 1940-ом, 1945-ом, 1950-ом, 1954-ом, 1959-ом, 1961-ом)

4. *It happened in June 1940.*
   Э́то случи́лось в ию́не 1940-го го́да.
   (1941-го, 1942-го, 1943-го, 1944-го, 1945-го)

1. *It was the year 1920.*
   That was in 1920.
   Бы́л 1920-ый го́д.
   Э́то бы́ло в 1920-ом году́.
   ·Бы́л 1930-ый го́д.
   Э́то бы́ло в 1930-ом году́.
      (1940-ой, 1910-ый, 1960-ый, 1940-ой,
      1920-ый)

2. *January was coming to an end.*
   It happened at the end of January.
   Янва́рь конча́лся.
   Э́то случи́лось в конце́ января́.
   Ию́нь конча́лся.
   Э́то случи́лось в конце́ ию́ня.
      (март, сентябрь, май, декабрь,
      август)

3. *He arrived in '21, in the summer.*
   He arrived in the summer of '21.
   О́н прие́хал в 21-ом году́, ле́том.
   О́н прие́хал ле́том 21-го го́да.
   О́н прие́хал в 22-о́м году́, ле́том.
   О́н прие́хал ле́том 22-го го́да.
      (23-ьем, 24-ом, 25-ом, 26-ом, 27-ом,
      28-ом, 29-ом)

4. *Spring of '50 had arrived.*
   We left in '50, in the spring.
   Пришла́ весна́ 50-го го́да.
   Мы́ уе́хали в 50-ом году́, весно́й.
   Пришла́ весна́ 51-го го́да.
   Мы́ уе́хали в 51-ом году́, весно́й.
      (59-го, 53-го, 57-го, 54-го, 56-го, 58-го,
      52-го)

Reflexives formed from non-reflexive verbs

MODELS

Э́то не та́к говори́тся.
———————— де́лается.
———————— пи́шется.
———————— чита́ется.
———————— игра́ется.

It isn't said that way.
—————— done ————.
—————— spelled ————.
—————— read ————.
—————— played ————.

Ка́к пи́шется ва́ша фами́лия, Гра́нт, через
«т» и́ли через «д»?
Ра́ньше сло́во «танцева́ть» писа́лось через
«о».[1]

How is your name written, Grant, with a "t" or
a "d"?
The word "танцева́ть" was formerly written
with an "o."

Когда́ начина́ется концéрт?
—————— конча́ется ————?
Когда́ начну́тся кани́кулы?
—————— ко́нчатся заня́тия?
Уро́к ско́ро ко́нчится.
———————— начнётся.

When does the concert begin?
———————————— end?
When will the vacation start?
———————— classes end?
The lesson will soon be over.
———————————— begin.

О́н всегда́ теря́ется в таки́х слу́чаях.

He's always lost on such occasions.

У меня́ слома́лся каранда́ш.
—————— потеря́лась ру́чка.

My pencil broke.
—— pen's lost.

---

[1] That is, **танцова́ть.**

Мы́ встре́тились на аэропо́рте. We met (each other) at the airport.
—— проща́лись ——. —— said good-bye (to each other) ——.
Мы́ ча́сто встреча́лись в клу́бе. We often met at the club.
—————— встреча́емся ——. —————— meet ——.
—————— ви́димся ——. —————— see each other ——.
—————— ви́делись ——. —————— saw each other ——.
Мы́ уви́димся в клу́бе. We'll see each other at the club.

■ REPETITION DRILL

Repeat the given models, noting that reflexives are often used to express the passive voice.

■ RESPONSE DRILLS

1. *What a long song!*
   When will it end?
   Кака́я дли́нная пе́сня!
   Когда́ она́ ко́нчится?
   Како́й дли́нный рома́н!
   Когда́ о́н ко́нчится?
   (уроки, лекция, собрание, разговор,
   стихи, очерк, романс, пластинка)

2. *Classes haven't started yet.*
   When will they start?
   Заня́тия ещё не начина́лись.
   Когда́ они́ начну́тся?
   Уро́к ещё не начина́лся.
   Когда́ о́н начнётся?
   (концерт, танцы, завтрак, игра,
   лекция, каникулы)

■ QUESTION-ANSWER DRILLS

1. *Is the store open?*
   No, the store opens at eight.
   Магази́н откры́т?
   Не́т, магази́н открыва́ется в во́семь.
   Библиоте́ка откры́та?
   Не́т, библиоте́ка открыва́ется в во́семь.
   (буфет, почта, магазины, красный
   уголок, лаборатория, киоски, касса)

2. *When will they open the park?*
   The park opens in a month.
   Когда́ откро́ют па́рк?
   Па́рк откро́ется через ме́сяц.
   Когда́ откро́ют ку́рсы?
   Ку́рсы откро́ются через ме́сяц.
   (театр, мясокомбинат, столовые,
   ресторан, этот зал, эти аудитории)

■ STRUCTURE REPLACEMENT DRILLS

1. *People always say it that way.*
   It's always said that way.
   Та́к всегда́ говоря́т.
   Та́к всегда́ говори́тся.
   Та́к всегда́ пи́шут.
   Та́к всегда́ пи́шется.
   (делают, кончают, начинают, строят,
   читают, понимают)

2. *How does one open this?*
   How is this opened?
   Ка́к э́то откры́ть?
   Ка́к э́то открыва́ется?
   Ка́к э́то сде́лать?
   Ка́к э́то де́лается?
   (написать, закрыть, сказать, начать,
   кончить, прочитать)

3. *We met our friends.*
   We've met with our friends.
   Мы́ встре́тили друзе́й.
   Мы́ встре́тились с друзья́ми.
   Я́ встре́тил друзе́й.
   Я́ встре́тился с друзья́ми.
   (мальчики, Ирина, они, Николай,
   сестра, доктор, Валя)

4. *I'll meet you at the club.*
   You and I will meet at the club.
   Я́ ва́с встре́чу в клу́бе.
   Я́ с ва́ми встре́чусь в клу́бе.
   Вы́ её встре́тите в клу́бе.
   Вы́ с не́й встре́титесь в клу́бе.
   (они-нас, ты-его, мы-их, она-нас,
   я-её, он-его)

5. *We were seeing our neighbors off.*
We were saying good-bye to our neighbors.
Мы́ провожа́ли сосе́дей.
Мы́ проща́лись с сосе́дями.
Я́ провожа́л сосе́дей.
Я́ проща́лся с сосе́дями.
(мать, ребя́та, отец, дети, дочь,
родители, певица)

6. *I'll see you.*
You and I will see each other.
Я́ ва́с уви́жу.
Я́ с ва́ми уви́жусь.
О́н ва́с уви́дит.
О́н с ва́ми уви́дится.
(мы, они, она)

DISCUSSION

Reflexive verbs have several functions in Russian. They are used:

1. When the subject is the receiver as well as the performer of the action, that is, in true reflexive actions.

Ма́льчик спря́тался от отца́.   *The boy hid himself from his father.*

2. When two or more subjects act on each other, that is, they show reciprocal action.

Мы́ встре́тились на мосту́.   *We met (each other) on the bridge.*

3. When the subject undergoes the action of the verb, as one of the means of expressing passive concepts in Russian.

Где́ здесь **продаётся молоко́?**   *Where is milk sold here?*

Use of prepositions от, до, с, and по in expressing dates

MODELS

Ка́к до́лго вы́ бу́дете в СССР?
— С пе́рвого июля по деся́тое а́вгуста.
— Со второ́го _____ по оди́ннадцатое а́вгуста.

How long will you be in the U.S.S.R.?
From July first through August tenth.
_____ second _____ eleventh.

Ка́к до́лго вы́ бу́дете здесь?
— От седьмо́го июня до пе́рвого а́вгуста.
— От девя́того _____ до деся́того _____.

How long will you be here?
From June seventh until August first.
_____ ninth _____ tenth.

От како́го числа́ э́та газе́та?
— От трина́дцатого ноября́.
— От четы́рнадцатого декабря́.

What's the date of this paper?
The thirteenth of November.
The fourteenth of December.

С како́го числа́ вы́ начина́ете рабо́тать?
— С двена́дцатого апре́ля.
— С девятна́дцатого _____.
— С двадца́того _____.

What date do you start work?
The twelfth of April.
The nineteenth __.
The twentieth __.

До како́го числа́ вы́ та́м бу́дете?
— До шестна́дцатого а́вгуста.
— До семна́дцатого _____.
— До два́дцать пе́рвого _____.

Until what date will you be there?
Until the sixteenth of August.
_____ seventeenth _____.
_____ twenty-first _____.

Repeat the given models, noting that the combination *from . . . to* is **от... до**, and *from . . . through* is **с... по**. Note particularly that **с** is used alone in the sense *starting from*. All of these prepositions are followed by the genitive except for **по**, which requires the accusative.

■ READING DRILLS

1. *I'll be here from the seventh through the four-teenth.*

   Я буду здесь с 7-го по 14-ое.

   Я буду здесь с 8-го по 15-ое.

   (с 9-го по 16-ое; с 10-го по 17-ое; с 11-го по 18-ое; с 12-го по 19-ое; с 13-го по 20-ое; с 14-го по 21-ое)

2. *We'll be at the lake until the twenty-second.*

   Мы будем на озере до 22-го.

   Мы будем на озере до 10-го.

   (14-го, 27-го, 30-го, 31-го, 11-го, 17-го, 19-го, 28-го, 9-го)

■ QUESTION-ANSWER DRILLS

1. *Will you be free the whole month?*
   No, only from the first through the eleventh.[1]

   Вы будете свободны целый месяц?

   Нет, только с первого по одиннадцатое.

   Вы будете свободны целый месяц?

   Нет, только со второго по двенадцатое.

2. *When does your vacation start?*
   [From] the first of next month.[2]

   Когда у вас начинаются каникулы?

   С первого числа следующего месяца.

   Когда у вас начинаются каникулы?

   Со второго числа следующего месяца.

■ RESPONSE DRILLS

1. *We'll be at our cottage until August eleventh.*
   And we until the twelfth.

   Мы будем на даче до 11-го августа.

   А мы до 12-го.

   Мы будем на даче до 12-го августа.

   А мы до 13-го.

   (до 13-го, до 14-го, до 15-го, до 16-го, до 17-го, до 18-го)

2. *This room will be open from the thirtieth.*
   And that one from the thirty-first.

   Этот зал будет открыт с 30-го числа.

   А тот с 31-го.

   Этот зал будет открыт с 1-го числа.

   А тот со второго.

   (с 8-го, с 6-го, со 2-го, с 3-го, с 9-го, с 4-го, с 7-го)

ПОВТОРЕНИЕ

— Идите сюда, Лёв Петрович! Мальчики поймали змею, хотят вам показать.

— Сейчас иду. О, какая длинная! Вы её не боитесь?

— Нет, мы их даже в руки брать умеем.

— Вот как! А где же вы её поймали?

— Тут на камнях. Мы сидели, отдыхали, а она мимо ползла. Это мы уже третью поймали. Они тут в ведре. Вот, смотрите.

---

[1] Continue in sequence until *from the ninth through the thirteenth* (**с 3-ьего по 13-ое–с 9-го по 19-ое**).

[2] Continue in sequence until *from the tenth* (**с 3-ьего–с 10-го**).

— Вы́ и́х пря́мо рука́ми ло́вите?

— Не́т, у на́с е́сть така́я па́лка, чтобы змей лови́ть. Покажи́, Ко́ля.

— Во́т она́. Похо́жа на ви́лку.

— А что́ вы́ собира́етесь де́лать с ва́шими зме́ями?

— Принесём в кла́сс и пока́жем учи́телю.

— Э́то хоро́шая мы́сль.

— Когда́ у ва́с в шко́ле конча́ются заня́тия?

— В нача́ле ию́ня, 4-го числа́. Пото́м у на́с кани́кулы три́ ме́сяца: ию́нь, ию́ль, а́вгуст.

— А когда́ опя́ть в шко́лу?

— 1-го сентября́.

— Ну́, а зимо́й? То́же е́сть кани́кулы?

— Коне́чно, в декабре́ ме́сяце.

— С како́го числа́? С 24-го?

— Не́т, с двадца́того декабря́ по 2-ое января́.

На база́ре всегда́ мно́го люде́й, но осо́бенно по воскресе́ньям. Колхо́зники продаю́т све́жие проду́кты. У ни́х покупа́ют молоко́, ма́сло, карто́шку и други́е проду́кты. Хотя́ всё у ни́х дорого́е, но гора́здо лу́чше, че́м в магази́нах. А на толку́чке в э́ти дни́ люде́й ещё бо́льше. Та́м мо́жно всё найти́: и поде́ржанные ве́щи, и но́вые костю́мы, пла́тья, руба́шки, ю́бки, и америка́нские пласти́нки, и ста́рые ру́сские ико́ны, и часы́, и ша́хматы, и кни́ги, и карти́ны. На база́ре е́сть всё. Е́сть и во́ры. На база́ре ну́жно бы́ть осторо́жным, хорошо́ пря́тать де́ньги, а то́ украду́т.

В 1952-о́м году́ Никола́й око́нчил шко́лу и поступи́л в институ́т. Та́м о́н учи́лся пя́ть ле́т и в 1957-о́м году́ ста́л инжене́ром. О́н специали́ст по моста́м и доро́гам. В 58-о́м году́ рабо́тал во́зле Я́лты, с 59-го по 60-ый бы́л недалеко́ от Владивосто́ка. Ле́том 61-го го́да о́н е́здил в США с гру́ппой инжене́ров посмотре́ть, ка́к стро́ят мосты́ и доро́ги в Аме́рике.

LESSON **22**

PREPARATION FOR CONVERSATION   **На катке**

катóк, –ткá
Нý вóт, мы́ и на каткé.
конёк, –нькá
катáться на конькáх
Ты́ хорошó на конькáх катáешься?

где́ тáм
Где́ тáм!

шáг (pl шаги́)
на кáждом шагу́
пáдать, пáдают (I)
Пáдаю на кáждом шагу́.

вы́расти, вы́растут (pfv I)
юг
Ведь я́ на ю́ге вы́росла.
мóре, –я; –я́, –éй
Ведь я́ на ю́ге вы́росла, на берегу́ Чёрного мóря.

сéвер
А я́ с сéвера.

лёд, льдá
Я́, мóжно сказáть, на льду́ вы́рос.

невáжный
Хотя́ я́ на сéвере вы́рос, я́ тóже невáжно катáюсь.

Я́ катáюсь горáздо ху́же сестры́.

летáть, –áют (I, m-d)
пти́ца
тá
Тá кáк пти́ца летáет.

В ГУ́Ме.

skating rink
Well, here we are at the skating rink.
skate, ice-skate
to skate
Are you a good skater?

far from it! (*or* go on!)
Far from it!

step, stride, pace
with every step, at every turn
to fall
I fall with every step.

to grow up
south
I grew up in the south, after all.
sea
I grew up in the south, on the Black Sea coast.

north
And I'm from the north.

ice
You might say I grew up on the ice.

unimportant; not good; indifferent
Even though I grew up in the north, I don't skate very well either.

I skate far worse than my sister.

to fly
bird
she (*lit.* that one)
She flies like a bird.

553

лёгок (легка́) на помине
А во́т и она́, легка́ на помине.

Све́та, беги́ сюда́, к на́м!

моро́з
Ну́ и моро́з!

но́с, –а; носы́, –о́в
о́ба, обо́их (f о́бе, обе́их)
У ва́с обо́их носы́ совсе́м кра́сные.

Почему́ вы́ не ката́етесь?

потому́ что [рətamúštə]
Потому́ что уста́ли па́дать.

конькобе́жец, –жца
Мы́ о́ба плохи́е конькобе́жцы.
не то́, что
ма́стер, –а; –а́, –о́в
спо́рт
**Мы́ о́ба плохи́е конькобе́жцы, не то́, что ты́,
на́ш «ма́стер спо́рта».**

Како́й я́ ма́стер!

не́рвничать, –ают (I)
соревнова́ние
Я́ бу́ду не́рвничать на соревнова́ниях.
испо́ртить, –ят (pfv II)
Я́ бу́ду не́рвничать и всё испо́рчу.
тренирова́ться, трениру́ются (I)
**Ка́ждый де́нь трениру́юсь, а на
соревнова́ниях бу́ду не́рвничать и всё
испо́рчу.**

бро́сить, бро́сят (pfv II)
Бро́сь говори́ть глу́пости.

бе́гать, бе́гают (I, m-d)
во́зраст
шестиле́тний, –яя, –ее
**Она́ с шестиле́тнего во́зраста на конька́х
бе́гает.**

Пра́вда, Све́та?

Мне́ бы́ло четы́ре го́да.
привести́, приведу́т (pfv I) (past привёл,
привела́, –о́, –и́)
**Не́т, мне́ бы́ло всего́ четы́ре го́да, когда́
меня́ пе́рвый ра́з привели́ на като́к.**

расстава́ться, расстаю́тся (I)
с те́х по́р

speak of the devil (*lit.* light on a mention)
And speak of the devil, there she is.

Sveta, come on over here to us!

freezing cold, freezing weather; frost
Boy, it's cold!

nose
both
Both your noses are quite red.

Why aren't you skating?

because
Because we're tired of falling down.

skater
We're both poor skaters.
not like; a far cry from
expert, master; foreman
sport(s)
We're both poor skaters, a far cry from you, our
"master sportsman."

I'm some expert!

to be nervous, feel nervous
competition, contest, event, meet
I'll be nervous at the contests.
to spoil, ruin
I'll be nervous and spoil everything.
to train, be in training
I train every day, but I'll be nervous at the contests and spoil everything.

to throw; to drop; to quit, stop
Stop talking nonsense.

to run; (на конька́х) to skate
age
of six years
She's been skating since the age of six.

Isn't that so, Sveta?

I was four years old.
to bring, take, lead (to)

No, I was only four when they first took me to
the skating rink.

to part
since then, since that time

Тáк, с тéх пóр и не расстаю́сь с конька́ми.	So since that time I haven't parted company with my skates.
иску́сство [iskústvə]	art, skill
Ну́, покажи́ на́м своё иску́сство.	Well, show us your skill.

восто́к	east
На́ш колхо́з нахо́дится на восто́к от Ки́ева.	Our kolkhoz is situated [to the] east of Kiev.
за́пад	west
На́ш колхо́з нахо́дится на за́пад от Ки́ева.	Our kolkhoz is situated [to the] west of Kiev.
по́ртить, по́ртят (II)	to spoil, ruin
Ты́ всегда́ всё по́ртишь!	You always spoil everything!
приводи́ть, приво́дят (II)	to bring, take, lead (to)
Сюда́ всегда́ приво́дят тури́стов.	They always bring the tourists here.
води́ть, во́дят (II, m-d)	to lead, conduct, take
Óн во́дит тури́стов по го́роду.	He conducts tourists through the city.
вести́, веду́т (I, u-d) (past вёл, вела́, –ó, –и́)	to be leading, be conducting, be taking
Куда́ вы́ на́с ведёте?	Where are you taking us?
расста́ться, раста́нутся (pfv I)	to part, take leave of
Когда́ они́ расста́лись?	When did they part?
Я́ никогда́ не расста́нусь с э́той карти́ной.	I'll never part with this picture.

На катке́

T. — Тама́ра (Тама́рочка)   B. — Вади́м (Ва́дя)   C. — Светла́на (Све́та)

B. 1 Тама́ра, ты́ хорошо́ на конька́х ката́ешься?

T. 2 Где́ та́м! Па́даю на ка́ждом шагу́. Ведь я́ на ю́ге вы́росла, на берегу́ Чёрного мо́ря.

B. 3 А я́ с се́вера, мо́жно сказа́ть, на льду́ вы́рос, а то́же нева́жно ката́юсь, гора́здо ху́же сестры́.[1] Та́ ка́к пти́ца лета́ет.

T. 4 А во́т и она́, легка́ на поми́не. Све́та, беги́ сюда́, к на́м!

C. 5 Ну́ и моро́з! У ва́с обо́их носы́ совсе́м кра́сные. Почему́ вы́ не ката́етесь?

T. 6 Потому́ что уста́ли па́дать.

B. 7 Мы́ о́ба плохи́е конькобе́жцы, не то́, что ты́, на́ш «ма́стер спо́рта».[2]

C. 8 Како́й я́ ма́стер! Ка́ждый де́нь трениру́юсь, а на соревнова́ниях бу́ду не́рвничать и всё испо́рчу.

B. 9 Бро́сь говори́ть глу́пости. Зна́ешь, Тама́рочка, она́ с шестиле́тнего во́зраста на конька́х бе́гает. Пра́вда, Све́та?[3]

C. 10 Не́т, мне́ бы́ло всего́ четы́ре го́да, когда́ меня́ пе́рвый ра́з привели́ на като́к. Та́к с те́х по́р и не расстаю́сь с конька́ми.

T. 11 Ну́, покажи́ на́м своё иску́сство.

NOTES

¹ Note that when the context makes it clear, **на конька́х** may be omitted and **ката́ться** used alone in the meaning *to skate*.

² Since 1936, **ма́стер спо́рта** has been the official title given to Soviet athletes who successfully compete in a series of national contests. Here, of course, it is used jokingly.

³ The expressions **ката́ться на конька́х** and **бе́гать на конька́х** are both used to describe the activity of skating. **Ката́ться** is more apt to be used when done by an amateur or for fun, whereas **бе́гать** is used to describe the skating done by a professional. The noun, **конькобе́жец** *skater*, is based on the latter expression.

PREPARATION FOR CONVERSATION   **На лы́жах**

лы́жи (sg лы́жа)	skis
ката́ться на лы́жах	to ski
Ты́ лю́бишь ката́ться на лы́жах?	Do you like to ski?
забо́р	fence
А́й, я́ пря́мо на забо́р лечу́!	Help! I'm heading (*lit.* flying) straight for the fence!
бо́к, –а; бока́, –о́в	side
на́ бок [nábək]	to one side, to the side, aside
на боку́ [nəbakú]	on the side, on one's side
Па́дай на́ бок!	Fall to one side!
разби́ться, разобью́тся (pfv I)	to break, be broken, be smashed up; to be hurt badly
Па́дай на́ бок, а то́ разобьёшься!	Fall to one side, or else you'll get hurt badly!
встать, вста́нут (pfv I)	to get up, rise
Помоги́ мне́ вста́ть, Ва́дя.	Help me up, Vadya.
ве́сь в снегу́	all covered with snow
Я́ вся́ в снегу́.	I'm all covered with snow.
Ка́к лы́жи?	How are the skis?
да что́ (*plus* nom)	to heck with, who cares about
Да что́ лы́жи! Ка́к ты́?	To heck with the skis! How are you?
Встава́й!	Get up!
держа́ться, де́ржатся (II)	to hold, keep
держа́ться за (*plus* acc)	to hold (*or* hang) on to
Держи́сь за меня́, встава́й!	Hang on to me; try to get up!
це́л, –о, –ы (f –а́)	whole, intact, unbroken, in one piece
Ру́ки и но́ги це́лы, ка́жется.	My arms and legs seem to be all in one piece.
понести́, понесу́т (pfv I)	to carry, bear
Ты́ мо́жешь идти́ и́ли тебя́ понести́?	Can you walk or shall I carry you?
Не́т, не беспоко́йся.	No, don't bother.

плечо́, –а́; пле́чи, пле́ч	shoulder
бедро́, –а́; бёдра, бёдер	hip

У меня́ бедро́ и плечо́ немно́го боля́т.
My hip and shoulder hurt a bit.

У меня́ то́лько бедро́ и плечо́ немно́го боля́т, но э́то пройдёт.
Only my hip and shoulder hurt a bit, but that'll pass.

напуга́ть, –а́ют (pfv I)	to scare, frighten

Напуга́ла ты меня́, Све́та.
You had me scared, Sveta.

Э́то мне́ нау́ка.
Let that be a lesson to me.

повести́, поведу́т (pfv I)	to take, lead, conduct
гора́, –ы́; го́ры, го́р (acc sg го́ру)	mountain, hill

Я́ тебя́ бо́льше никогда́ на э́ту го́ру не поведу́.
I won't ever take you to this hill again.

Не́т, пожа́луйста! Зде́сь та́к хорошо́!
No, please! It's so nice here.

Я́ в друго́й ра́з бу́ду осторо́жнее.
I'll be more careful next time.

хара́ктер	character, nature, personality, temperament, disposition
–то [тə]	(emphatic particle)

С твои́м-то хара́ктером?
The kind of person you are?

сомнева́ться, –а́ются (I)	to doubt, have one's doubts
сомнева́ться в (*plus* prep)	to doubt (something)

Я́ в э́том сомнева́юсь.
I doubt that.

С твои́м-то хара́ктером? Сомнева́юсь.
The kind of person you are? I have my doubts.

У меня́ тако́й хара́ктер — ты́ со мно́ю не шути́!
The kind of person I am—you'd better not joke with me!

Но ты́ са́м то́же хоро́ш!
You're a fine one to talk!

сумасше́дший	madman; (as adj) mad, insane

Ты́ лети́шь с горы́, ка́к сумасше́дший.
You fly downhill like a madman.

Я́ — друго́е де́ло.
Me—that's different.

сторона́, –ы́; сто́роны, –ро́н (acc sg сто́рону)	side
сверну́ть, сверну́т (pfv I)	to turn
сверну́ть в сто́рону	to turn aside, make a turn to the side

Я́ уме́ю в сто́рону сверну́ть.
I know how to make a turn.

во́время (*or* во́-время)	on time, in time
остановиться, –о́вятся (pfv II)	to stop, come to a stop; stop over, stay

Я́ уме́ю останови́ться во́время.
I know how to stop in time.

и... и...	both . . . and . . .

Я́ уме́ю и в сто́рону сверну́ть, и останови́ться во́время.
I can both make a turn and stop in time.

А ты́ ведь то́лько у́чишься ката́ться на лы́жах.
And, after all, you're just learning to ski.

ско́лько ле́т (*plus* dat)	how old
Ско́лько ему́ ле́т?	How old is he?
како́го во́зраста (*plus* nom)	what age
Како́го во́зраста её бра́т?	What age is her brother?
держа́ть, де́ржат (II)	to hold, keep
Где́ вы́ де́ржите стака́ны?	Where do you keep glasses?
пуга́ть, пуга́ют (I)	to frighten, scare, intimidate
Не пуга́йте дете́й!	Don't frighten the children!
разби́ть, разобью́т (pfv I)	to break, smash; to break up, divide
Разбе́йте кла́сс на не́сколько гру́пп.	Break the class up into several groups.
остана́вливаться (I)	to stop, come to a stop; to stop over, stay
Мы́ обы́чно остана́вливаемся в э́той гости́нице.	We usually stop at this hotel.
остано́вка	stop (station)
Выходи́те на сле́дующей остано́вке.	Get out at the next stop.
са́д	garden, orchard
в саду́	in the garden (*or* orchard)
Де́ти игра́ют в саду́.	The children are playing in the garden.
нести́, несу́т (I, u-d)	to be carrying (*or* taking)
Куда́ ты́ несёшь бума́ги?	Where are you taking the papers?
ма́л, –а́, –о́, –ы́	small, too small
Э́тот костю́м ва́м ма́л.	That suit is too small for you.
вели́к, –а́, –о́, –и́	big, too big, too large
Э́то пла́тье ва́м велико́.	That dress is too large for you.

На лы́жах

С. — Светла́на (Све́та)   В. — Вади́м (Ва́дя)

С. 1 А́й, я́ пря́мо на забо́р лечу́!

В. 2 Па́дай на́ бок, а то́ разобьёшься! Ну́ во́т...

С. 3 Помоги́ мне́ вста́ть, Ва́дя. Я́ вся́ в снегу́. Ка́к лы́жи?

В. 4 Да́ что́ лы́жи! Ка́к ты́? Держи́сь за меня́, встава́й.

С. 5 Ру́ки и но́ги це́лы, ка́жется.

В. 6 Ты́ мо́жешь идти́ и́ли тебя́ понести́?

С. 7 Не́т, не беспоко́йся. У меня́ то́лько бедро́ и плечо́ немно́го боля́т, но э́то пройдёт.

В. 8 Напуга́ла ты́ меня́, Све́та. Э́то мне́ нау́ка. Я́ тебя́ бо́льше никогда́ на э́ту го́ру не поведу́.

С. 9 Не́т, пожа́луйста! Зде́сь та́к хорошо́! Я́ в друго́й ра́з бу́ду осторо́жнее.

В. 10 С твои́м-то хара́ктером? Сомнева́юсь.

C. 11 «У меня́ тако́й хара́ктер — ты́ со мно́ю не шути́!»[1] Но ты́ са́м то́же хоро́ш: лети́шь с горы́, ка́к сумасше́дший.

B. 12 Я́ — друго́е де́ло. Я́ уме́ю и в сто́рону сверну́ть, и останови́ться во́время. А ты́ ведь то́лько у́чишься ката́ться на лы́жах.[2]

NOTES

[1] «У меня́ тако́й хара́ктер — ты́ со мно́ю не шути́!» is a line from a song introduced in the Soviet movie «Де́вушка с хара́ктером». Both the song and the movie were very popular at one time.

[2] Both **ката́ться на лы́жах** and **ходи́ть на лы́жах** are used here to describe the activity of skiing. As with skating, **ката́ться** emphasizes the pleasurable aspects of the sport, whereas **ходи́ть** describes the professional activity. In addition, **ходи́ть на лы́жах** is used for cross-country or distance skiing rather than downhill skiing. Some speakers also say **е́здить на лы́жах** or **бе́гать на лы́жах**.

Basic sentence patterns

1. О́н всегда́ тако́й весёлый.   He's always so cheerful.
   —— сего́дня та́к ве́сел.   —— so cheerful today.
   Она́ всегда́ така́я весёлая.   She's always so cheerful.
   —— сего́дня та́к весела́.   —— so cheerful today.
   Они́ всегда́ таки́е весёлые.   They're always so cheerful.
   —— сего́дня та́к ве́селы.   —— so cheerful today.

2. Како́й о́н споко́йный!   How quiet he is!
   Ка́к о́н споко́ен!   How ——!
   Кака́я она́ споко́йная!   How quiet she is!
   Ка́к она́ споко́йна!   How ——!
   Каки́е они́ споко́йные!   How quiet they are!
   Ка́к они́ споко́йны!   How ——!

3. Ты́ тако́й ми́лый, Воло́дя!   You're so nice, Volodya!
   —— та́к ми́л ——!   You're ——!
   Ты́ така́я ми́лая, Све́та!   —— Sveta!
   —— та́к мила́ ——!   You're ——!
   Вы́ тако́й ми́лый, Оле́г!   —— Oleg!
   —— та́к ми́лы ——!   You're ——!
   Вы́ така́я ми́лая, Ве́ра!   —— Vera!
   —— та́к ми́лы ——!   You're ——!
   Вы́ все́ таки́е ми́лые!   You're all so nice!
   —— та́к ми́лы!   You're all ——!

4. О́ба её бра́та ещё у́чатся.   Both of her brothers are still students.
   —— сы́на ——.   —— sons ——.
   —— дру́га ——.   —— friends ——.
   О́бе её сестры́ ——.   —— sisters ——.
   —— до́чери ——.   —— daughters ——.
   —— подру́ги ——.   —— girl friends ——.

5. Где Володя и Коля?
   — Они оба больны.
   Где Света и Таня?
   — Они обе больны.
   Где ваши сёстры?
   — Они обе больны.

   Where are Volodya and Kolya?
   They're both sick.
   Where are Sveta and Tanya?
   They're both sick.
   Where are your sisters?
   They're both sick.

6. Я видел обоих ваших братьев на катке.
   ———— обоих ———— детей ————.
   ———— обоих ———— сыновей ————.
   ———— обеих ———— сестёр ————.
   ———— обеих ———— дочерей ————.

   I saw both your brothers at the rink.
   ———————————— children ————.
   ———————————— sons ————.
   ———————————— sisters ————.
   ———————————— daughters ————.

7. Что это лежит там в снегу?
   ———————————— в шкафу?
   ———————————— в углу?
   ———————————— в лесу?
   ———————————— в саду?

   What's that lying there in the snow?
   ———————————— cupboard?
   ———————————— corner?
   ———————————— woods?
   ———————————— garden?

8. Сколько вам лет?
   — Мне восемнадцать лет.
   ———— девятнадцать ——.
   ———— двадцать ————.
   ———— двадцать один год.
   ———————————— два года.

   How old are you?
   I'm eighteen years old.
   —— nineteen ————.
   —— twenty ————.
   —— twenty-one ————.
   —— twenty-two ————.

9. Сколько месяцев вашему ребёнку?
   — Ему всего четыре месяца.
   ———————— пять месяцев.

   How old is your baby?
   He's only four months old.
   ———————— five ————.

10. Какого он возраста?
    — Ему сорок лет.
    ———— сорок пять лет.
    ———— пятьдесят ——.
    ———— семьдесят ——.

    What age is he? (Or What's his age?)
    He's forty years old.
    —— forty-five ————.
    —— fifty ————.
    —— seventy ————.

11. В то время ей было шесть лет.
    ———————————— десять ——.
    ———————————— тринадцать ——.
    ———————— был двадцать один год.
    ———————— было двадцать два года.

    At that time she was six.
    ———————————— ten.
    ———————————— thirteen.
    ———————————— twenty-one.
    ———————————— -two.

12. Куда ты нас ведёшь?
    ——— он их ведёт?
    ——————— повёл?
    ——— она — повела?
    ——————— поведёт?

    Where are you taking (or leading) us?
    ———— is he taking them?
    ———— did he take ——?
    ———————— she ————?
    ———— will ————?

13. Они часто водили детей в парк.
    ———————— водят ————.
    Я ———— вожу ————.
    Вы ———— водите ————?

    They often took the children to the park.
    ———————— take ————.
    I ———————————————.
    Do you often ———————————?

14. Дети бегают в саду.
    ———— бегали ——.
    Не бегайте ——.

    The children run about in the garden.
    ———————— ran ————.
    Don't run ————————————.

15. Куда́ вы бежи́те?
—— ты бежи́шь?
—— о́н бежи́т?
—— они́ бегу́т?
Я́ бегу́ на по́чту.

Where are you running to?
—— are you ——?
—— is he ——?
—— are they ——?
I'm running to the post office.

16. Она́ во́зит дете́й в шко́лу.
Я́ вожу́ дете́й в шко́лу.
Я́ всегда́ вози́л дете́й в шко́лу.

She drives the children to school.
I drive ——————.
I always drove ——————.

17. Я́ везу́ роди́телей на вокза́л.

О́н везёт ——————.
О́н вёз ——————.
Мы́ везли́ ——————.
Вези́те ——————.

I'm taking (*or* driving) my parents to the station.
He's taking his ——————.
He was taking his ——————.
We were taking our ——————.
Take your ——————.

18. Сади́тесь, я́ ва́с повезу́ домо́й.
———— мы́ ва́с повезём ——.
———— му́ж ва́с повезёт ——.

Get in (the car); I'll drive you home.
———— we'll drive ——.
———— my husband will drive ——.

19. О́н повёз на́шего сосе́да на аэропо́рт.
Она́ повезла́ ——————.
Они́ повезли́ ——————.

He drove our neighbor to the airport.
She drove ——————.
They drove ——————.

20. Что́ э́то ты́ несёшь?
— Я́ несу́ су́п сосе́дке.
Что́ случи́лось?
— Я́ нёс ча́й и упа́л.
Что́ с не́й случи́лось?
— Она́ несла́ стака́ны и упа́ла.

What's that you're carrying?
I'm taking soup to my neighbor.
What happened?
I was carrying the tea and fell.
What happened to her?
She was carrying glasses and fell.

21. Я́ понесу́ э́ти ве́щи наве́рх.
— повезу́ ва́с на вокза́л.
— поведу́ дете́й в па́рк.

I'll take these things upstairs.
———— you to the station.
———— the children to the park.

22. Она́ на́м но́сит молоко́.
———— носи́ла молоко́.
Я́ не ношу́ с собо́й де́нег.

She brings us milk.
—— used to bring ——.
I don't carry any money with me.

23. Отку́да вы́, с се́вера?
— Не́т, я́ с ю́га.
— Я́ вы́рос на ю́ге.
Отку́да вы́, с ю́га?
— Не́т, я́ с се́вера.
— Я́ вы́рос на се́вере.

Where are you from— the north?
No, I'm from the south.
I grew up in the south.
Where are you from— the south?
No, I'm from the north.
I grew up in the north.

24. Э́то де́рево растёт у на́с на восто́ке.
———————— на за́паде.
———————— на се́вере.
———————— на ю́ге.

That tree grows in our east.
———————— our west.
———————— our north.
———————— our south.

25. Э́тот по́езд пришёл с восто́ка.
———————— с за́пада.
———————— с ю́га.
———————— с се́вера.

That train came from the east.
———————— the west.
———————— the south.
———————— the north.

Pronunciation practice: consonant clusters зв, св, and цв

A. Consonant cluster **зв** pronounced [zv] or [ʒɣ].

   1. Initial position

[zvoɲít] звони́ть
to ring, phone

[ʒɣéṛ] звёрь
beast

[ʒɣizdá] звезда́
star

   2. Medial position

[sazvúčijə] созву́чие
accord

[vizváɲivəṭ] вызва́нивать
to ring out

[pazɣák̦ivəṭ] позвя́кивать
tinkle

B. Consonant cluster **св** pronounced [sv] or [ʂɣ].

   1. Initial position

[svúzəm] с ву́зом
with college

[ʂɣét] свёт
light

[ʂɣáʂ] свя́зь
connection

   2. Medial position

[asvəbaḍít] освободи́ть
to free

[póʂɣist] по́свист
whistling

[pəʂɣižéjə] посвеже́е
fresher

C. Consonant cluster **цв** pronounced [cɣ].

   1. Initial position

[cɣét] цвёт
color

[cɣitók] цвето́к
flower

[cɣéḷ] цвёль
mould

   2. Medial position

[pəcɣisṭí] поцвести́
to bloom

[acɣéṭi] о цвёте
about color

[zacɣól] зацвёл
became mouldy

STRUCTURE AND DRILLS

Short-form adjectives

MODELS

Óн тако́й до́брый.
— та́к до́бр.

He's so kind.
He's _____.

Кака́я она́ глу́пая!
Ка́к _____ глупа́!

How silly she is!
How _____!

Какóй óн ýмный!	How intelligent he is!
Кáк _____ умён!	How _____!
Какúе онú молодь́е!	How young they are!
Кáк _____ мóлоды!	How _____!
Этот стóл такóй мáленький.	This table is so small.
Óн для меня́ мáл.	It's too small for me.
Эта кóмната такáя мáленькая.	This room is so small.
Онá для меня́ малá.	It's too small for me.
Эти рубáшки такúе мáленькие.	These shirts are so small.
Онú мнé малы́.	They're too small for me.
Это плáтье такóе мáленькое.	This dress is so small.
Онó éй малó.	It's too small for her.[1]
Костю́м слúшком большóй.	The suit is too large.
Óн на меня́ велúк.	It's too large for me.
Шля́па слúшком большáя.	The hat is too large.
Онá на меня́ великá.	It's too large for me.
Шáпки слúшком большúе.	The caps are too large.
Онú на нúх великú.	They're too large for them.[2]

■ REPETITION DRILL

Repeat the given models, noting that although long- and short-form adjectives are *sometimes* interchangeable, short-form adjectives are used only in the predicate. Note also that long-form adjectives are accompanied by the appropriate forms of **такóй** and **какóй**, whereas the short-form adjectives and the adverb are accompanied by **тáк** and **кáк**.

■ STRUCTURE REPLACEMENT DRILLS

1. *They're healthy people.*
   These people are healthy.
   Это здорóвые лю́ди.
   Эти лю́ди здорóвы.
   Это стáрые лю́ди.
   Эти лю́ди стáры.
   (простые, несимпатичные,
   бездушные, глупые, умные,
   осторожные, пустые)

2. *It's such important business.*
   It's so important.
   Это такóе вáжное дéло.
   Это тáк вáжно.
   Это такóе скýчное дéло.
   Это тáк скýчно.
   (интересное, серьёзное, странное,
   лёгкое, новое)

■ RESPONSE DRILLS

1. *He's a quiet man.*
   Yes, he's always [so] quiet.
   Óн спокóйный человéк.
   Дá, óн всегдá спокóен.
   Óн весёлый человéк.
   Дá, óн всегдá вéсел.
   (здоровый, больной, осторожный,
   серьёзный, занятой)

2. *She's a nice woman.*
   Yes, she's so nice.
   Онá мúлая жéнщина.
   Дá, онá тáк милá.
   Онá красúвая жéнщина.
   Дá, онá тáк красúва.
   (добрая, больная, несчастная, глупая,
   умная)

---

[1] The short forms мáл, малá, малó, малы́ usually mean *too small*.
[2] Similarly, the short forms велúк, великá, великó, and великú usually mean *too large, too big*.

1. *Isn't this room too big?*
   Yes, it's too big for me.
   Э́та ко́мната не сли́шком больша́я?
   Да́, она́ для меня́ велика́.
   Э́тот сто́л не сли́шком большо́й?
   Да́, о́н для меня́ вели́к.
   (чемода́н, су́мка, шка́ф, коньки́,
   маши́на, часы́)

2. *Didn't the glass break?*
   No, it's in one piece.
   Стака́н не разби́лся?
   Не́т, о́н це́л.
   Ча́шка не разби́лась?
   Не́т, она́ цела́.
   (стака́ны, пласти́нка, ча́шки,
   прои́грыватель, часы́, телефо́н)

DISCUSSION

Short-form adjectives are formed from the adjective stem: masculines have a zero ending (often with an inserted vowel between the last two consonants of the stem), feminines have the ending –**a**, neuters –**o**, and plurals –**ы**. After **к, г, х, ш, ж, ч**, and **щ**, the plural ending is spelled –**и**.

The short-form adjectives are only used in the nominative, and are limited to use in the predicate. They agree with their subject in gender and number. The number of adjectives that can be used in the short form is rather restricted. In some instances their use is poetic or old-fashioned; in others, the short form has a slightly different meaning than the long form:

Compare	**хоро́ший**	*good, fine*
with	**хоро́ш, –а́, –о́, –и́**	*pretty, beautiful*
Compare	**знако́мый**	*familiar*
with	**знако́м, –а, –о, –ы**	*acquainted*

The adjectives **большо́й** and **ма́ленький** have short forms based on the adjectives **вели́кий** *great* and **ма́лый** *small*. The short forms usually denote an excess of the quality:

Compare	**большо́й**	*big, large*
with	**вели́к, –а́, –о́, –и́**	*big, large, too large*
Compare	**ма́ленький**	*little, small*
with	**ма́л, –а́, –о́, –ы́**	*little, small, too small*
	Э́та ко́мната для ва́с мала́.	This room is too small for you.

When adjectives are used in conjunction with **тако́й, како́й, та́к,** and **ка́к**, note that **тако́й** and **како́й** must be used with the long-form adjectives, and **та́к** and **ка́к** with the short-form adjectives:

Compare	О́н тако́й занято́й.	He's so busy.
with	О́н та́к за́нят.	
Compare	Кака́я она́ краси́вая!	How pretty she is!
with	Ка́к она́ краси́ва!	

The short-form adjective often denotes a more temporary quality than the long-form adjective.

Compare	О́н бо́лен.	He's sick.
with	О́н больно́й челове́к.	He's a sickly person.

In the list below, note that the stress of the short form may not only differ from that of the long form, but that variations in stress position often exist within the four short forms. In most instances the feminine ending carries the stress and contrasts with the other forms in its place of stress. Occasionally, however, more than one stress possibility exists, as in **ко́роток** (*or* **коро́ток**), **ко́ротко** (*or* **коро́тко, коротко́**), and **ко́ротки** (*or* **коро́тки, коротки́**), where some of the alternate stress possibilities have been indicated parenthetically.

безду́шный	безду́шен, –шна, –о, –ы	молодо́й	мо́лод, –а́, –о, –ы
бли́зкий	бли́зок, близка́, –о, –и	несимпати́чный	несимпати́чен, –чна, –о, –ы
больно́й	бо́лен, больна́, –о, –ы́	осторо́жный	осторо́жен, –жна, –о, –ы
ва́жный	ва́жен, важна́, –о, –ы	по́лный	по́лон, полна́, –о (–о́), –ы (–ы́)
весёлый	ве́сел, –а́, –о, –ы	просто́й	про́ст, –а́, –о, –ы
голо́дный	го́лоден, –а́, –о, –ы (–ы́)	пусто́й	пу́ст, –а́, –о–, –ы
глу́пый	глу́п, –а́, –о, –ы	свобо́дный	свобо́ден, свобо́дна, –о, –ы
гото́вый	гото́в, –а, –о, –ы	серьёзный	серьёзен, –зна, –о, –ы
до́брый	до́бр, –а́, –о, –ы (–ы́)	споко́йный	споко́ен, споко́йна, –о, –ы
дорого́й	до́рог, –а́, –о, –и	ста́рый	ста́р, –а́, –о, –ы
здоро́вый	здоро́в, –а, –о, –ы	у́мный	умён, умна́, –о (–о́), –ы (–ы́)
коро́ткий	ко́роток, –тка́, –о, (–о́), –и (–й)	холо́дный	хо́лоден, –дна́, –о, –ы (–ы́)
краси́вый	краси́в, –а, –о, –ы	це́лый	це́л, –а́, –о, –ы
ми́лый	ми́л, –а́, –о, –ы		

Intransitive verbs of motion with paired imperfectives: multidirectional (m-d) versus unidirectional (u-d) imperfectives

Most of the simple verbs of motion have both a multidirectional imperfective and a unidirectional imperfective. In this section we treat only the intransitive ones, that is, those which do not take a direct object. In the sets below we give first the multidirectional imperfective, then the unidirectional imperfective. Note that the single corresponding perfective is always formed from the unidirectional imperfective by means of the prefix по–.

MODELS

1. ipfv ходи́ть and идти́; pfv пойти́ *to go* (on foot)

Я хожу́ в па́рк ка́ждый де́нь.	I go to the park every day.
Я иду́ в па́рк.	I'm going (*or* I'm on my way) to the park.
Я пойду́ в па́рк.	I'll go to the park.

2. ipfv е́здить and е́хать; pfv пое́хать *to go* (by vehicle)

Я ча́сто е́зжу к мо́рю.	I often drive to the seashore.
Я е́ду к мо́рю.	I'm going (*or* I'm on my way) to the seashore.
За́втра я пое́ду в го́ры.	Tomorrow I'll drive to the mountains.

3. ipfv лета́ть and лете́ть; pfv полете́ть *to fly*

Я иногда́ лета́ю в Ки́ев.	I sometimes fly to Kiev.
Я лечу́ в Ки́ев.	I'm flying (*or* I'm on my way) to Kiev.
Куда́ вы полети́те, в Го́рький?	Where will you fly—to Gorky?

4. ipfv пла́вать and плы́ть; pfv поплы́ть *to swim*

Вы хорошо́ пла́ваете.	You're a good swimmer *or* You swim well.
Куда́ плывёт э́та ло́дка?	Where is that boat sailing to?
Поплывём на друго́й бе́рег реки́.	Let's swim to the other side of the river.

5. ipfv бе́гать and бежа́ть; pfv побежа́ть *to run*

Де́ти бе́гают по са́ду.	The children run around in the garden.
Ко́ля бежи́т в шко́лу.	Kolya's running to school.
Ко́ля побежа́л за газе́той.	Kolya ran to get the paper.

I'm running to a meeting.
I was running to a meeting.
Я бегу́ на собра́ние.
Я бежа́л на собра́ние.
Ты́ бежи́шь на собра́ние.
Ты́ бежа́л на собра́ние.

(он бежит, мы бежим, вы бежите, они бегут, она бежит, я бегу)

■ STRUCTURE REPLACEMENT DRILLS

1. *Tanya's running to get a newspaper.*
   Tanya runs to get the paper every morning.
   Та́ня бежи́т за газе́той.
   Ка́ждое у́тро Та́ня бе́гает за газе́той.
   Они́ бегу́т за газе́той.
   Ка́ждое у́тро они́ бе́гают за газе́той.

   (я бегу, мы бежим, вы бежите, дети бегут, ты бежишь, вы бежите)

2. *I'm flying to Moscow.*
   I often fly to Moscow.
   Я́ лечу́ в Москву́.
   Я́ ча́сто лета́ю в Москву́.
   Мы́ лети́м в Москву́.
   Мы́ ча́сто лета́ем в Москву́.

   (директор, вы, товарищи, ты, сосед, мы)

■ QUESTION-ANSWER DRILLS

1. *When were you in Yalta?*
   I flew there last year.
   Когда́ вы́ бы́ли в Я́лте?
   Я́ туда́ лета́л в про́шлом году́.

   Когда́ она́ была́ в Я́лте?
   Она́ туда́ лета́ла в про́шлом году́.

   (наши мастера, эта американка, ваши друзья, её жених, его жена, ваш родственник)

2. *Did you go to the market on foot?*
   No, we went by bus.
   Вы́ ходи́ли на база́р пешко́м?
   Не́т, мы́ е́здили авто́бусом.
   Ма́ть ходи́ла на база́р пешко́м?
   Не́т, она́ е́здила авто́бусом.

   (дедушка, тётя, вы, соседки, дядя, бабушка, учитель)

3. *Where were you?*
   I went (lit. ran) to look at the clock.
   Где́ ты́ бы́л?
   Я́ бе́гал посмотре́ть на часы́.
   Где́ она́ была́?
   Она́ бе́гала посмотре́ть на часы́.

   (вы, он, дети, Света, Олег, ребята)

■ RESPONSE DRILLS

1. *They swam around the boat for a long time.*
   Now they're swimming toward shore.
   Они́ до́лго пла́вали вокру́г ло́дки.
   Тепе́рь они́ плыву́т к бе́регу.
   Я́ до́лго пла́вал вокру́г ло́дки.
   Тепе́рь я́ плыву́ к бе́регу.

   (мы, парни, девушка, ребята, мальчик, Тамара)

2. *She's been running around the stores all morning.*
   Now she's rushing (lit. running) home.
   Она́ всё у́тро бе́гала по магази́нам.
   Тепе́рь она́ бежи́т домо́й.
   Я́ всё у́тро бе́гал по магази́нам.
   Тепе́рь я́ бегу́ домо́й.

   (мы, Тамара, соседка, вы, подруги, я)

DISCUSSION

Like the paired "going" verbs ходи́ть, идти́ and е́здить, е́хать, other verbs of motion, for example *swimming*, *flying*, and *running* also come in pairs with double imperfectives. The multidirectional imperfectives пла́вать, лета́ть, and бе́гать are used to describe movement in more than one direction; the unidirectional imperfectives плы́ть, лете́ть, and бежа́ть are used to describe movement in one direction, that is, with a single goal.

The multidirectional imperfective may describe the activity in general terms, movement in several directions without a specific goal, or one or more round trips to a single destination:

Вы́ лю́бите пла́вать?	Do you like to swim? (general activity)
Мы́ до́лго пла́вали вокру́г ло́дки.	We swam around the boat for a long time. (motion in several directions)
Вчера́ мы́ лета́ли в Го́рький.	We flew to Gorky yesterday [and returned]. (single round trip)
Вы́ ча́сто туда́ лета́ете?	Do you often fly there? (more than one round trip)

The unidirectional imperfective describes motion directed toward a single goal, either in process or contemplated for the near future:

Куда́ ты́ плывёшь?	Where are you swimming to? (action in process in present)
Когда́ она́ бежа́ла через у́лицу, у неё упа́ла су́мочка.	As she was running across the street her purse fell. (action in process in past)
За́втра я́ лечу́ в Ки́ев.	Tomorrow I'm flying to Kiev. (contemplated action)

The basic perfective for these verbs is formed by means of the prefix **по–** which is added to the unidirectional imperfective form: **поплы́ть, полете́ть, побежа́ть.**

Поплывём на друго́й бе́рег.	Let's swim to the other bank.
За́втра я́ полечу́ в Москву́.	Tomorrow I'll fly to Moscow.
Она́ побежа́ла за газе́той.	She ran to get the paper.

Transitive verbs of motion with paired imperfectives: multidirectional versus unidirectional verbs of *taking*

A few verbs of motion with paired imperfectives are transitive verbs. These are the verbs of *taking*, that is, *carrying*, *transporting*, and *leading*. In the sets below we give first the multidirectional imperfective, then the unidirectional imperfective, followed by the single perfective.

MODELS

1. ipfv **носи́ть** and **нести́**; pfv **понести́** *to carry, take* (on foot)

Вы́ всегда́ но́сите с собо́й кни́ги?	Do you always carry your books with you?
Куда́ вы́ несёте э́ти ве́щи?	Where are you taking those things?
Я́ понесу́ ребёнка наве́рх.	I'll take the baby upstairs.
Она́ понесла́ ребёнка наве́рх.	She took the baby upstairs.

2. ipfv **вози́ть** and **везти́**; pfv **повезти́** *to transport, haul, take* (by vehicle)

Ра́з в неде́лю они́ во́зят на база́р карто́шку.	Once a week they haul (*or* take) potatoes to the market.
Вези́те на́с на аэропо́рт.	Drive (*or* take) us to the airport.
Я́ повезу́ ва́с туда́.	I'll take (*or* drive) you there.
О́н повёз и́х на вокза́л.	He took them to the station.

3. ipfv **води́ть** and **вести́**; pfv **повести́** *to lead, conduct, take* (usually on foot)

О́н во́дит тури́стов по колхо́зу.	He conducts tourists around the kolkhoz.
Она́ ведёт дете́й в па́рк.	She's taking the children to the park.
О́н вёл _____.	He was taking _____.
Я́ поведу́ _____.	I'll take _____.

1. *Yesterday Mother took the children to see the doctor.*
   Mother will take the children to see the doctor today.
   Вчера́ ма́ть води́ла дете́й к врачу́.
   Сего́дня ма́ть поведёт дете́й к врачу́.
   Вчера́ я́ води́л дете́й к врачу́.
   Сего́дня я́ поведу́ дете́й к врачу́.
   (отец, родители, мы, соседка, он, бабушка, вы, знакомые)

2. *He drives (or takes) tourists around town.*
   He's driving (or taking) the tourists into town.
   О́н во́зит тури́стов по го́роду.
   О́н везёт тури́стов в го́род.
   Мы́ во́зим тури́стов по го́роду.
   Мы́ везём тури́стов в го́род.
   (я, шофёр, они, сосед, вы, секретарь, ты)

■ QUESTION-ANSWER DRILLS

1. *Did you take them to the meat packing plant?*
   No, we'll take them today.
   Вы́ вози́ли и́х на мясокомбина́т?
   Не́т, сего́дня повезём.
   Инжене́ры вози́ли и́х на мясокомбина́т?
   Не́т, сего́дня повезу́т.
   (ты, учительница, друзья, товарищ Царапкин, вы, рабочие)

2. *Who'll take the child to the garden—Grandmother?*
   Yes, she always takes him.
   Кто́ поведёт ребёнка в са́д, ба́бушка?
   Да́, она́ ведь всегда́ его́ во́дит.
   Кто́ поведёт ребёнка в са́д, я́?
   Да́, ты́ ведь всегда́ его́ во́дишь.
   (мать, вы, сёстры, ты, брат, мы, отец)

3. *How does he manage (lit. live)?*
   He takes things to the flea market and sells them.
   Ка́к о́н живёт?
   Но́сит на толку́чку ве́щи и продаёт.
   Ка́к вы́ живёте?
   Но́сим на толку́чку ве́щи и продаём.
   (она, ты, я, они, вы, он, мы)

4. *Where are you going?*
   We're taking some records to the recreation room.
   Куда́ вы́ идёте?
   Мы́ несём пласти́нки в кра́сный уголо́к.
   Куда́ она́ идёт?
   Она́ несёт пласти́нки в кра́сный уголо́к.
   (ты, он, они, она)

5. *Do you work as a driver?*
   Yes, I haul boards and other materials.
   Ты́ рабо́таешь шофёром?
   Да́, я́ вожу́ до́ски и други́е материа́лы.
   Вы́ рабо́таете шофёрами?
   Да́, мы́ во́зим до́ски и други́е материа́лы.
   (твой знакомый, эти девушки, ты, этот парень, вы, эта женщина)

6. *Where did he go?*
   He took his relatives to the airport.
   Куда́ о́н пое́хал?
   О́н повёз ро́дственников на аэропо́рт.
   Куда́ они́ пое́хали?
   Они́ повезли́ ро́дственников на аэропо́рт.
   (они, соседи, отец, сестра, секретарь, подруги)

■ RESPONSE DRILLS

1. *Sister went to visit her neighbors.*
   She took them a present.
   Сестра́ пошла́ к сосе́дям.
   Она́ понесла́ и́м пода́рок.
   Бра́т пошёл к сосе́дям.
   О́н понёс и́м пода́рок.
   (девушки, студент, друзья, певица, инженер, дети)

2. *I drew up a plan.*
   I'll take it and show it to the director.
   Я́ соста́вил пла́н.
   Я́ понесу́ его́ показа́ть дире́ктору.
   Мы́ соста́вили пла́н.
   Мы́ понесём его́ показа́ть дире́ктору.
   (техник, инженеры, ты, девушки, вы, секретарь, я)

A few motion verbs, with double imperfectives, are transitive verbs which take a direct object in the accusative. Of these the most important are the verbs of "taking", such as **носи́ть** and **нести́** *carrying*, **вози́ть** and **везти́** *transporting* or *hauling*, and **води́ть** and **вести́** *leading*.

As with other verbs of motion, the multidirectional imperfectives are used to describe movement in more than one direction, and the unidirectional imperfectives are used to describe movement in one direction with a single goal.

1. The multidirectional imperfective is used to describe the activity in general terms, movement in several directions without a specific goal, or one or more round trips to a single destination:

Я не люблю́ носи́ть мно́го кни́г.	I don't like carrying lots of books. (general activity)
Она́ до́лго носи́ла ребёнка по ко́мнате.	She carried the baby around the room for a long time. (motion in various directions)
Дире́ктор води́л инжене́ров по всему́ заво́ду.	The director took the engineers all around the plant. (motion in various directions)
Он вчера́ вози́л ма́ть к специали́сту.	He took his mother to a specialist yesterday. (single round trip)
Он ча́сто вози́л и́х за́ город.	He often drove them to the country. (repeated round trips)

2. The unidirectional imperfective is used when the movement is directed toward a single goal and is either in process or contemplated for the near future:

Она́ ведёт дете́й в па́рк.	She's taking the children to the park. (action in process in present)
Она́ вела́ и́х в па́рк, ка́к вдру́г упа́ла и чу́ть не слома́ла но́гу.	She was taking them to the park when she suddenly fell and almost broke her leg. (action in process in past)
За́втра она́ везёт на́с на о́зеро.	She's driving us to the lake tomorrow. (contemplated action)

The basic perfective for these verbs is formed by means of the prefix **по–** which is added to the unidirectional imperfective form: **понести́**, **повезти́**, **повести́**.

Он повёл дете́й в па́рк.	He's taken the children to the park.
Она́ поведёт и́х в са́д.	She'll take them to the garden.
Он повёз роди́телей на вокза́л.	He's taken his parents to the station.
Я повезу́ и́х на вокза́л.	I'll take them to the station.
Она́ понесла́ ребёнка в са́д.	She took the baby into the garden.
Она́ понесёт ребёнка в са́д.	She'll take the baby into the garden.

Remember that **вози́ть**, **везти́**, and **повезти́** specify carrying or taking by vehicle, and are opposed to **носи́ть**, **нести́**, and **понести́** which describe carrying while walking. **Води́ть**, **вести́**, and **повести́** are not so specific, but usually describe leading or taking while on foot.

The verb **вести́** is also used intransitively:

Э́та доро́га ведёт к о́зеру.	This road leads to the lake.

The verb **носи́ть** is also used in the sense *to wear clothes*:

Она́ никогда́ не но́сит шля́пы.	She never wears a hat.

Стол-nouns with the special prepositional ending -ý

MODELS

Чтó э́то лежи́т тáм на полý? | What's that lying on the floor there?
_____ на снегý? | _____ snow ___?
_____ на берегý? | _____ shore ___?

Я́ э́то нашёл в шкафý. | I found this in the cupboard.
_____ в углý. | _____ corner.
_____ в садý. | _____ garden.

Гдé ты́ э́то нашёл? | Where did you find it?
— На углý, прóтив ГУ́Ма. | On the corner—across from GUM.
— На берегý реки́. | On the river bank.
— На мостý. | On the bridge.
— На льдý, на катке́. | On the ice at the skating rink.

В какóм годý вы́ роди́лись? | In what year were you born?
В котóром часý они́ приду́т? | At what time will they come?
Óн лежáл на бокý и спáл. | He was lying on his side, asleep.

■ REPETITION DRILL

Repeat the given models, noting that some **стол**-nouns take the special prepositional case ending –ý
(always stressed) when used in conjunction with the prepositions **в** and **на**.

■ RESPONSE DRILL

Look at the floor!
There's a cap lying on the floor.
Посмотри́ нá пол! | Посмотри́ на мóст!
На полý лежи́т шáпка. | **На мостý лежи́т шáпка.**
 | (в угол, на снег, на берег, на лёд)

■ STRUCTURE REPLACEMENT DRILLS

1. *We were strolling along the shore.* | 2. *They walked around the forest.*
We were sitting on the shore. | *They were in the forest.*
Мы́ гуля́ли по бéрегу. | Они́ ходи́ли пó лесу.
Мы́ сиде́ли на берегý. | **Они́ бы́ли в лесý.**
Мы́ гуля́ли пó лéсу.[1] | Они́ ходи́ли по льдý.
Мы́ сиде́ли в лесý. | **Они́ бы́ли на льдý.**
 (по мóстý, по сáду, пó снéгу, по льдý, | (пó снéгу, по бéрегу, по мóстý, пó
 пó лéсу, по бéрегу) | полу)

■ QUESTION-ANSWER DRILL

1. *What year are you talking about—this one?*
Yes, it happened this year.
О какóм гóде вы́ говори́те, об э́том? | О какóм углé вы́ говори́те, об э́том?
Дá, э́то случи́лось в э́том годý. | **Дá, э́то случи́лось на э́том углý.**
 | (берегé, лесé, мостé, годé)

---

[1] Double stresses in these dative case forms show that *either* stress may be heard: пó лесу [pó‖isu] or по лéсу [pa‖ésu].

DISCUSSION

In addition to their regular prepositional ending, –e, a number of **стол**-nouns have a second prepositional ending in stressed –ý (rarely –ю), which is used only when the noun is preceded by the prepositions **в** and **на**:

Compare	Вы подýмали о льдé?	Did you think about the ice?
with	Чтó это тýт во льдý.	What's this here in the ice?
	Не сидúте на льдý.	Don't sit on the ice.

Almost all **стол**-nouns with special prepositional endings in –ý have monosyllabic stems.

Those **стол**-nouns with nominative singular endings in –й spell the prepositional case ending –ю: **крáй** *edge*, **на краю́**; **бóй** *battle*, **в бою́**.

Telling age in Russian

MODELS

Скóлько лéт вáшему сы́ну?	How old is your son?
— Емý двáдцать лéт.	He's twenty years old.
_____ двáдцать одúн гóд.	___ twenty-one ___.
_____ двáдцать двá гóда.	___ twenty-two ___.
_____ двáдцать пя́ть лéт.	___ twenty-five ___.

Скóлько вáм тогдá бы́ло лéт?	How old were you then?
— Мнé бы́ло пятнáдцать лéт.	I was fifteen.
_____ лéт пятнáдцать.	___ about fifteen.
_____ двáдцать лéт.	___ twenty.
_____ лéт двáдцать.	___ about twenty.
— Мнé бы́л двáдцать одúн гóд.	___ twenty-one.

Какóго вóзраста вáш дéдушка?	How old is your grandfather?
— Емý шестьдеся́т пя́ть лéт.	He's sixty-five years of age.
_____ лéт сéмьдесят.	___ about seventy ___.
_____ сéмьдесят лéт.	___ seventy ___.

■ REPETITION DRILL

Repeat the given models, noticing the use of the dative in expressing age.

■ CUED QUESTION-ANSWER DRILLS[1]

1. *How old is your baby?*
He's only six months old.
Скóлько мéсяцев вáшему ребёнку?
Емý всегó шéсть мéсяцев.
Скóлько мéсяцев вáшему ребёнку?
Емý всегó сéмь мéсяцев.
(8, 9, 10, 11, 12)

2. *How old is their daughter?*
She's already two.
Скóлько лéт úх дóчери?
Éй ужé двá гóда.
Скóлько лéт úх дóчери?
Éй ужé трú гóда.
(4, 5, 6, 7, 8, 9)

3. *How old were you then?*
I was thirteen.
Скóлько вáм тогдá бы́ло лéт?
Мнé бы́ло тринáдцать лéт.
Скóлько вáм тогдá бы́ло лéт?
Мнé бы́ло четы́рнадцать лéт.
(15, 16, 17, 18, 19, 20)

4. *How old will he be then?*
He'll be thirty-one.
Скóлько емý бýдет тогдá лéт?
Емý бýдет трúдцать одúн гóд.
Скóлько емý бýдет тогдá лéт?
Емý бýдет трúдцать двá гóда.
(33, 34, 35, 36, 37, 38, 39, 40, 41, 42)

---

[1] Numbers may be cued in class by writing the figures on the blackboard.

5. *What age is her father?*
He's fifty-seven.
Како́го во́зраста её оте́ц?
Ему́ пятьдеся́т се́мь ле́т.
Како́го во́зраста её оте́ц?
Ему́ пятьдеся́т во́семь ле́т.
(59, 40, 38, 52, 33, 44)

6. *What ages are her children?*
The son is two and the daughter three.
Како́го во́зраста её де́ти?
Сы́ну два́ го́да, а до́чери три́.
Како́го во́зраста её де́ти?
Сы́ну четы́ре го́да, а до́чери пя́ть ле́т.
(6–7, 8–9, 10–11, 12–13, 14–15, 16–17)

DISCUSSION

When asking a person's age the expression **ско́лько ле́т** is normally used, unless the inquiry is about a very young baby and an answer in months is expected; in that case **ско́лько ме́сяцев** would be used. The dative case must be used for the person whose age is in question:

Ско́лько **ва́м** ле́т?	How old are you?
Ско́лько ме́сяцев **ва́шему ребёнку**?	How old is your baby?

A more formal way of asking a person's age is by means of the expression **како́го во́зраста** plus the nominative (for the person whose age is in question). The dative must be used for the subject of the answer, however:

Како́го во́зраста **ва́ша ба́бушка**?	How old is your grandmother?
— **Е́й** во́семьдесят ле́т.	She's eighty years old.
Како́го **она́** во́зраста?	What age is she?
— **Е́й** се́мьдесят оди́н го́д.	She's seventy-one years old.

Note that the appropriate form of **го́д** must be used in agreement with the number involved:

Ему́ два́дцать оди́н го́д.	He's twenty-one years old.
_____ два́ го́да.	_____-two _____.
_____ пя́ть ле́т.	_____-five _____.

Declension and usage of óба (f óбе)

MODELS

О́ба бра́та хоро́шие конькобе́жцы.	Both brothers are good skaters.
О́бе сестры́ игра́ют в те́ннис.	Both sisters play tennis.
О́ба ребёнка бы́ли здоро́вы.	Both children were healthy.
У обо́их дете́й е́сть лы́жи.	Both children have skis.
У ни́х (у)[1] обо́их е́сть лы́жи.	They both have skis.

Где́ Зи́на и Ка́тя?	Where are Zina and Katya?
— Они́ о́бе на катке́.	They're both at the skating rink.
— Я́ ви́дел и́х обе́их в лаборато́рии.	I saw them both in the laboratory.
— У ни́х (у) обе́их заня́тия.	They both have classes.

Вы́ знако́мы с мои́ми дочерьми́?	Are you acquainted with my daughters?
— Я́ знако́м с обе́ими ва́шими дочерьми́.	I'm acquainted with both your daughters.
— Я́ познако́мился с ни́ми (с)[1] обе́ими вчера́ ве́чером.	I met them both yesterday evening.

---

[1] Letters in parentheses are optional.

Он говори́л об Оле́ге и́ли обо мне́?
— О ва́с обо́их.
— Об обо́их, и о ва́с и об Оле́ге.
Он говори́л о Ка́те и́ли о Зи́не?
— Об обе́их.
— О ни́х обе́их.

Was he talking about Oleg or about me?
About both of you.
About both you and Oleg.
Was he talking about Katya or Zina?
About both.
About both of them.

	Masculine and Neuter	*Feminine*
NOM	о́ба (*plus* gen sg)	о́бе (*plus* gen sg)
ACC	*same as* nom *or* gen	
GEN PREP DAT INSTR	обо́их (*plus* gen pl) обо́их (*plus* prep pl) обо́им (*plus* dat pl) обо́ими (*plus* instr pl)	обе́их (*plus* gen pl) обе́их (*plus* prep pl) обе́им (*plus* dat pl) обе́ими (*plus* instr pl)

■ REPETITION DRILL

Repeat the given models, noting that the masculine and neuter genders use one set of forms (**о́ба, обо́их,** and so forth) as distinct from feminine (**о́бе, обе́их,** and so forth).

■ STRUCTURE REPLACEMENT DRILLS

1. *My friend and I were sick.*
   We both were sick.
   Я́ и мо́й това́рищ бы́ли больны́.
   Мы́ о́ба бы́ли больны́.
   Мне́ и това́рищу бы́ло ску́чно.
   На́м обо́им бы́ло ску́чно.
   У меня́ и у това́рища бы́ли экза́мены.
   У на́с обо́их бы́ли экза́мены.
   Мне́ и това́рищу бы́ло ве́село.
   Меня́ и това́рища не́ было до́ма.
   Со мно́й и това́рищем бы́ло пло́хо.
   Мне́ и това́рищу бы́ло неудо́бно.
   Мно́й и това́рищем всё интересова́лись.
   Меня́ и това́рища э́то не интересу́ет.

2. *My sister and her girl friend are at the skating rink.*
   They're both at the skating rink.
   Сестра́ и её подру́га на катке́.
   Они́ о́бе на катке́.
   Сестре́ и её подру́ге никто́ не ве́рит.
   Им обе́им никто́ не ве́рит.
   Он говори́л с сестро́й и её подру́гой.
   Он снима́л сестру́ и её подру́гу.
   Он интересова́лся сестро́й и её подру́гой.
   Он боя́лся сестры́ и её подру́ги.
   Он понра́вился сестре́ и её подру́ге.
   Он повёз на като́к сестру́ и её подру́гу.

3. *The brothers were nervous.*
   Both brothers were nervous.
   Бра́тья не́рвничали.
   О́ба бра́та не́рвничали.
   Сёстрам бы́ло хо́лодно.
   Обе́им сёстрам бы́ло хо́лодно.
   Бра́тья уста́ли.
   Сёстры уста́ли.
   Бра́тьям пришли́ пи́сьма.
   Сёстрам пришли́ пи́сьма.
   О бра́тьях писа́ли в газе́тах.
   О сёстрах писа́ли в газе́тах.
   Бра́тьями всё дово́льны.
   Сёстрами всё дово́льны.

I talked to his teachers.	Я ви́дел его́ учителе́й.
To both of them?	Я ви́дел его́ учи́тельниц.
Я говори́л с его́ учителя́ми.	Я уви́жусь с его́ учи́тельницами.
С обо́ими?	Я уви́жусь с его́ учителя́ми.
Я говори́л с его́ учи́тельницами.	Его́ учителя́ уе́хали.
С обе́ими?	Его́ учи́тельницы уе́хали.

DISCUSSION

The nominative and inanimate accusative forms **о́ба** (masculine and neuter) and **о́бе** (feminine), like **два́** and **две́**, are followed by the genitive singular:

О́ба бра́та живу́т здесь.	Both brothers live here.
О́бе сестры́ у́чатся в ву́зе.	Both sisters attend college.
Я ви́дел о́ба фи́льма.	I saw both movies.
_____ о́ба письма́.	_____ both letters.
_____ о́бе карти́ны.	_____ both pictures.

In all other cases, forms of **о́ба** and **о́бе** are treated as modifiers of the plural noun which follows. Note that these forms are based on expanded stems and that the endings are like the plural endings of the possessive pronoun modifiers: **–их** (animate accusative, genitive, prepositional), **–им** (dative), and **–ими** (instrumental):

Я ви́дел **обо́их бра́тьев.**	I saw both brothers.
_____ **обе́их сестёр.**	_____ both sisters.
Скажи́те э́то **обо́им бра́тьям.**	Tell that to both brothers.
_____ **обе́им сёстрам.**	_____ both sisters.
Поговори́те с **обо́ими бра́тьями.**	Have a talk with both brothers.
_____ с **обе́ими сёстрами.**	_____ both sisters.

Sometimes Russians avoid using **о́ба** and **о́бе** by substituting such phrases as **и то́т и друго́й** (*lit.* both that one and the other):

Кака́я шля́па ва́м нра́вится?	Which hat do you like?
— Мне́ нра́вится и та́ и друга́я.	I like both of them.
Каку́ю шля́пу вы́ возьмёте?	Which hat will you take?
— И ту́ и другу́ю.	Both of them.

Note particularly that **о́ба** and **о́бе** are not used in the compound conjunction *both . . . and*, which is expressed instead by **и... и**:

Она́ и краси́вая и у́мная.	She's both beautiful and intelligent.

ПОВТОРÉНИЕ

— Здра́вствуйте, Тама́рочка! Ва́м не ску́чно ката́ться одно́й?

— Я́ не одна́, я́ с друзья́ми.

— Где́ же они́? Я́ и́х не ви́жу.

— Во́н та́м, в конце́ катка́.

— А́х, так э́то ва́ши друзья́! А я́ как ра́з смотре́л, как они́ ката́ются. Они́ замеча́-тельные конькобе́жцы.

— Да. Они оба, и Зина и Володя, с шестилетнего возраста бегают на коньках.

— Вот как! А я вот очень плохо катаюсь — в детстве не научился, а теперь уже поздно.

— Никогда не поздно, Кирилл Павлович. Знаете, говорят: «Лучше поздно, чем никогда».

— Вы, пожалуй, правы.

Грант спросил товарищей по общежитию, летали ли они когда-нибудь на самолёте. Оказалось, что никто не летал. Виктор сказал, что боится. Ему всегда не везёт, и он уверен, что если полетит, то самолёт обязательно разобьётся. Олег ответил, что это глупости, и что он давно мечтает полететь. Вадим же сказал, что не летал просто потому, что у него нет денег. Тогда все студенты сказали Гранту, что летать — это для них слишком дорогое удовольствие.

Тамаре очень хочется пойти в новый ресторан. Он открылся на прошлой неделе, и её подруги уже там были. Говорят, что там замечательно: музыка, танцы. И вот сегодня Вадим пригласил Тамару в этот ресторан. Он заказал обед. Обед был слишком дорог для него, но он, конечно, не мог сказать этого Тамаре. Принесли вино во льду и какие-то замечательные закуски. Тамара никогда такого не видела. Она вообще никогда не бывала в ресторанах. Но ей хотелось показать, что она привыкла к таким обедам. Она сразу выпила два стакана вина, и у неё начала немного болеть голова, но ей было очень весело. Скоро начались танцы, и Вадим с Тамарой долго танцевали. Вечер прошёл очень хорошо.

PREPARATION FOR CONVERSATION   **Василий запаковывает посылку**

посы́лка	package, parcel
запако́вывать, –ают (I)	to wrap, pack
Васи́лий запако́вывает посы́лку.	Vasily is wrapping a package.
то́нкий	thin, fine
иго́лка	needle
Иго́лка сли́шком то́нкая.	The needle's too fine.
фу́ ты!	darn it! darn it all!
Фу́ ты, иго́лка сли́шком то́нкая!	Darn it all, the needle's too fine!
то́лстый	thick, stout, heavy
пото́лще	a bit thicker (*or* stouter, *or* heavier)
Не́т ли у тебя́ пото́лще?	You wouldn't have one a bit heavier?
У меня́ не́т никаки́х иго́лок.	I don't have any needles.
У меня́ вообще́ никаки́х не́т.	I don't have any (needles) at all.
ши́ть, шью́т (I)	to sew
Я́ никогда́ не шью́.	I never sew.
приши́ть, пришью́т (pfv I)	to sew on
пу́говица	button
Я́ да́же пу́говицы приши́ть не уме́ю.	I don't even know how to sew a button on.
уйти́, уйду́т (pfv I)	to go away, go off (on foot), leave
Фили́пп куда́-то ушёл.	Philip has gone off somewhere.
жа́лко	too bad, it's a pity
Жа́лко, Фили́пп куда́-то ушёл: у него́ наве́рно есть.	Too bad Philip has gone off somewhere; he probably has one.
А во́т и о́н.	Oh, here he is now.
не найдётся ли у тебя́ (*plus* gen)	you wouldn't happen to have
Не найдётся ли у тебя́ то́лстой иго́лки?	You wouldn't happen to have a heavy needle?
Ду́маю, что найдётся, сейча́с поищу́.	I think I do; I'll take a look.
са́мый	the most, the very
са́мая то́лстая иго́лка	the stoutest (*or* heaviest) needle
Во́т са́мая то́лстая иго́лка, кака́я есть.	Here's the heaviest needle I've got.

◀ Ленингра́д. Зи́мний дворе́ц, в кото́ром тепе́рь нахо́дится музе́й — Госуда́рственный Эрмита́ж.   577

А что́ э́то ты́ шьёшь? | But what's that you're sewing?

Посы́лку запако́вываю.[1] | I'm wrapping a package.

ни́тки (sg ни́тка) | thread
кре́пкий | strong, sound

Мо́жет, у тебя́ и ни́тки кре́пкие е́сть? | Perhaps you have some strong thread, too?

кре́пче (comparative of кре́пкий) | stronger

Ни́тки е́сть, то́лько не зна́ю, кре́пче ли они́, чём тво́й. | I have thread, only I don't know whether it's any stronger than yours.

подойти́, подойду́т (pfv I) | to be suitable, do; to approach, come up to

Ни́тки вполне́ подойду́т. Спаси́бо. | The thread will do just fine. Thanks.

приня́ть (pfv I) (past при́нял, –о, –и; f –á; fut приму́, при́мешь, –ут) | to accept, take; to admit, see (a patient)

Ну́, наде́юсь, что посы́лку при́мут. | Well, I hope they'll accept the parcel.

пра́вило | rule, regulation
запако́ван, –а, –о | packed, wrapped

Всё запако́вано по пра́вилам. | Everything's wrapped according to regulations.

мочи́ть, мо́чат (II) | to wet, moisten, soak

А заче́м э́то ты́ тепе́рь посы́лку водо́й мо́чишь? | But why are you moistening the package with water now?

а́дрес, –а; адреса́, –о́в | address

Что́бы написа́ть а́дрес. | In order to write the address.

хими́ческий | chemical
хими́ческий каранда́ш | indelible pencil

Да́й мне́ во́н то́т хими́ческий каранда́ш. | Give me that indelible pencil over there.

на́ [ná] (stressed particle) | here you are, take it

На́. | Here you are.

Ну́, гото́во? | Well, all set?

Тогда́ пошли́. | Let's go then.

И я́ пойду́ с ва́ми. | I'll go with you, too.

Мне́ то́же на́до идти́ на по́чту. | I've got to go to the post office, too.

SUPPLEMENT

запакова́ть, запаку́ют (pfv I) | to wrap up; to pack
Я́ запаку́ю чемода́ны. | I'll pack my bags.
сши́ть, сошью́т (pfv I) (imper сше́й! –те!) | to sew
Ма́ть сошьёт е́й ю́бку. | Mother'll sew her a skirt.
пришива́ть, –а́ют (I) | to sew on
О́н пришива́л к руба́шке пу́говицу. | He was sewing the button on his shirt.
уходи́ть, ухо́дят (II) | to go away, leave (on foot)

---

[1] Parcels are commonly wrapped in cloth and sewed up for mailing purposes in the U.S.S.R.

Уже́ пя́ть часо́в, я́ ухожу́.	It's five o'clock already; I'm leaving.
принима́ть, –а́ют (I)	to accept, take; to admit, see (a patient)
Сего́дня до́ктор никого́ не принима́ет.	The doctor isn't seeing anyone today.
За кого́ вы́ меня́ принима́ете?	Who do you take me for?
швейная маши́на	sewing machine
Она́ уме́ет ши́ть на швейной маши́не.	She knows how to sew on a sewing machine.
пиджа́к, –а́	jacket, coat (suit)
На нём бы́л чёрный пиджа́к.	He had on a black jacket.
пальто́ (indecl n)	topcoat, overcoat
О́н бы́л в пальто́.	He had on a coat.
дождеви́к, –а́ [dəʐʐivík]	raincoat
Возьми́ с собо́й дождеви́к.	Take a raincoat with you!
сла́бый	weak, feeble; poor
О́н сла́бый студе́нт.	He's a poor student.

Васи́лий запако́вывает посы́лку

В. — Васи́лий   Б. — Бори́с   Ф. — Фили́пп

В. 1 Фу́ ты́, иго́лка сли́шком то́нкая. Не́т ли у тебя́, Бо́ря, потолще?[1]

Б. 2 У меня́ вообще́ никаки́х не́т. Я никогда́ не шью́, да́же пу́говицы приши́ть не уме́ю.

В. 3 Жа́лко, Фили́пп куда́-то ушёл: у него́ наве́рно е́сть. А во́т и о́н! Фили́пп, не найдёт-ся ли у тебя́ то́лстой иго́лки?

Ф. 4 Ду́маю, что найдётся, сейча́с поищу́. Во́т са́мая то́лстая иго́лка, кака́я е́сть. А что́ э́то ты́ шьёшь?

В. 5 Посы́лку запако́вываю. Мо́жет, у тебя́ и ни́тки кре́пкие е́сть?

Ф. 6 Ни́тки е́сть, то́лько не зна́ю, кре́пче ли они́, че́м твои́. Посмотри́!

В. 7 Вполне́ подойду́т. Спаси́бо. Ну́, наде́юсь, что посы́лку при́мут. Всё запако́вано по пра́вилам.

Ф. 8 А заче́м э́то ты́ тепе́рь посы́лку водо́й мо́чишь?

В. 9 Что́бы написа́ть а́дрес. Бо́ря, да́й мне́ во́н то́т хими́ческий каранда́ш.[2]

Б. 10 На́.[3] Ну́, гото́во? Тогда́ пошли́.

Ф. 11 И я́ с ва́ми. Мне́ то́же на́до на по́чту.[4]

NOTES   [1] Note here the prefix **по–** in **пото́лще** *somewhat thicker* (from **то́лще** *thicker*). This prefix often adds the meaning *somewhat, a bit* to a simple comparative, for example, **да́льше** *farther*, **пода́льше** *somewhat farther*, **бли́же** *nearer*, **побли́же** *a bit nearer*, **ча́ще** *more often*, **поча́ще** *somewhat more often*. In other contexts, the prefix is used to imply the full extent possible, for example, **поскоре́е** *as quickly as possible*.

[2] Addresses are written on cloth-bound parcels with an indelible pencil, which requires wetting of the material. The indelible pencil is sometimes used in offices as a substitute for pen and ink.

³ The stressed particle **на́** and its plural-polite form, **на́те**, serve as conversational substitutes for the imperatives **возьми́(те)**, **бери́(те)**, and **получи́(те)** in urging someone to take something. It is generally restricted to use among close friends or one's family and is used with the accusative for the object offered :

На́ ру́чку!   *Take the pen!*

Do not confuse this **на́** (which is stressed) with the ordinarily unstressed preposition **на**.

⁴ It is not uncommon in conversational Russian for the verb to be omitted if the context is clear without it. In Philip's last speech the verbs **пойду́** and **идти́** are omitted :

И я́ с ва́ми (И я́ пойду́ с ва́ми).

Мне́ то́же на́до на по́чту (Мне́ то́же на́до идти́ на по́чту).

PREPARATION FOR CONVERSATION   **Смотри́, куда́ е́дешь!**

Смотри́, куда́ е́дешь!	Watch where you're driving!
Мы́ не опозда́ем с на́шей посы́лкой?	Won't we be late with our parcel?
Уже́ почти́ ше́сть.	It's already almost six.
отделе́ние	branch, department, division
до восьми́	until eight
Э́то отделе́ние рабо́тает до восьми́.	This branch works till eight.
до девяти́	until nine
Не́т, э́то отделе́ние рабо́тает до восьми́ и́ли да́же до девяти́.	No, this branch works till eight or even nine.
тя́жесть (f)	load, weight
Ну́ и тя́жесть!	Boy, is this heavy!
Дава́й я тепе́рь понесу́.	Let me carry it now.
кило́ (indecl n)¹	kilogram (about 2.2 lbs.)
ме́ньше	less, smaller
не ме́ньше (*plus* gen)	at least, not less than
Действи́тельно, не ме́ньше десяти́ кило́ бу́дет.	Really, it must weigh at least ten kilograms.
довезти́, довезу́т (pfv I)	to take, deliver (by vehicle), drive (to a destination)
в два́ счёта	in a jiffy, in two shakes
велосипе́д	bicycle
е́сли бы (*or* е́сли б)	if (in conditional constructions)
Е́сли бы ты́ взя́л у Оле́га велосипе́д, в два́ счёта довёз бы.	If you'd taken Oleg's bicycle, you'd have delivered [it] there in two shakes.
донести́, донесу́т (pfv I)	to take, deliver (somewhere on foot)
Ничего́, донесём.	Never mind, we'll get it there.
в двух́ шага́х отсю́да	a short way from here, a few steps from here
Э́то ведь в двух́ шага́х отсю́да, не пра́вда ли?	It's just a short way from here, isn't that right?
Ну́ не совсе́м.	Well, not quite.

¹ The declinable noun **килогра́мм** is also used. It is pronounced [k̦ilagrám] and has two possible forms in the genitive plural: **килогра́ммов** and **килогра́мм**.

пло́щадь, –и; –и, –е́й (f) — square, surface, area
на пло́щадь; на пло́щади — to the square; in the square
кварта́л — block; quarter (of a year)

Ну́ не совсе́м: на́до перейти́ пло́щадь, а та́м ещё три́-четы́ре кварта́ла. — Well, not quite; we've got to cross the square, and then [there's] still three or four blocks.

пу́ть, пути́; –й, –е́й (m) — way, route, path
бо́лее — more

Я зна́ю бо́лее коро́ткий пу́ть. — I know a shorter way.

переу́лок, –лка — lane, alley
поверну́ть, поверну́т (pfv I) — to turn

Повернём в э́тот переу́лок. — Let's turn into this alley.

грузови́к, –а́ — truck

Осторо́жней! Грузови́к! — Watch out! (*Lit.* More careful!) A truck!

Э́й, ты́! Смотри́, куда́ е́дешь! — Hey you! Watch where you're driving!

пья́ный — drunk

Наве́рно пья́ный како́й-то. — Probably some drunk!

SUPPLEMENT

счёт — bill, check; account, score
Да́йте мне́, пожа́луйста, счёт. — Give me the check (*or* bill), please.
на твоём ме́сте (*or* на ва́шем ме́сте) — in your place, if I were you
На твоём ме́сте, я́ бы туда́ не ходи́л. — If I were you I wouldn't go there (*or* I wouldn't have gone there).

тяжёлый (тяжёл, –а́, –о́, –ы́) — heavy; hard, difficult; grave
У него́ тяжёлый хара́ктер. — He's difficult to get along with.
О́н тяжело́ рабо́тал. — He worked hard.
тяжеле́е — heavier; harder
Э́тот чемода́н гора́здо тяжеле́е. — This suitcase is much heavier.
опа́сный (опа́сен, –сна, –о, –ы) — dangerous
Рабо́та шпио́на опа́сна. — The work of a spy is dangerous.
опа́снее — more dangerous
Э́та рабо́та ещё опа́снее. — This work is even more dangerous.

SPECIAL -е COMPARATIVES

бли́же — closer, nearer
О́н тепе́рь живёт бли́же к посо́льству. — He now lives closer to the embassy.
Подойди́ бли́же! — Come closer!
коро́че — shorter
Но́вый пиджа́к коро́че ста́рого. — The new jacket is shorter than the old one.
то́лще — thicker, heavier; coarser
Э́та подкла́дка то́лще, чём та́. — This lining is thicker than that.
то́ньше — thinner, finer
Э́та подкла́дка то́ньше, чём та́. — This lining is thinner than that.
ле́гче [léxči] — lighter; easier
Э́тот велосипе́д ле́гче того́. — This bicycle is lighter than that one.
На э́то мне́ ле́гче отве́тить. — That's easier for me to answer.
ре́же — rarer, less frequently

Э́тим ле́том дожди́ иду́т ре́же.
    ча́ще
	It's been raining less frequently this summer.
	    more frequent, more (or most) often

Ча́ще всего́ о́н е́здит на грузовике́.
    ста́рше
	He rides (or drives) a truck most often.
	    older

Сестра́ на́ год ста́рше меня́.
    моло́же
	My sister is a year older than I.
	    younger

Е́сли бы я́ бы́л моло́же, я́ бы то́же та́к бе́гал.	If I were younger, I'd run like that too.

Смотри́, куда́ е́дешь!

В. — Васи́лий   Б. — Бори́с   Ф. — Фили́пп

Ф. 1 Мы́ не опозда́ем с на́шей посы́лкой? Уже́ почти́ ше́сть.

В. 2 Не́т, э́то отделе́ние рабо́тает до восьми́ и́ли да́же до девяти́. Ну́ и тя́жесть!

Ф. 3 Дава́й я тепе́рь понесу́. Действи́тельно, не ме́ньше десяти́ кило́ бу́дет.

Б. 4 Е́сли бы ты́ взя́л у Оле́га велосипе́д, в два́ счёта довёз бы.

Ф. 5 Ничего́, донесём. Э́то ведь в дву́х шага́х отсю́да, не пра́вда ли?

В. 6 Ну́ не совсе́м: на́до перейти́ пло́щадь, а та́м ещё три́-четы́ре кварта́ла.[1]

Б. 7 Я́ зна́ю бо́лее коро́ткий пу́ть.[2] Повернём в э́тот переу́лок.

Ф. 8 Осторо́жней! Грузови́к!

В. 9 Э́й, ты́! Смотри́, куда́ е́дешь!

Б. 10 Наве́рно пья́ный како́й-то.

NOTES   [1] Although **та́м** ordinarily means *there*, it is sometimes used in the sense *then*, for example, *at that point* or *having reached that point*. The other words for *then* which we have encountered are **тогда́** and **пото́м**, and they are *not* interchangeable.

Тогда́ is used for *then* in a time sense (*at that time*) and also in a causal sense (*in that event*):

Тогда́ мне́ бы́ло де́сять ле́т.	I was ten years old *then* (or *at that time*).
Мне́ не нра́вится э́то пальто́.	I don't like this coat.
— **Тогда́** не покупа́й.	Don't buy it *then* (or *in that case*).

Пото́м is used for *then* only in a time sense (*thereupon, after that, later on*) and usually in a sequence of events:

Я́ зашёл в магази́н. **Пото́м** я́ пошёл домо́й.	I dropped in at a store. Then (or *after that*) I went home.
Мы́ пое́дем в Ки́ев, а **пото́м** в Оде́ссу.	We'll go to Kiev and *then* (or *later on, after that*) to Odessa.

[2] The masculine noun **пу́ть** *way, route, path* is irregularly declined in the singular: **пу́ть** (nominative, accusative), **пути́** (genitive, dative, prepositional), **путём** (instrumental). Its plural follows the regular soft declension pattern.

Basic sentence patterns

1. Ка́сса откры́та от двух до пяти́.
   —————————— от трёх до шести́.
   —————————— от четырёх до семи́.
   —————————— от пяти́ до восьми́.

   The box office is open from two to five.
   —————————— from three to six.
   —————————— from four to seven.
   —————————— from five to eight.

2. Сде́лайте э́то к двум часа́м.
   —————————— к трём ——.
   —————————— к пяти́ ——.
   —————————— к четырём —.
   —————————— к восьми́ —.

   Get this done by two o'clock.
   —————————— by three ——.
   —————————— by five ——.
   —————————— by four ——.
   —————————— by eight ——.

3. Он на́ два го́да ста́рше сестры́.
   — на́ три —————————.
   — на́ четы́ре —————————.

   He's two years older than his sister.
   —— three —————————.
   —— four —————————.

4. Она́ шестью́ года́ми моло́же меня́.
   —— семью́ —————————.
   —— девятью́ —————————.
   —— десятью́ —————————.

   She's younger than I by six years.
   —————————— seven —.
   —————————— nine —.
   —————————— ten —.

5. Туда́ посла́ли два́дцать одного́ студе́нта.
   —————————— одну́ студе́нтку.
   —————————— два́ студе́нта.
   —————————— две́ студе́нтки.
   —————————— се́мь студе́нтов.

   They sent twenty-one students there.
   —————————— twenty-one girl students —.
   —————————— twenty-two students ——.
   —————————— twenty-two girl students —.
   —————————— twenty-seven students ——.

6. Мы́ познако́мились
               с двумя́ иностра́нцами.
   —————————— с тремя́ —————.
   —————————— с четырьмя́ ———.
   —————————— с пятью́ —————.
   —————————— с восемью́ ———.

   We met two foreigners.
   —————————— three ———.
   —————————— four ———.
   —————————— five ———.
   —————————— eight ———.

7. Э́то в двух кварта́лах отсю́да.
   —— в трёх —————.
   —— в четырёх —————.
   —— в пяти́ —————.

   It's within two blocks of here.
   —— within three —————.
   —— within four —————.
   —— within five —————.

8. Купи́те не ме́ньше пяти́ кило́ са́хара.
   —————————— десяти́ ————.
   —————————— двадцати́ ————.
   —————————— тридцати́ ————.

   Buy at least five kilograms of sugar.
   —————————— ten —————————.
   —————————— twenty —————————.
   —————————— thirty —————————.

9. На́м не хвата́ет двух сту́льев.
   —————————— трёх ——.
   —————————— четырёх ——.

   We're short two chairs.
   —————————— three ——.
   —————————— four ——.

10. Ча́й до́лжен бы́ть кре́пче.
    —————————— слабе́е.
    —————————— горяче́е.

    The tea should be stronger.
    —————————— weaker.
    —————————— hotter.

11. Пого́да ста́ла ещё холодне́е.
    —————————— тепле́е.
    —————————— жа́рче.

    The weather got even colder.
    —————————— warmer.
    —————————— hotter.

12. Дни́ стано́вятся длинне́е.   The days are getting longer.
    _____ коро́че.   _____ shorter.
    _____ тепле́е.   _____ warmer.
    _____ холодне́е.   _____ colder.

13. Он зараба́тывает бо́льше, чём я.   He earns more than I.
    _____ бо́льше меня́.   _____ more _____.
    _____ ме́ньше, чём я.   _____ less _____.
    _____ ме́ньше меня́.   _____ less _____.

14. Твоя́ ко́мната доро́же мое́й.   Your room is more expensive than mine.
    _____ лу́чше _____.   _____ better _____.
    _____ ху́же _____.   _____ worse _____.

15. Э́ти пироги́ вкусне́е тех.   These pirogs are tastier than those.
    _____ свеже́е ____.   _____ fresher _____.
    _____ горяче́е ___.   _____ hotter _____.

16. Моя́ маши́на старе́е, чём его́.   My car is older than his.
    _____ нове́е _____.   _____ newer _____.
    _____ доро́же _____.   _____ more expensive ____.
    _____ краси́вее _____.   _____ more beautiful ____.
    _____ длинне́е _____.   _____ longer _____.
    _____ коро́че _____.   _____ shorter _____.
    _____ ле́гче _____.   _____ lighter _____.
    _____ тяжеле́е _____.   _____ heavier _____.

17. Оле́г серьёзнее Ива́на.   Oleg is more serious than Ivan.
    ____ бедне́е _____.   _____ poorer _____.
    ____ симпати́чнее ___.   _____ nicer _____.
    ____ споко́йнее _____.   _____ quieter _____.
    ____ умне́е _____.   _____ smarter _____.
    ____ глупе́е _____.   _____ more stupid _____.

18. Я бы поста́вил пласти́нку, но не зна́ю как.   I'd put on a record, but [I] don't know how.

    Я бы приши́л пу́говицу, но не зна́ю как.   I'd sew on a button, but [I] don't know how.

19. На твоём ме́сте я бы не беспоко́ился.   If I were you I wouldn't worry.
    _____ я бы бро́сил пи́ть.   _____ I'd stop drinking.
    _____ я бы пригласи́л её в кино́.   _____ I'd ask her to the movies.

20. Ты́ пойдёшь на като́к?   Are you going to [go to] the rink?
    — Я бы пошёл, е́сли бы бы́ло вре́мя.   I'd go if there were time.

21. Е́сли он зна́ет их а́дрес, то́ мо́жет им написа́ть.   If he knows their address he can write to them.

    Е́сли бы он зна́л их а́дрес, он мо́г бы им написа́ть.   If he knew their address he could write to them *or* If he had known their address he could have written to them.

    Е́сли он узна́ет их а́дрес, он смо́жет им написа́ть.   If he learns their address he can write to them.

    Е́сли бы он узна́л их а́дрес, он смо́г бы им написа́ть.   If he learned their address he could write to them *or* If he had learned their address he could have written to them.

Pronunciation practice: clusters льв, хв, кв, гв, and шв

A. Consonant cluster **льв** pronounced [l̦v] or [l̦y̦].

[l̦v⟡] львы́
lions

[l̦y̦íc⟡] льви́ца
lioness

[mál̦v⟡] ма́льва
a flower

B. Consonant cluster **хв** pronounced [xv].

[xvóst] хво́ст
tail

[xvást⟡t] хва́стать
to boast

[xval̦íţ] хвали́ть
to praise

C. Consonant cluster **кв** pronounced [kv] or [ky̦].

[kvák⟡t] ква́кать
to croak

[ky̦érxu] кве́рху
upward

[ky̦itáncij⟡] квита́нция
slip

D. Consonant cluster **гв** pronounced [gv].

[gvóşţ] гво́здь
nail

[gvárḑij⟡] гва́рдия
guard

[gvált] гва́лт
noise

E. Consonant cluster **шв** pronounced [šv] or [šy̦].

[šy̦ijá] швея́
dressmaker

[švábr⟡] шва́бра
mop

[šy̦éjnij] швейный
sewing

STRUCTURE AND DRILLS

Comparison of adjectives and adverbs:
part 1—regular comparatives ending in -ee

Regular comparatives are formed by adding –**ee** to the adjective-adverb stem. In colloquial Russian this may be shortened to –**ей**. The stress of the comparative usually corresponds to that of the feminine short-form adjective.

LONG-FORM ADJECTIVE	ADVERB	SHORT-FORM FEMININE ADJECTIVE	COMPARATIVE
интере́сный	интере́сно	интере́сна	интере́снее
краси́вый	краси́во	краси́ва	краси́вее
осторо́жный	осторо́жно	осторо́жна	осторо́жнее
прия́тный	прия́тно	прия́тна	прия́тнее
ми́лый	ми́ло	мила́	миле́е
весёлый	ве́село	весела́	веселе́е
дли́нный	дли́нно	длинна́	длинне́е
у́мный	умно́	умна́	умне́е
глу́пый	глу́по	глупа́	глупе́е
тру́дный	тру́дно	трудна́	трудне́е

MODELS

Oná добрá, нó óн ещё добре́е. She's kind, but he's even kinder.
____ краси́ва _____ краси́вее. ____ attractive _____ more attractive.
____ старá _____ старе́е. ____ old _____ older.
____ симпати́чна _____ симпати́чнее. ____ nice _____ nicer.

Э́ти пироги́ свеже́е, че́м те́. These pirogs are fresher than those.
_____ вкусне́е _____. _____ tastier _____.
_____ горяче́е _____. _____ hotter _____.
_____ холодне́е ____. _____ colder _____.
_____ тепле́е _____. _____ warmer _____.

Зи́на краси́вее, че́м О́ля. Zina is prettier than Olya.
Зи́на краси́вее О́ли. Zina _____.
О́ля умне́е, че́м Зи́на. Olya is more intelligent than Zina.
О́ля умне́е Зи́ны. Olya _____.
Ви́тя серьёзнее, че́м Оле́г. Vitya is more serious than Oleg.
Ви́тя серьёзнее Оле́га. Vitya _____.
Оле́г споко́йнее, че́м Ви́тя. Oleg is quieter than Vitya.
Оле́г споко́йнее Ви́ти. Oleg _____.

О́н говори́т быстре́е, че́м вы́. He talks faster than you.
О́н говори́т быстре́е вáс. He _____.
О́н говори́т ме́дленнее, че́м Фили́пп. He ____ more slowly than Philip.
О́н говори́т ме́дленнее Фили́ппа. He _____.
О́н говори́т прáвильнее, че́м брáт. He ____ more correctly than his brother.
О́н говори́т прáвильнее брáта. He _____.

■ REPETITION DRILL

Repeat the given models, noting that in comparisons either **че́м** plus the nominative case, or the genitive case alone may be used after the comparative form.

■ STRUCTURE REPLACEMENT DRILL

It was cold.
It became colder.
Бы́ло хо́лодно.
Стáло холодне́е.
  (тепло́, свежо́, ску́чно, удо́бно, интере́сно)

■ RESPONSE DRILLS

1. *She's kind.*
   But her sister is even kinder.
   Оná добрá.
   Но её сестрá ещё добре́е.
   Оná краси́ва.
   Но её сестрá ещё краси́вее.
     (глупá, милá, умнá, споко́йна, интере́сна)

2. *They're both nice people.*
   But she's nicer than he.
   Они́ о́ба симпати́чные лю́ди.
   Но оná симпати́чнее его́.
   Они́ о́ба ми́лые лю́ди.
   Но оná миле́е его́.
     (здоро́вые, прия́тные, до́брые, глу́пые, у́мные, весёлые, осторо́жные, изве́стные, серьёзные)

1. *Is it hard for you to work now?*
   Yes, harder than before.
   Вáм тепéрь трýдно рабóтать?
   Дá, труднéе, чéм рáньше.
   Вáм тепéрь интерéсно рабóтать?
   Дá, интерéснее, чéм рáньше.
      (скýчно, приятно, вéсело, удóбно)

2. *Does he always speak so slowly?*
   Usually he speaks even slower.
   Óн всегдá тáк мéдленно говорит?
   Обы́чно óн говорит ещё мéдленнее.
   Óн всегдá тáк бы́стро говорит?
   Обы́чно óн говорит ещё быстрéе.
      (прáвильно, глýпо, осторóжно, длинно,
      красиво)

■ EXPANSION DRILLS

1. *This side is longer.*
   This side is longer than that.
   Эта сторонá длиннéе.
   Эта сторонá длиннéе, чéм тá.
   Этот протокóл длиннéе.
   Этот протокóл длиннéе, чéм тóт.
   Это óзеро длиннéе.
   Этот человéк беднéе.
   Эта жéнщина беднéе.
   Эти люди беднéе.
   Это дéрево старéе.
   Этот забóр старéе.
   Эта цéрковь старéе.

2. *My suitcase is heavier.*
   My suitcase is heavier than yours.
   Мóй чемодáн тяжелéе.
   Мóй чемодáн тяжелéе твоегó.
   Моя сýмка тяжелéе.
   Моя сýмка тяжелéе твоéй.
   Мóй велосипéд тяжелéе.
   Моё пальтó тяжелéе.
   Мóй пýть опáснее.
   Моя рабóта опáснее.
   Моё дéло опáснее.

DISCUSSION

In a comparison, **чéм** *than* is followed by the same case or construction that precedes it:

Мóй чемодáн тяжелéе, чéм твóй.	My suitcase is heavier than yours.
Эта книга интерéснее, чéм тá.	This book is more interesting than that one.
Эта картина мнé бóльше нрáвится, чéм емý.	I like this picture better (*lit.* more) than he does.
Вы говорите лýчше, чéм пишете.	You speak better than you write.
Николáю нужны дéньги бóльше, чéм Ивáну.	Nikolay needs money more than Ivan does.

Note: A comma is always written before **чéм**.

The genitive case is very often used in place of **чéм** plus the nominative. In the genitive construction no comma is written.

Мóй чемодáн тяжелéе твоегó.	My suitcase is heavier than yours.
Этот стýл удóбнее тогó.	This chair is more comfortable than that one.

Note particularly that the same comparative form serves as both adjective and adverb:

(adv) Óн говорит бóльше, чéм рабóтает.	He talks more than he works.
(adj) Эта кóмната бóльше, чéм моя.	This room is bigger than mine.

Comparison of adjectives and adverbs: part II—special comparatives ending in -e

Most comparatives ending in –e show some modification of the adjective-adverb stem. A few are based on different stems altogether.

COMPARATIVE	LONG-FORM ADJECTIVE AND ADVERB	COMPARATIVE	LONG-FORM ADJECTIVE AND ADVERB
бли́же	бли́зкий, бли́зко	ме́ньше	ма́ленький, мало
бо́льше	большо́й, мно́го	моло́же	молодо́й, мо́лодо
гро́мче	гро́мкий, гро́мко	мя́гче	мя́гкий, мя́гко
да́льше	далёкий, далеко́	про́ще	просто́й, про́сто
доро́же	дорого́й, до́рого	ре́же	ре́дкий, ре́дко
коро́че	коро́ткий, ко́ротко	ста́рше	ста́рый, ста́ро
кре́пче	кре́пкий, кре́пко	то́лще	то́лстый, то́лсто
ле́гче	лёгкий, легко́	то́ньше	то́нкий, то́нко
лу́чше	хоро́ший, хорошо́	ху́же	плохо́й, пло́хо
		ча́ще	ча́стый, ча́сто

MODELS

Моя́ рабо́та лу́чше ва́шей.

_____ ху́же _____.

_____ ле́гче _____.

_____ про́ще _____.

My job is better than yours.

_____ worse _____.

_____ easier _____.

_____ simpler _____.

Ваш чемода́н ме́ньше моего́.

_____ бо́льше _____.

_____ коро́че _____.

_____ лу́чше _____.

Your suitcase is smaller than mine.

_____ bigger _____.

_____ shorter _____.

_____ better _____.

Э́тот материа́л доро́же того́.

_____ мя́гче _____.

_____ ле́гче _____.

_____ то́ньше ____.

_____ то́лще ____.

This material is more expensive than that.

_____ softer _____.

_____ lighter _____.

_____ finer _____.

_____ coarser _____.

О́н ста́л говори́ть гро́мче.

_____ бо́льше.

_____ ме́ньше.

_____ лу́чше.

_____ ху́же.

_____ про́ще.

He began to speak louder.

_____ more.

_____ less.

_____ better.

_____ worse.

_____ more simply.

О́н тепе́рь живёт бли́же к университе́ту.

_____ да́льше от университе́та.

He now lives closer to the university.

_____ farther from _____.

Ка́к больно́й?

Ему́ тепе́рь лу́чше.

_____ ху́же.

_____ ле́гче.

How's the patient?

He's better now.

_____ worse ____.

_____ resting more easily ___.

Э́ти самолёты тепе́рь лета́ют да́льше.

_____ ча́ще.

_____ ре́же.

These planes now fly farther.

_____ more often.

_____ less often.

■ REPETITION DRILL

Repeat the given models illustrating the special –e comparatives.

1. *This lining is thin.*
   But that lining is even thinner.
   Эта подкладка тонка.
   А та подкладка ещё тоньше.
   Эта подкладка толста.
   А та подкладка ещё толще.
   (легка, мягка, дорога, крепка,
   хороша, тонка, толста)

2. *It's too far.*
   Yes, it's much farther than I thought.
   Это слишком далеко.
   Да, это гораздо дальше, чём я думал.
   Это слишком дорого.
   Да, это гораздо дороже, чём я думал.
   (просто, легко, мало, близко, мягко,
   много, коротко)

3. *He talked loudly.*
   His brother talked even louder.
   Он говорил громко.
   Его брат говорил ещё громче.
   Он говорил мало.
   Его брат говорил ещё меньше.
   (хорошо, много, плохо, громко,
   мягко, просто, коротко, мало)

4. *This suitcase is heavy.*
   This suitcase is a little lighter.
   Этот чемодан тяжёлый.
   Этот чемодан немного легче.
   Это пальто длинное.
   Это пальто немного короче.
   Эта пуговица большая.
   Этот материал толстый.
   Этот материал тонкий.
   Эта пуговица маленькая.
   Этот материал плохой.
   Этот материал хороший.

■ QUESTION-ANSWER DRILLS

1. *Does she sew well?*
   Yes, even better than I.
   Она хорошо шьёт?
   Да, даже лучше меня.
   Она часто шьёт?
   Да, даже чаще меня.
   (много, плохо, мало, часто, редко,
   хорошо)

2. *Is his bike expensive?*
   Yes, more expensive than yours.
   У него дорогой велосипед?
   Да, дороже, чём у тебя.
   У него маленький велосипед?
   Да, меньше, чём у тебя.
   (лёгкий, большой, хороший,
   плохой, маленький, дорогой)

DISCUSSION

Most of the special –e comparatives come from adjectives with stems ending in к, г, х, or ст. The change in stem is sometimes predictable: к is replaced by ч, г by ж, х by ш, and ст by щ. For example:

громкий, громче	тихий *quiet*, тише
дорогой, дороже	простой, проще

However, in many instances there are more complicated changes in the stem, or a completely different root may be used in the comparative. For example:

редкий, реже	маленький, меньше
далёкий, дальше	хороший, лучше
тонкий, тоньше	плохой, хуже

Occasionally there are two comparatives from the same stem, such as **старее** and **старше**. These are not interchangeable.

Старее is used in comparing things and old people:

Бабушка старее дедушки.	Grandmother is older than Grandfather.
Это вино старее того.	This wine is older than that.

Ста́рше is limited to a comparison of age, for instance, people who are *older* but not old:

Мо́й ребёнок ста́рше ва́шего.   My baby is older than yours.

Моя́ сестра́ ста́рше меня́.   My sister is older than I.

Declension of cardinal numbers два́ (две́), три́, and четы́ре

	Two	*Three*	*Four*	
NOM	два́ две́ (f)	три́	четы́ре	(*plus* gen sg of noun)
ACC	(*like* nom *or* gen)			
GEN	дву́х	трёх	четырёх	(*plus* gen pl of noun)
PREP	дву́х	трёх	четырёх	(*plus* prep pl of noun)
DAT	дву́м	трём	четырём	(*plus* dat pl of noun)
INSTR	двумя́	тремя́	четырьмя́	(*plus* instr pl of noun)

MODELS

У меня́ то́лько два́ рубля́.   I have only two rubles.

——————— две́ копе́йки.   ————— two kopecks.

——————— три́ платка́.   ————— three handkerchiefs.

——————— четы́ре руба́шки.   ————— four shirts.

Вы́ уви́дите та́м два́ чемода́на.   You'll see two suitcases there.

——————— две́ карти́ны.   ————— two pictures ————.

——————— три́ письма́.   ————— three letters ————.

——————— четы́ре колбасы́.   ————— four sausages ————.

Мне́ не хвата́ет дву́х копе́ек.   I'm short two kopecks.

——————— трёх ————.   ————— three ————.

——————— четырёх ——.   ————— four ————.

Не забу́дьте об э́тих дву́х студе́нтах.   Don't forget about these two students.

——————— трёх ————.   ——————— three ————.

——————— четырёх ————.   ——————— four ————.

На́до позвони́ть э́тим дву́м студе́нткам.   We've got to call these two (girl) students.

——————— трём ————.   ——————— three ————.

——————— четырём ————.   ——————— four ————.

Я́ поговорю́ с э́тими двумя́ де́вушками.   I'll have a talk with these two girls.

——————— тремя́ ————.   ——————— three ——.

——————— четырьмя́ ————.   ——————— four ——.

■ REPETITION DRILL

Repeat the given models, noting that the numbers two, three, and four in the nominative and inanimate accusative are followed by the genitive singular of the noun, but that elsewhere the noun is in the appropriate plural case.

1. *You wouldn't have two kopecks?*
   No, what do you need two kopecks for?
   У тебя́ не́т дву́х копе́ек?
   Не́т, а заче́м тебе́ две́ копе́йки?
   У тебя́ не́т трёх рубле́й?
   Не́т, а заче́м тебе́ три́ рубля́?
   (четырёх копеек, двух рублей, трёх
   копеек, четырёх рублей, двух копеек,
   трёх рублей, одного рубля, одной
   копейки)

2. *Is it two blocks from here?*
   Yes, it's within two blocks of here.
   Э́то два́ кварта́ла отсю́да?
   Да́, э́то в дву́х кварта́лах отсю́да.
   Э́то три́ кварта́ла отсю́да?
   Да́, э́то в трёх кварта́лах отсю́да.
   (четыре, три, два, четыре, три, два)

■ RESPONSE DRILLS

1. *Here are two raincoats.*
   Where did you get these two raincoats?
   Во́т два́ дождевика́.
   Где́ вы́ доста́ли э́ти два́ дождевика́?
   Во́т три́ ю́бки.
   Где́ вы́ доста́ли э́ти три́ ю́бки?
   (два пальто, четы́ре дождевика,
   две юбки, три дождевика, четыре
   юбки, два дождевика, три пальто)

2. *I need two helpers.*
   I'll send you two helpers.
   Мне́ нужны́ два́ помо́щника.
   Я́ ва́м пошлю́ дву́х помо́щников.
   Мне́ нужны́ три́ убо́рщицы.
   Я́ ва́м пошлю́ трёх убо́рщиц.
   (четы́ре помощника, две уборщицы,
   три помощника, четыре уборщицы,
   два помощника, три уборщицы)

■ SUBJECT REVERSAL DRILLS

1. *Three fellows approached us.*
   We approached the three fellows.
   К на́м подошли́ три́ паренька́.
   Мы́ подошли́ к трём паренька́м.
   К на́м подошли́ две́ де́вушки.
   Мы́ подошли́ к дву́м де́вушкам.
   (4 паренька, 3 девушки, 2 паренька, 4
   девушки, 3 паренька, 2 девушки)

2. *The three students took leave of them.*
   They took leave of the three students.
   Три́ студе́нта расста́лись с ни́ми.
   Они́ расста́лись с тремя́ студе́нтами.
   Четы́ре студе́нтки расста́лись с на́ми.
   Мы́ расста́лись с четырьмя́ студе́нтками.
   (2 студентки, 4 студента, 3 студента, 4
   студентки, 3 студента)

■ STRUCTURE REPLACEMENT DRILLS

1. *The three friends are at exams.*
   The three friends have exams.
   Три́ това́рища на экза́менах.
   У трёх това́рищей экза́мены.
   (2 товарища, 4 подруги, 3 товарища,
   2 подруги, 4 товарища, 3 подруги,
   2 товарища)

2. *The four brothers are already on their way.*
   *The four brothers have to be on their way
   already.*
   Четы́ре бра́та уже́ е́дут.
   Четырём бра́тьям уже́ на́до е́хать.
   (3 сестры́, 3 брата, 4 сестры́, 3 амери-
   канца, 4 соседа, 3 соседки, 4 американки,
   3 туриста, 4 женщины)

DISCUSSION

As with **о́ба** and **о́бе**, in all the cases except the nominative and inanimate accusative, the numbers
two, three, and four are treated as modifiers of the plural noun that follows:

Ты́ ви́дишь э́тих дву́х студе́нтов?   Do you see those two students?
У э́тих трёх студе́нтов не́т кни́г.   These three students don't have books.

| Покажи́те э́тим четырём студе́нтам, где́ лаборато́рия. | Show these four students where the lab is. |
| Поговори́ с э́тими тремя́ студе́нтами. | Talk with these three students. |

In the nominative and inanimate accusative forms **два́ (две́)**, **три́**, and **четы́ре** are treated as subject or object rather than as modifiers, and the noun following them is in the genitive singular:

Два́ студе́нта до́лго рабо́тали в лаборато́рии.	The two students worked in the lab for a long time.
Во́т два́ рубля́.	Here are two rubles.
Я́ потеря́л два́ рубля́.	I lost two rubles.

Declension of numbers from five through thirty

1. The numbers 5–10, 20, and 30 follow a similar declension pattern, with stress shifting to the endings in the genitive, prepositional, dative, and instrumental cases:

	5	6	7	8	9	10	20	30
NOM ACC	пя́ть	ше́сть	се́мь	во́семь	де́вять	де́сять	два́дцать	три́дцать
GEN PREP DAT	пяти́	шести́	семи́	восьми́	девяти́	десяти́	двадцати́	тридцати́
INSTR	пятью́	шестью́	семью́	восьмью́ (*or* восьми́мью)	девятью́	десятью́	двадцатью́	тридцатью́

2. The numbers 11–19 are declined according to the same general pattern except that there is no shift of stress to the endings:

	11	12	13	14	15
NOM ACC	оди́ннадцать	двена́дцать	трина́дцать	четы́рнадцать	пятна́дцать
GEN PREP DAT	оди́ннадцати	двена́дцати	трина́дцати	четы́рнадцати	пятна́дцати
INSTR	оди́ннадцатью	двена́дцатью	трина́дцатью	четы́рнадцатью	пятна́дцатью

	16	17	18	19
NOM ACC	шестна́дцать	семна́дцать	восемна́дцать	девятна́дцать
GEN PREP DAT	шестна́дцати	семна́дцати	восемна́дцати	девятна́дцати
INSTR	шестна́дцатью	семна́дцатью	восемна́дцатью	девятна́дцатью

MODELS

Э́тот шофёр повезёт пя́ть челове́к.   This driver will take five people.
_____ ше́сть тури́стов.   _____ six tourists.
_____ се́мь америка́нцев.   _____ seven Americans.

Ва́м не хвата́ет семна́дцати копе́ек.   You're seventeen kopecks short.
_____ восемна́дцати ___.   _____ eighteen _____.
_____ девятна́дцати ___.   _____ nineteen _____.
_____ двадцати́ _____.   _____ twenty _____.
_____ тридцати́ _____.   _____ thirty _____.

О́н ушёл с пятью́ рубля́ми в карма́не.   He left with five rubles in his pocket.
_____ с шестью́ _____.   _____ with six _____.
_____ с семью́ _____.   _____ with seven _____.
_____ с восемью́ _____.   _____ with eight _____.
_____ с девятью́ _____.   _____ with nine _____.
_____ с десятью́ _____.   _____ with ten _____.

■ REPETITION DRILL

Repeat the given models, noting that except for stress these numbers follow the same declension pattern as singular две́рь-nouns, with the accusative always like the nominative.

■ SUBSTITUTION DRILLS[1]

1. Give me five kopecks.
   Да́йте мне́ пя́ть копе́ек.
   (10, 15, 20, 30, 13, 19, 14, 17, 9)

2. I'm five rubles short.
   Мне́ не хвата́ет пяти́ рубле́й.
   (6, 7, 8, 9, 10, 11, 12, 13, 14)

3. I paid more than thirty rubles.
   Я́ заплати́л бо́льше тридцати́ рубле́й.
   (20, 10, 15, 16, 17, 18, 19)

4. I've already talked with ten students.
   Я́ уже́ говори́л с десятью́ студе́нтами.
   (11, 12, 13, 14, 15, 16, 17, 18, 19)

■ RESPONSE DRILLS

1. *Send us six trucks.*
   We don't have six trucks.
   Пришли́те на́м ше́сть грузовико́в.
   У на́с не́т шести́ грузовико́в.
   Пришли́те на́м де́вять грузовико́в.
   У на́с не́т девяти́ грузовико́в.
   (7, 8, 10, 12, 9, 13)

2. *Ten students are going to Vladivostok.*
   I don't envy those ten students.
   Де́сять студе́нтов пое́дут во Владивосто́к.
   Я́ не зави́дую э́тим десяти́ студе́нтам.
   Ше́сть студе́нтов пое́дут во Владивосто́к.
   Я́ не зави́дую э́тим шести́ студе́нтам.
   (20, 30, 15, 12, 16, 18)

---

[1] These drills may also be performed as reading drills in class with books open. The cues may be written on the blackboard.

1. *What should we do with these five students?*
   I don't want to talk about those five students.
   Что́ на́м де́лать с э́тими пятью́
      студе́нтами?
   **Я́ не хочу́ говори́ть об э́тих пяти́
      студе́нтах.**
   Что́ на́м де́лать с э́тими шестью́
      студе́нтами?
   **Я́ не хочу́ говори́ть об э́тих шести́
      студе́нтах.**
      (7, 8, 9, 10, 11, 12)

2. *Do you know these ten rules?*
   No, I'm not familiar with those ten rules.
   Вы́ зна́ете э́ти де́сять пра́вил?
   **Не́т, я́ не знако́м с э́тими десятью́
      пра́вилами.**
   Вы́ зна́ете э́ти пя́ть пра́вил?
   **Не́т, я́ не знако́м с э́тими пятью́
      пра́вилами.**
      (6, 12, 30, 8, 15, 19)

DISCUSSION

The numbers five through twenty and thirty are declined like singular дверь-nouns. The nominative and accusative are exactly alike and are accompanied by the genitive plural. Unlike numbers two, three, and four no distinction is made between the animate and inanimate accusative:

Compare	Я́ ви́жу пя́ть студе́нтов.	I see five students.
	Я́ ви́жу пя́ть столо́в.	I see five tables.
with	Я́ ви́жу дву́х студе́нтов.	I see two students.
	Я́ ви́жу два́ стола́.	I see two tables.

In all other cases the numbers five through twenty and thirty are treated as though they were modifiers of the accompanying noun, which is always in its appropriate plural case:

О́н пришёл с двадцатью́ рубля́ми.	He came with twenty rubles.
О́н потеря́л о́коло двадцати́ рубле́й.	He lost about twenty rubles.
Вы́ говори́те об э́тих двадцати́ рубля́х?	Are you talking about these twenty rubles?

Conditional constructions in Russian: the particle бы (б) in hypothetical conditions

MODELS

Éсли у меня́ бу́дет вре́мя, то́ я́ э́то сде́лаю.	If I have time, I'll do it.
Éсли б у меня́ бы́ло вре́мя, то́ я́ бы э́то сде́лал.	If I had time, I'd do it *or* If I'd had time, I'd have done it.
Éсли я́ захочу́, я́ э́то сде́лаю.	If I feel like it, I'll do it.
Éсли бы я́ захоте́л, я́ бы э́то сде́лал.	If I felt like it, I'd do it *or* If I'd felt like it, I'd have done it.
Бы́ло бы лу́чше, е́сли б они́ туда́ не ходи́ли.	It'd be better if they didn't go there *or* It would have been better if they hadn't gone there.
Бы́ло бы лу́чше, е́сли б она́ не спра́шивала.	It'd be better if she didn't ask *or* It would have been better if she hadn't asked.

На твоём ме́сте я́ бы не беспоко́ился.

_____ я́ бы об э́том не ду́мал.

_____ я́ бы э́того не де́лал.

_____ я́ бы е́й написа́л.

_____ я́ бы е́й позвони́л.

_____ я́ бы ра́ньше уе́хал.

If I were you I wouldn't worry.

_____ I wouldn't think of it.

_____ I wouldn't do it.

_____ I would write her.

_____ I would call her.

_____ I would leave earlier.

■ REPETITION DRILL

Repeat the given models, noting that to express conditions contrary to fact or viewed as doubtful, the unstressed particle **бы** (sometimes **б**) is used together with the past tense form of the verb.

■ STRUCTURE REPLACEMENT DRILLS

1. *If there's time, I'll go with you.*
   If there were time, I'd go with you.
   Е́сли бу́дет вре́мя, я́ с ва́ми пойду́.
   Е́сли бы бы́ло вре́мя, я́ бы с ва́ми пошёл.
   Е́сли бу́дет вре́мя, я́ с ва́ми закушу́.
   Е́сли бы бы́ло вре́мя, я́ бы с ва́ми закуси́л.
   (покатаюсь, поеду, посижу, погуляю, позавтракаю, поговорю, пообедаю)

2. *I'll do it if I feel like it.*
   I'd do it if I felt like it.
   Е́сли я́ захочу́, я́ э́то сде́лаю.
   Е́сли бы я́ захоте́л, я́ бы э́то сде́лал.
   Е́сли я́ захочу́, я́ э́то съе́м.
   Е́сли бы я́ захоте́л, я́ бы э́то съе́л.
   (выпью, узна́ю, кончу, скажу, заработаю, оставлю, передам)

3. *If she needs books, he'll buy them.*
   If she needed books, he'd buy them.
   Е́сли е́й нужны́ бу́дут кни́ги, то́ о́н и́х ку́пит.
   Е́сли бы е́й нужны́ бы́ли кни́ги, то́ о́н бы и́х купи́л.
   Е́сли е́й нужны́ бу́дут кни́ги, то́ о́н и́х доста́нет.
   Е́сли бы е́й нужны́ бы́ли кни́ги, то́ о́н бы и́х доста́л.
   (получит, даст, пошлёт, вернёт, принесёт, найдёт)

4. *I'll wait if it's necessary.*
   I'd have waited if it were necessary or *I'd wait if it were necessary.*
   Е́сли э́то ну́жно, то́ я́ подожду́.
   Е́сли бы э́то бы́ло ну́жно, то́ я́ бы подожда́л.
   Е́сли э́то ну́жно, то́ я́ уйду́.
   Е́сли бы э́то бы́ло ну́жно, то́ я́ бы ушёл.
   (поеду, позвоню, туда пойду, приду опять, вернусь раньше, зайду опять, приеду раньше)

■ RESPONSE DRILLS

1. *He ought to eat.*
   Yes, it wouldn't be a bad idea if he did eat.
   Ему́ на́до пое́сть.
   Да́, бы́ло бы непло́хо, е́сли бы о́н пое́л.
   Ему́ на́до вы́купаться.
   Да́, бы́ло бы непло́хо, е́сли бы о́н вы́купался.
   (погулять, встать, пообедать, отдохнуть, поработать, запаковать вещи, уехать)

2. *She shouldn't go there.*
   Yes, it would be better if she didn't go there.
   Е́й не на́до туда́ ходи́ть.
   Да́, бы́ло бы лу́чше, е́сли бы она́ ту́да не ходи́ла.
   Е́й не на́до спра́шивать.
   Да́, бы́ло бы лу́чше, е́сли бы она́ не спра́шивала.
   (туда обращаться, туда ездить, нервничать, беспокоиться, сердиться, ждать)

Why don't you put on a record?
I would, but I don't know how.
Почему́ ты́ не поста́вишь пласти́нку?
Я́ бы поста́вил, но я́ не зна́ю ка́к.
Почему́ ты́ не пришьёшь пу́говицу?
Я́ бы приши́л, но я́ не зна́ю ка́к.
(запаку́ешь посы́лку, не откро́ешь
окна́, не ло́вишь ры́бу, не наре́жешь
хле́ба, не испечёшь пирога́)

DISCUSSION

In Russian, as in English, there are two kinds of conditional statements: real and hypothetical. The real conditional states the proposition in a direct way:

Е́сли за́втра бу́дет до́ждь, мы́ никуда́ не пое́дем.	If it rains tomorrow we won't go anywhere.
Е́сли я́ захочу́, я́ э́то сде́лаю.	If I feel like it, I'll do it.

Note that Russian uses the future here in the *if* clause, whereas English uses the present.

The hypothetical conditional, on the other hand, views the activity as impossible to fulfill or as highly unlikely to occur. Such conditionals require **бы** plus the past tense, usually in both clauses:

Е́сли **бы** у меня́ **бы́ли** де́ньги, я́ **бы купи́л** себе́ маши́ну.	If I had the money I'd buy myself a car *or* If I'd had the money I'd have bought myself a car.
Е́сли **бы** у бра́та **бы́ло** ме́сто, я́ **бы жи́л** у него́.	If my brother had room I'd live at his place *or* If my brother had had room I'd have lived at his place.
Е́сли **бы** я́ **захоте́л,** я́ **бы** э́то за́втра же **сде́лал.**	If I wanted to, I'd do it tomorrow.
Е́сли **бы** я́ **захоте́л,** я́ **бы** э́то давно́ **сде́лал.**	If I had wanted to, I'd have done it long ago.

Note that Russian is less specific than English as to the actual time of the hypothetical activity and that often only the context makes it clear whether past, present, or future is referred to.

The particle **бы** may appear anywhere in its clause except in the initial position. It is never stressed and, after vowels, may be shortened to **б**:

Бы́ло бы лу́чше, е́сли **б** она́ не спра́шивала.	It'd be better if she didn't ask *or* It would have been better if she hadn't asked.
Е́сли **б** у меня́ бы́ло вре́мя, то́ я́ бы пошёл за́втра на база́р.	If I had the time, I'd go to the market tomorrow.

The conjunction **то́** *then, in that case* is often used to introduce the second clause in a sentence beginning with **е́сли.**

ПОВТОРЕ́НИЕ

Вади́м зашёл в ГУ́М купи́ть себе́ дождеви́к. Та́м бы́ло мно́го дождевико́в и сто́или они́ от двадцати́ до тридцати́ рубле́й. Вади́м реши́л купи́ть подоро́же: дороги́е ве́щи всегда́ лу́чше. Как ра́з, когда́ о́н выходи́л из магази́на, начался́ до́ждь. «Во́т, — поду́мал о́н — хоро́ший слу́чай прове́рить мо́й но́вый дождеви́к». Вади́м пошёл ме́дленно, пото́м побежа́л. Ско́ро ему́ ста́ло хо́лодно и о́н почу́вствовал, что до́ждь мо́чит уже́ не то́лько дождеви́к, но и пле́чи, спи́ну, ру́ки. О́н уже́ хоте́л поверну́ть наза́д и верну́ть дожде- ви́к в магази́н, но поду́мал, что всё равно́ дождевика́ не возьму́т наза́д, и де́ньги его́ пропа́ли.

Ве́ра не лю́бит и не уме́ет ши́ть таки́х веще́й, ка́к пла́тья и́ли костю́мы. Но э́то не зна́чит, что она́ не мо́жет приши́ть пу́говицу. Сего́дня у́тром она́ заме́тила, что на пиджаке́ её му́жа не хвата́ет пу́говицы. Она́ поиска́ла в шве́йной коро́бке и нашла́ похо́жую пу́гови- цу — то́же чёрную, но немно́го ме́ньше. Ве́ра уже́ хоте́ла её приши́ть, но в э́то вре́мя вошёл му́ж и сказа́л ей, что о́н пришьёт са́м. «Хорошо́, — поду́мала Ве́ра, — посмо́трим, ка́к ты́ пришьёшь. Ведь ты́ да́же иго́лки в рука́х держа́ть не уме́ешь!» Ве́ра была́ уве́ре- на, что ско́ро му́ж придёт к не́й и попро́сит её приши́ть пу́говицу. Та́к и случи́лось.

Вчера́ Гра́нт пошёл на по́чту спроси́ть, ка́к на́до запако́вывать посы́лку. О́н сво- бо́дно говори́т по-ру́сски и сло́во «запако́вывать» вы́говорил дово́льно пра́вильно, но на по́чте всё сра́зу заме́тили, что о́н иностра́нец, и на́чали на него́ смотре́ть. Но о́н уже́ к э́тому привы́к: та́к всегда́ быва́ет, когда́ о́н захо́дит в како́е-нибудь бюро́.

Оди́н ра́з с Гра́нтом бы́л интере́сный слу́чай. О́н бы́л на конце́рте. Его́ сосе́дом бы́л молодо́й челове́к ле́т двадцати́. О́н бы́л похо́ж на яку́та, това́рища Гра́нта по ку́рсу. Они́ познако́мились и на́чали говори́ть о му́зыке. Вдру́г э́тот молодо́й челове́к сказа́л: «Вы́ та́к краси́во говори́те по-ру́сски. Вы́ из Москвы́?» Гра́нт бы́л о́чень дово́лен, что о́н та́к хо- рошо́ говори́т, что мо́жно поду́мать, что о́н ру́сский. О́н сказа́л сосе́ду, что о́н америка́нец и в свою́ о́чередь спроси́л его́, отку́да то́т. Оказа́лось, что сосе́д из Кита́я и прие́хал в Москву́ ка́к студе́нт всего́ пя́ть ме́сяцев наза́д.

PREPARATION FOR CONVERSATION   **В бюро́ обслу́живания**

обслу́живание

service

Где́ бюро́ обслу́живания?

Where is the Service Bureau?

регистра́тор

desk clerk, registering clerk

Спроси́те у регистра́тора.

Ask the desk clerk.

офо́рмлен, –а, –о (ppp of офо́рмить)[1]

registered; official; in order, filled out in official form

Всё уже́ офо́рмлено, господи́н Ку́к.

Everything's in order, Mr. Cook.

докуме́нт

document, official paper

обра́тный

return, back

Вы мо́жете получи́ть обра́тно ва́ши докуме́нты.

You can have your papers back.

тало́н

coupon

еда́ (sg only)

food, meal, eating

Прекра́сно. А где́ тало́ны на еду́?

Wonderful. And where are the meal coupons?

у́жин

supper

Вот они́. Это тало́ны на за́втраки, обе́ды и у́жины.

Here they are. These are coupons for breakfasts, dinners, and suppers.

специа́льный

special

Это специа́льные тало́ны на ча́й.

These are special coupons for tea.

Хорошо́. А ка́к насчёт маши́ны?

Fine. And how about a car?

це́нтр

center, middle; capital city

це́нтр го́рода

right downtown, the heart of town

Я хоте́л бы сейча́с пое́хать посмотре́ть це́нтр го́рода.

I'd like to go see the downtown area now.

сожале́ние

regret; pity

к сожале́нию

unfortunately

в разъе́зде

out, departed; on the move, on call

К сожале́нию, сейча́с все́ маши́ны в разъе́зде.

Unfortunately, all the cars are out now.

Ка́к же та́к?

How come?

---

[1] The abbreviation *ppp* stands for *past passive participle*.

◀ В Эрмита́же.   599

распоряже́ние
disposal, command

Мне́ сказа́ли, что в моём распоряже́нии бу́дет маши́на.
I was told there'd be a car at my disposal.

Интури́ст
Intourist (Soviet agency for foreign tourists)

Мне́ в Интури́сте сказа́ли, что в моём распоряже́нии бу́дет маши́на.
I was told at Intourist there'd be a car at my disposal.

ве́рный
true, right; faithful, loyal

соверше́нный
absolute, perfect; complete; quite

Соверше́нно ве́рно.
Quite right.

по́льзоваться, –зуются (I) (*plus* instr)
to use, enjoy, take advantage of

Вы́ мо́жете по́льзоваться маши́ной.
You can use a car.

в де́нь
per day, a day

Вы́ мо́жете по́льзоваться маши́ной три́ часа́ в де́нь.
You can use a car three hours a day.

полчаса́ (gen получа́са)
half an hour

Но сейча́с вам придётся подожда́ть о́коло получа́са.
But now you'll have to wait about half an hour.

к тому́ вре́мени
by that time, by then

Ну́, ничего́. Тогда́ я поза́втракаю ту́т, а к тому́ вре́мени бу́дет маши́на.
Oh, well. I'll have breakfast here then, and by that time the car will be here.

Рестора́н уже́ откры́т?
Is the restaurant open yet?

полвосьмо́го
half past seven

Да́, откры́т. Уже́ полвосьмо́го.
Yes, it's open. It's already half past seven.

А ка́к туда́ пройти́?
And how does one get there?

коридо́р
corridor, hall

Иди́те пря́мо по коридо́ру, а пото́м поверни́те напра́во.
Go straight down the hall and then turn right.

Спаси́бо. Я́ верну́сь о́чень ско́ро, то́лько вы́пью ко́фе с бу́лочкой.
Thanks. I'll be right back; I'll just have coffee and a roll.

Пожа́луйста, не торопи́тесь.
Please, take your time.

сообщи́ть, –а́т (pfv II)
to inform, let know, report

Когда́ маши́на придёт, я́ ва́м сообщу́.
When the car arrives I'll let you know.

SUPPLEMENT

ги́д
guide

Ги́д пока́жет ва́м ГУ́М.
The guide will show you GUM.

ви́за
visa

Вы́ уже́ получи́ли ви́зу?
Did you already get your visa?

па́спорт
passport

Мо́жно посмотре́ть ва́ш па́спорт?
May I see your passport?

жи́тельство
residence, stay, sojourn

ви́д на жи́тельство
internal passport, residence permit; identity card

Ва́ш ви́д на жи́тельство уже́ офо́рмлен.	Your identity card has already been processed.
оформля́ть, –я́ют (I)	to make official; to register, certify, process, issue (official papers)
В э́том бюро́ оформля́ют пропуска́.	They issue permits at this office.
офо́рмиться, –ятся (pfv II)	(see above meanings)
Вы́ уже́ офо́рмились?	Have you already filled out all the necessary papers?
оформля́ться, –я́ются (I)	to register, be registered officially; to fill out the necessary papers
За́втра мы́ пойдём оформля́ться на рабо́ту.	Tomorrow we'll go register for work.
офо́рмить, –ят (pfv II)	(see above meanings)
Мне́ ну́жно офо́рмить докуме́нты.	I must get some documents certified.
сообща́ть, –а́ют (I)	to inform, let know; to report
Из Ки́ева сообща́ют, что грузовики́ гото́вы.	Kiev reports that the trucks are ready.
кра́й, –я; края́, –ёв	outskirts; edge; region, land, part(s)
на краю́	on (or at) the edge [of], on the outskirts [of]
Они́ жи́ли на краю́ го́рода.	They lived on the outskirts of town.
кафе́ (indecl n) [kafé]	coffee house, café
В э́том кафе́ вку́сные бу́лочки.	They serve tasty rolls in this café.
воспо́льзоваться (pfv I) (*plus* instr)	to take advantage of
Я́ воспо́льзуюсь слу́чаем пое́хать на ю́г.	I'll take advantage of the opportunity to go south.
заку́сочная	diner, grill (cheap restaurant)
Не е́шьте в э́той заку́сочной.	Don't eat in that diner.
иностра́нный	foreign
Я́ учу́сь в Институ́те иностра́нных языко́в.	I attend the Foreign Language Institute.

В бюро́ обслу́живания[1]

Р. — Регистра́тор   К. — Ку́к

Р. 1 Всё уже́ офо́рмлено, господи́н Ку́к.[2] Мо́жете получи́ть обра́тно ва́ши докуме́нты.[3]

К. 2 Прекра́сно. А где́ тало́ны на еду́?[4]

Р. 3 Во́т они́. Э́то тало́ны на за́втраки, обе́ды и у́жины, а э́то специа́льные тало́ны на ча́й.[5]

К. 4 Хорошо́. А ка́к насчёт маши́ны? Я́ хоте́л бы сейча́с пое́хать посмотре́ть це́нтр го́рода.

Р. 5 К сожале́нию, сейча́с все́ маши́ны в разъе́зде.

К. 6 Ка́к же та́к? Мне́ в Интури́сте сказа́ли, что в моём распоряже́нии бу́дет маши́на.[6]

Р. 7 Соверше́нно ве́рно. Вы́ мо́жете по́льзоваться маши́ной три́ часа́ в де́нь, но сейча́с ва́м придётся подожда́ть о́коло получа́са.

К. 8 Ну́, ничего́. Тогда́ я́ поза́втракаю ту́т, а к тому́ вре́мени бу́дет маши́на. Рестора́н уже́ откры́т?[7]

P.   9 Да, открыт. Уже полвосьмого.

К. 10 А как туда пройти?

P. 11 Идите прямо по коридору, а потом поверните направо.

К. 12 Спасибо. Я вернусь очень скоро, только выпью кофе с булочкой.

P. 13 Пожалуйста, не торопитесь. Когда машина придёт, я вам сообщу.[8]

NOTES

[1] In Soviet hotels accommodating tourists there is always a Service Bureau (**Бюро обслуживания**) set up to provide the tourist with various services, such as making all kinds of reservations, setting up appointments, ordering tickets, arranging for guides, calling cabs, and providing information.

[2] It usually takes at least an hour to fill out all the necessary forms at the **Бюро обслуживания**. The verb **оформлять(ся)** is important to the tourist or exchange student in the Soviet Union, since it describes the business of registering at a hotel, getting one's internal passport, gaining access to library facilities at a university, and so forth.

[3] Some of the important documents an American tourist or exchange student must have are the following:

паспорт or **национальный паспорт,** the national passport issued by the U.S. government; **виза,** the visa issued by the Soviet government (the **въездная виза** permits the foreigner to enter the country and the **выездная виза** permits him to leave it); **вид на жительство,** the internal passport issued by the Soviet government, which records one's residences and travels while in the Soviet Union.

[4] **Талоны** *meal coupons* are paid for in advance with the purchase of a ticket to the U.S.S.R. The coupons themselves, however, are not issued until the tourist arrives and registers for the first time with the hotel Service Bureau. The tourist with deluxe accommodations receives three coupons a day plus an extra one for afternoon tea.

[5] Both **пища** and **еда** mean *food* but are not ordinarily interchangeable. **Пища** usually refers to one's fare or diet, while **еда** more often refers to the process of eating or the actual prepared meal. Neither noun is used in the plural:

«Щи да каша — пища наша».	"Schi and kasha are our diet (*or* fare, *or* food)."
В этом краю рыба — главная пища.	In this region fish is the main food.
Вот вам талоны на еду.	Here are your coupons for meals.

[6] **Интурист (Иностранный турист)** is the official Soviet travel agency handling all foreign tourist arrangements. It is through Intourist that the foreign traveler buys his ticket, gets his visas, and arranges his tour to the U.S.S.R. before he departs from his own country. An individual tourist not traveling with a group usually goes at the deluxe rate (about thirty-five dollars a day in 1964). In addition to first class hotel room with private bath and all meals, this entitles him to the use of a car with chauffeur for three hours a day, as well as an English-speaking guide for two excursions a day.

7 There are several kinds of eating places. The **рестора́н** is usually the best and has the highest prices, the greatest variety of foods, and often the slowest service. It may be either a part of a hotel or a separate establishment.

Next in quality is the **кафе́**. Some are comparable to the **рестора́н** but most are limited in fare, usually specializing in such things as pastries and coffees.

Столо́вая, in addition to meaning *dining room* or *dining hall*, refers to an average restaurant or café. It has more reasonable prices, but a poorer selection and preparation of food.

The **заку́сочная** is similar to our grill or diner. It offers extremely limited fare and seating facilities. The quality of food and service is usually lower than that of the **столо́вая**.

The **буфе́т** offers only one hot item (usually a kind of sausage) and specializes in drinks or cold foods.

8 Note the use of the "on foot" verb **прийти́** in reference to the car arriving. Compare the two sentences:

Когда́ придёт маши́на, я ва́м сообщу́.	When the car arrives, I'll let you know.
Когда́ он прие́дет из Москвы́, я ва́м сообщу́.	When he arrives from Moscow, I'll let you know.

In referring to the movement of the vehicles themselves the "on foot" verbs of motion are ordinarily used:

Поезда́ хо́дят то́чно по расписа́нию.	The trains run right on schedule.
Во́т идёт авто́бус.	Here comes the bus.

The "by vehicle" verbs are required, however, when a person goes by some means other than self-locomotion:

Мы́ е́хали авто́бусом.	We went by bus.
Пое́дем на авто́бусе.	Let's go by bus.

PREPARATION FOR CONVERSATION

Разгово́р с го́рничной

го́рничная	maid (in hotel)
Мо́жно войти́? Э́то го́рничная.	May I come in? It's the maid.
Вы́ меня́ зва́ли?	Did you call me?
чи́стка	cleaning; purge
отда́ть в чи́стку	to have cleaned, send out to be cleaned
Да́. Я́ хоте́л бы отда́ть в чи́стку э́тот костю́м.	Yes, I'd like to send this suit out to be cleaned.
Э́то мо́жно устро́ить?	Can it be arranged?
Коне́чно.	Of course.
приблизи́тельно	approximately
через (*plus* acc)	in (with time expressions); across; through
Он бу́дет гото́в приблизи́тельно через неде́лю.	It'll be ready in approximately a week.

Та́к до́лго? | So long?

пробы́ть, пробу́дут (pfv I) (past про́был, –о, –и; f –а́) | to be (in a place), stay, remain; to spend (time)

Я́ в Москве́ пробу́ду всего́ пя́ть дне́й. | I'll be in Moscow five days in all.

почи́стить, почи́щу, почи́стят (pfv II) | to clean, scrub, brush; to peel

Вы́ не могли́ бы попроси́ть, чтобы они́ почи́стили побыстре́е? | Couldn't you ask them to clean it a little faster?

постара́ться, –а́ются (pfv I) | to try, attempt, make an effort

Я́ постара́юсь э́то устро́ить. | I'll try to arrange it.

Большо́е спаси́бо. | Thanks very much.

ле́чь (pfv I) (fut ля́гу, ля́жешь, ля́гут; past лёг, легла́, –о́, –и́) | to lie down, go to bed

Тепе́рь я́ хоте́л бы ле́чь. | Now I'd like to lie down.

А тепе́рь я́ хоте́л бы ле́чь и немно́го отдохну́ть. | And now I'd like to lie down and rest a bit.

у́жинать, –ают (I) | to eat supper

Когда́ у ва́с здесь у́жинают? | When do you eat supper here?

У́жин от шести́ до десяти́. | Supper is from six to ten.

ложи́ться, ложа́тся (II)
споко́йно | to lie down, go to bed
quietly, calmly; with one's mind at ease

Ложи́тесь споко́йно и отдыха́йте. | You can lie down quietly and have a rest.

че́тверть пя́того | quarter past four

Сейча́с че́тверть пя́того. | It's now [a] quarter past four.

Сейча́с всего́ че́тверть пя́того. | It's now only [a] quarter past four.

разбуди́ть, разбу́дят (pfv II) | to rouse, wake up

Разбуди́те меня́ перед у́жином. | Wake me up before supper.
затрудни́ть, затрудня́т (pfv II) | to cause trouble, be too much trouble
ва́с не затрудни́т | it won't be too much trouble

Ва́с не затрудни́т разбуди́ть меня́ перед у́жином? | It won't be too much trouble for you to wake me up before supper, will it?

ниско́лько | not at all, not in the least

Ниско́лько. Когда́ вы́ хоти́те, чтобы я́ ва́с разбуди́ла? | Not at all. When do you want me to wake you up?

полови́на | half

В полови́не шесто́го. | At half past five.

побри́ться, побре́ются (pfv I) | to shave (oneself), get shaved

Я́ хоте́л бы ещё успе́ть побри́ться. | I'd like to have a little extra time to shave (*lit.* to have time still to shave).

SUPPLEMENT

позва́ть, позову́т (pfv I) (past позва́л, –о, –и; f позвала́) | to call, summon, get

Позови́те милиционе́ра! | Call a policeman!

Она́ позвала́ до́ктора?	Did she get (*or* summon) the doctor?
буди́ть, бу́дят (II)	to waken, rouse
Не буди́ её та́к ра́но!	Don't wake her up so early!
бри́ться, бре́ются (I)	to shave (oneself)
Бре́йся скоре́е!	Hurry and shave!
затрудня́ть, –я́ют (I)	to cause trouble, be too much trouble
Вы́ меня́ ниско́лько не затрудня́ете.	You're not causing me the least bit of trouble.
стара́ться, –а́ются (I)	to attempt, try, make an effort
Он уже́ давно́ стара́ется получи́ть ви́зу.	He's been trying to get a visa for a long time now.
чи́стить, чи́стят (II)	to clean, scrub, brush; peel
Убо́рщица чи́стит ле́стницу.	The cleaning woman is cleaning (*or* scrubbing) the stairs.
Я чи́щу карто́шку.	I'm peeling potatoes.
поу́жинать, –ают (pfv I)	to have supper, eat supper
Дава́йте поу́жинаем в э́той заку́сочной.	Let's eat supper in this diner (*or* grill).
Сове́тский Сою́з	the Soviet Union
Ско́лько неде́ль вы́ пробу́дете в Сове́тском Сою́зе?	How many weeks will you spend in the Soviet Union?
ложи́ться спа́ть (pfv ле́чь спа́ть)	to go to bed (retire)
Когда́ вы́ обы́чно ложи́тесь спа́ть?	When do you usually go to bed?
Вчера́ я́ лёг спа́ть о́чень ра́но.	Yesterday I went to bed very early.

Разгово́р с го́рничной

Г. — Го́рничная   К. — Ку́к

Г.   1 Мо́жно войти́? Э́то го́рничная. Вы́ меня́ зва́ли?

К.   2 Да́. Я́ хоте́л бы отда́ть в чи́стку э́тот костю́м. Э́то мо́жно устро́ить?

Г.   3 Коне́чно. Он бу́дет гото́в приблизи́тельно через неде́лю.[1]

К.   4 Та́к до́лго? Я́ в Москве́ пробу́ду всего́ пя́ть дне́й. Вы́ не могли́ бы попроси́ть, чтобы они́ почи́стили побыстре́е?

Г.   5 Я́ постара́юсь э́то устро́ить.

К.   6 Большо́е спаси́бо. А тепе́рь я́ хоте́л бы ле́чь и немно́го отдохну́ть. Когда́ у ва́с здесь у́жинают?

Г.   7 У́жин от шести́ до десяти́.[2] Ложи́тесь споко́йно и отдыха́йте. Сейча́с всего́ че́тверть пя́того.

К.   8 Ва́с не затрудни́т разбуди́ть меня́ перед у́жином?[3]

Г.   9 Ниско́лько. Когда́ вы́ хоти́те, чтобы я́ ва́с разбуди́ла?

К. 10 В полови́не шесто́го. Я́ хоте́л бы ещё успе́ть побри́ться.

NOTES   [1] Visitors to the Soviet Union in recent years have found that laundry service is prompt and reasonably priced. It is almost impossible, however, to get things dry-cleaned in less than a week and it usually takes much longer.

² The main meal of the day for Russians is **обе́д**, generally eaten as the second meal of the day. It consists of at least three courses and always includes soup. In contrast, **у́жин** *supper* is a light meal served around eight in the evening and usually consists of sandwiches and tea.

³ Both **до** and **перед** are used in the time sense *before*, but they are not interchangeable. When **до** is used, the noun following is viewed as a point in time and **до** refers to an unspecified range of time prior to the event:

До войны́ о́н бы́л студе́нтом.	*Before the war* he was a student.
Я́ успе́л написа́ть все́ пи́сьма **до концерта**.	I managed to write all my letters *before the concert.*

When **перед** is used, however, the noun following is viewed as an activity or event and the preposition specifies the time immediately prior to it:

О́н зашёл ко мне́ **перед концертом**.	He dropped in to see me (*just*) *before the concert.*
Вы́пейте э́то **перед обе́дом**.	Drink this (*just*) *before dinner.*
Мы́ познако́мились как ра́з **перед войно́й**.	We met *just before the war.*

Basic sentence patterns

1. Где́ нахо́дится гости́ница Интури́ста?
   — В це́нтре го́рода.
   — На краю́ го́рода.
   — Далеко́ от це́нтра го́рода.
   — Дово́льно бли́зко от це́нтра го́рода.
   — На Кра́сной пло́щади.
   — Приблизи́тельно в трёх кварта́лах отсю́да.
   — В конце́ э́той у́лицы.

   Where is the Intourist hotel located?
   In the middle of town.
   At the edge of town.
   A long way from the downtown area.
   Quite close to the center of town.
   On Red Square.
   About three blocks from here.

   At the end of this street.

2. Покажи́те ва́ши докуме́нты!
   Покажи́те ва́ши бума́ги!
   Где́ ва́ш про́пуск?
   ___ ва́ша ви́за?
   ___ ва́ш па́спорт?
   ___ ва́ш ви́д на жи́тельство?
   Получи́те обра́тно ва́ши докуме́нты.
   _____ ва́ши бума́ги.

   Your papers! (*Lit.* Show your documents!)
   Your papers! (*Lit.* Show your papers!)
   Where's your pass?
   _____ your visa?
   _____ your passport?
   _____ your internal passport?
   You may have your documents back.
   _____ your papers _____.

3. На́м придётся до́лго жда́ть?
   — Не ме́ньше ча́са.
   — Приблизи́тельно ча́с.
   — Приблизи́тельно полчаса́.
   — О́коло получа́са.
   — Часа́ три́.
   — О́коло трёх часо́в.

   Will we have to wait long?
   At least an hour.
   Approximately one hour.
   Approximately half an hour.
   About half an hour.
   About three hours.
   About three hours.

4. Когда́ вы́ хоти́те, чтобы мы́
вас разбуди́ли?
_____ э́то сде́лали?
_____ э́то верну́ли?
_____ э́то прочита́ли?

5. Мне́ ну́жно отда́ть в чи́стку
э́тот костю́м.
_____ э́тот пиджа́к.
_____ э́то пла́тье.

6. Ско́лько дней вы́ пробу́дете в Москве́?
_____ ты́ пробу́дешь _____?
_____ о́н пробу́дет _____?

7. Мы́ пробы́ли в Сове́тском Сою́зе
ше́сть неде́ль.
О́н пробы́л _____.
Я́ пробы́л _____.
Она́ пробыла́ _____.

8. Ка́к пройти́ на вокза́л?
_____ на гла́вную пло́щадь?
_____ на Кра́сную пло́щадь?
_____ в це́нтр го́рода?

9. Хорошо́ бы́ло бы поката́ться на ло́дке.
_____ закуси́ть.
_____ ле́чь и отдохну́ть.

10. Я́ хоте́л бы пригласи́ть ва́с на у́жин.
_____ с ва́ми поговори́ть.
_____ поступи́ть в ву́з.

11. Я́ хочу́, чтобы ты́ мне́ помо́г.
_____ э́то сде́лал.
_____ ко́нчил говори́ть.
_____ на́чал рабо́тать.
_____ пошёл на ле́кцию.

12. Я́ хочу́ тебе́ помо́чь.
_____ э́то сде́лать.
_____ пое́хать на о́зеро.

13. Э́то бо́лее коро́ткий пу́ть.
___ са́мый _____.
Мы́ пойдём бо́лее коро́тким путём.
_____ са́мым _____.

14. Ги́д на́м показа́л бо́лее ста́рые у́лицы.
_____ са́мые _____.
Ги́д повёл на́с по бо́лее ста́рым у́лицам.
_____ са́мым _____.

15. Она́ тепе́рь оде́та в бо́лее тёплое пальто́.
_____ в са́мое _____.

When do you want us to wake you up?
_____ to get this done?
_____ to return this?
_____ to have this read?

I've got to have this suit cleaned.

_____ this jacket ___.
_____ this dress ___.

How many days will you spend in Moscow?
_____ you spend _____?
_____ he spend _____?

We spent six weeks in the Soviet Union.

He spent _____.
I spent _____.
She spent _____.

How does one get to the railroad station?
_____ the main square?
_____ Red Square?
_____ the heart of town?

It'd be nice to go for a boat ride.
_____ have a snack.
_____ lie down and rest.

I'd like to invite you for supper.
_____ to have a talk with you.
_____ to enroll in college.

I want you to help me.
_____ to do it.
_____ to stop talking.
_____ to start working.
_____ to go to the lecture.

I want to help you.
_____ to do it.
_____ to drive to the lake.

This is a shorter route.
_____ the shortest ___.
We'll go by a shorter route.
_____ the shortest ___.

The guide showed us the older streets.
_____ the oldest ___.
The guide took us through the older ___.
_____ the oldest ___.

She's dressed in a warmer coat now.
_____ the warmest ___.

16. На у́жин ему́ ну́жно полчаса́.
    _____ о́коло получа́са.
    _____ мину́т три́дцать.
    _____ о́коло тридцати́
                            мину́т.

He needs half an hour for supper.
_____ about half an hour ____.
_____ about thirty minutes __.
_____ about thirty minutes __.

17. О́н пришёл то́чно в полпе́рвого.
    _____ в полвторо́го.
    _____ в полпя́того.
    _____ в полвосьмо́го.

He came at exactly half past twelve.
_____ one.
_____ four.
_____ seven.

18. Ва́ш ги́д придёт в полови́не четвёртого.
    _____ пя́того.
    _____ шесто́го.

Your guide will arrive at 3:30.
_____ 4:30.
_____ 5:30.

19. Мы́ вернёмся через ча́с.
    _____ полчаса́.
    _____ де́нь.

We'll be back in an hour.
_____ half an hour.
_____ a day.

20. Приходи́ в че́тверть пе́рвого.
    _____ второ́го.
    _____ тре́тьего.

Come at quarter after twelve.
_____ one.
_____ two.

21. Вы́ когда́-нибудь бы́ли в Сове́тском
    Сою́зе?

    Когда́ о́н возвраща́ется из Сове́тского
    Сою́за?

    Когда́ о́н возвраща́ется в Сове́тский
    Сою́з?

    Гру́ппа тури́стов е́здила по Сове́тскому
    Сою́зу.

Have you ever been to the Soviet Union?

When is he coming back from the Soviet Union?

When is he going back to the Soviet Union?

The group of tourists traveled around the Soviet Union.

Pronunciation practice : clusters of three consonants

A. Consonant cluster **стр**.

1. Initial **стр** pronounced [str] or [str̡]

[stróɡə]   стро́го
  harshly
[strujá]   струя́
  stream

[str̡ápət̡]   стря́пать
  to cook, concoct

2. Final **стр** pronounced [str]

[m̡in̡ístr]   мини́стр
  minister
[s̡im̡éstr]   семе́стр
  semester

[ark̡éstr]   орке́стр
  orchestra

B. Consonant cluster **ств**.

  1. Initial **ств** pronounced [stv] or [stᵧ]

    [stvórkə] ство́рка
    leaf, fold
    [stᵧórdɨm] с тве́рдым
    with hard

    [stvaróžɨtcə] створо́житься
    to curdle

  2. Final **ств** pronounced [stf]

    [taržéstf] торже́ств
    of festivities
    [ᵧiščéstf] веще́ств
    of matter

    [nófšistf] но́вшеств
    of new things

C. Consonant cluster **стк** pronounced [stk] or [stḵ].

  [žóstḵij] жёсткий
  hard
  [bḷóstḵi] блёстки
  sparkles

  [čístkə] чи́стка
  cleaning

D. Consonant cluster **кст** pronounced [kst] or [kṣṭ].

  [kstáṭi] кста́ти
  to the point
  [kṣṭixám] к стиха́м
  to the verses

  [kstánciji] к ста́нции
  to a station

E. Consonant clusters **лст** and **льст** pronounced [lst] and [ḷṣṭ].

  [tólst] то́лст
  fat
  [paḷṣṭíṭ] польсти́ть
  to flatter

  [ṇiḷṣṭí] не льсти́
  don't flatter

STRUCTURE AND DRILLS

Telling time : a quarter past and half past the hour

MODELS

Сейча́с че́тверть тре́тьего.
_____ четвёртого.
_____ пя́того.

It's now a quarter past two.
_____ three.
_____ four.

Я приду́ в че́тверть шесто́го.
_____ седьмо́го.
_____ восьмо́го.
_____ девя́того.

I'll come at a quarter past five.
_____ six.
_____ seven.
_____ eight.

По мои́м часа́м полови́на деся́того.
_____ оди́ннадцатого.
_____ двена́дцатого.

It's half past nine by my watch.
_____ ten _____.
_____ eleven _____.

Приди́те в полови́не пе́рвого.
_____ второ́го.
_____ тре́тьего.

Come at half past twelve.
_____ one.
_____ two.

Сейча́с всего́ полседьмо́го.	It's now only half past six.
_____ полвосьмо́го.	_____ seven.
_____ полдевя́того.	_____ eight.
Разбуди́те меня́ в полдеся́того.	Wake me up at half past nine.
_____ в пол-оди́ннадцатого.	_____ ten.
_____ в полдвена́дцатого.	_____ eleven.
_____ в полпе́рвого.	_____ twelve.

■ REPETITION DRILL

Repeat the given models, noting that time at a quarter past and half past the hour is viewed as a portion of the following hour, and that the genitive singular masculine of the ordinal number is used. Note also that the more formal **полови́на** *half* is often replaced in spoken Russian by **пол–** prefixed to the following ordinal number.

■ QUESTION-ANSWER DRILLS

1. *Will you come at one?*
   No, I'll come at half past one.
   Вы придёте в час?
   Нет, я приду́ в полвторо́го.
   Вы придёте в два?
   Нет, я приду́ в полтре́тьего.
   (три, четыре, пять, шесть, семь, восемь, девять)

2. *Is it five now?*
   No, it's already a quarter after five.
   Сейча́с пять?
   Нет, сейча́с уже́ че́тверть шесто́го.
   Сейча́с во́семь?
   Нет, сейча́с уже́ че́тверть девя́того.
   (три, семь, час, четыре, два, десять, двенадцать)

3. *What time will the cars arrive—at one?*
   No, at half past twelve.
   В кото́ром часу́ приду́т маши́ны? В час?
   Нет, в полови́не пе́рвого.
   В кото́ром часу́ приду́т маши́ны? В два?
   Нет, в полови́не второ́го.
   (семь, десять, двенадцать, три, пять, четыре)

4. *Does the plane leave at four?*
   No, at a quarter after four.
   Самолёт отправля́ется в четы́ре?
   Нет, в че́тверть пя́того.
   Самолёт отправля́ется в пять?
   Нет, в че́тверть шесто́го.
   (два, три, десять, одиннадцать, шесть, восемь, двенадцать)

■ RESPONSE DRILLS

1. *According to my watch it's twelve sharp.*
   And according to mine, it's already half past twelve.
   По мои́м часа́м ро́вно двена́дцать.
   А по мои́м уже́ полпе́рвого.
   По мои́м часа́м ро́вно час.
   А по мои́м уже́ полвторо́го.
   (пять, шесть, семь, восемь, девять, десять, одиннадцать)

2. *It's now one o'clock, I think.*
   No, it's now half past twelve.
   Сейча́с, ка́жется, час.
   Нет, сейча́с полови́на пе́рвого.
   Сейча́с, ка́жется, два.
   Нет, сейча́с полови́на второ́го.
   (три, четыре, пять, шесть, семь, восемь, девять)

DISCUSSION

The system of telling time for a quarter past and half past the hour is markedly different from that used for a quarter to the hour. The latter is expressed by **без че́тверти** plus the nominative of the cardinal number.

без че́тверти два́	a quarter to two, at a quarter to two
без че́тверти во́семь	a quarter to eight, at a quarter to eight

For a quarter past and half past the hour, however, time is viewed as a portion of the *following* hour and is expressed by the genitive singular masculine of the ordinal number.

чéтверть трéтьего	a quarter past two (*lit.* a quarter of the third)
в чéтверть двенáдцатого	at a quarter past eleven (*lit.* at a quarter of the twelfth)
половúна пя́того (*or* полпя́того)	half past four (*lit.* a half of the fifth)
в половúне восьмóго (*or* в полвосьмóго)	at half past seven (*lit.* at a half of the eighth)

Simple versus compound comparatives and superlatives

MODELS

Мы́ говорúли о бóлее вáжных делáх.	We talked of more important things.
Мы́ говорúли о сáмых вáжных делáх.	We talked about the most important things.
Перейдём к бóлее серьёзным вопрóсам.	Let's switch to more serious questions.
Перейдём к вопрóсам посерьёзнее.	Let's switch to questions a bit more serious.
Перейдём к сáмым серьёзным вопрóсам.	Let's switch to the most important questions.
Егó рабóта бóлее интерéсная, чéм моя́.	His paper (*or* work) is more interesting than mine.
Егó рабóта интерéснее моéй.	His _____.
Егó рабóта сáмая интерéсная из всéх.	His is the most interesting paper (*or* work) of all.
Óн говорúт по-рýсски лýчше нáс всéх.	He speaks Russian better than all [the rest] of us.
Лýчше всегó óн говорúт по-рýсски.	He speaks Russian best of all (that is, better than any other language).
Óн бóльше всегó лю́бит читáть.	He likes to read best of all (that is, more than anything else).
Из всéх городóв СССР Москвá мнé понрáвилась бóльше всегó.	Of all the cities of the U.S.S.R. I liked Moscow best.

■ REPETITION DRILL

Repeat the given models, noting that both simple and compound constructions are used to express the comparative and superlative.

■ STRUCTURE REPLACEMENT DRILLS

1. *This road is shorter.*
   This is a shorter road.
   Эта дорóга корóче.
   Это бóлее корóткая дорóга.
   Эта дорóга прямéе.
   Это бóлее прямáя дорóга.
   (красивее, опаснее, спокойнее, ровнее, старее, хуже, лучше, новее)

2. *Show me material that's a little more expensive.*
   Show me more expensive material.
   Покажúте мнé материáл подорóже.
   Покажúте мнé бóлее дорогóй материáл.
   Покажúте мнé материáл потóлще.
   Покажúте мнé бóлее тóлстый материáл.
   (попроще, помягче, покрасивее, покрепче, попроще, полегче, получше)

3. *He speaks a bit more correctly than I.*
   He speaks more correctly than I.
   Óн говорúт попрáвильнее меня́.
   Óн говорúт бóлее прáвильно, чéм я́.
   Óн говорúт побыстрéе меня́.
   Óн говорúт бóлее бы́стро, чéм я́.
   (помедленнее, поинтереснее, поскучнее, поосторожнее, попроще, посвободнее, полегче).

4. *She's prettier than her sister.*
   Онá красúвее сестры́.
   Онá бóлее красúва, чéм её сестрá.
   Онá добрéе сестры́.
   Онá бóлее добрá, чéм её сестрá.
   (моложе, интереснее, осторожнее, спокойнее, умнее, глупее)

5. *He's younger than we are.*
   He's the youngest of us.
   Он моло́же на́с.
   Он са́мый молодо́й из на́с.
   Он осторо́жнее на́с.
   Он са́мый осторо́жный из на́с.
   (здоро́вее, бедне́е, моло́же, важне́е,
   лу́чше, старе́е, умне́е)

6. *He's more wretched than all of them.*
   He's the most wretched of them all.
   Он несча́стнее, че́м все́ они́.
   Он са́мый несча́стный из ни́х все́х.
   Он пьяне́е, че́м все́ они́.
   Он са́мый пья́ный из ни́х все́х.
   (веселе́е, ме́ньше, то́лще,
   серьёзнее, точне́е)

7. *Give him a warm shirt.*
   Give him a warmer shirt.
   Да́йте ему́ тёплую руба́шку.
   Да́йте ему́ бо́лее тёплую руба́шку.
   Да́йте ему́ лёгкую руба́шку.
   Да́йте ему́ бо́лее лёгкую руба́шку.
   (дли́нную, коро́ткую, просту́ю,
   но́вую, дорогу́ю, то́нкую, краси́вую)

8. *They talked about interesting things.*
   They talked about the most interesting things.
   Они́ говори́ли об интере́сных веща́х.
   Они́ говори́ли о са́мых интере́сных веща́х.
   Они́ говори́ли о прия́тных веща́х.
   Они́ говори́ли о са́мых прия́тных веща́х.
   (серьёзных, ва́жных, ску́чных,
   стра́нных, просты́х)

DISCUSSION

Compound comparatives formed by means of unchanging **бо́лее** *more* plus the regular adjective require **че́м** plus the nominative; they can never be directly followed by the genitive as can the simple –ee or –e comparatives:

Compare   Он бо́лее осторо́жный, **че́м я́.**
with   Он осторо́жнее **меня́.**
                              He's more careful than I.

The compound **бо́лее** comparatives also differ from the simple –ee and –e comparatives in that they can be used in both the subject and the predicate, and in all of the six cases, singular and plural:

Бо́лее дороги́е магази́ны нахо́дятся в це́нтре го́рода.
     The *more expensive* stores are located in the center of town.

Это оди́н из **бо́лее дороги́х** рестора́нов.
     This is one of the *more expensive* restaurants.

Simple –ee and –e comparatives have the meaning of a superlative when followed by the pronoun **всего́** (or **все́х**). **Всего́** refers to things, **все́х** to people. This is the only way of forming the superlative of adverbs:

Он говори́т по-ру́сски лу́чше на́с все́х.
     He speaks Russian *the best* of us all.

Лу́чше всего́ он говори́т по-ру́сски.
     He speaks Russian *best* of all (that is, better than any other language).

Он моло́же все́х.
     He's the *youngest* of all.

The most common way of forming the superlative of adjectives is by a combination of **са́мый** and the long-form adjective. Both forms are declined:

Вы́ слы́шали **са́мую после́днюю** но́вость?
     Have you heard *the latest* news?

Они́ живу́т в **са́мой большо́й** кварти́ре в э́том до́ме.
     They live in *the largest* apartment in this building.

Он **са́мый изве́стный** из ни́х все́х.
     He's the *most famous* of them all.

Это оди́н из **са́мых краси́вых** городо́в Сове́тского Сою́за.
     It's one of the *most beautiful* cities in the Soviet Union.

Other constructions using бы (б) and the past tense

MODELS

Вы́ не могли́ бы ему́ позвони́ть?	Couldn't you perhaps call him?
_____ со мно́й пое́хать?	_____ go with me?
_____ её разбуди́ть?	_____ wake her up?
_____ мне́ помо́чь?	_____ help me?
Хорошо́ бы́ло бы вы́купаться.	It'd be nice to go for a swim.
_____ погуля́ть.	_____ to go for a stroll.
_____ поката́ться на ло́дке.	_____ to go for a boat ride.
_____ лечь и отдохну́ть.	_____ to lie down and rest.
Я хоте́л бы посмотре́ть центр го́рода.	I'd like to see the downtown area.
_____ отда́ть в чи́стку костю́м.	_____ to have my suit cleaned.
_____ лечь и немно́го отдохну́ть.	_____ to lie down and rest a bit.
_____ пойти́ в кино́.	_____ to go to the movies.
Что́, е́сли бы вы́ ей написа́ли?	What if you were to write her?
_____ ей помогли́?	_____ to help her?
_____ ей э́то предложи́ли?	_____ to suggest this to her?
_____ ей позвони́ли?	_____ to call her?
Мы́ бы пошли́, е́сли бы не собра́ние.	We'd go if it weren't for the meeting.
_____ пое́хали _____.	____ go _____.
_____ уе́хали _____.	____ leave _____.
Я́ бы с удово́льствием пришёл, но бою́сь, что не смогу́.	I'd be glad to come, but I'm afraid that I won't be able to.
Я́ бы с удово́льствием э́то сде́лал _____.	I'd be glad to do it _____.

■ REPETITION DRILL

Repeat the given models, noting particularly the use of **бы** and the past tense in mild suggestions, requests, and wishes.

■ STRUCTURE REPLACEMENT DRILLS

1. *I want to have breakfast.*
   I'd like to have breakfast.
   Я́ хочу́ поза́втракать.
   Я́ хоте́л бы поза́втракать.
   Я́ хочу́ побри́ться.
   Я́ хоте́л бы побри́ться.
   (оформиться, отдохну́ть, пообе́дать, поужинать, лечь, полете́ть, погуля́ть)

2. *What if I write him?*
   What if I were to write him?
   Что́, е́сли я́ ему́ напишу́?
   Что́, е́сли бы я́ ему́ написа́л?
   Что́, е́сли я́ туда́ пойду́?
   Что́, е́сли бы я́ туда́ пошёл?
   (ему́ помогу́, их познако́млю, ему́ это предложу́, за него́ заплачу́, ему́ это пошлю́, ему́ отве́чу, ему́ это посове́тую)

■ RESPONSE DRILLS

1. *You eat so little.*
   You should eat more.
   Вы́ ма́ло еди́те.
   Вы́ бы бо́льше е́ли.
   Вы́ ма́ло гуля́ете.
   Вы́ бы бо́льше гуля́ли.
   (трениру́етесь, занима́етесь, спите, чита́ете, отдыха́ете, у́читесь)

2. *You talk too much.*
   You ought to talk less.
   Ты́ сли́шком мно́го говори́шь.
   Ты́ бы поме́ньше говори́л.
   Ты́ сли́шком мно́го пьёшь.
   Ты́ бы поме́ньше пи́л.
   (врёшь, лета́ешь, ду́маешь, спо́ришь, шу́тишь)

1. *Will you be going to the competitions?*
   I would, if it weren't for the meeting.
   Вы́ пойдёте на соревнова́ния?
   Я́ бы пошёл, е́сли бы не собра́ние.
   Вы́ пое́дете на като́к?
   Я́ бы пое́хал, е́сли бы не собра́ние.
   Вы́ зайдёте на по́чту?
   Вы́ посмо́трите сни́мки?
   Вы́ вы́пьете ча́ю?
   Вы́ повезёте и́х домо́й?
   Вы́ успе́ете ко́нчить рабо́ту?

2. *Who did this?*
   I don't know who could have done this.
   Кто́ э́то сде́лал?
   Я́ не зна́ю, кто́ бы э́то мо́г сде́лать.
   Кто́ э́то написа́л?
   Я́ не зна́ю, кто́ бы э́то мо́г написа́ть.
   (принёс, соста́вил, испо́ртил, бро́сил,
   разби́л, приши́л, посла́л)

DISCUSSION

In addition to its use in hypothetical-conditional **е́сли бы** sentences, **бы** also occurs in constructions expressing wishing, requesting, and suggesting. Often it has the effect of softening the request, or of making the wish more tentative and less direct.

Although **бы** is normally accompanied by the past tense, in some instances the verb (especially **бы́ло**) may be omitted:

Compare Хорошо́ бы вы́купаться.
with Хорошо́ бы́ло бы вы́купаться.
      It'd be nice to go for a swim.

Compare Я́ бы пришёл, е́сли бы не собра́ние.
with Я́ бы пришёл, е́сли бы не́ было
      собра́ния.
      I'd come if it weren't for the meeting.

Constructions using чтобы plus the past tense

MODELS

Когда́ вы́ хоти́те, чтобы она́ ва́м
            позвони́ла?
_____ э́то сде́лала?
_____ ко́нчила
            рабо́ту?

When do you want her to phone you?
_____ to do it?
_____ to finish her work?

Скажи́те ему́, чтобы о́н пришёл пора́ньше.
_____ ничего́ не
           спра́шивал.
_____ немно́го подожда́л.

Tell him to come earlier.
_____ not to ask any questions.
_____ to wait a bit.

Она́ меня́ попроси́ла, чтобы я́ ва́м
позвони́л.
О́н сказа́л, чтобы вы́ получи́ли биле́ты.
О́н хоте́л, чтобы мы́ о́ба пошли́ на конце́рт.

She asked me if I would phone you.

He said you were to get the tickets.
He wanted us both to go to the concert.

О́н сказа́л, чтобы я́ лёг и отдохну́л.
_____ пошёл офо́рмиться.
_____ заказа́л биле́ты.

He said I should lie down and rest.
_____ go register.
_____ order the tickets.

■ REPETITION DRILL

Repeat the given models, noting the use of **чтобы** plus the past tense of the verb in subordinate clauses following main clause verbs of wishing, suggesting, requesting, demanding, and doubting.

■ STRUCTURE REPLACEMENT DRILLS

1. *Everything's in order.*
   See to it that everything's in order.
   Всё в поря́дке.
   Смотри́, чтобы всё бы́ло в поря́дке.
   Всё в сбо́ре.
   Смотри́, чтобы все бы́ли в сбо́ре.
   Разреше́ние офо́рмлено.
   Костю́м гото́в.
   Всё запако́вано.
   Всё це́ло.
   Всё здоро́вы.

2. *I doubt that he'll understand it.*
   I doubt that he would understand it.
   Сомнева́юсь, что о́н э́то поймёт.
   Сомнева́юсь, чтобы о́н э́то по́нял.
   Сомнева́юсь, что о́н уе́дет.
   Сомнева́юсь, чтобы о́н уе́хал.
   (их дого́нит, вернёт де́ньги, их перего́нит, их отпу́стит, э́то прочита́ет, э́то вы́бросит)

3. *Suggest taking a walk to him.*
   Suggest to him that he might take a walk.
   Предложи́ ему́ погуля́ть.
   Предложи́ ему́, чтобы о́н погуля́л.
   Предложи́ ему́ пое́сть.
   Предложи́ ему́, чтобы о́н пое́л.
   (вы́купаться, поу́жинать, отдохну́ть, побри́ться, офо́рмить докуме́нты, позва́ть го́рничную, ле́чь, почи́стить костю́м)

4. *He said that you got (or took) the coupons.*
   He said that you were to get (or take) the coupons.
   О́н сказа́л, что вы́ взя́ли тало́ны.
   О́н сказа́л, чтобы вы́ взя́ли тало́ны.
   О́н сказа́л, что вы́ поу́жинали.
   О́н сказа́л, чтобы вы́ поу́жинали.
   (верну́лись, получи́ли тало́ны, побри́лись, вы́бросили биле́ты, свари́ли обе́д, их пригласи́ли)

5. *He asked me to call you.*
   He asked me if I would call you.
   О́н меня́ попроси́л ва́м позвони́ть.
   О́н меня́ попроси́л, чтобы я́ ва́м позвони́л.
   О́н меня́ попроси́л узна́ть их а́дрес.
   О́н меня́ попроси́л, чтобы я́ узна́л их а́дрес.
   (отда́ть в чи́стку пальто́, верну́ть ему́ докуме́нты, получи́ть для него́ посы́лку, заплати́ть за биле́ты, подожда́ть, его́ разбуди́ть)

6. *You've got to get used to it.*
   You must (or it's necessary that you) get used to it.
   Тебе́ на́до к э́тому привы́кнуть.
   На́до, чтобы ты́ к э́тому привы́к.
   Тебе́ на́до с ни́м поговори́ть.
   На́до, чтобы ты́ с ни́м поговори́л.
   (об э́том договори́ться, об э́том сообщи́ть, э́то прочита́ть, отту́да уйти́, э́то запакова́ть, научи́ться пла́вать)

7. *When must we have things packed?*
   When do you want us to have things packed?
   Когда́ мы́ должны́ запакова́ть ве́щи?
   Когда́ вы́ хоти́те, чтобы мы́ запакова́ли ве́щи?
   Когда́ мы́ должны́ э́то прочита́ть?
   Когда́ вы́ хоти́те, чтобы мы́ э́то прочита́ли?
   (верну́ться, э́то сде́лать, верну́ть э́ти пла́ны, за э́то заплати́ть, ва́с разбуди́ть)

8. *What am I to do?*
   What do you want me to do?
   Что́ мне́ де́лать?
   Что́ вы́ хоти́те, чтобы я́ де́лал?
   Что́ мне́ чита́ть?
   Что́ вы́ хоти́те, чтобы я́ чита́л?
   (посла́ть, писа́ть, принести́, посове́товать, пи́ть, е́сть)

9. *Where am I to go?*
   Where do you want me to go?
   Куда́ мне́ е́хать?
   Куда́ вы́ хоти́те, чтобы я́ е́хал?
   Куда́ мне́ плы́ть?
   Куда́ вы́ хоти́те, чтобы я́ плы́л?
   (идти́, звони́ть, их везти́, это посла́ть, смотре́ть, писа́ть, их вести́)

10. *I wanted to go there.*
    I wanted him to go there.
    Я́ хоте́л пойти́ туда́.
    Я́ хоте́л, чтобы о́н пошёл туда́.
    Я́ хоте́л пое́хать по́зже.
    Я́ хоте́л, чтобы о́н пое́хал по́зже.
    (поигра́ть, уйти́, уе́хать, пры́гнуть, поката́ться на лы́жах, побе́гать на конька́х, поста́вить пласти́нки, послу́шать му́зыку)

DISCUSSION

The use of **чтобы** plus the past tense in subordinate clauses often has the effect of softening a suggestion or a request. After certain verbs there are two choices possible: a simple and straightforward statement using the infinitive, or the less direct, often more polite construction using **чтобы**.

Compare	Предложи́ ему́ побри́ться.	Suggest shaving to him.
with	Предложи́ ему́, чтобы о́н побри́лся.	Suggest to him that he might shave.
Compare	О́н меня́ попроси́л подожда́ть.	He asked me to wait awhile.
with	О́н меня́ попроси́л, чтобы я́ подожда́л.	He asked me if I would wait awhile.
Compare	Скажи́те ему́ прийти́ в се́мь.	Tell him to come at seven.
with	Скажи́те ему́, чтобы о́н пришёл в се́мь.	Tell him he should come at seven.

With verbs such as **хоте́ть**, however, the infinitive may be used only if the subject of the main verb is also the subject of the infinitive:

| О́н хо́чет пойти́ на конце́рт. | He wants to go to the concert. |

When the subject of the verb **хоте́ть** wants *someone else* to perform the activity, however, only the construction **чтобы** plus the past tense can be used:

| О́н хо́чет, чтобы я́ пошёл на конце́рт. | He wants me to go to the concert. |

After such verbs as **сказа́ть**, either **что** or **чтобы** may be used in a subordinate clause, but the meaning is quite different:

| О́н сказа́л, что вы́ получи́ли биле́ты. | He said that you got the tickets. |
| О́н сказа́л, чтобы вы́ получи́ли биле́ты. | He said that you should get the tickets. |

When the word following it begins with a vowel, **чтобы** may be shortened to **чтоб**:

Я́ хочу́, **чтоб** она́ пришла́.

ПОВТОРЕ́НИЕ

В про́шлом году́ профе́ссор Ку́к е́здил в Сове́тский Сою́з с гру́ппой америка́нских студе́нтов. Профе́ссор Ку́к быва́л в СССР уже́ мно́го ра́з, но ра́ньше о́н е́здил оди́н, ка́к тури́ст, а тепе́рь до́лжен бы́л води́ть студе́нтов по вся́ким интере́сным места́м, достава́ть биле́ты, смотре́ть, чтобы никто́ не потеря́л докуме́нты, и де́лать ма́ссу други́х веще́й. Ка́ждое у́тро студе́нты должны́ бы́ли подходи́ть к его́ две́ри и стуча́ть, чтобы его́ разбуди́ть: бе́дный профе́ссор та́к кре́пко спа́л.

Когда́ Гра́нт прие́хал в университе́т, ему́ сказа́ли, что о́н до́лжен офо́рмиться. О́н показа́л регистра́тору свою́ ви́зу и па́спорт и получи́л ви́д на жи́тельство. Регистра́тор да́л ему́ про́пуск, чтобы о́н мо́г пока́зывать его́ вахтёрше в общежи́тии. Гра́нт удиви́лся, что вахтёрша проверя́ет все́х, кто́ вхо́дит в общежи́тие, но регистра́тор сказа́л ему́, что зде́сь тако́е пра́вило. По́зже Гра́нт узна́л, что ви́д на жи́тельство, пропуска́, разреше́ния, ви́зу, па́спорт и други́е докуме́нты на́до всё вре́мя носи́ть с собо́й, потому́ что и́х ча́сто проверя́ют.

— Я́ ищу́ бюро́ обслу́живания. Вы́ мне́ не ска́жете, где́ оно́ нахо́дится?

— К сожале́нию, я́ са́м не зна́ю, где́ оно́. Спроси́те убо́рщицу, мо́жет бы́ть, она́ ва́м ска́жет.

— Спаси́бо. Скажи́те, де́вушка, ка́к пройти́ в бюро́ обслу́живания?

— Иди́те пря́мо по коридо́ру и в конце́ поверни́те нале́во. Пройди́те ещё немно́го, и вы́ уви́дите ле́стницу. Иди́те по ле́стнице на второ́й эта́ж. Бюро́ обслу́живания бу́дет пе́рвая две́рь напра́во.

— Большо́е спаси́бо. Вы́ та́к хорошо́ и то́чно мне́ всё сказа́ли. Ва́м на́до бы́ло бы ста́ть ги́дом.

— Я́ ва́ш ги́д, господи́н Ку́к. Я́ в ва́шем распоряже́нии ка́ждый де́нь. Вы́ мо́жете е́здить со мно́й, куда́ хоти́те.

— Отли́чно. Я́ о́чень ра́д с ва́ми познако́миться. Ка́к ва́ше и́мя, о́тчество?

— Меня́ зову́т Вади́м Кири́ллович, но вы́ зови́те меня́ про́сто Вади́м.

— О́чень хорошо́, Вади́м. У меня́, призна́ться, не́т никаки́х пла́нов на сего́дня. Что́ бы вы́ посове́товали?

— Ка́к насчёт це́нтра го́рода? Вы́ та́м уже́ бы́ли?

— Не́т, не́ был. Я́ ведь прие́хал вчера́ о́чень по́здно, в полдвена́дцатого, и сра́зу лёг спа́ть. Я́ с больши́м удово́льствием пое́ду посмотре́ть го́род.

— Прекра́сно. Маши́на уже́ е́сть, и мы́ мо́жем е́хать, когда́ вы́ захоти́те.

— Пое́дем мину́т через пятна́дцать. Я́ до́лжен побри́ться.

— Пожа́луйста, не торопи́тесь. У на́с ма́сса вре́мени.

PREPARATION FOR CONVERSATION

Мать с детьми собираются в баню

баня	bathhouse, public bath; steam bath
Мать с детьми собираются в баню.	Mother and the children are getting ready to go to the bathhouse.
допивать, –ают (I)	to finish drinking, drink up
Петя, допивай молоко.	Petya, finish your milk.
яичница [jijíšņicə]	eggs (fried)
доедать, –ают (I)	to finish eating, eat up
Петя, доедай яичницу и допивай молоко.	Petya, eat the rest of your eggs and finish your milk.
холодильник	refrigerator, icebox
Поставь масло в холодильник.	Put the butter in the refrigerator.
А ты, Таня, поставь масло в холодильник.	And you, Tanya, put the butter in the refrigerator.
пятно, –а; пятна, пятен	spot, stain, blot
скатерть, –и; –и, –ей (f)	tablecloth
Здесь на скатерти какое-то пятно.	There's some kind of stain on the tablecloth.
Смотри, мама, здесь на скатерти какое-то пятно.	Look, Mamma. There's some kind of stain on the tablecloth.
очевидный	obvious, apparent
Очевидно, чай.	[It's] obviously tea.
разлить, разольют (pfv I) (imper разлей! –те!)	to spill; to pour
Вчера вечером кто-то разлил чай.	Somebody spilled his tea last night.
гость, гостя; гости, –ей (m)	guest
Да, это вчера вечером один из гостей разлил.	Yes, one of the guests spilled [it] last night.
снять, сниму, снимут (pfv I)	to take off (*or* down), remove; to take a picture; to rent
Мы снимем скатерть, когда вернёмся из бани.	We'll remove the tablecloth when we come back from the bath.
Ну, Петя, ты уже кончил?	Well, Petya, are you all finished?

◀ Уличная продажа кваса.

Кóнчил.

Yes.

бельё, –я́

underthings, underwear; linen, wash

пригото́вить, –ят (pfv II)

to prepare, get ready; to fix; to cook

Та́ня, ты́ пригото́вила мне́ бельё?

Tanya, did you get linen ready for me?

чи́стый

clean, fresh; pure

Та́ня, ты́ пригото́вила мне́ чи́стое бельё?

Tanya, did you get clean linen ready for me?

крова́ть, –и; –и, –ей (f)

bed

Да́, оно́ та́м на крова́ти.

Yes, it's there on the bed.

полоте́нце, –а; –а, –нец

towel

мохна́тое полоте́нце

Turkish towel, bath towel

Я́ тебе́ дала́ мохна́тое полоте́нце.

I gave you a Turkish towel.

мы́ло

soap

Подожди́, ту́т не́т мы́ла.

Wait, there's no soap here.

моча́лка

sponge (of wood fiber)

ни... ни

neither . . . nor

Спаси́бо. Но подожди́, ту́т не́т ни мы́ла, ни моча́лки.

Thanks. But wait; there's neither soap nor sponge here.

Неуже́ли?

Really?

спе́шка

hurry, rush

Я́ в э́той спе́шке забы́ла положи́ть.

In all this hurrying I forgot to put them in.

Во́т моча́лка.

Here's a sponge.

умыва́льник

washstand, washbasin

кусо́к мы́ла

bar of soap

Возьми́ себе́ то́т кусо́к мы́ла, что во́зле умыва́льника.

Take that bar of soap [that's] by the washbasin for yourself.

забо́титься, забо́чусь, забо́тятся (II)

to take care of, look after; to be concerned about, worry about

Ты́, Пе́тя, са́м до́лжен забо́титься о свои́х веща́х.

Petya, you yourself have to take care of your own things.

заверну́ть, заверну́т (pfv I)

to wrap, wrap up; to turn

Заверни́ мы́ло в газе́ту!

Wrap the soap in a newspaper!

снача́ла

first, at first, from (*or* at) the beginning

Да не клади́ же ты́ мы́ло пря́мо та́к, заверни́ его́ снача́ла в газе́ту.

And don't just put the soap right in like that; first wrap it in a newspaper.

Ну́ во́т, я́ гото́в.

Well now, I'm ready.

мужско́й

male, masculine; men's

мужско́е отделе́ние

the men's side

Наде́юсь, что мужско́е отделе́ние уже́ откры́то.

I hope the men's side is open now.

ремо́нт

repair, reconditioning

на ремо́нте

under repair, being repaired

Це́лый ме́сяц мужско́е отделе́ние бы́ло на ремо́нте.

The men's side was under repair for a whole month.

Наде́юсь, что мужско́е отделе́ние уже́ откры́то. Це́лый ме́сяц бы́ло на ремо́нте.

    узнава́ть, узнаю́т (I)

Да́, откры́то. Я узнава́ла.

    о́бщее отделе́ние

Мы́ с тобо́й, Та́ня, пойдём сего́дня в о́бщее отделе́ние.

    каби́на

Мы́ с тобо́й, Та́ня, пойдём сего́дня не в каби́ны, а в о́бщее отделе́ние.

    дешёвый (дёшево)
    деше́вле

Та́м деше́вле.

    зо́нтик
    на вся́кий слу́чай

Хорошо́. Возьмём на вся́кий слу́чай зо́нтик.

По ра́дио передава́ли, что бу́дет до́ждь.

    пла́щ
    наде́ть, наде́нут (pfv I)

Во́т ка́к! Пе́тя, наде́нь пла́щ!

Ну́ пойдём уже́, а то́ мы́ та́к до́лго собира́емся, что никогда́ и́з дому не вы́йдем.

I hope the men's side is open now. It was under repair for a whole month.

    to find out; to investigate, check; to recognize

Yes, I checked. It's open.

    the public room

You and I, Tanya, will go into the public room today.

    stall, booth; hut

You and I won't go to the private stalls today, Tanya, but to the public room.

    cheap, inexpensive
    cheaper, more inexpensive

It's cheaper there.

    umbrella
    just in case

All right. Let's take an umbrella, just in case.

They said on the radio there'd be rain.

    raincoat
    to put on, wear

You don't say! Petya, put on your raincoat.

Well, let's get going or else we'll take so long getting ready [that] we'll never get out of the house.

SUPPLEMENT

    допи́ть (*like* пи́ть) (pfv I)

Допе́й вино́!

    дое́сть (*like* е́сть) (pfv)

Я сейча́с дое́м яи́чницу и пойду́.

    позабо́титься, –ятся (pfv II)

Позабо́ться, чтобы всё бы́ло гото́во.

    гото́вить, –ят (II)

Я гото́влю на обе́д ры́бу.

    завора́чивать, –ают (I)

Маши́на завора́чивала за́ угол.

Продавщи́ца завора́чивает ма́сло.

    яйцо́, –а́; я́йца, яи́ц

Ка́к ва́м свари́ть я́йца?

    в гостя́х (асс в го́сти)

Мы́ бы́ли в гостя́х.

На́с пригласи́ли в го́сти.

    же́нский

Же́нское отделе́ние тепе́рь на ремо́нте.

    гало́ши (*or* кало́ши) (sg гало́ша [*or* кало́ша])

Я наде́л гало́ши.

    to finish drinking, drink up

Finish drinking the wine!

    to finish eating, eat up

I'll finish eating my eggs and go.

    to look after; to see to it

See to it that everything is ready.

    to prepare, get ready; to fix; to cook

I'm cooking fish for dinner.

    to wrap, wrap up; to turn

The car was turning the corner.

The saleslady is wrapping the butter.

    egg

How do you like your eggs cooked?

    at (*or* to) a party; visiting, for a visit

We were at a party *or* We went for a visit.

We were invited to a party.

    female, feminine; ladies', women's

The ladies' side is now undergoing repairs.

    rubbers

I put on rubbers.

Мать с детьми собираются в баню[1]

М. — Мать   П. — Петя   Т. — Таня

М. 1 Петя, доедай яичницу и допивай молоко. А ты, Таня, поставь масло в холодильник.

Т. 2 Хорошо. Смотри, мама, здесь на скатерти какое-то пятно. Очевидно, чай.

М. 3 Да, это вчера вечером один из гостей разлил. Мы снимем скатерть, когда вернёмся из бани. Ну, Петя, ты уже кончил?

П. 4 Кончил. Таня, ты приготовила мне чистое бельё?

Т. 5 Да, оно там на кровати. Я тебе дала мохнатое полотенце.

П. 6 Спасибо. Но подожди, тут нет ни мыла, ни мочалки.[2]

Т. 7 Неужели? Я в этой спешке забыла положить. Вот мочалка. Возьми себе тот кусок мыла, что возле умывальника.[3]

М. 8 Ты, Петя, сам должен заботиться о своих вещах. Да не клади же ты мыло прямо так, заверни его сначала в газету.

П. 9 Ну вот, я готов. Надеюсь, что мужское отделение уже открыто. Целый месяц было на ремонте.[4]

М. 10 Да, открыто. Я узнавала. Мы с тобой, Таня, пойдём сегодня не в кабины, а в общее отделение.[5] Там дешевле.

Т. 11 Хорошо. Возьмём на всякий случай зонтик. По радио передавали, что будет дождь.

М. 12 Вот как! Петя, надень плащ! Ну пойдём уже, а то мы так долго собираемся, что никогда из дому не выйдем.

NOTES

[1] Compare **ванная** bathroom, **ванна** bathtub or bath, and **баня** bathhouse. Of these types of baths, the most traditional for Russians is the **баня**, which is always located in a separate building. In the cities and towns, the **баня** is a public building with facilities for tub bath, shower bath, and sometimes steam bath. In rural areas, the **баня** is a small log hut, usually with only steam bath facilities. Part of the ritual of a steam bath is the switching of one's body with birch twigs to stimulate circulation. Most Russians go to the **баня** once a week, usually on Saturday.

[2] Instead of a washcloth, a long piece of sponge-like wood fiber, called **мочалка**, is used.

[3] The word **умывальник** refers to any receptacle used for washing the face and hands. It may be a washstand, a sink with running water, or the simplest kind of basin or container.

Note the expression **мыться под умывальником** to wash at the washstand.

[4] Modernization, construction, and repair are constantly carried on throughout the Soviet Union. One frequently sees signs on libraries, relatively new apartment buildings, stores, and offices saying: **На ремонте** or **Закрыто на ремонт.**

Note that the preposition **на** is used largely for buildings and that **в** is used for things taken in for repair.

Compare	Библиоте́ка закры́та на ремо́нт.	The library is closed for remodeling (*or* repair).
	Ба́ня на ремо́нте.	The bathhouse is being remodeled.
with	Я́ о́тдал часы́ в ремо́нт.	I took my watch in to be repaired.
	Мо́й костю́м в ремо́нте.	My suit is being repaired.

5 The public bathhouse has separate divisions for men and women. In each there is a large public room, the "second-class" section, where one can wash for about fifteen kopecks. It costs a little more to bathe "first class": about twenty kopecks for a private shower stall and about twenty-five kopecks for a combination private tub and shower.

PREPARATION FOR CONVERSATION **По́сле ба́ни**

Во́т и я́.	Here I am.
се́сть (pfv I) (past се́л, –а, –о, –и; fut ся́ду, ся́дешь, –ут; imper ся́дь! –те!)	to sit down
ни́где	there's nowhere, there's no place
Не́где бы́ло се́сть.	There was no place to sit down.
сто́лько (*plus* gen)	so many, so much
Сто́лько наро́ду, что не́где бы́ло се́сть.	It was so crowded there was no place to sit down.
помы́ться, помо́ются (pfv I)	to wash up, wash oneself
Но́ я́ всё-таки хорошо́ помы́лся.	But anyway, I had myself a good wash.
А вы́ ка́к?	How about you?
Да не о́чень.	Well, not really.
ду́ш	shower
прохла́дный	cool
Я́ люблю́ постоя́ть под прохла́дным ду́шем.	I love to stand under a cool shower.
по́сле того́ как	after (conj)
Я́ люблю́ постоя́ть под прохла́дным ду́шем, по́сле того́ как помо́юсь.	I love to stand under a cool shower after I've washed myself.
испо́ртиться (pfv II)	to go out of order, be broken, become spoiled (*or* damaged)
душева́я	shower room
В душево́й испо́ртились ду́ши, а я́ та́к люблю́ постоя́ть под прохла́дным ду́шем, по́сле того́ как помо́юсь.	The showers were broken in the shower room, and I do so love to stand under a cool shower after I've washed myself.
со́к	juice
тома́тный	tomato
Кто́ из ва́с хо́чет тома́тного со́ка?	Who wants tomato juice?
то́ же са́мое	the same thing
со́к и со́к	juice and more juice
Я́ не́т.	Not I.
Всегда́ то́ же са́мое — со́к и со́к.	It's always the same thing—juice and more juice.
Почему́ здесь не продаётся пи́во?	Why don't they sell beer here?

с каки́х по́р

С каки́х по́р ты́ на́чал пи́ть пи́во?

Во́т но́вость! С каки́х э́то по́р ты́ на́чал пи́ть пи́во?

ро́т, рта́; рты́, рто́в

ни ра́зу

Ты́ его́ ни ра́зу ещё в ро́т не бра́л.

призна́ться, –а́ются (pfv I)

Призна́йся, ты́ ведь его́ ни ра́зу ещё в ро́т не бра́л.

взро́слый

вы́глядеть, –ят (II)

Оста́вь его́! На́ш Пе́тя хо́чет вы́глядеть совсе́м уже́ взро́слым.

А ка́к ты́, Та́ня, насчёт со́ка?

Да́, пожа́луйста.

тяну́чка

люби́мый

Купи́ мои́х люби́мых тяну́чек, хорошо́?

Хорошо́.

гря́зный

гря́зное бельё

Пе́тя, а где́ твоё гря́зное бельё?

раздева́лка

Я́ забы́л бельё в раздева́лке.

побежа́ть (II) (*like* бежа́ть)

Сейча́с побегу́ принесу́.

гро́м

Поторопи́сь. Уже́ слы́шишь? Гро́м.

с мину́ты на мину́ту

поли́ть, полью́т (pfv I)

С мину́ты на мину́ту польёт до́ждь.

since when, how long

Since when have you started drinking beer?

That's something new! Since just when have you started drinking beer?

mouth

not once, never

You've never even once tasted it.

to admit, confess

Admit it, you've never even once tasted it.

grown-up; adult

to appear, look

Leave him alone! Our Petya already wants to appear quite grown-up.

But how about some juice for you, Tanya?

Yes, please.

caramel, toffee

favorite; beloved

Buy some of my favorite caramels, will you?

O.K.

dirty; muddy

wash, things to be washed

Petya, where are your things to be washed?

dressing room

I left the wash in the dressing room.

to run

I'll run and get it.

thunder

Hurry. You hear that? [It's] thunder.

any minute now

to begin to pour, come pouring down; to water

Any minute now the rain will come pouring down.

SUPPLEMENT

сто́лько... ско́лько

Я́ возьму́ сто́лько биле́тов, ско́лько вы́ захоти́те.

не ра́з

Я́ ему́ не ра́з э́то говори́л.

мы́ть, мо́ют (I)

Я́ мо́ю стака́ны.

помы́ть, помо́ют (pfv I)

Ты́ помы́л ру́ки?

as much . . . as, as many . . . as, so much . . . as

I'll get as many tickets as you wish.

more than once

I've told him that more than once.

to wash

I'm washing the glasses.

to wash

Did you wash your hands?

624　LESSON 25

мы́ться, мо́ются (I)	to wash (oneself)
Мы́ мы́лись в ба́не ка́ждую суббо́ту.	We washed (ourselves) at the bathhouse every Saturday.
полива́ть, –а́ют (I)	to pour (on); to water
Они́ забо́тятся о траве́ и ча́сто её полива́ют.	They take such care of their grass and water it often.
помидо́р	tomato
Здесь хорошо́ расту́т помидо́ры.	Tomatoes grow well here.
тома́т	tomato, tomato paste (*or* sauce)
Вы́ лю́бите ры́бу в тома́те?	Do you like fish in tomato sauce?
конфе́та	candy (piece of)
Ма́льчик съе́л все́ конфе́ты.	The boy ate all the candies.
Оста́лась то́лько одна́ конфе́та.	Only one piece of candy is (*or* was) left.
фрукто́вый	fruit
По утра́м я́ привы́к пи́ть фрукто́вый со́к.	I'm used to drinking fruit juice in the morning.
фру́кт (used largely in pl)	fruit
Здесь продаю́тся све́жие фру́кты.	Fresh fruit is sold here.
апельси́н	orange
В Москве́ почти́ невозмо́жно бы́ло доста́ть апельси́ны.	It was almost impossible to get oranges in Moscow.
апельси́новый со́к	orange juice
В СССР не пью́т апельси́нового со́ка.	They don't drink orange juice in the U.S.S.R.
ора́нжевый (цве́т)	orange (color)
Не́бо бы́ло ора́нжевого цве́та.	The sky was an orange color.
шокола́д	chocolate
Шокола́д бы́л о́чень дорого́й.	The chocolate was very expensive.
ва́нна	bathtub, bath
В ва́нной стоя́ла больша́я ва́нна.	There was a large tub in the bathroom.
принима́ть (*or* приня́ть) ва́нну (*or* ду́ш)	to take a bath (*or* shower)
Как то́лько она́ вста́ла, она́ приняла́ ду́ш.	As soon as she got up, she took a shower.
Ка́ждый ве́чер о́н принима́л горя́чую ва́нну.	Every evening he took a hot bath.
сади́ться (*or* се́сть) на авто́бус	to take (*or* catch) a bus
Е́сли пойдёт до́ждь, мы́ ся́дем на авто́бус.	If it rains we'll take a bus.
Я́ всегда́ сажу́сь на авто́бус на э́том углу́.	I always catch a bus on this corner.
сади́ться (*or* се́сть) в авто́бус	to get on (*or* board) a bus
О́н се́л не в то́т авто́бус.	He got on the wrong bus.
Милиционе́р стоя́л и смотре́л, как лю́ди сади́лись в авто́бус.	The policeman stood and watched people getting on the bus.

По́сле ба́ни

М. — Ма́ть   П. — Пе́тя   Т. — Та́ня

П. 1 Во́т и я́. Сто́лько наро́ду, что не́где бы́ло се́сть. Но я́ всё-таки хорошо́ помы́лся.[1] А вы́ ка́к?

Т. 2 Да не о́чень: в душево́й испо́ртились ду́ши, а я́ та́к люблю́ постоя́ть под прохла́дным ду́шем, по́сле того́ как помо́юсь.

М. 3 Кто́ из ва́с хо́чет тома́тного со́ка?[2]

П. 4 Я́ нет. Всегда́ то́ же са́мое — со́к и со́к. Почему́ здесь не продаётся пи́во?

Т. 5 Во́т но́вость! С каки́х э́то по́р ты́ на́чал пи́ть пи́во? Призна́йся, ты́ ведь его́ ни ра́зу ещё в ро́т не бра́л.

М. 6 Оста́вь его́! На́ш Пе́тя хо́чет вы́глядеть совсе́м уже́ взро́слым. А ка́к ты́, Та́ня, насчёт, со́ка?

Т. 7 Да́, пожа́луйста. И купи́ мои́х люби́мых тяну́чек, хорошо́?

М. 8 Хорошо́. Пе́тя, а где́ твоё гря́зное бельё?

П. 9 Забы́л в раздева́лке! Сейча́с побегу́ принесу́.

М. 10 Поторопи́сь. Уже́ слы́шишь? Гро́м! С мину́ты на мину́ту польёт до́ждь.

NOTES

[1] Compare the verbs купа́ться (pfv вы́купаться) and мы́ться (pfv помы́ться). Both can mean *to bathe*, but мы́ться (помы́ться) has the basic meaning *to wash oneself* and, unlike купа́ться (вы́купаться), does not necessarily involve complete immersion in water. The latter verb also describes the activity of bathing for pleasure, such as swimming.

Ста́нь под ду́ш и помо́йся.	Step into the shower and wash yourself.
Она́ мо́ется в ва́нне (*or* Она́ купа́ется в ва́нне).	She's taking a bath.
Помо́йся под умыва́льником.	Wash yourself at the washstand.
Мы́ ча́сто купа́емся в э́том о́зере.	We often swim (*or* bathe) in this lake.

[2] As a rule Russians drink fruit juices between meals rather than with their meals. Both *fruit juices* and *soft drinks* (generically called лимона́д) are sold on the street. Another popular drink is ква́с, which is made from fermented rye. It has a low alcohol content and may be bought from street venders by the glass or the bottle.

Basic sentence patterns

1. Куда́ вы́ положи́ли ска́терть?	Where did you put the tablecloth?
— В буфе́т. Я́ всегда́ её туда́ кладу́.	In the cupboard. I always put it there.
Куда́ вы́ поста́вили па́лку?	Where did you put (*lit.* stand) the stick?
— В у́гол. Я́ всегда́ её туда́ ста́влю.	In the corner. I always put it there.
2. Поста́вь на сто́л во́дку.	Put (*or* set) the vodka on the table.
Положи́те на сто́л салфе́тки.	Put (*or* set) the napkins on the table.
Поста́вьте маши́ну перед до́мом.	Put (*or* park) the car in front of the house.
Положи́ па́пку в портфе́ль.	Put the folder in the briefcase.
Поста́вь э́ту пласти́нку.	Play this record *or* Put this record on.
Не клади́ пласти́нку на́ пол.	Don't put (*or* place) the record on the floor.
3. Мы́ спроси́ли, куда́ на́м се́сть.	We asked where we should sit down.
На́м сказа́ли се́сть на́ пол.	They told us to sit down on the floor.
На́м сказа́ли: «Ся́дьте на́ пол!»	They told us, "Sit down on the floor!"
На́м сказа́ли, чтобы мы́ се́ли на́ пол.	They told us we should sit down on the floor.

4. Мы́ спроси́ли, куда́ на́м ле́чь. — We asked where we could lie down.
   На́м сказа́ли ле́чь на́ пол. — They told us to lie down on the floor.
   На́м сказа́ли: «Ля́гте на́ пол!» — They told us, "Lie down on the floor!"
   На́м сказа́ли, что́бы мы́ легли́ на́ пол. — They told us we should lie down on the floor.

5. На́м сказа́ли ста́ть сюда́. — They told us to stand here.
   На́м сказа́ли: «Ста́ньте сюда́!» — They told us, "Stand here!"
   На́м сказа́ли, что́бы мы́ ста́ли сюда́. — They told us we were to stand here.

6. Во́т мы́ло и полоте́нце. — Here's soap and a towel.
   Пойди́ помо́йся в ва́нне. — Go bathe in the tub.
   Пойди́ помо́йся в ба́не. — Go take a bath at the bathhouse.
   Пойди́ помо́йся под ду́шем. — Go take a shower.
   Пойди́ помо́й ру́ки под умыва́льником. — Go wash your hands at the washstand.

7. Не лежи́ на крова́ти! — Don't lie on the bed!
   Не ложи́сь на крова́ть! — Don't lie down on the bed!
   Не сиди́ на крова́ти! — Don't sit on the bed!
   Не сади́сь на крова́ть! — Don't sit down on the bed!
   Не сто́й на крова́ти! — Don't stand on the bed!
   Не станови́сь на крова́ть! — Don't step on the bed!

8. На вся́кий слу́чай, наде́ньте гало́ши! — Put on your rubbers, just in case.
   _____ пла́щ. — _____ raincoat _____.
   _____ пиджа́к. — _____ jacket _____.

9. Сними́ гало́ши в коридо́ре. — Take off your rubbers in the hall.
   Оста́вь гало́ши в коридо́ре. — Leave your rubbers in the hall.
   _____ зо́нтик _____. — _____ umbrella _____.

10. Я́ говорю́ то́лько о себе́. — I'm speaking only about myself.
    Мы́ говори́м _____. — We're speaking _____ ourselves.
    Вы́ говори́те _____. — You're speaking _____ yourself.

11. О́н дово́лен собо́й. — He's pleased with himself.
    Она́ дово́льна ___. — She's _____ herself.
    Они́ дово́льны ___. — They're _____ themselves.

12. Она́ пошла́ к себе́ в ко́мнату. — She went to her room.
    Она́ сиди́т у себя́ в ко́мнате. — She's sitting in her room.
    О́н пошёл к себе́ в бюро́. — He went to his office.
    О́н сиди́т у себя́ в бюро́. — He's sitting in his office.
    Они́ пошли́ к себе́ наве́рх. — They've gone upstairs to their room.
    Они́ сидя́т у себя́ наверху́. — They're sitting in their room upstairs.

13. Ка́к о́н тепе́рь вы́глядит? — How does he look now?
    — О́н вы́глядит вполне́ здоро́вым. — He looks completely well.
    Ка́к о́н вы́глядит? — What does he look like?
    — О́н похо́ж на яку́та. — He looks like a Yakut.
    — О́н вы́глядит, как иностра́нец. — He looks like a foreigner.

14. Я́ об э́том не забо́чусь. — I'm not concerned about it.
    Я́ са́м об э́том позабо́чусь. — I'll take care of it myself.
    Мы́ об э́том не забо́тимся. — We're not concerned about it.
    Мы́ са́ми об э́том позабо́тимся. — We'll take care of it ourselves.
    О́н об э́том не забо́тится. — He's not concerned about it.
    О́н са́м об э́том позабо́тится. — He'll take care of it himself.

15. Слишком мало людей об этом знает.   Too few people know about this.
    Так _____.   So _____.
    Довольно _____.   Rather _____.
    Очень _____.   Very _____.
    Очень немногие (люди) об этом знают. Very _____.
    Только _____.   Only a _____.

16. Столько людей об этом слышало!   So many people have heard about it!
    Многие уже об этом слышали.   Many (people) _____.
    Сколько людей об этом слышало?   How many people _____?

17. Сколько стаканов сока ты выпил?   How many glasses of juice did you drink?
    — Ни одного.   Not a (single) one.
    — Много.   Lots.
    — Несколько.   Several.
    — Столько, сколько и ты.   As many as you.

18. Скольким людям вы об этом сообщили?   How many people have you informed of this?
    — Нескольким.   Several.
    — Немногим.   A few.
    — Многим.   A lot.
    — Стольким, что я уже не помню.   So many I don't remember any more.
    — Я уже не помню скольким.   I no longer remember how many.

Pronunciation practice : clusters of three consonants with в as the initial consonant

A. Clusters in which initial в is pronounced voiced.

1. **вдр** pronounced [vdr] or [vdŗ]

   [vdráķi]   в драке   [vdrugój rás]   в другой раз
   in a fight   next time
   [vdŗéþizgi]   вдребезги
   into pieces

2. **взр** pronounced [vzr] or [vzŗ]

   [vzríf]   взрыв   [vzŗiɣét]   взреветь
   explosion   to roar
   [vzróslij]   взрослый
   adult

3. **взл** pronounced [vzl] or [vzļ]

   [vzlóm]   взлом   [vzļizáţ]   взлезать
   breaking into   to climb
   [vzļót]   взлёт
   take-off

4. **взм** pronounced [vzm] or [vzṃ]

   [vzmaņíţ]   взманить   [vzmóŗjə]   взморье
   to lure   seashore
   [vzṃitnúţ]   взметнуть
   to throw

5. **взн** pronounced [vzn] or [vzn̦]

[vzn̦iṣțí] взнести́   [vznós] взно́с
  to raise   payment
[vznaṣítcə] взноси́ться
  to rise

6. **вгн** pronounced [vgn] or [vgn̦]

[vgn̦ilóm] в гнило́м   [vgn̦izd̦é] в гнезде́
  in rotten   in the nest
[vgn̦óți] в гнёте
  in oppression

B. Clusters in which initial **в** is pronounced voiceless.

1. **вкн** pronounced [fkn] or [fkn̦]

[fkn̦ígi] в кни́ге   [fknuțé] в кнуте́
  in the book   in the whip
[fknópkax] в кно́пках
  in buttons

2. **всл** pronounced [fsl] or [fsl̦]

[fsl̦ét] вслед   [fslúx] вслу́х
  after   aloud
[fslóɣi] в сло́ве
  in the word

3. **всм** pronounced [fsm] or [fsm̦]

[fsm̦itán̦i] в смета́не   [fsm̦átku] всмя́тку
  in sour cream   soft-boiled
[fsmátr̦ivətcə] всма́триваться
  to look closely

4. **всн** pronounced [fsn] or [fsn̦]

[fsn̦igú] в снегу́   [fsnóp] в сно́п
  in snow   into a sheaf
[fsn̦ímk̦i] в сни́мке
  in a snapshot

5. **вср** pronounced [fsr] or [fsr̦]

[fsr̦íɣi] в срыве   [fsr̦édu] в среду
  in breaking   on Wednesday
[fsrók] в срок
  in time

6. **втр** pronounced [ftr] or [ftr̦]

[ftrójə] втро́е   [ftraɣé] в траве́
  three times   in the grass
[ftr̦í] в три́
  at three

7. **вхл** pronounced [fxl] or [fxl̦]

[fxl̦ép] в хле́б   [fxl̦éɣi] в хле́ве
  into the bread   in the cowbarn
[fxlám̦i] в хла́ме
  amidst rubbish

STRUCTURE AND DRILLS

Verbs of *putting*: класть (perfective положить) versus ставить (perfective поставить)

MODELS

Куда́ вы́ положи́ли ска́терть?	Where did you put the tablecloth?
— На сто́л.	On the table.
— На по́лку.	On the shelf.
— В я́щик.	In the drawer.
— В шка́ф.	In the cupboard.
Куда́ она́ кладёт ста́рые газе́ты?	Where does she put old newspapers?
— В у́гол.	In the corner.
— В э́ту коро́бку.	In this box.
— На́ пол.	On the floor.
— На по́лку.	On the shelf.
Куда́ ты́ поста́вил мо́й стака́н?	Where did you put my glass?
— В шка́ф.	In the cupboard.
— На сту́л.	On the chair.
— На сто́л.	On the table.
— На окно́.	On the window.
Куда́ ты́ ста́вишь чемода́н?	Where are you putting the suitcase?
— На́ пол.	On the floor.
— На сту́л.	On the chair.
— В бага́жник.	In the trunk (*or* baggage compartment).
— В маши́ну.	In the car.

■ REPETITION DRILL

Repeat the given models, noting that these verbs, like the verbs of motion, are used in conjunction with **куда́** and the accusative. Note also that Russian makes a distinction between putting in an upright or standing position (**ста́вить, поста́вить**) and putting in a flat position (**кла́сть, положи́ть**).

■ TRANSFORMATION DRILLS

1. *I always used to put lemon in my tea.*
   I always put lemon in my tea.
   Я́ всегда́ кла́л в ча́й лимо́н.
   Я́ всегда́ кладу́ в ча́й лимо́н.
   Мы́ всегда́ кла́ли в ча́й лимо́н.
   Мы́ всегда́ кладём в ча́й лимо́н.
   (ты, она, вы, они, он, я, мы)

2. *We put butter on the noodles.*
   We'll put butter on the noodles.
   Мы́ положи́ли в лапшу́ ма́сло.
   Мы́ поло́жим в лапшу́ ма́сло.
   Она́ положи́ла в лапшу́ ма́сло.
   Она́ поло́жит в лапшу́ ма́сло.
   (я, они, ты, он, мы, она, вы)

■ RESPONSE DRILLS

1. *There's some sort of a cup (standing) here.*
   I'm the one who put it there.
   Здесь стои́т кака́я-то ча́шка.
   Э́то я́ её туда́ поста́вил.
   Здесь лежи́т кака́я-то ло́жка.
   Э́то я́ её туда́ положи́л.
   (газета, вода, платок, стакан, костюм, стул, ключ, шляпа)

2. *There always used to be napkins lying here.*
   My sister used to put them here.
   Здесь всегда́ лежа́ли салфе́тки.
   Сестра́ и́х сюда́ кла́ла.
   Здесь всегда́ стоя́ли стака́ны.
   Сестра́ и́х сюда́ ста́вила.
   (лежали книги, лежали перья, стояли чашки, лежали рецепты, лежали карандаши, стояли стулья, стояли вёдра, лежали булочки)

1. *What should I do with the glasses?*
Put them in the cupboard.
Чтó мнé дéлать со стакáнами?
Постáвь йх в шкáф.
Чтó мнé дéлать с шáпкой?
Положи́ еë в шкáф.

    (чáшками, бельëм, мочáлкой, вином,
    рубáшками, юбкой, салфéтками,
    молокóм)

2. *Where's the milk?*
I'm already putting the milk on the table.
Гдé молокó?
Я́ ужé стáвлю молокó на стóл.
Гдé хлéб?
Я́ ужé кладý хлéб на стóл.

    (пиво, салфéтки, борщ, скáтерть, ухá,
    ложки, суп, ножи)

3. *Is it all right to put the suitcase here?*
No, don't put it there.
Мóжно сюдá постáвить чемодáн?
Нéт, не стáвьте егó тудá.
Мóжно сюдá положи́ть бумáги?
Нéт, не клади́те йх тудá.

    (постáвить машину, положи́ть пáпку,
    постáвить прои́грыватель, положи́ть
    булочки, положи́ть ключ, постáвить
    корóбку)

DISCUSSION

Although the distinction is made in Russian between **стáвить, постáвить** and **клáсть, положи́ть,** there are some exceptions. The verbal pair **стáвить, постáвить** is used not only for glasses and cups, but for all dishes, including plates. Notice also the somewhat contradictory idiom, **стáвить пласти́нки** *to play* (or *put on*) *records.*

Verbs of *sitting, lying,* and *standing:*
сади́ться (perfective сéсть) versus сидéть (perfective посидéть), ложи́ться (perfective лéчь) versus лежáть (perfective полежáть), станови́ться (perfective стáть) versus стоя́ть (perfective постоя́ть)

MODELS

Не сади́сь на э́тот стýл!	Don't sit down in that chair!
Я́ сюдá ся́ду, на э́тот стýл.	I'll sit down here, in this chair.
Почемý ты́ сиди́шь на э́том стýле?	Why are you sitting in this chair?
Я́ посижý здéсь ещë минýтку.	I'll sit here a minute longer.
Не ложи́тесь на зéмлю.	Don't lie down on the ground.
Давáйте ля́жем на травý.	Let's lie down on the grass.
Чтó э́то лежи́т вóн тáм на травé?	What's that lying on the grass over there?
Полежи́ вóт здéсь на кровáти, тебé нáдо немнóго отдохнýть.	Lie on the bed here awhile; you need to rest a bit.
Не станови́тесь в э́ту óчередь!	Don't get in (*or* step into) that line.
Стáньте лýчше вóн в тý óчередь.	Get in that line over there instead.
Ты́ дóлго стоя́ла в óчереди?	Did you stand in line long?
Нéт, я́ постоя́ла в óчереди всегó пя́ть минýт.	No, I stood in line only five minutes.

Куда́ ему́ ле́чь?	Where should he lie down?
_____ се́сть?	_____ sit down?
_____ ста́ть?	_____ stand?
Куда́ ты́ ля́жешь?	Where are you going to lie down?
_____ ся́дешь?	_____ to sit down?
_____ ста́нешь?	_____ to stand?
Сто́й здесь, у окна́!	Stand here by the window!
Ста́нь сюда́, бли́же к окну́!	Step over here closer to the window!
Лежи́ ту́т, у стены́!	Lie here by the wall!
Ля́г сюда́, бли́же к стене́!	Lie down here closer to the wall!
Сиди́ здесь, у стола́!	Sit here at the table!
Ся́дь сюда́, к столу́!	Sit down here at the table!

■ REPETITION DRILL

Repeat the given models, noting that the directional verbs ложи́ться (ле́чь), сади́ться (се́сть), and станови́ться (ста́ть) are normally used in conjunction with куда́ and the accusative, while their locational counterparts, лежа́ть (полежа́ть), сиде́ть (посиде́ть), and стоя́ть (постоя́ть), are used in conjunction with где́ and the prepositional.

■ STRUCTURE REPLACEMENT DRILLS

1. *Where does he usually sit?*
   Where does he usually sit down?
   Где́ о́н обы́чно сиди́т?
   Куда́ он обы́чно сади́тся?
   Где́ ты́ обы́чно сиди́шь?
   Куда́ ты́ обы́чно сади́шься?
   (вы, она, они, ты, он)

2. *Why is he lying in bed?*
   Why is he getting into bed?
   Почему́ о́н лежи́т в крова́ти?
   Почему́ о́н ложи́тся в крова́ть?
   Почему́ они́ лежа́т в крова́ти?
   Почему́ они́ ложа́тся в крова́ть?
   (ты, вы, она, они, он)

■ EXPANSION DRILLS

1. *When will you rest?*
   When will you sit down and rest?
   Когда́ ты́ отдохнёшь?
   Когда́ ты́ ся́дешь и отдохнёшь?
   Когда́ вы́ отдохнёте?
   Когда́ вы́ ся́дете и отдохнёте?
   (ваша мать, они, мы, он, я, ты, она, вы)

2. *I'll take a little nap.*
   I'll lie down and take a little nap.
   Я́ немно́го посплю́.
   Я́ ля́гу и немно́го посплю́.
   О́н немно́го поспи́т.
   О́н ля́жет и немно́го поспи́т.
   (мы, вы, она, ты, они, отец, я, бабушка)

■ STRUCTURE REPLACEMENT DRILLS

1. *I'll sit down at this table.*
   I'm sitting down at this table.
   Я́ ся́ду за э́тот сто́л.
   Я́ сажу́сь за э́тот сто́л.
   Мы́ ся́дем за э́тот сто́л.
   Мы́ сади́мся за э́тот сто́л.
   (вы, подруги, ты, регистратор, она, студенты, я)

2. *In winter I usually went to bed early.*
   I went to bed early yesterday.
   Зимо́й я́ обы́чно ра́но ложи́лся спа́ть.
   Вчера́ я́ ра́но лёг спа́ть.
   Зимо́й мы́ обы́чно ра́но ложи́лись спа́ть.
   Вчера́ мы́ ра́но легли́ спа́ть.
   (она, он, вы, мать, дети)

3. *I'll take this bus.*
I just got on the bus.
Я ся́ду на э́тот авто́бус.
Я то́лько что се́л в авто́бус.
Она́ ся́дет на авто́бус.
Она́ то́лько что се́ла в авто́бус.
    (мы, он, они, вы, она)

4. *I got (or stepped) into line.*
I'm getting in line.
Я ста́л в о́чередь.
Я становлю́сь в о́чередь.
Ты ста́ла в о́чередь.
Ты стано́вишься в о́чередь.
    (мы, она, они, вы, он, горничная)

DISCUSSION

The directional verbs **ложи́ться (ле́чь)**, **сади́ться (се́сть)**, and **станови́ться (ста́ть)** are ordinarily used in conjunction with **куда́** *where to* and always involve a change in position. They contrast with the locational verbs **лежа́ть (полежа́ть)**, **сиде́ть (посиде́ть)**, and **стоя́ть (постоя́ть)**, which are used in conjunction with **где́** *where* and do *not* involve a change in position.

Note that some of these verbs are used in special expressions:

ложи́ться (ле́чь) спа́ть	to go to bed (retire)
сади́ться (се́сть) на авто́бус	to take a bus
сади́ться (се́сть) в авто́бус	to get on the bus
сади́ться (се́сть) на (*or* в) по́езд	to take a train, board a train
сади́ться (се́сть) в маши́ну	to get in the car
сади́ться (се́сть) за рабо́ту	to settle down to work, sit down and start working
сиде́ть до́ма	to stay home

Demonstrative pronouns э́тот and то́т; special expressions using то́т

	Declension of the demonstrative pronouns э́тот and то́т			
	Masculine	*Neuter*	*Feminine*	*Plural*
NOM	э́тот то́т	э́то то́	э́та та́	э́ти те́
ACC	(*like* nom *or* gen)	э́то то́	э́ту ту́	(*like* nom *or* gen)
GEN	э́того того́		э́той той	э́тих те́х
PREP	(об) э́том (о) то́м			
DAT	э́тому тому́			э́тим те́м
INSTR	э́тим те́м			э́тими те́ми

Of the two demonstratives, **э́тот** is much more widely used and embraces the notions *this* and *that*. **То́т**, in addition to meaning *that* (remote), is also used to emphasize the contrast with **э́тот**, or in special expressions, for example:

и то́т и друго́й	both (of them)
ни то́т, ни друго́й	neither (of them)

не тóт	the wrong (one)
с тéх пóр	since then, since that time
тóт же сáмый	the same, the very same
оди́н и тóт же	one and the same, the very same

MODELS

Э́ти часы́ доро́же тéх.	This watch is more expensive than that.
Э́то пальтó корóче тогó.	This coat is shorter than that.
Э́та гóрничная симпати́чнее тóй.	This maid is nicer than that.
Э́тот пирóг вкуснéе тогó.	This pirog is tastier than that.
Ты́ взя́л не ту́ скáтерть.	You took the wrong tablecloth.
——————— не тóт плáщ.	——————————— raincoat.
——————— не тé шáхматы.	——————————— chess set.
——————— не ту́ мочáлку.	——————————— sponge.
——————— не тó мы́ло.	——————————— soap.
——————— не тé конфéты.	——————————— candy.
Каку́ю шля́пу вы́ берёте, э́ту и́ли ту́?	Which hat are you taking, this one or that?
— Ни ту́, ни другу́ю.	Neither one.
— И ту́ и другу́ю.	Both.
Óн говори́л с тéм же сáмым человéком.	He talked to the same man.
о——————— с тóй же сáмой жéнщиной.	——————— to the same woman.
——————— с тéми же сáмыми людьми́.	——————— to the same people.
Я́ её ви́жу всегдá в однóм и тóм же плáтье.	I always see her in the same dress.
——————————— в однóй и тóй же шля́пе.	——————— in the same hat.
——————————— в однóм и тóм же костю́ме.	——————— in the same suit.
У вáс нóвая скáтерть?	Is that a new tablecloth you have?
— Нéт, тá же сáмая.	No, [it's] the same one.
У вáс нóвые часы́?	Is that a new watch you have?
— Нéт, тé же сáмые.	No, [it's] the same one.
У вáс нóвое пальтó?	Is that a new coat you have?
— Нéт, тó же сáмое.	No, [it's] the same one.
У вáс нóвый зóнтик?	Is that a new umbrella you have?
— Нéт, тóт же сáмый.	No, [it's] the same one.

■ REPETITION DRILL

Repeat the given models illustrating the usage of э́тот and тóт. Notice particularly the special expressions using the various forms of тóт.

■ RESPONSE DRILLS

1. *This grill isn't bad.*
   Yes, but that one is much better.
   Э́та заку́сочная неплохáя.
   Дá, но тá горáздо лу́чше.
   Э́то кафé неплохóе.
   Дá, но тó горáздо лу́чше.
   (буфет, столовая, велосипеды, плащ, швейная машина, нитки, дорога, сад)

2. *I can't decide which raincoat I should take.*
   Take that black one over there.
   Я́ не могу́ реши́ть, какóй мнé взя́ть плáщ.
   Возьми́ вóн тóт чёрный.
   Я́ не могу́ реши́ть, каку́ю мнé взя́ть ю́бку.
   Возьми́ вóн ту́ чёрную.
   (платье, платки, шляпу, пальто, костюм, зонтик, сумочку)

1. *Which hat are you taking, this one or that?*
Both of them.

Какую шляпу вы берёте, эту или ту?

И ту и другую.

Какой словарь вы берёте, этот или тот?

И тот и другой.

    (перо, костюмы, журнал, радио, книги, колбасу, плащ)

2. *Which record did he like, this one or that?*
Neither one.

Какая пластинка ему понравилась, эта или та?

Ни та, ни другая.

Какое пиво ему понравилось, это или то?

Ни то, ни другое.

    (конфеты, портфель, часы, мыло, чай, булочки, рыба)

■ STRUCTURE REPLACEMENT DRILLS

1. *These are not our seats.*
We took the wrong seats.

Это не наши места.

Мы сели не на те места.

Это не наш автобус.

Мы сели не в тот автобус.

    (поезд, стулья, вагон, машина, самолёт, места)

2. *You gave a different address.*
You gave me the wrong address.

Вы мне дали другой адрес.

Вы мне дали не тот адрес.

Вы мне дали другую квитанцию.

Вы мне дали не ту квитанцию.

    (бумаги, кошелёк, номер, счёт, посылку, плащ, талоны)

DISCUSSION

The Russian demonstrative pronouns **этот** and **тот** do not correspond accurately to English *this* and *that*. English *this* usually refers to something close to the speaker, while Russian **этот** indicates that which is both close and intermediate in distance. English *that* is much more general than English *this* and is used to define anything beyond what is immediately near the speaker. Russian **тот**, on the other hand, is very specific in its usage; it refers to that which is rather far removed or remote and is frequently used together with **вон** *over there, yonder*.

The pronoun сам

| | SINGULAR | | | PLURAL |
	Masculine	*Neuter*	*Feminine*	
NOM	сам	само	сама	сами
ACC	(*like* nom *or* gen)	само	саму[1]	(*like* nom *or* gen)
GEN	самого		самой	самих
PREP	самом			
DAT	самому			самим
INSTR	самим			самими

---

[1] An alternate feminine accusative form, **самоё**, also exists as a literary variant of **саму**.

Са́м дире́ктор э́то сказа́л.	The director himself said it.
Сама́ Ни́на Петро́вна э́то сказа́ла.	Nina Petrovna herself said it.
Я́ са́м э́то сде́лаю.	I'll do it myself.
Она́ сама́ э́то сде́лает.	She'll do it herself.
Скажи́те э́то самому́ дире́ктору.	Tell it to the director himself.
Скажи́те э́то ему́ самому́.	Tell it to him personally.
Мы́ ви́дели самого́ космона́вта.	We saw the cosmonaut himself.
Мы́ ви́дели его́ самого́.	We saw him in person.
Спроси́ саму́ певи́цу.	Ask the singer herself.
Спроси́ её саму́.	Ask her in person.
Ему́ самому́ э́то не нра́вится.	He himself doesn't like it.
Е́й само́й ——————————.	She herself ——————————.
И́м сами́м ——————————.	They themselves ————.
Они́ са́ми ва́м э́то ска́жут.	They themselves will tell you that.

■ REPETITION DRILL

Repeat the given models, noticing the usage of the pronoun са́м.

■ EXPANSION DRILLS

1. *She doesn't have any money.*
   She herself doesn't have any money.
   У неё не́т де́нег.
   У неё само́й не́т де́нег.
   У него́ не́т де́нег.
   У него́ самого́ не́т де́нег.
   (них, меня, нас, неё, вас, Олега, Маши)

2. *They're expecting the director.*
   They're expecting the director himself.
   Они́ ожида́ют дире́ктора.
   Они́ ожида́ют самого́ дире́ктора.
   Они́ ожида́ют жену́ дире́ктора.
   Они́ ожида́ют саму́ жену́ дире́ктора.
   (специалистов, американку, ректора, певицу, профессоров, до́ктора, учительницу)

■ QUESTION-ANSWER DRILLS

1. *Have you talked with Zina?*
   No, I haven't talked with her personally.
   Ты́ поговори́л с Зи́ной?
   Не́т, с не́й само́й я́ не говори́л.
   Ты́ поговори́л с космона́втом?
   Не́т, с ни́м сами́м я́ не говори́л.
   (специалистами, профессором Курочкиным, певицей Орловой, её родственниками, её отцом, её родителями)

2. *Did it happen near Moscow?*
   No, in Moscow itself.
   Э́то случи́лось во́зле Москвы́?
   Не́т, в само́й Москве́.
   Э́то случи́лось во́зле магази́на?
   Не́т, в само́м магази́не.
   (закусочной, Интуриста, общежития, села, школы)

■ RESPONSE DRILLS

1. *I'm tired myself.*
   I need to take a rest myself.
   Я́ са́м уста́л.
   Мне́ самому́ ну́жно отдохну́ть.
   Ты́ сама́ уста́ла.
   Тебе́ само́й ну́жно отдохну́ть.
   (мы, она, они, он, вы)

2. *I myself don't have the time.*
   I'm busy myself.
   У меня́ самого́ не́т вре́мени.
   Я́ са́м за́нят.
   У ни́х сами́х не́т вре́мени.
   Они́ са́ми за́няты.
   (у неё, у него, у нас, у меня, у неё, у вас)

The pronoun **сáм** ordinarily precedes the noun but follows the pronoun:

Сáм Хрущёв э́то сказáл.	Khrushchev himself said it.
О́н сáм э́то сказáл.	He himself said it.
Поговори́ с самóй Ни́ной.	Talk with Nina herself.
Поговори́ с нéй самóй.	Talk with her personally.

Do not confuse the pronoun **сáм** *oneself, in person* with **сáмый** *the most, the very*. Except for the two nominative forms, **сáм** and **сáми**, the pronoun **сáм** takes the stress on the endings: **самогó, самомý, самóй, сами́х**, and so forth. **Сáмый**, on the other hand, is declined like a regular hard-stem adjective and has a fixed stress on the stem throughout its declension: **сáмого, сáмому, сáмой, сáмых**, and so forth.

Note particularly that, like most pronouns, the final stem consonant of **сáм** is softened in the plural and the endings are spelled **–и, –их, –им**, and **–ими**: **сáми, сами́х, сами́м, сами́ми**.

The reflexive personal pronoun себя́

The reflexive personal pronoun **себя́** has no nominative form but is used in all the other cases. It derives its meaning from the subject to which it refers. The forms are:

ACC-GEN	PREP-DAT	INSTR
себя́	себé	собóй (собóю)[1]

MODELS

Кáк ты́ себя́ чу́вствуешь?	How do you feel?
Кáк вы́ себя́ чу́вствуете?	How do you feel?
— Я́ себя́ хорошó чу́вствую.	I feel fine.
Они́ ку́пят себé маши́ну.	They'll buy themselves a car.
Я́ куплю́ _____.	I'll buy myself a car.
Мы́ ку́пим _____.	We'll buy ourselves a car.
Возьми́те с собóй докумéнты.	Take your documents with you.
Мы́ взя́ли с собóй докумéнты.	We took along our documents.
О́н живёт тóлько для себя́.	He lives for himself alone.
Онá живёт _____.	She lives for herself alone.
Ты́ живёшь _____.	You live for yourself alone.
О́н чу́ть не сломáл себé нóгу.	He almost broke his leg.
Я́ _____.	I almost broke my leg.
Ты́ _____.	You almost broke your leg.
Онá пошлá к себé в кóмнату.	She went to her room.
О́н пошёл _____.	He went to his ____.
Они́ пошли́ _____.	They went to their __.
Дирéктор у себя́?	Is the director in?
Они́ пригласи́ли нáс к себé.	They invited us to their place.

---

[1] The alternate instrumental form **собóю** is generally encountered in literary works.

Repeat the given models illustrating the usage of **себя**. Note that **у себя** often corresponds to the English *in*, **с собой** to the English *along*, and **себе** is sometimes used in Russian where English uses a possessive pronoun.

■ STRUCTURE REPLACEMENT DRILLS

1. *He's pleased with the job.*
   He's pleased with himself.
   Óн довóлен рабóтой.
   Óн довóлен собóй.
   Онá довóльна рабóтой.
   Онá довóльна собóй.

   (вы, они, ты, он, мы, я)

2. *They aren't concerned about anything.*
   They aren't concerned about themselves.
   Онú ни о чём не забóтятся.
   Онú не забóтятся о себé.
   Я ни о чём не забóчусь.
   Я не забóчусь о себé.

   (мы, она, вы, он, ты, они, я)

■ RESPONSE DRILLS

1. *I got ready in five minutes.*
   I'm amazed at myself.
   Я собрáлся за пять минýт.
   Я сáм себé удивляюсь.
   Мы собралúсь за пять минýт.
   Мы сáми себé удивляемся.

   (он, они, я, она, мы)

2. *I'll pour you some tea.*
   Never mind, we'll pour our own.
   Я налью вáм чáю.
   Ничегó, мы сáми себé нальём.
   Я налью тебé чáю.
   Ничегó, я самá себé налью.

   (им, тебе, ему, вам, ей, им)

■ QUESTION-ANSWER DRILLS

1. *Is she better?*
   Yes, she feels much better.
   Éй ужé лýчше?
   Дá, онá себя чýвствует горáздо лýчше.
   Тебé ужé лýчше?
   Дá, я себя чýвствую горáздо лýчше.

   (вам, им, ему, ей, тебе, им)

2. *You're not taking a raincoat?*
   No, I'll take along an umbrella.
   Ты не берёшь плащá?
   Нéт, я возьмý с собóй зóнтик.
   Онá не берёт плащá?
   Нéт, онá возьмёт с собóй зóнтик.

   (вы, он, ты, они, она, мы)

DISCUSSION

In addition to its function as the reflexive personal pronoun, **себя** often combines with the emphatic pronoun **сáм** in special expressions:

Э́то **самó собóй**.   That goes without saying *or* That stands to reason.
Э́то кáк-то **самó собóй** вы́шло.   It somehow turned out that way (of itself).
Э́то **самó по себé**.   That's something else again.
Кáждый **сáм за себя**.   Every man for himself.

Indefinite expressions of quantity: мнóго, немнóго, скóлько, нéсколько, and стóлько

The indefinite expressions of quantity previously encountered include the following: **мнóго** *much, many, lots;* **мáло** *little, few;* **немнóго** *a little;* **скóлько** *how much, how many;* **стóлько** *so much, so many;* **нéсколько** *several, a few;* and **стóлько... скóлько** *as much (or as many) . . . as.*

In the nominative and accusative, these indefinite expressions of quantity are accompanied by the genitive case (usually plural). When they are used as the subject of the clause, the verb is in the neuter singular. However, in the oblique cases (genitive, prepositional, dative, and instrumental), they are replaced by forms with the adjectival endings –их, –им, and –ими:[1]

NOM-ACC	мно́го	немно́го	ско́лько	не́сколько	сто́лько
GEN-PREP	мно́гих	немно́гих	ско́льких	не́скольких	сто́льких
DAT	мно́гим	немно́гим	ско́льким	не́скольким	сто́льким
INSTR	мно́гими	немно́гими	ско́лькими	не́сколькими	сто́лькими

MODELS

Ско́лько челове́к бы́ло на собра́нии?
— Бы́ло всего́ не́сколько челове́к.
— Бы́ло ма́ло люде́й.
— Бы́ло сто́лько наро́ду!

Купи́ сто́лько ма́сла, ско́лько смо́жешь.
_____ са́хару _____.
_____ яи́ц _____.
_____ помидо́ров _____.

Со ско́лькими студе́нтами вы́ говори́ли?
— Я́ говори́л со мно́гими студе́нтами.
_____ с не́сколькими из ни́х.
_____ с немно́гими из ни́х.
_____ со сто́лькими из ни́х!

How many people were at the meeting?
There were just a few people there.
There weren't many people there.
There were so many people there!

Buy as much butter as you can.
_____ sugar _____.
___ as many eggs _____.
_____ tomatoes _____.

How many students did you talk with?
I talked with many students.
_____ with several of them.
_____ with a few of them.
_____ with so many of them!

■ REPETITION DRILL

Repeat the given models, noting that in the nominative and accusative cases the indefinite expressions of quantity are followed by the genitive case. In the oblique cases, however, the declined forms must be used. The exception is ма́ло, which is not used in the oblique cases.

■ STRUCTURE REPLACEMENT DRILLS

1. *Many stores were closed.*
   Lots of stores were closed.
   Мно́гие магази́ны бы́ли закры́ты.
   Мно́го магази́нов бы́ло закры́то.
   Мно́гие кино́ бы́ли закры́ты.
   Мно́го кино́ бы́ло закры́то.
   (ба́ни, бюро́, кио́ски, столо́вые, рестора́ны, кафе́, заку́сочные)

2. *A few Americans know this.*
   Too few Americans know this.
   Немно́гие америка́нцы э́то зна́ют.
   Ма́ло америка́нцев э́то зна́ет.
   Немно́гие ру́сские э́то зна́ют.
   Ма́ло ру́сских э́то зна́ет.
   (директора́, тури́сты, роди́тели, иностра́нцы, ги́ды, рабо́чие)

■ QUESTION-ANSWER DRILLS

1. *Should I buy tomatoes?*
   Yes, buy a few tomatoes.
   Купи́ть помидо́ры?
   Да́, купи́ не́сколько помидо́ров.
   Купи́ть яи́ца?
   Да́, купи́ не́сколько яи́ц.
   (лимо́ны, огурцы́, помидо́ры, грибы́, пирожки́, бу́лки, яи́ца)

2. *Do we have any butter left?*
   Yes, there is a little butter left.
   У на́с оста́лось ма́сло?
   Да́, ма́сла немно́го оста́лось.
   У на́с оста́лось молоко́?
   Да́, молока́ немно́го оста́лось.
   (хле́б, су́п, са́хар, уха́, пи́во, вода́, бума́га, конфе́ты)

---

[1] **Ма́ло** is never used in the oblique cases.

■ RESPONSE DRILLS

1. *These women are engineers.*
   How many women engineers are there in the Soviet Union?
   Э́ти же́нщины — инжене́ры.
   Ско́лько в Сове́тском Сою́зе же́нщин-инжене́ров?
   Э́ти же́нщины — врачи́.
   Ско́лько в Сове́тском Сою́зе же́нщин-враче́й?
   (техники, преподаватели, учёные, профессора́, специалисты, физики, историки, химики, шофёры)

2. *You bought eggs again.*
   Why do you buy so many eggs?
   Ты́ опя́ть купи́л я́йца.
   Заче́м ты́ покупа́ешь сто́лько яи́ц?
   Ты́ опя́ть купи́л хле́б.
   Заче́м ты́ покупа́ешь сто́лько хле́ба?
   (помидоры, вино, рыбу, масло, колбасу, молоко, лимоны, фрукты)

■ STRUCTURE REPLACEMENT DRILLS

1. *There were many tourists here.*
   I spoke with many tourists.
   Зде́сь бы́ло мно́го тури́стов.
   Я́ говори́л со мно́гими тури́стами.
   Зде́сь бы́ло сто́лько тури́стов!
   Я́ говори́л со сто́лькими тури́стами.
   (немного, несколько, много, столько)

2. *We saw many bathhouses.*
   We've been in many bathhouses.
   Мы́ ви́дели мно́го ба́нь.
   Мы́ быва́ли во мно́гих ба́нях.
   Мы́ ви́дели не́сколько ба́нь.
   Мы́ быва́ли в не́скольких ба́нях.
   (немного, столько, много, несколько)

DISCUSSION

It is important to notice the distinction between **ма́ло** *little, few* on the one hand and **немно́го** and **не́сколько** on the other. **Ма́ло** expresses the essentially negative notion of insufficiency:

У на́с ма́ло хле́ба.   We have [too] little bread.
У ни́х ма́ло друзе́й.   They have [very] few friends.

Немно́го and **не́сколько**, despite their negative prefixes, express a more positive notion. **Не́сколько** is used only with plural nouns and **немно́го** is more often used with singular, mass nouns:

У на́с бы́ло немно́го хле́ба.   We had a little bread.
У на́с бы́ло не́сколько бли́зких друзе́й.   We had a few close friends.

For reference to indefinite numbers of people, the genitive forms **люде́й**, **наро́ду**, and **челове́к** are used. With **мно́го**, **ма́ло**, and **сто́лько** either **люде́й** or **наро́ду** can be used:

Та́м бы́ло мно́го (ма́ло, сто́лько) люде́й.
Та́м бы́ло мно́го (ма́ло, сто́лько) наро́ду.   There were many (few, so many) people here.

With **ско́лько**, either **наро́ду** or **челове́к** can be used:

Ско́лько та́м бы́ло челове́к?
Ско́лько та́м бы́ло наро́ду?   How many people were there?

With **не́сколько**, however, only **челове́к** may be used:

Та́м бы́ло не́сколько челове́к.   There were several people there.

Наро́д has two possible genitive singular forms: **наро́да** and **наро́ду**. Use of the latter focuses on the people as a collective mass.

ПОВТОРЕ́НИЕ

— Ты́ ви́дел, каку́ю Ви́ктор купи́л себе́ шля́пу?

— О́н, наве́рно, хо́чет вы́глядеть америка́нцем.

— Никака́я шля́па ему́ не помо́жет. Всё равно́ сра́зу ви́дно, что о́н ру́сский.

— Не понима́ю, почему́ э́то сто́лько ребя́т хотя́т бы́ть похо́жими на иностра́нцев? Ра́зве ху́же бы́ть ру́сским?

— Коне́чно, нет. Про́сто всё сове́тское они́ ви́дят ка́ждый де́нь — у все́х то́ же са́мое, а они́ не хотя́т бы́ть похо́жими на други́х.

— Пожа́луй. А пото́м они́, наве́рно, ду́мают, что та́к ле́гче понра́виться де́вушкам.

— Да́, к сожале́нию, они́ пра́вы. Почти́ все́ де́вушки интересу́ются иностра́нцами. А е́сли не сами́ми иностра́нцами, то́ и́х веща́ми, во вся́ком слу́чае.

— Така́я доса́да — мы́ с Га́лей опозда́ли вчера́ в кино́ на полчаса́, а фи́льм бы́л о́чень интере́сный.

— Почему́ же вы́ опозда́ли, Фили́пп? По́здно вы́шли и́з дому?

— Не́т, как ра́з о́чень ра́но. Мы́ купи́ли биле́ты, и у на́с остава́лось ещё бо́льше получа́са до нача́ла.

— И вы́ пошли́ гуля́ть и забы́ли о кино́, да́?

— Не́т. Я́ предложи́л зайти́ в магази́н: мне́ на́до бы́ло купи́ть яи́ц.

— А́, тепе́рь понима́ю. Стоя́ли в о́череди и в результа́те опозда́ли, ве́рно?

— Соверше́нно ве́рно. Снача́ла в о́череди к продавщи́це, пото́м к ка́ссе, зате́м опя́ть к продавщи́це. На всё э́то ушло́ бо́льше ча́са!

— Сра́зу ви́дно, что вы́ иностра́нец. Ра́зве мо́жно та́к ско́ро купи́ть яйца́?

— Тепе́рь я́ зна́ю, что нельзя́.

Тама́ра уезжа́ла на се́вер на пра́ктику, и Вади́м провожа́л её. О́н взя́л её ма́ленький чемода́нчик и донёс его́ до авто́буса. На вокза́л они́ прие́хали ра́но, и в и́х распоряже́нии бы́л ещё це́лый ча́с. Они́ воспо́льзовались э́тим и пошли́ в буфе́т вы́пить ко́фе со све́жими бу́лочками. Они́ сиде́ли и говори́ли о бу́дущем. Обо́им бы́ло неве́село, и Вади́м гото́в бы́л пое́хать вме́сте с Тама́рой, но не мо́г оста́вить рабо́ту. Они́ договори́лись ча́сто писа́ть пи́сьма, и Вади́м реши́л прие́хать ка́к то́лько смо́жет.

Ива́н Никола́евич ча́сто ви́дел рекла́мы но́вого пи́ва и реши́л, наконе́ц, купи́ть его́. О́н пригласи́л свои́х друзе́й, купи́л колбасы́, ма́сла, хле́ба, огурцо́в — обо́ всём поду́мал. Го́сти пришли́, се́ли за сто́л. Ива́н Никола́евич уже́ хоте́л сказа́ть: «Дава́йте вы́пьем но́вого пи́ва, посмо́трим, како́е оно́», но вдру́г заме́тил, что пи́ва на столе́ не́т. Ка́к э́то могло́ случи́ться? Неуже́ли в спе́шке о́н забы́л о са́мом гла́вном — о пи́ве? Да́, к сожале́нию, та́к и оказа́лось. Кака́я доса́да! Но ту́т Пе́тя, его́ сы́н, предложи́л, что о́н пое́дет на велосипе́де и в два́ счёта привезёт пи́во. Всё бы́ли о́чень дово́льны. Но бо́льше все́х бы́л дово́лен са́м Пе́тя: ему́, ка́к взро́слому, предложи́ли стака́н пи́ва.

На́дя и Са́ша америка́нцы, они́ роди́лись в США, но роди́тели и́х ру́сские. И бра́т и сестра́ мо́лоды, и жи́знь и́х полна́ пла́нов, как э́то быва́ет у люде́й и́х во́зраста. Ле́том, наприме́р, они́ собира́ются пое́хать в Евро́пу, а отту́да в Сове́тский Сою́з. Они́ мно́го слы́шали от роди́телей об э́той стране́, мно́го чита́ли о не́й и давно́ уже́ мечта́ют пое́хать туда́. Роди́тели На́ди и Са́ши научи́ли и́х прекра́сно говори́ть по-ру́сски, а пото́м ещё и в университе́те они́ слу́шали ку́рсы ру́сского языка́, литерату́ры и исто́рии.

PREPARATION FOR CONVERSATION

О́ле с му́жем нужна́ ко́мната

вы́йти за́муж (за *plus* acc)
О́ля вы́шла за́муж.
Йра, ты́ слы́шала но́вость? О́ля вы́шла за́муж.

to get married (said of women only)
Olya got married.
Ira, have you heard the news? Olya got married.

свáдьба
На про́шлой неде́ле была́ сва́дьба.

wedding
The wedding was last week.

За кого́ она́ вы́шла за́муж?

Whom did she marry?

Она́ вы́шла за́муж за Михаи́ла Соловьёва.
нефтяно́й
За Михаи́ла Соловьёва из Нефтяно́го институ́та.

She married Mikhail Solovyov.
petroleum, oil (adj)
Michael Solovyov, from the Petroleum Institute.

Ты́ его́, вероя́тно, зна́ешь?

You probably know him.

Да́, ка́жется.

Yes, I guess so.

блонди́н
высо́кий
Тако́й высо́кий блонди́н?
ка́рий, –яя, –ее
Тако́й высо́кий блонди́н, с ка́рими глаза́ми?

blond (man)
high, tall
Kind of a tall blond?
brown
Kind of a tall blond with brown eyes?

во́т, во́т
Во́т, во́т!

that's right; that's the one; yes, yes
Yes, that's the one!

спосо́бный
Óн симпати́чный и о́чень спосо́бный.

gifted, capable, able, clever
He's nice and very gifted.

аспиранту́ра
Ему́ оста́лся ещё го́д аспиранту́ры.

graduate work, graduate study
He has one more year of graduate work left.

Кавка́з
Баку́
получа́ть, получа́ют (I)
Пото́м о́н получа́ет рабо́ту на Кавка́зе, в Баку́.

the Caucasus
Baku
to receive; to get, obtain
After that he's getting a job in the Caucasus, in Baku.

Ну́, я́ ра́да за О́лю.

Well, I'm happy for Olya.

пока́ что [pakáštə]

in the meantime, meanwhile

А где́ же они́ пока́ что бу́дут жи́ть?

But where will they live in the meantime?

О́лин, –а, –о

Olya's

перее́хать, перее́дут (pfv I)

to cross (by vehicle); to run over (with a vehicle); to move, change residence

Они́ перее́дут к О́линому бра́ту?

Will they move to Olya's brother's place?

у того́

he has (lit. that one has)

Не́т, у того́ больша́я семья́.

No, he has a large family.

те́сный

tight, cramped, crowded

И́м сами́м те́сно.

They themselves are crowded.

поверну́ться, –у́тся (pfv I)

to turn around, turn over

Поверну́ться не́где.

There's no room to turn around in.

Михаи́л наде́ется получи́ть ко́мнату в общежи́тии.

Mikhail hopes to get a room in the dorm.

рассчи́тывать, –ают (I)

to count on, figure on (or out); to estimate

На э́то тру́дно рассчи́тывать.

It's hard to count on it.

И́м придётся сня́ть ко́мнату в ча́стном до́ме.

They'll have to rent a room in a private house.

Это гора́здо удо́бнее, хотя́ и доро́же.

It's much more comfortable, even though it's more expensive.

к тому́ же [ktamúži]

furthermore, besides, in addition, what's more

К тому́ же э́то гора́здо удо́бнее, хотя́ и доро́же.

Besides, it's much more comfortable, even though it's more expensive.

Они́ и са́ми ра́ды бы.
подходя́щий
нелегко́

They'd be happy to.
suitable, right; proper, appropriate
it's not easy; it's hard

Они́ и са́ми ра́ды бы, но нелегко́ найти́ подходя́щую.

They'd be happy to, but it's hard to find a suitable one.

не по карма́ну
Всё не по карма́ну.
све́т
на краю́ све́та

beyond one's means, too expensive
Everything's too expensive.
world; light
way out in the middle of nowhere, in some Godforsaken place (lit. at the edge of the world)

Всё на краю́ све́та.
и́ли... и́ли

Everything's way out in the middle of nowhere.
either . . . or

Всё и́ли не по карма́ну, и́ли на краю́ све́та.

Everything's either too expensive or way out in the middle of nowhere.

сдава́ться, сдаю́тся (I)
Недалеко́ отсю́да сдаётся ко́мната.
Подожди́, я как ра́з вчера́ слы́шала, что недалеко́ отсю́да сдаётся ко́мната.

to be for rent; to surrender, give up
Not far from here there's a room for rent.
Wait—just yesterday I heard there was a room for rent not far from here.

гастроно́м
Где́-то во́зле Гастроно́ма но́мер оди́н сдаётся ко́мната.

food store, grocery, delicatessen
Somewhere near food store number 1 there's a room for rent.

Где́-то во́зле Гастроно́ма но́мер оди́н сдаётся ко́мната, всего́ за три́дцать пя́ть рубле́й в ме́сяц.	Somewhere near food store number 1 there's a room for rent for only thirty-five rubles a month.
Э́то о́чень дёшево.	That's very inexpensive.
Обяза́тельно узна́й то́чный а́дрес и скажи́ О́ле.	Be sure and find out the exact address and tell Olya.

SUPPLEMENT

аспира́нт	graduate student
Ско́лько здесь аспира́нтов?	How many graduate students are here?
аспира́нтка	woman graduate student
Ско́лько здесь аспира́нток?	How many women graduate students are here?
блонди́нка	blonde (woman)
В то́ вре́мя она́ была́ блонди́нкой.	At that time she was a blonde.
неве́ста	fiancée, bride-to-be
О́н придёт с неве́стой.	He'll come with his fiancée.
приходи́ться (II)	to have to
На́м прихо́дится рабо́тать по суббо́там.	We have to work Saturdays.
На́м ча́сто приходи́лось рабо́тать по вечера́м.	We often had to work evenings.
ро́ст	height, stature; growth, increase
Вошёл челове́к высо́кого ро́ста.	A tall man came in.
Како́го о́н ро́ста?	How tall is he?
Како́й у ва́с ро́ст?	How tall are you? *or* What's your height?
ни́зкий	short; low
О́н бы́л ни́зкого ро́ста.	He was a short man.
за́мужем (за *plus* instr)	married (woman only)
О́ля за́мужем за Миха́йлом.	Olya's married to Mikhail.
жена́т, жена́ты	married
О́н жена́т?	Is he married?
Они́ уже́ два́ го́да жена́ты.	They've been married two years now.
се́рый	grey; dull (person)
Она́ блонди́нка с се́рыми глаза́ми.	She's blonde with grey eyes.
на бу́дущей неде́ле	next week
О́ля выхо́дит за́муж на бу́дущей неде́ле.	Olya's getting married next week.
не́куда [n�types̄ékudə]	there's nowhere
На́м не́куда бы́ло пойти́.	We had nowhere to go.
не́когда [n̄ékəgdə]	there's no time
Мне́ бы́ло не́когда написа́ть письмо́.	I didn't have time to write the letter.

О́ле с му́жем нужна́ ко́мната

С. — Светла́на (Све́та)   И. — Ири́на (И́ра)

С. 1 И́ра, ты́ слы́шала но́вость? О́ля вы́шла за́муж. На про́шлой неде́ле была́ сва́дьба.

И. 2 Что́ ты́ говори́шь? За кого́?

С. 3 За Миха́йла Соловьёва из Нефтяно́го институ́та. Ты́ его́, вероя́тно, зна́ешь.

И. 4 Дá, кáжется. Такóй высóкий блондúн, с кáрими глазáми?

С. 5 Вóт, вóт. Симпатúчный и óчень спосóбный. Емý остáлся ещё гóд аспирантýры,[1] а потóм óн получáет рабóту на Кавкáзе, в Бакý.[1,2]

И. 6 Нý, я рáда за Óлю. А гдé же онú покá что бýдут жúть? Переéдут к Óлиному брáту?

С. 7 Нéт, у тогó большáя семья́, úм самúм тéсно, повернýться нéгде. Михаúл надéется получúть кóмнату в общежúтии.[3]

И. 8 На э́то трýдно рассчúтывать. Úм придётся сня́ть кóмнату в чáстном дóме. К томý же э́то горáздо удóбнее, хотя́ и дорóже.

С. 9 Онú и сáми рáды бы, но нелегкó найтú подходя́щую. Всё úли не по кармáну, úли на краю́ свéта.

И. 10 Подождú, я как рáз вчерá слы́шала, что гдé-то вóзле Гастронóма нóмер одúн сдаётся кóмната, всегó за трúдцать пя́ть рублéй в мéсяц.[4,5]

С. 11 Э́то óчень дёшево. Обязáтельно узнáй тóчный áдрес и скажú Óле.

NOTES

[1] Although the **аспирáнт (аспирáнтка)** *graduate student* does not ordinarily have to register officially for courses or take course examinations, he must pass a set of qualifying examinations before he can begin the work of writing his dissertation. Preparation for this usually takes at least a year or two. When he has completed his graduate work, he is generally assigned by the government to his first post.

[2] **Кавкáз** refers to the entire region between the Black Sea (**Чёрное мóре**) and the Caspian Sea (**Каспúйское мóре**). **Бакý**, the fifth largest city in the U.S.S.R., is located in the southeast corner of the region, on the Caspian Sea. It is the capital of the Azerbaidzhan Republic and the center of the Soviet oil industry. The word **Бакý** is not declined. Note that it is **в Бакý** *to Baku* (or *in Baku*), but **на Кавкáз, на Кавкáзе** *to* (or *in*) *the Caucasus*.

[3] Although there are no separate married students' housing facilities in the U.S.S.R., a few of the larger universities set aside some rooms in the dorms for them. The rent for these rooms is extremely low—only a few rubles a month—but such rooms are very hard to get.

[4] Grocery stores are state owned and each has a number. The term for the larger ones is **гастронóм** (*lit.* epicure), and for the smaller ones **бакалéя** (from **бакалéйная лáвка** *grocery store*). In conversational Russian one may simply use **магазúн** or **лáвка**, for example:

Я пойдý в магазúн за хлéбом.   I'll go to the store and get bread.
Пошлú Пéтю в лáвку за хлéбом.   Send Petya to the store for some bread.

[5] There is a serious shortage of housing in the large cities of the U.S.S.R. Although the rent in government-owned apartment houses is low, there is always a long list of applicants waiting for such housing. Rent for rooms sublet in private apartments is usually very high.

PREPARATION FOR CONVERSATION   **Меблирóванная кóмната**

меблирóванный   furnished
Мы́ úщем меблирóванную кóмнату.   We're looking for a furnished room.

сухо́й	dry
све́тлый	light; bright
Ко́мната све́тлая и суха́я.	The room is light and dry.
движе́ние	movement, motion; traffic
ти́хий	quiet, soft, calm; slow
У́лица у на́с ти́хая, движе́ние небольшо́е.	Our street is quiet; there's not much traffic.
Во́т сюда́, в э́ту две́рь, пожа́луйста.	Come this way, through this door, please.
обстано́вка	furnishings; environment
О́, кака́я хоро́шая обстано́вка!	Oh, what nice furnishings!
ковёр, ковра́	rug, carpet
Да́же ковёр на стене́!	Even a carpet on the wall!
ме́бель (f)	furniture
Вся́ э́та ме́бель оста́нется здесь?	Will all this furniture remain here?
Да́, коне́чно.	Yes, of course.
Е́сли ва́м ещё что́-нибудь ну́жно, то скажи́те.	If you need anything else, say so.
необходи́мый (необходи́м)	essential, indispensable
пи́сьменный	written; (for) writing; stationery
пи́сьменный сто́л	writing table, desk
Му́жу необходи́м пи́сьменный сто́л.	My husband must have a writing table.
ла́мпа	light, lamp
ла́мпа для рабо́ты	light to work by; reading lamp
Му́жу необходи́ма ла́мпа для рабо́ты.	My husband needs a reading lamp.
кро́ме (*plus* gen)	except; besides
кро́ме того́	besides, in addition
Во́т одно́, пожа́луй: му́жу необходи́м пи́сьменный сто́л и, кро́ме того́, ла́мпа для рабо́ты.	There's one thing, perhaps. My husband must have a writing table and, in addition, a reading lamp.
Э́то мо́жно доста́ть.	That we can get.
комо́д	chest of drawers, bureau, dresser
передви́нуть, передви́нут (pfv I)	to shift, move over
Мы́ передви́нем комо́д к э́той стене́.	We'll move the bureau over to this wall.
гардеро́б	wardrobe; checkroom
ме́жду (*plus* instr)	between, among
Сто́л ста́нет здесь, ме́жду окно́м и гардеро́бом.	The desk will go here, between the window and the wardrobe.
Во́т и прекра́сно!	That's fine!
ую́тный	cozy
Та́к бу́дет ую́тнее.	That way it'll be cozier.
кре́сло, –а; –а, кре́сел	armchair, easy chair
А кре́сло поста́вим сюда́, та́к бу́дет ую́тнее.	Let's put the armchair over here; it'll be cozier that way.
Тепе́рь скажи́те, ва́нная у ва́с е́сть?	Now tell me, do you have a bathroom?
не́ту[1]	there isn't (*or* there aren't) any

---

[1] **Не́ту** is used colloquially for **не́т** in the sense *there isn't any* or *there aren't any*.

Нéт, нéту.

Нéт, нéту, но здéсь бáня совсéм ря́дом.

    кýхня (gen pl кýхонь)
    на кýхне; на кýхню
    умывáться, –áются (I)

Мы́ умывáемся на кýхне.
    крáн
    под крáном

Мы́ умывáемся на кýхне под крáном.

Пойдёмте, я́ покажý.

    простóрный

Какáя простóрная кýхня!

    хозя́йка

Скóлько хозя́ек здéсь готóвит?

    квартирáнтка

Двé: я́ и моя́ другáя квартирáнтка.

    посýда (sg only)

Éсли у вáс нéт своéй посýды, то мóжете пóльзоваться моéй.

    Большóе спасúбо.

    тáк как
    кстáти

Э́то óчень кстáти, тáк как у нáс ничегó своегó нéт.

    поженúться, пожéнятся (pfv II)

Мы́ ведь тóлько что поженúлись.

    отдéльный

Мы́ ещё живём отдéльно.

Тогдá вы́ мóжете переезжáть зáвтра же.

    счастлúвый [ščiṣḷívij]

Мнé бýдет óчень прия́тно вúдеть у себя́ счастлúвых людéй.

    чáсть (f)

Я́ вáм дáм чáсть дéнег.
    остальнóй

Спасúбо. Éсли мóжно, я́ вáм дáм чáсть дéнег сейчáс, а остальны́е зáвтра.

Дá, дá, конéчно.

Тáк до зáвтра.

SUPPLEMENT

    лáвка

По дорóге домóй я́ зайдý в лáвку.

No, we don't.

No, we don't, but there's a bathhouse quite close by.

    kitchen
    in the kitchen; to the kitchen
    to wash up, wash one's face and hands

We wash up in the kitchen.
    faucet, tap
    at the tap, under the tap

We wash up at the tap in the kitchen.

Come along, I'll show you.

    roomy, spacious

What a roomy kitchen!

    landlady; housewife, lady of the house; hostess

How many of the (house)wives cook here?

    lady roomer

Two: my other lady roomer and I.

    dishes

If you don't have any dishes, you can use mine.

    Thanks very much.

    since, inasmuch as
    opportune, handy; well timed; incidentally

That would be very handy, since we don't have anything of our own.

    to get married (said of couple only)

You see, we just got married.

    separate, individual

We still live apart.

Then you can move in tomorrow.

    happy

It'll be very pleasant for me to see happy people at my place.

    part

I'll give you part of the money.
    the remaining, the rest; the other

Thanks. If it's all right, I'll give you part of the money now and the rest tomorrow.

Yes, yes, of course.

Until tomorrow then.

    small store, shop; bench

On my way home I'll stop in at the store.

Посиди́м здесь на ла́вке и отдохнём.	Let's sit on this bench and rest awhile.
хозя́ин, -а (irreg pl хозя́ева, хозя́ев)	landlord, owner; host
Кто здесь хозя́ин?	Who's the landlord (or owner) here?
Хозя́ев нет до́ма.	The landlords (or owners) are out.
квартира́нт	roomer, lodger, tenant
Познако́мьтесь с на́шим но́вым квартира́нтом.	Meet our new roomer.
передвига́ть, -а́ют (I)	to shift, move over
Она́ всегда́ передвига́ет ме́бель на но́вое ме́сто.	She's always moving furniture to a different place.
умы́ться, умо́ются (pfv I)	to wash up, wash one's face and hands
Умо́йся и сади́сь за́втракать.	Wash up and sit down to eat your breakfast.
жени́ться, же́нятся (II)	to marry, wed
Он же́нится на О́ле.	He's marrying Olya.
тёмный (темно́)	dark
темне́е	darker
Стано́вится темно́.	It's getting dark.
гро́мкий (гро́мко)	loud
Не говори́ так гро́мко.	Don't talk so loud.
ти́ше	quiet; softer, more softly; more slowly
Ти́ше! Ребёнок спит.	Quiet! The baby's asleep.
Ти́ше е́дешь — да́льше бу́дешь.	Go slowly and you'll get further.
мо́крый	wet
Я весь мо́крый, дождь пря́мо льёт.	I'm all wet; it's simply pouring down rain.
дива́н	sofa, couch
Передви́нем дива́н бли́же к окну́.	Let's move the sofa closer to the window.

Меблиро́ванная ко́мната

О. — О́ля   Х. — Хозя́йка

Х. 1 Ко́мната све́тлая и суха́я. У́лица у нас ти́хая, движе́ние небольшо́е. Вот сюда́, в э́ту дверь, пожа́луйста.

О. 2 О, кака́я хоро́шая обстано́вка! Да́же ковёр на стене́![1] Вся э́та ме́бель оста́нется здесь?

Х. 3 Да, коне́чно. Е́сли вам ещё что́-нибудь ну́жно, то скажи́те.

О. 4 Вот одно́, пожа́луй: му́жу необходи́м пи́сьменный стол и, кро́ме того́, ла́мпа для рабо́ты.

Х. 5 Это мо́жно доста́ть. Мы передви́нем комо́д к э́той стене́, тогда́ стол ста́нет здесь, между окно́м и гардеро́бом.[2]

О. 6 Вот и прекра́сно. А кре́сло поста́вим сюда́, так бу́дет ую́тнее. Тепе́рь скажи́те, ва́нная у вас есть?

Х. 7 Нет, не́ту, но здесь ба́ня совсе́м ря́дом. А умыва́емся мы на ку́хне под кра́ном. Пойдёмте, я покажу́.[3]

О. 8 Кака́я просто́рная ку́хня! Ско́лько хозя́ек здесь гото́вит?[4]

Х. 9 Две́: я и моя́ друга́я квартира́нтка. Е́сли у ва́с не́т свое́й посу́ды, то мо́жете по́льзоваться мое́й.[5]

О. 10 Большо́е спаси́бо. Э́то о́чень кста́ти, та́к как у на́с ничего́ своего́ не́т. Мы́ ведь то́лько что пожени́лись, ещё живём отде́льно.

Х. 11 Тогда́ мо́жете переезжа́ть за́втра же. Мне́ бу́дет о́чень прия́тно ви́деть у себя́ счастли́вых люде́й.

О. 12 Спаси́бо. Е́сли мо́жно, я́ ва́м да́м ча́сть де́нег сейча́с, а остальны́е за́втра.

Х. 13 Да́, да́, коне́чно. Та́к до за́втра.

NOTES

[1] Oriental, or imitation oriental, rugs are often hung on the wall or draped over a sofa.

[2] The word **гардеро́б** is used both for a public checkroom and a movable wardrobe closet. The more expensive wardrobes usually have a large mirror in the door.

[3] The addition of the unstressed suffix –те to the first person plural imperative adds a note of politeness, suggesting an invitation to do something together, as in the English *let's go, you and I.*

[4] It is usual to share (with other tenants) not only kitchens but also bathroom and toilet facilities. Even the new apartment buildings are so arranged that three or four families share these facilities.

[5] The collective term **посу́да** is used for dishes, tea service, and pots and pans for cooking. More specifically, **столо́вая посу́да** is used for the tableware, **ча́йная посу́да** for the tea service, and **кухо́нная посу́да** for the cooking utensils.

Basic sentence patterns

1. Кото́рый сейча́с ча́с? — What time is it now?
   — Без че́тверти ча́с. — A quarter to one.
   — Без пяти́ ча́с. — Five to one.
   — Без десяти́ ча́с. — Ten to one.
   — Без двадцати́ ча́с. — Twenty to one.

2. Сейча́с без двадцати́ трёх три́. — It's now twenty-three minutes to three.
   _____ без двадцати́ четырёх _____. — _____ twenty-four _____.
   _____ без двадцати́ пяти́ _____. — _____ twenty-five _____.
   _____ без двадцати́ шести́ _____. — _____ twenty-six _____.

3. Ско́лько по ва́шим часа́м? — What time do you have?
   — Сейча́с де́сять мину́т пя́того. — It's now ten after five.
   _____ пятна́дцать _____. — _____ fifteen _____.
   _____ че́тверть _____. — _____ a quarter __.
   _____ два́дцать мину́т шесто́го. — _____ twenty after six.
   _____ два́дцать две́ мину́ты __. — _____ twenty-two __.

4. Сейча́с уже́ два́дцать пя́ть мину́т пе́рвого. — It's already twenty-five minutes after twelve.
   _____ две́ мину́ты _____. — _____ two _____.
   _____ три́ _____. — _____ three _____.
   _____ четы́ре _____. — _____ four _____.

5. Когда́ придёт по́езд?
   — По расписа́нию без двадцати́ шесть.
   _____ че́тверти ____.
   _____ десяти́ ____.

   When will the train come?
   At twenty to six, according to the schedule.
   — a quarter _____.
   — ten _____.

6. В кото́ром часу́ отправля́ется самолёт?
   — В два́дцать мину́т второ́го.
   — В два́дцать пя́ть мину́т второ́го.
   — В че́тверть второ́го.
   — В де́сять мину́т второ́го.

   At what time does the plane leave?
   At twenty past one.
   At twenty-five ____.
   At a quarter ____.
   At ten _____.

7. Когда́ лети́т ва́ш самолёт?
   — В два́ три́дцать.
   — В два́ со́рок.
   — В два́ пятьдеся́т два́.

   When is your plane flying?
   At 2:30.
   At 2:40.
   At 2:52.

8. Сообщи́те э́то Соловьёву.
   _____ Соловьёвой.
   _____ Соловьёвым.
   _____ бра́тьям Соловьёвым.
   _____ сёстрам Соловьёвым.

   Tell that to Solovyov.
   _____ Miss (or Mrs.) Solovyov.
   _____ the Solovyovs.
   _____ the Solovyov brothers.
   _____ the Solovyov sisters.

9. Мы́ бы́ли в гостя́х у Цара́пкина.
   _____ у Цара́пкиной.
   _____ у Цара́пкиных.

   We visited Mr. Tsarapkin.
   _____ Miss (or Mrs.) Tsarapkin.
   _____ the Tsarapkins.

10. Ты́ ви́дел Петро́ву?
    — О како́й Петро́вой ты́ говори́шь?

    Ты́ ви́дел Петро́ва?
    — О како́м Петро́ве ты́ говори́шь?
    Ты́ ви́дел Петро́вых?
    — О каки́х Петро́вых ты́ говори́шь?

    Did you see Miss (or Mrs.) Petrov?
    Which Miss (or Mrs.) Petrov are you talking about?
    Did you see Mr. Petrov?
    Which Petrov are you talking about?
    Did you see the Petrovs?
    Which Petrovs are you talking about?

11. Она́ вы́шла за́муж за Соловьёва.
    _____ за Ку́рочкина.
    _____ за Орло́ва.

    She married Solovyov.
    _____ Kurochkin.
    _____ Orlov.

12. О́н жени́лся на Соловьёвой.
    _____ на Алексе́евой.
    _____ на Цара́пкиной.

    He married Miss Solovyov.
    _____ Alexeev.
    _____ Tsarapkin.

13. Вчера́ я́ познако́мился с Во́лковым.
    _____ с Верёвкиным.
    _____ с Петро́вым.

    Yesterday I met Volkov.
    _____ Veryovkin.
    _____ Petrov.

14. О́ля выхо́дит за́муж.
    ___ вы́шла ____.
    ___ вы́йдет ____.
    ___ выхо́дит (за́муж) за Миха́йла.
    ___ уже́ за́мужем.
    ___ за́мужем за Миха́йлом.

    Olya is getting married.
    ___ got _____.
    ___ is going to get ___.
    ___ is going to marry Mikhail.
    ___ is already married.
    ___ is married to Mikhail.

15. Миха́йл же́нится на О́ле.
    _____ жени́лся ____.
    _____ жена́т.
    _____ жена́т на О́ле.

    Mikhail is marrying Olya.
    _____ married ____.
    _____ is married.
    _____ is married to Olya.

16. Они́ уже́ два́ го́да жена́ты.
Они́ ско́ро поже́нятся.
Они́ то́лько что пожени́лись.

They've already been married two years.
They'll soon get married.
They just got married.

17. Ва́ш бра́т жена́т?
— Не́т, ещё не жена́т.
Ва́ши бра́тья жена́ты?
— Да́, о́ба жена́ты.
Ва́ша сестра́ за́мужем?
— Не́т, она́ ещё не за́мужем.
Ва́ши сёстры за́мужем?
— Да́, они́ о́бе за́мужем.

Is your brother married?
No, he's still unmarried.
Are your brothers married?
Yes, they're both married.
Is your sister married?
No, she's still unmarried.
Are your sisters married?
Yes, they're both married.

18. Когда́ они́ же́нятся?
— На бу́дущей неде́ле.
Когда́ они́ поже́нятся?
— Че́рез неде́лю.

When are they getting married?
Next week.
When are they going to get married?
In a week.

19. Где́ ты́ достаёшь таки́е све́жие я́йца?
____ вы́ достаёте _____?
____ она́ достаёт _____?
____ они́ достаю́т _____?

Where do you get such fresh eggs?
____ do you get _____?
____ does she get _____?
____ do they get _____?

20. Ты́ ра́ньше не сдава́лся та́к бы́стро.
Вы́ _____ сдава́лись _____.
Не сдава́йся!
Не сдава́йтесь!

You didn't (used to) give up so quickly before.
You _____.
Don't give up!
Don't _____!

21. Мне́ необходи́м пи́сьменный сто́л.
____ необходи́ма ла́мпа.
____ необходи́мо кре́сло.
____ необходи́мы де́ньги.

I have to have a writing table (*or* desk).
_____ a lamp.
_____ an easy chair.
_____ money.

22. О́н не узнаёт э́того ме́ста.
О́н не узнава́л _____.

He doesn't recognize the place.
He didn't _____.

Pronunciation practice: clusters of three consonants with к as the initial consonant

A. Clusters in which initial к is pronounced voiced.

1. **кдв** pronounced [gdv] or [gd̦v̦]

   [gdvójk̦i] к дво́йке
   to the twosome
   [gdvətcați] к двадцати́
   to twenty

   [gd̦v̦ér̦i] к две́ри
   to the door

2. **кдр** pronounced [gdr] or [gdr̦]

   [gdrám̦i] к дра́ме
   to the drama
   [gdravám] к дрова́м
   to the firewood

   [gdr̦óm̦i] к дрёме
   to the slumber

3. **кзв** pronounced [gzv] or [gz̦ɣ]

[gzvúku] к звýку
to the sound

[gz̦ɣéṛu] к звéрю
to the beast

[gz̦ɣinú] к звенý
to the link

4. **кзн** pronounced [gzn]

[gznáṇiju] к знáнию
to the knowledge

[gznakómim] к знакóмым
to friends

[gznáṃiṇi] к знáмени
to the banner

B. Clusters in which initial **к** is pronounced voiceless.

1. **кср** pronounced [ksr] or [ksṛ]

[ksrámu] к срáму
to the shame

[ksróku] к срóку
by the deadline

[ksṛiḍé] к средé
by Wednesday

2. **ксн** pronounced [ksn] or [ksṇ]

[ksnósu] к снóсу
to the demolition

[ksnaṛádu] к снарЯду
to the shell

[ksṇégu] к снéгу
to the snow

3. **ктр** pronounced [ktr] or [ktṛ]

[ktrónu] к трóну
to the throne

[ktrudú] к трудý
to the labor

[ktṛóm] к трём
by three

4. **кст** pronounced [kst] or [kʂṭ]

[kstupṇé] к ступнé
to the foot

[kstáji] к стáе
to the flock

[kʂṭiṇé] к стенé
to the wall

5. **ктв** pronounced [ktv] or [ktɣ]

[ktvəragú] к творогý
to the cottage cheese

[ktvəjimú] к твоемý
to your

[ktɣórdəʂṭi] к твёрдости
to strictness

6. **ксв** pronounced [ksv] or [kʂɣ]

[ksváḍḇi] к свáдьбе
for the wedding

[ksvabóḍi] к свобóде
to freedom

[kʂɣéḍiṇiju] к свéдению
for one's information

7. **ксл** pronounced [ksl] or [kʂḽ]

[kslúčəju] к слýчаю
to the occasion

[kslóvu] к слóву
by the way

[kʂḽédu] к слéду
to the trace

STRUCTURE AND DRILLS

Declension of surnames ending in -ов, -ёв, -ев, and -ин

		SINGULAR		PLURAL
		Masculine	*Feminine*	
noun endings	NOM	Соловьёв	Соловьёва	Соловьёвы
	ACC GEN	Соловьёва	Соловьёву	Соловьёвых
	PREP	Соловьёве		
	DAT	Соловьёву	Соловьёвой	Соловьёвым
	INSTR	Соловьёвым		Соловьёвыми

adjective endings

MODELS

Мы́ бы́ли у Петро́ва.
———— у Петро́вой.
———— у Петро́вых.

Я удивля́юсь Петро́ву.
———— Петро́вой.
———— Петро́вым.

Мы́ у́жинали с Петро́вым.
———— с Петро́вой.
———— с Петро́выми.

Где́ Никола́й Верёвкин?
— Верёвкина сего́дня не́т.
— Я ви́дел Никола́я Верёвкина на база́ре.

Где́ Ири́на Верёвкина?
— Ири́ны Верёвкиной сего́дня не́т.
— Позвони́ Ири́не Верёвкиной.

Вы́ чита́ли «А́нну Каре́нину»?
———— «Евге́ния Оне́гина»?
———— «Бори́са Годуно́ва»?
———— «Бра́тьев Карама́зовых»?

We were at Mr. Petrov's place.
———— Miss (*or* Mrs.) Petrov's place.
———— the Petrovs' place.

I'm surprised at Mr. Petrov.
———— Miss (*or* Mrs.) Petrov.
———— the Petrovs.

We had supper with Mr. Petrov.
———— Miss (*or* Mrs.) Petrov.
———— the Petrovs.

Where's Nikolay Veryovkin?
Veryovkin isn't here today.
I saw Nikolay Veryovkin at the market.

Where's Irina Veryovkin?
Irina Veryovkin isn't here today.
Give Irina Veryovkin a call.

Have you read *Anna Karenina*?
———— *Eugene Onegin*?
———— *Boris Godunov*?
———— *The Brothers Karamazov*?

■ REPETITION DRILL

Repeat the models, noting that the declension of last names ending in **–ов, –ёв, –ев**, and **–ин** is varied; that is, some endings are like those of nouns and others like those of adjectives.

LESSON 26

■ QUESTION-ANSWER DRILLS

1. *Miss Petrov isn't here, is she?*
   No, Miss Petrov has been sent to the capital.
   Петро́вой здéсь нéт?
   Нéт, Петро́ву посла́ли в цéнтр.
   Алексéевой здéсь нéт?
   Нéт, Алексéеву посла́ли в цéнтр.
   (Орло́вой, Верёвкиной, Семёновой, Волко́вой, Козло́вой)

2. *Can one count on the Petrovs?*
   On Mr. Petrov—yes, but on Mrs. Petrov—not very much.
   Мо́жно рассчи́тывать на Петро́вых?
   На Петро́ва — да́, но на Петро́ву — не о́чень.
   Мо́жно рассчи́тывать на Орло́вых?
   На Орло́ва — да́, но на Орло́ву — не о́чень.
   (Во́лковых, Семёновых, Хитро́вых, Козло́вых)

■ STRUCTURE REPLACEMENT DRILLS

1. *Miss Petrov is looking for a job.*
   Miss Petrov has to have a job.
   Петро́ва и́щет рабо́ту.
   Петро́вой необходи́ма рабо́та.
   Алексéева и́щет рабо́ту.
   Алексéевой необходи́ма рабо́та.
   (Орло́ва, Верёвкина, Семёнова, Соловьёва, Козло́ва)

2. *Kozlov is always in a hurry.*
   Kozlov never has time.
   Козло́в всегда́ спеши́т.
   Козло́ву всегда́ нéкогда.
   Алексéев всегда́ спеши́т.
   Алексéеву всегда́ нéкогда.
   (Петро́в, Куро́чкин, Оси́пов, Волко́в, Цара́пкин)

■ RESPONSE DRILLS

1. *I used to work with Nikolay Orlov.*
   And I with Natasha Orlov.
   Я́ рабо́тал с Никола́ем Орло́вым.
   А я́ с Ната́шей Орло́вой.
   Я́ рабо́тал с Никола́ем Во́лковым.
   А я́ с Ната́шей Во́лковой.
   (Семёновым, Цара́пкиным, Хитровым, Козло́вым, Куро́чкиным)

2. *Here's a package for Nadya Volkov.*
   No, this is for Nikolay Volkov.
   Во́т посы́лка На́де Во́лковой.
   Нéт, э́то Никола́ю Во́лкову.
   Во́т посы́лка На́де Верёвкиной.
   Нéт, э́то Никола́ю Верёвкину.
   (Петро́вой, Оси́повой, Орло́вой, Семёновой, Куро́чкиной)

DISCUSSION

Most Russian surnames end in –ов, –ёв, –ев, or –ин. They follow a mixed declension pattern, having some endings typical of nouns and others typical of adjectives. Masculine surnames are declined like hard-stem nouns except for the instrumental singular, which has the adjectival ending –ым. Feminine surnames are declined like nouns in the nominative (–а) and accusative (–у) cases only; they have the adjectival ending –ой in all other cases. Only in the nominative (–ы) case is the declension of surnames in the plural like that of the noun. In all other cases the declension follows an adjectival pattern (–ых, –ым, and –ыми).

Stress is generally placed on the same syllable throughout the declension of surnames. Last names ending in –ин often have their stress on the ending:

Во́т иду́т Ильины́.	Here come the Ilyins.
Вы́ зна́ете Влади́мира Ильина́?	Do you know Vladimir Ilyin?
Э́то Надéжда Петро́вна Ильина́.	This is Nadezhda Petrovna Ilyin.

Where there is no ending (masculine nominative singular), the stress necessarily shifts back to the stem:

Э́то Бори́с Петро́вич Ильи́н.	This is Boris Petrovich Ilyin.

Verbs of *marrying*: жени́ться (пожени́ться) versus выходи́ть (вы́йти) за́муж, жена́т(ы) versus за́мужем

to marry, get married	жени́ться (ipfv and pfv) пожени́ться (pfv) выходи́ть за́муж (ipfv) вы́йти за́муж (pfv)	на + prep (no prep) за + acc за + acc	(said of men or couple) (said of couple only) (said of women only)
married, to be married	жена́т (жена́ты) за́мужем	на + prep за + instr	(said of men or couple) (said of women only)

MODELS

Влади́мир же́нится.	Vladimir is getting married.
Влади́мир и Та́ня же́нятся.	Vladimir and Tanya are getting married.
Ты́ жена́т?	Are you married?
Вы́ жена́ты?	Are you married?
Они́ уже́ два́ го́да жена́ты.	They've been married for two years now.
О́н ра́но жени́лся.	He married early.
Когда́ они́ поже́нятся?	When are they going to get married?
Мы́ то́лько что пожени́лись.	We just got married.
На ко́м о́н же́нится?	Whom is he marrying?
— О́н же́нится на Зи́не.	He's marrying Zina.
На ко́м о́н жена́т?	To whom is he married?
— На Зи́не.	To Zina.
Ма́ша уже́ за́мужем.	Masha's already married.
Ма́ша выхо́дит за́муж.	Masha's getting married.
За кого́ она́ выхо́дит за́муж?	Whom is she marrying?
Она́ то́лько что вы́шла за́муж.	She just got married.
Я́ не ду́маю, что она́ когда́-нибудь вы́йдет за́муж.	I don't think she'll ever get married.

■ REPETITION DRILL

Repeat the given models, noting that while **жени́ться** and **жена́т(ы)** can be used in reference both to men and to couples, **выходи́ть (вы́йти) за́муж** and **за́мужем** can only refer to women. (The perfective verb **пожени́ться** can only be used when referring to a couple.)

■ QUESTION-ANSWER DRILLS

1. *When is he getting married?*
   He's getting married next week.
   Когда́ о́н же́нится?
   О́н же́нится на бу́дущей неде́ле.
   Когда́ ты́ же́нишься?
   Я́ женю́сь на бу́дущей неде́ле.
   (вы, они, Виктор, он, мы)

2. *Are you getting married?*
   No, I'm not getting married.
   Ты́ выхо́дишь за́муж?
   Не́т, я́ не выхожу́ за́муж.
   Вы́ с сестро́й выхо́дите за́муж?
   Не́т, мы́ не выхо́дим за́муж.
   (она, эти девушки, ты, Маша, сёстры Орловы, вы)

■ STRUCTURE REPLACEMENT DRILLS

1. *She's Mikhail's fiancée.*
   She's marrying Mikhail.
   Она́ неве́ста Михаи́ла.
   Она́ выхо́дит за́муж за Михаи́ла.
   Она́ неве́ста Оле́га.
   Она́ выхо́дит за́муж за Оле́га.
   (Бори́са, Никола́я, Евге́ния,
   Влади́мира, Кири́лла, Фили́ппа)

2. *She's married to Solovyov.*
   She married Solovyov.
   Она́ за́мужем за Соловьёвым.
   Она́ вы́шла за́муж за Соловьёва.
   Она́ за́мужем за Петро́вым.
   Она́ вы́шла за́муж за Петро́ва.
   (за Куро́чкиным, за Хитро́вым,
   за Волко́вым, за Алексе́евым,
   за Цара́пкиным)

■ SUBJECT REVERSAL DRILLS

1. *Nikolay is married to my sister.*
   My sister is married to Nikolay.
   Никола́й жена́т на мое́й сестре́.
   Моя́ сестра́ за́мужем за Никола́ем.
   Евге́ний жена́т на мое́й сестре́.
   Моя́ сестра́ за́мужем за Евге́нием.
   (Ива́н, Ви́ктор, Пётр, Оле́г,
   Лев, Ва́ня)

2. *Zina is married to my brother.*
   My brother is married to Zina.
   Зи́на за́мужем за мои́м бра́том.
   Мой брат жена́т на Зи́не.
   Ма́ша за́мужем за мои́м бра́том.
   Мой брат жена́т на Ма́ше.
   (Та́ня, Ва́ля, Ве́ра, Ка́тя, Оля, Ни́на)

■ RESPONSE DRILLS

1. *This is Mikhail, Olya's fiancé.*
   Is Olya getting married to Mikhail?
   Э́то Михаи́л, О́лин жени́х.
   О́ля выхо́дит за́муж за Михаи́ла?
   Э́то Васи́лий, О́лин жени́х.
   О́ля выхо́дит за́муж за Васи́лия?
   (Влади́мир, Са́ша, Кири́лл, То́ля,
   Ви́ктор, Ко́ля)

2. *This is Tamara, Vanya's fiancée.*
   Is Vanya marrying Tamara?
   Э́то Тама́ра, неве́ста Ва́ни.
   Ва́ня же́нится на Тама́ре?
   Э́то Све́та, неве́ста Ва́ни.
   Ва́ня же́нится на Све́те?
   (Ма́ша, Зи́на, Га́ля, Та́ня, Ка́тя, Оля)

DISCUSSION

Жени́ться and жена́т(ы) are accompanied by **на** plus the prepositional case to indicate the fiancée or wife:

На ко́м ты́ же́нишься?	Whom are you marrying?
— На Ири́не Петро́вне.	Irina Petrovna.
На ко́м они́ жена́ты?	To whom are they married?
— На сёстрах Орло́вых.	To the Orlov sisters.

Выходи́ть (вы́йти) за́муж is accompanied by **за** plus the accusative case to indicate the fiancé or husband, but за́мужем requires **за** plus the instrumental:

Compare	За кого́ она́ выхо́дит за́муж?	Whom is she marrying?
	— За Михаи́ла Ива́новича.	Mikhail Ivanovich.
	Она́ вы́шла за́муж за Евге́ния.	She married Evgeny.
with	За ке́м она́ за́мужем?	To whom is she married?
	— За Михаи́лом Ива́новичем Козло́вым.	To Mikhail Ivanovich Kozlov.
	Она́ за́мужем за Васи́лием Ку́рочкиным.	She's married to Vasily Kurochkin.

Жени́ться is both imperfective and perfective. Пожени́ться is used only in reference to a couple:

Compare	Óн скóро жéнится.	He's getting married soon.
	Óн недáвно жени́лся.	He recently married.
	Егó брáтья недáвно жени́лись.	His brothers recently married.

| with | Евгéний жени́лся на Ни́не? | Did Evgeny marry Nina? |
| | — Дá, они́ недáвно пожени́лись. | Yes, they got married recently. |

Verbs with infinitives ending in -авáть and -авáться

MODELS

Я́ егó никогдá не узнавáл.	I always failed to recognize him.
Рáзве вы́ меня́ не узнаёте?	You really don't recognize me?
Онá оставáлась в бюрó пóсле рабóты.	She used to stay in the office after work.
Мы́ оставáлись в бюрó пóсле рабóты.	We used to stay in the office after work.
Не оставáйся в бюрó пóсле рабóты!	Don't stay in the office after work!
Ты́ не знáешь, здéсь гдé-нибудь не сдаётся кóмната?	You don't know whether or not there's a room for rent somewhere around here, do you?
На прóшлой недéле сдавáлась кóмната недалекó отсю́да.	Last week there was a room for rent not far from here.
Мои́ часы́ отстаю́т на нéсколько мину́т.	My watch is several minutes slow.
_____ отставáли _____.	_____ was _____.
Вставáй!	Get up!
Порá вставáть!	It's time to be getting up!
Я́ обы́чно встаю́ в сéмь.	I usually get up at seven.
Лéтом я́ вставáл в шéсть.	In summer I got up at six.
Гдé вы́ преподаёте?	Where do you teach?
Гдé вы́ преподавáли?	Where did you teach?
Вы́ хоти́те преподавáть?	Do you want to teach?

■ RESPONSE DRILLS

1. *It's absolutely necessary to sell such things.*
   They do sell such things.
   Таки́е вéщи необходи́мо продавáть.
   Они́ продаю́т таки́е вéщи.
   Таки́е вéщи необходи́мо доставáть.
   Они́ достаю́т таки́е вéщи.
   (передавать, отдавать, давать,
   узнавать, преподавать, доставать)

2. *She doesn't want to rent rooms.*
   But she's doing it.
   Éй не хóчется сдавáть кóмнаты.
   Но онá сдаёт.
   Éй не хóчется вставáть.
   Но онá встаёт.
   (признаваться, оставаться, отставать,
   подавать, продавать)

■ QUESTION-ANSWER DRILLS

1. *Why aren't you getting up?*
   Get up!
   Почему́ ты́ не встаёшь?
   Встава́й!
   Почему́ ты́ не признаёшься?
   Признава́йся!
   (остаёшься, передаёшь, сдаёшься,
   преподаёшь, достаёшь, продаёшь)

2. *Why do you sell it?*
   Don't sell it!
   Заче́м вы́ э́то продаёте?
   Не продава́йте!
   Заче́м вы́ остаётесь?
   Не остава́йтесь!
   (э́то даёте, признаётесь, э́то отдаёте,
   встаёте, отстаёте, э́то передаёте)

■ TRANSFORMATION DRILLS

1. *They're admitting everything.*
   They've admitted everything.
   Они́ во всём признаю́тся.
   Они́ во всём признава́лись.
   Они́ всё продаю́т.
   Они́ всё продава́ли.
   (узнаю́т, передаю́т, достаю́т,
   преподаю́т, отдаю́т)

2. *They never give up.*
   They never gave up.
   Они́ никогда́ не сдаю́тся.
   Они́ никогда́ не сдава́лись.
   Они́ никогда́ не признаю́тся.
   Они́ никогда́ не признава́лись.
   (не встаю́т в семь, не отстаю́т,
   ничего́ не узнаю́т, ничего́ не продаю́т,
   ничего́ не преподаю́т, не остаю́тся)

DISCUSSION

Verbs with infinitives ending in –ава́ть and –ава́ться are all imperfective verbs of the first conjugation. They all follow a similar conjugation pattern: –ва– is retained in the infinitive, past tense, and imperative but lost in the present tense:

INFINITIVE	дава́ть	остава́ться
PAST	дава́л, дава́ла, etc.	остава́лся, остава́лась, etc.
IMPERATIVE	дава́й! дава́йте!	остава́йся! остава́йтесь!
PRESENT	даю́, даёшь, etc.	остаю́сь, остаёшься, etc.

Verbs ending in –ава́ть and –ава́ться differ in one respect from all other types of verbs. They base their imperative on the infinitive-past tense stem rather than on the present-future stem.

Uses of the dative case

MODELS

Узна́й то́чный а́дрес и скажи́ **О́ле.**	Find out the exact address and tell *Olya.*
Я́ **ва́м** покажу́ ку́хню.	I'll show *you* the kitchen.
Помоги́ **мне́!**	Help *me!*
Я́ **ей** не зави́дую.	I don't envy *her.*
Не удивля́йся **ему́.**	Don't be surprised at *him.*
Я́ **ей**, ка́жется, не нра́влюсь.	I guess I don't appeal to *her* or *She* doesn't like me, I guess.
Подойдём бли́же **к о́зеру.**	Let's go up closer *to the lake.*
Передви́нем кре́сло **к стене́.**	Let's move the chair over *to the wall.*
До́ктор принима́ет **по вечера́м.**	The doctor has office hours *in the evenings.*
Они́ това́рищи **по ко́мнате.**	They're *roommates.*

Ва́м на́до бо́льше ходи́ть.

На́м не́когда бы́ло поговори́ть.

Мне́ ещё нельзя́ встава́ть.

И́м пришло́сь сня́ть меблиро́ванную ко́мнату.

Мне́ всё равно́.

Ва́м не хо́лодно?

Ему́ тепе́рь лу́чше.

Мне́ его́ жа́ль.

На́м бы́ло ве́село.

Влади́миру нужна́ ру́чка.

Му́жу необходи́м пи́сьменный сто́л.

Мне́ не спало́сь.

Ему́ не спи́тся.

Мне́ выходи́ть на сле́дующей остано́вке.

Что́ **мне́** тепе́рь де́лать?

Заче́м **ему́** об э́том зна́ть?

You should walk more.

We had no time to talk.

I'm not allowed to get up yet.

They had to rent a furnished room.

It's all the same to *me* or *I* don't care.

You're not cold?

He feels better now or *He's* better now.

I feel sorry for him.

We had fun or *We* had a good time.

Vladimir needs a pen.

My husband needs a writing table.

I couldn't seem to sleep.

He can't seem to sleep.

I get out at the next stop.

What am *I* to do now?

Why does *he* have to know about it?

■ REPETITION DRILL

Repeat the models illustrating the uses of the dative case.

■ STRUCTURE REPLACEMENT DRILLS

1. *Doesn't Solovyov know about it?*
   Wasn't Solovyov informed about it?
   Соловьёв об э́том не зна́ет?
   Соловьёву об э́том не сообщи́ли?
   Петро́ва об э́том не зна́ет?
   Петро́вой об э́том не сообщи́ли?
   (Михаил, американцы, Оля, хозяйка, хозяин, хозяева)

2. *Are they moving to Moscow?*
   Are they moving closer to Moscow?
   Они́ переезжа́ют в Москву́?
   Они́ переезжа́ют бли́же к Москве́?
   Они́ переезжа́ют в це́нтр?
   Они́ переезжа́ют бли́же к це́нтру?
   (в Ленинград, в Горький, в Одессу, в Киев, в Ташкент, в Харьков, в Ялту)

3. *He doesn't know where to sit.*
   He has no place to sit.
   О́н не зна́ет, куда́ се́сть.
   Ему́ не́куда се́сть.
   О́н не зна́ет, куда́ пойти́.
   Ему́ не́куда пойти́.
   (смотреть, повернуть, плыть, ехать, поставить машину, положить чемодан)

4. *I can't sleep.*
   I can't seem to sleep.
   Я́ не могу́ спа́ть.
   Мне́ не спи́тся.
   Я́ не могу́ сиде́ть.
   Мне́ не сиди́тся.
   (работать, пить, писать, читать, лежать)

■ SUBJECT REVERSAL DRILLS

1. *Irina didn't believe Oleg.*
   Oleg didn't believe Irina.
   Ири́на не пове́рила Оле́гу.
   Оле́г не пове́рил Ири́не.
   Хозя́йка не пове́рила Оле́гу.
   Оле́г не пове́рил хозя́йке.
   (Владимир, жена, хозяин, хозяева, Тамара, милиционер)

2. *Olya admitted it to him.*
   He admitted it to Olya.
   О́ля ему́ в э́том призна́лась.
   О́н призна́лся в э́том О́ле.
   Ребя́та ему́ в э́том призна́лись.
   О́н призна́лся в э́том ребя́там.
   (Светлана, горничная, Вадим, туристы, мальчики, Михаил)

1. *Should I turn into this alley?*
   O.K., let's drive down this alley.
   Повернуть в э́тот переу́лок?
   Хорошо́, пое́дем по э́тому переу́лку.
   Поверну́ть на э́ту пло́щадь?
   Хорошо́, пое́дем по э́той пло́щади.
   (на эту дорогу, в эту улицу, в это
   село, в этот лес, в это поле)

2. *Did you go anywhere?*
   No, where would I go?
   Вы́ куда́-нибудь е́здили?
   Не́т, куда́ мне́ е́здить?
   Вы́ куда́-нибудь лета́ли?
   Не́т, куда́ мне́ лета́ть?
   (ходили, писали, звонили,
   обращались, торопились)

1. *You're (going to be) late.*
   You must hurry.
   Вы́ опа́здываете.
   Ва́м ну́жно поторопи́ться.
   Михаи́л опа́здывает.
   Михаи́лу ну́жно поторопи́ться.
   (регистратор, аспиранты, ты, мастер,
   врач, хозяйка, они)

2. *We didn't have a room.*
   We had no place to live.
   У на́с не́ было ко́мнаты.
   На́м не́где бы́ло жи́ть.
   У Васи́лия не́ было ко́мнаты.
   Васи́лию не́где бы́ло жи́ть.
   (у родителей, у них, у брата, у него,
   у уборщицы, у неё, у студента, у меня)

3. *Let me through, please.*
   I get out at the next stop.
   Да́йте мне́ пройти́, пожа́луйста.
   Мне́ выходи́ть на сле́дующей остано́вке.
   Да́йте ей пройти́, пожа́луйста.
   Ей выходи́ть на сле́дующей остано́вке.
   (нам, ему, им, мне, ей)

4. *I gambled away all my money.*
   What am I to do now?
   Я́ проигра́л все́ де́ньги.
   Что́ мне́ тепе́рь де́лать?
   Они́ проигра́ли все́ де́ньги.
   Что́ и́м тепе́рь де́лать?
   (он, мы, ты, она, я, они)

DISCUSSION

The dative case has many functions, the most important of which are the following:

As the indirect object of verbs which take both a direct and indirect object:

Узна́й то́чный а́дрес и скажи́ **мне́.**	Find out the exact address and tell *me.*
Она́ показа́ла **и́м** ку́хню.	She showed *them* the kitchen.
Они́ купи́ли **себе́** но́вую ме́бель.	They bought *themselves* new furniture.

As the personal object of many verbs which do not take a direct accusative object, for example, **помога́ть, помо́чь** *to help,* **зави́довать** *to envy,* **ве́рить, пове́рить** *to believe,* **удивля́ться, удиви́ться** *to be surprised at,* **нра́виться, понра́виться** *to appeal to,* **звони́ть, позвони́ть** *to phone,* **меша́ть, помеша́ть** *to disturb,* **отвеча́ть, отве́тить** *to answer,* **признава́ться, призна́ться** *to confess,* **вра́ть** *to lie,* and so forth:

Она́ **ва́м** помо́жет.	She'll help *you.*
Я́ **ему́** не зави́довал.	I didn't envy *him.*
Я́ **тебе́** удивля́юсь!	I'm surprised at *you!*
Вы́ **мне́** нра́витесь.	I like *you.*
Я́ **ва́м** не меша́ю?	I'm not disturbing *you,* am I?

As the object of prepositions such as **к** and **по**:

Подойдём бли́же **к воде́**.	Let's go over closer *to the water*.
Передви́нем дива́н **к окну́**.	Let's move the sofa over *to the window*.
Э́то на́до сде́лать **к восьми́**.	This has to be done *by eight*.
Они́ това́рищи **по шко́ле**.	They're *schoolmates*.
Я не люблю́ ходи́ть **по доктора́м**.	I don't like to go running *to doctors*.

In many impersonal constructions, usually in conjunction with the infinitive, for example, with **на́до, необходи́мо, ну́жно, мо́жно, нельзя́, пора́, придётся, пришло́сь, хо́чется, хоте́лось, не́где, не́куда, не́когда**:

Verbs used in such impersonal constructions are in the neuter singular form:

На́м не́когда бы́ло гуля́ть.	*We* had no time to go strolling.
Ему́ необходи́мо пойти́ к врачу́.	It's essential that *he* go see a doctor.
Тебе́ пора́ идти́ в шко́лу.	It's time for *you* to go to school.
Мне́ пришло́сь рабо́тать по суббо́там.	*I* had to work Saturdays.
И́м не́где поверну́ться.	*They've* no room to turn around in.

In conjunction with adverbs and short adjectives to express one's needs, state of being, or feeling:

Ему́ тепе́рь ху́же.	*He* feels worse now *or He's* worse now.
Мне́ жа́рко.	*I'm* hot.
На́м бы́ло ску́чно.	*We* were bored.
Влади́миру ну́жен портфе́ль.	*Vladimir* needs a briefcase.

With many negated reflexive verbs in an impersonal construction using the neuter singular form, frequently as a substitute for a construction using the verb **мочь**, but more often as a statement of inability caused by psychological factors:

Мне́ сего́дня не рабо́талось. (**Я не мо́г** сего́дня рабо́тать.)	*I* couldn't seem to work today. (*I couldn't* work today.)
Ему́ не сиди́тся на ме́сте. (**Он не мо́жет** сиде́ть на ме́сте.)	*He* can't seem to sit still. (*He can't* sit still.)

The dative is often used together with the infinitive in colloquial Russian in questions involving obligation or expectation where English uses *ought to*, *should*, or *supposed to*:

Где́ бы **на́м** пообе́дать?	Where do you think *we* ought to eat dinner?
Заче́м **ему́** об э́том зна́ть?	Why does *he* have to know about it?
Мо́жет быть **мне́** вы́йти?	Perhaps *I* should step out?
Где́ **мне́** доста́ть э́ту кни́гу?	Where am *I* supposed to get the book?
Куда́ **мне́** идти́?	Where am *I* supposed to go?

Telling time in minutes

MODELS

Кото́рый сейча́с ча́с?	What time is it now?
— Сейча́с без че́тверти ча́с.	It's now a quarter to one.
—————— пятна́дцати —.	——— fifteen ———.
—————— двадцати́ —.	——— twenty ———.
—————— десяти́ —.	——— ten ———.
—————— пяти́ —.	——— five ———.

Во ско́лько ухо́дит ва́ш по́езд?	What time does your train leave?
— Без двадцати́ пяти́ три́.	At twenty-five minutes to three.
_____ двадцати́ четырёх __.	__ twenty-four _____.
_____ двадцати́ трёх _____.	__ twenty-three _____.
_____ двадцати́ дву́х _____.	__ twenty-two _____.
По мои́м часа́м пятна́дцать мину́т	It's fifteen minutes past three by my watch.
четвёртого.	
_____ де́сять _____.	__ ten _____.
_____ два́дцать _____.	__ twenty _____.
Разбуди́те меня́ в полови́не пе́рвого.	Wake me up at 12:30.
_____ в пя́ть мину́т _____.	_____ at 12:05.
_____ в де́сять _____.	_____ at 12:10.
_____ в пятна́дцать _____.	_____ at 12:15.
_____ в два́дцать _____.	_____ at 12:20.

■ REPETITION DRILL

Repeat the given models, noting that in colloquial time-telling style the word for *minute* is expressed during the first half hour but omitted during the second half hour.

■ STRUCTURE REPLACEMENT DRILLS[1]

1. *It's now 5:06.*
   It's six minutes past five.
   Сейча́с пя́ть но́ль ше́сть.
   Сейча́с ше́сть мину́т шесто́го.
   Сейча́с двена́дцать два́дцать.
   Сейча́с два́дцать мину́т пе́рвого.
   (6.20, 11.25, 2.04, 4.08, 7.23, 9.10, 8.17, 6.14)

2. *The train arrives at 5:40.*
   The train arrives at twenty to six.
   По́езд прихо́дит в пя́ть со́рок.
   По́езд прихо́дит без двадцати́ ше́сть.
   По́езд прихо́дит в пя́ть со́рок оди́н.
   По́езд прихо́дит без девятна́дцати ше́сть.
   (5.42, 5.44, 5.46, 5.48, 5.50)

■ READING AND WRITING DRILLS

Give the following times in *official* style. Remember that zero is expressed by **но́ль** in official style.

1. 5.05, 5.06, 5.07, 5.10, 5.20, 5.25
2. в 6.10, в 7.14, в 8.16, в 9.17, в 10.18, в 11.20
3. 2.35, 2.40, 2.50, 2.55, 2.56, 2.57, 2.58

■ READING DRILLS

Repeat the preceding exercises, substituting *colloquial* style.

DISCUSSION

In colloquial style, for the first half of the hour the word for *minute* should not be omitted: **одна́ мину́та второ́го** (1:01), **две́ мину́ты второ́го** (1:02), **пя́ть мину́т второ́го** (1:05). *At* is expressed by **в** plus the accusative case: **в одну́ мину́ту второ́го** (*at* 1:01), **в две́ мину́ты второ́го** (*at* 1:02).

---

[1] In the following drills replace the *official* or *schedule* time with the same time in *colloquial* style. Note that *zero* in schedule time is expressed by the word **но́ль** and that Russian uses a period where English uses a colon.

For the second half of the hour, however, the word for *minute* is *not* expressed, and **в** is *not* used for *at*. Thus, **без пяти шесть** may mean either *it's five of six* or *at five of six*, depending on the context.

In official style, the masculine forms of *one* and *two* are used for these minutes and the word for *minute* is not itself given:

Compare (official)	Тепе́рь два́ два́дцать оди́н.	It's now 2:21.
	По́езд отхо́дит в три́ два́.	The train leaves at 3:02.
	По́езд отхо́дит в три́ три́дцать два́.	The train leaves at 3:32.
with (colloquial)	Тепе́рь два́дцать одна́ мину́та тре́тьего.	It's now twenty-one minutes past two.
	По́езд отхо́дит в две́ мину́ты четвёртого.	The train leaves at two minutes past three.
	По́езд отхо́дит без двадцати́ восьми́ четы́ре.	The train leaves at twenty-eight minutes of four.

ПОВТОРЕ́НИЕ

Орло́в с това́рищем два́ го́да жи́ли в одно́й ко́мнате. Неда́вно това́рищ жени́лся, и Орло́ву пришло́сь иска́ть себе́ другу́ю ко́мнату. Э́то бы́ло нелегко́, но через не́которое вре́мя о́н нашёл небольшу́ю ко́мнату в одно́м ча́стном до́ме. Ко́мната ему́ не о́чень понра́вилась: в не́й бы́ло те́сно и дово́льно темно́. Но что́ бы́ло де́лать? Орло́в сня́л её. О́н уже́ перее́хал, и вдру́г оказа́лось, что оди́н у́гол бы́л совсе́м мо́крый. К сожале́нию, Орло́в сли́шком по́здно э́то заме́тил. О́н передви́нул свою́ крова́ть из э́того угла́ к друго́й стене́. Но ра́зве э́то помо́жет? Его́ тепе́рь э́то всё о́чень беспоко́ит, потому́ что о́н совсе́м неда́вно бы́л бо́лен, и до́ктор сказа́л ему́, что на́до бы́ть осторо́жным.

— Ка́к у тебя́ здесь те́сно, Ва́ля, про́сто поверну́ться не́где! Заче́м сто́лько ме́бели?

— Ка́к же и́наче, тётя? На́с ведь пя́ть челове́к здесь живёт.

— Зна́ю. Во́т ва́м и ну́жно бы́ло бы вы́бросить ко́е-что из ме́бели, чтобы бы́ло бо́льше ме́ста.

— Ка́к вы́бросить? Что́ ты! Во́т смотри́: э́то у́гол сы́на, во́т его́ крова́ть и сто́л для заня́тий, во́т по́лка с кни́гами. Всё э́ти ве́щи ему́ соверше́нно необходи́мы.

— Ну́ хорошо́, а заче́м здесь дива́н?

— На нём спи́т ба́бушка.

— А почему́ у ва́с комо́д и гардеро́б стоя́т та́к стра́нно?

— Они́ у на́с вме́сто стены́ — здесь, за шка́фом, устро́ились мы́ с жено́й.

— Да́, тепе́рь я́ ви́жу, что ва́м действи́тельно необходи́ма вся́ э́та ме́бель.

— Зна́ешь, Никола́й, я́ тепе́рь живу́ в ча́стном до́ме, сня́л ко́мнату.

— Слы́шал. Ну́ и ка́к тебе́ та́м?

— Ничего́. Вчера́, когда́ я́ умыва́лся на ку́хне, познако́мился с сосе́дкой. Она́ та́м сиде́ла и чита́ла «Кни́гу о вку́сной и здоро́вой пи́ще». О́чень интере́сная.

— Кни́га?

— Не́т, сосе́дка, коне́чно. Блонди́нка, с больши́ми ка́рими глаза́ми. А ка́к она́ танцу́ет!

— Когда́ же ты́ успе́л узна́ть, ка́к она́ танцу́ет? Вы́ ра́зве та́м на ку́хне сра́зу и танцева́ть на́чали?

— Ну́ что́ ты́ таки́е глу́пости говори́шь? Коне́чно, не́т.

Мы́ танцева́ли у меня́ в ко́мнате. Я́ пригласи́л това́рищей, а она́ привела́ свои́х подру́г. Бы́ло о́чень ве́село.

PREPARATION FOR CONVERSATION | **Виктор и Филипп разговаривают о спорте**

разговаривать, –ают (I)
Мы долго разговаривали о спорте.
хромать, –ают (I)
Виктор, почему ты хромаешь?

to converse, talk
We had a long talk about sports.
to limp, walk with a limp
Why are you limping, Victor?

Нога болит.

My leg hurts.

ударить, –ят (pfv II)
колено, –а; колени, колен (*or* коленей)
**Вчера Олег ударил меня по колену, когда
мы играли в футбол.**

to hit, strike
knee (pl lap)
Oleg hit me in the knee yesterday, while we were
playing soccer.

больно
Я знаю, как это больно.

painful; it hurts
I know how painful that is.

разбить, разобьют (pfv I)
как-то
Мне как-то тоже разбили ногу.
во время (*plus* gen)
**Мне как-то тоже разбили ногу во время
игры.**

to break; to hurt badly
once; somehow
I once had my leg badly hurt, too.
during
I once had my leg badly hurt, too, during a game.

Да, это опасная игра.

Yes, it's a dangerous game.

футболист   [fudbaĺíst]
Так ты, значит, тоже футболист?

soccer player
So then you're a soccer player, too?

Нет, я играл в хоккей.

No, I played hockey.

вратарь, –я; –и, –ей (m)
Я был вратарём.

goalkeeper
I was goalkeeper.

команда
профессиональный
Да? Ты был в профессиональной команде?

team; brigade
professional
Really? Were you on a professional team?

◀ **Физкультурники на московском стадионе «Динамо».**   **667**

любительский
Нет, в любительской команде.

amateur, amateurish
No, on an amateur team.

приятель, –я (m)
шестеро
Нас было шестеро приятелей.

friend, pal
six (a set *or* a group of)
There were six of us friends.

Мы играли зимой в хоккей, а летом в бейсбол.

We played hockey in the winter and baseball in the summer.

слыхал (var. of слышал)
про (*plus* acc)
Я слыхал про ваш бейсбол.

heard
about
I've heard about your baseball.

лапта
Это похоже на нашу лапту.

lapta (Russian game)
It's similar to our lapta.

деревенский
Деревенские ребята играют в лапту.
Это похоже на нашу лапту, в неё деревенские ребята играют.

rural, village, country
The kids in the country play lapta.
It's similar to our lapta. Kids in the country play it.

Какое странное слово «лапта».

What a strange word, "lapta."

лапа
Это от слова «лапа»?

paw
Is it from the word for "paw"?

лопата
Нет, не думаю. Скорее от «лопата».

shovel, spade
No, I don't think so. More likely from the word for "shovel."

SUPPLEMENT

деревня, –и; –и, деревень
В то время мы жили в деревне.
тело, –а; тела, тел
Вы можете назвать все части тела по-русски?
шея, –и; –и, шей
Мне больно повернуть шею.
Какая у неё длинная шея!
лоб, лба; лбы, лбов
У тебя на лбу какое-то пятно.
ухо, –а; (irreg pl уши, ушей)
У меня болит ухо.
Я это слышал своими ушами.
зуб, –а; зубы, –ов
У меня болит зуб.
лицо, –а; лица, лиц
Её лицо мне знакомо.
быть (кому-нибудь) к лицу
Эта шляпа тебе не к лицу.
грудь (f)
У меня болела грудь.
палец, пальца
Он постучал пальцами по столу.

village; country
At that time we lived in the country.
body
Can you name all the parts of the body in Russian?
neck
It hurts me to turn my neck.
What a long neck she has!
forehead
You have some kind of spot on your forehead.
ear
I have an earache.
I heard it with my own ears.
tooth
I have a toothache.
face
Her face is familiar to me.
to be becoming (to a person); to suit (one)
That hat doesn't become you.
chest, breast
My chest hurt *or* I had a pain in the chest.
finger; toe
He tapped on the table with his fingers.

живо́т	stomach
У тебя́ боли́т живо́т?	Do you have a stomach ache?
городско́й	city (adj), town (adj)
Вы́ ещё не привы́кли к городско́й жи́зни.	You're not used to city life yet.

COLLECTIVE NUMERALS

дво́е, двои́х, –и́м, –и́ми	two
Мне́ нужна́ ко́мната на двои́х.	I need a room for two.
тро́е, трои́х, –и́м, –и́ми	three
На́с бы́ло тро́е.	There were three of us.
че́тверо, –ы́х, –ы́м, –ы́ми	four
На́с бы́ло че́тверо.	There were four of us.
пя́теро, –ы́х, –ы́м, –ы́ми	five
ше́стеро, –ы́х, –ы́м, –ы́ми	six
се́меро, –ы́х, –ы́м, –ы́ми	seven
На́с бы́ло пя́теро (ше́стеро, се́меро).	There were five (six, seven) of us.

Ви́ктор и Фили́пп разгова́ривают о спо́рте

В. — Ви́ктор Ф. — Фили́пп

Ф. 1 Ви́ктор, почему́ ты́ хрома́ешь?

В. 2 Нога́ боли́т. Вчера́ Оле́г уда́рил меня́ по коле́ну, когда́ мы́ игра́ли в футбо́л.

Ф. 3 Я́ зна́ю, как э́то бо́льно — мне́ ка́к-то то́же разби́ли но́гу во вре́мя игры́.

В. 4 Да́, э́то опа́сная игра́. Так ты́, зна́чит, то́же футболи́ст?

Ф. 5 Не́т, я́ игра́л в хокке́й. Бы́л вратарём.

В. 6 Да́? Ты́ бы́л в профессиона́льной кома́нде?

Ф. 7 Не́т, в люби́тельской. На́с бы́ло ше́стеро прия́телей, во́т мы́ и игра́ли зимо́й в хокке́й, а ле́том в бейсбо́л.

В. 8 Я́ слыха́л про ва́ш бейсбо́л. Э́то похо́же на на́шу лапту́, в неё дереве́нские ребя́та игра́ют.[1]

Ф. 9 Како́е стра́нное сло́во «лапта́». Э́то от сло́ва «ла́па»?

В. 10 Не́т, не ду́маю. Скоре́е от «лопа́та».[2]

NOTES
[1] **Лапта́** is a traditional game, popular among Russian village children. It is played with a ball and bat and the basic principle of the game is similar to that of baseball. **Лапта́** is not played professionally.

[2] Words quoted out of context appear in their dictionary, or citation form. Thus the nominative form, **лопа́та**, is used here instead of the genitive after **от**, with the word **сло́ва** understood.

пу́сть

Пу́сть Фили́пп игра́ет вме́сто меня́.

Ребя́та, пу́сть сего́дня Фили́пп игра́ет вме́сто меня́.

на́ш футбо́л

А ра́зве о́н уме́ет игра́ть в на́ш футбо́л?

Не́т, но о́н игра́л в хокке́й.

Ему́ не тру́дно бу́дет научи́ться.

ра́зный

Пожа́луй, хотя́ э́то и ра́зные и́гры.

объясни́ть, –я́т (pfv II)

Но мы́ ему́ объясни́м всё пра́вила.

оде́жда

бу́тсы, –ов

У него́ е́сть ну́жная оде́жда и бу́тсы?

одолжи́ть, –а́т (pfv II)

Я́ ему́ одолжи́л бу́тсы.

ма́йка

трусы́, –о́в (pl only)

Трусы́ и ма́йка у него́ е́сть.

Трусы́ и ма́йка у него́ е́сть, а бу́тсы я́ ему́ одолжи́л.

Во́т о́н как ра́з идёт.

Бою́сь, что я́ не смогу́ игра́ть, Ви́тя.

Мне́ твои́ бу́тсы оказа́лись малы́.

но́мер

Подожди́. Ты́ кото́рый но́сишь но́мер?

по-америка́нски

восьмо́й но́мер

По-америка́нски у меня́ восьмо́й но́мер.

по-ва́шему

По-америка́нски у меня́ восьмо́й [но́мер], а по-ва́шему я́ не зна́ю.

Мо́жет быть, тебе́ во́т э́ти подойду́т.

Ко́лин, –а, –о

Э́то Ко́лины бу́тсы.

разме́р

бо́льший

У него́ бо́льший разме́р, чéм у Ви́ти.

---

let; have

Let Philip play in my place.

Fellows, let Philip play in my place today.

our (style of) football (that is, soccer)

But does he really know how to play soccer?

No, but he has played hockey.

It won't be hard for him to learn.

different, various; diverse

Perhaps, though they are different games.

to explain

But we'll explain all the rules to him.

clothing, clothes

soccer shoes

Does he have the necessary clothing and soccer shoes?

to loan, lend

I loaned him my soccer shoes.

T-shirt, sports shirt

shorts, trunks

He has a T-shirt and shorts.

He has a T-shirt and shorts, and I loaned him my soccer shoes.

Here he comes now.

I'm afraid I won't be able to play, Vitya.

Your soccer shoes turned out to be too small for me.

number; size; room

Wait a minute. What size do you wear?

in American-style

size eight

I take a size eight American-style.

according to you; in your style

I take a size eight American-style, but in yours I don't know.

Maybe these will fit you.

Kolya's, belonging to Kolya

These are Kolya's soccer shoes.

size, measure; dimension

bigger, larger

He takes a larger size than Vitya.

приме́рить, –ят (pfv II)	to try on
Дава́й приме́рю.	Let me try them on.
подходи́ть, –ят (II) (*plus* dat)	to fit, do, suit
Они́ мне́ вполне́ подхо́дят.	They fit me fine.
име́ть, име́ют (I)	to have, possess
име́ть про́тив	to be against, object; to mind
ничего́ не име́ть про́тив	to have no objection, not mind a bit
А Ко́ля ничего́ не бу́дет име́ть про́тив?	And Kolya won't mind?
Не́т, коне́чно ничего́.	No, of course not.
просту́жен, –а, –о	sick with a cold; in bed with a cold
Óн просту́жен.	He has a cold.
си́льный	strong, severe; heavy
Óн си́льно просту́жен.	He has a bad cold.
Óн всё равно́ не бу́дет игра́ть, он си́льно просту́жен.	He won't be playing, anyway; he has a bad cold.

SUPPLEMENT

объясня́ть, –я́ют (I)	to explain
Не объясня́й ему́ ничего́!	Don't explain anything to him.
примеря́ть, –я́ют (I)	to try on
Я́ примеря́ю ва́ш пла́щ.	I'm trying on your raincoat.
простуди́ться (pfv II), простужу́сь, просту́дятся	to catch cold, come down with a cold
Óн си́льно простуди́лся.	He caught a bad cold.
надева́ть, –а́ют (I)	to put on, don, wear
Заче́м ты́ надева́ешь пальто́?	Why are you putting on your coat?
одева́ть, –а́ют (I)	to dress (someone else)
Одева́й дете́й потепле́е. На дворе́ о́чень хо́лодно.	Dress the children as warmly as you can. It's very cold outdoors.
одева́ться, –а́ются (I)	to dress (oneself)
Одева́йтесь потепле́е. На дворе́ о́чень хо́лодно.	Dress as warmly as possible. It's very cold outdoors.
оде́ть, оде́нут (pfv I)	to dress (someone else)
Я́ сейча́с оде́ну ребёнка и пойду́ с ни́м погуля́ть.	I'll get the baby dressed and take him for a walk.
оде́ться, оде́нутся (pfv I)	to dress (oneself)
Я́ сейча́с оде́нусь и пойду́ в ла́вку.	I'll get dressed and go to the store right away.
ра́зница	difference
Я́ не ви́жу большо́й ра́зницы ме́жду ва́шим пла́ном и мои́м.	I don't see any great difference between your plan and mine.
Кака́я ра́зница? *or* В чём ра́зница?	What's the difference?
га́лстук	tie, necktie
Óн ре́дко но́сит га́лстук.	He seldom wears a tie.
боти́нок, –нка	shoe (man's)
Приме́рь э́ти боти́нки.	Try on these shoes.
носо́к, –ска́	sock
У тебя́ не́т чи́стых носко́в?	Don't you have any clean socks?
по́яс, –а; пояса́, –о́в	belt
Купи́ себе́ но́вый по́яс.	Buy yourself a new belt.

брю́ки, брю́к (pl only)	trousers
Э́ти брю́ки на́до почи́стить.	These trousers need to be cleaned.
одина́ковый	identical, exactly the same; equal
Э́ти лопа́ты одина́кового разме́ра.	These shovels are exactly the same size.
ме́ньший	smaller
У меня́ ме́ньший разме́р, чём у тебя́.	I take a smaller size than you do.
мла́дший	younger, youngest; junior
Э́то мо́й мла́дший бра́т.	This is my younger brother.
ста́рший	older, oldest; senior
Э́то моя́ ста́ршая сестра́.	This is my older sister.

Фили́пп бу́дет вратарём

В. — Ви́тя   Ф. — Фили́пп   С. — Са́ша   Б. — Бо́ря

В. 1 Ребя́та, пу́сть сего́дня Фили́пп игра́ет вме́сто меня́.

С. 2 А ра́зве о́н уме́ет игра́ть в на́ш футбо́л?[1]

В. 3 Не́т, но о́н игра́л в хокке́й. Ему́ не тру́дно бу́дет научи́ться.

Б. 4 Пожа́луй, хотя́ э́то и ра́зные и́гры. Но мы́ ему́ объясни́м всё пра́вила.

С. 5 У него́ е́сть ну́жная оде́жда и бу́тсы?[2]

В. 6 Трусы́ и ма́йка у него́ е́сть, а бу́тсы я́ ему́ одолжи́л. Во́т о́н как ра́з идёт.

Ф. 7 Бою́сь, что я́ не смогу́ игра́ть, Ви́тя. Мне́ твои́ бу́тсы оказа́лись малы́.

Б. 8 Подожди́. Ты́ кото́рый но́сишь но́мер?

Ф. 9 По-америка́нски у меня́ восьмо́й, а по-ва́шему я́ не зна́ю.

С. 10 Мо́жет быть, тебе́ во́т э́ти подойду́т. Э́то Ко́лины, у него́ бо́льший разме́р, чём у Ви́ти.[3]

Ф. 11 Дава́й приме́рю. Вполне́ подхо́дят. А Ко́ля ничего́ не бу́дет име́ть про́тив?

Б. 12 Не́т, коне́чно ничего́. О́н всё равно́ не бу́дет игра́ть, он си́льно простýжен.

NOTES

[1] **Футбо́л** is a term borrowed from English to refer to the game known in America as *soccer* but elsewhere as *football*. It is an extremely popular sport in Russia: almost every school, kolkhoz, and factory has a team. The government shows a particular interest in this sport and pays particular attention to promising players.

[2] **Бу́тс** *soccer-boot* is borrowed from English. Like a number of other loan words, the English plural form that ends in *s* is taken as a singular in Russian, for example, **ке́кс** *kind of fruitcake*, **ре́льс** *rail*, and **бифште́кс** *beefsteak*. To form the plural in Russian the regular endings are added: **бу́тсы, ре́льсы, ке́ксы, бифште́ксы**.

[3] The verbal pair **подходи́ть, подойти́**, in the sense *to fit* is accompanied by the dative without a preposition, but in the sense *to approach, go up to* it requires **к** with the dative.

Compare Я увéрен, что бýтсы мнé **подойдýт**.	I'm sure the soccer shoes will *fit* me.
with **Подойди́ ко** мнé побли́же.	*Come over* a little closer to me.

Basic sentence patterns

1. Мýж простуди́лся.
   _____ простýжен.
   _____ си́льно простýжен.

   Женá простуди́лась.
   _____ простýжена.
   _____ си́льно простýжена.

   Дéти простуди́лись.
   _____ простýжены.
   _____ си́льно простýжены.

   My husband caught a cold.
   _____ has a cold.
   _____ has a bad cold.

   My wife caught a cold.
   _____ has a cold.
   _____ has a bad cold.

   The children caught colds.
   _____ have colds.
   _____ have bad colds.

2. Одолжи́ мнé двáдцать рублéй.
   — Не могý. Я́ ужé одолжи́л тебé пятьдеся́т.
   — Я́ вáм одолжý дéсять рублéй.

   Lend me twenty rubles.
   No, I already loaned you fifty.
   I'll lend you ten rubles.

3. Мнé твои́ сапоги́ оказáлись велики́.
   Мнé твои́ сапоги́ как рáз подхóдят.
   Мнé твои́ сапоги́ как рáз подошли́.
   Я́ увéрен, что э́ти сапоги́ мнé подойдýт.

   Your boots turned out to be too large for me.
   Your boots are just the right size for me.
   Your boots were just the right size for me.
   I'm sure these boots will fit me.

4. Ты́ котóрый нóсишь нóмер?
   — Пя́тый нóмер.
   — Шестóй нóмер.
   — Восьмóй нóмер.

   What size do you wear?
   Size five.
   Size six.
   Size eight.

5. Дáйте мнé мéньший размéр боти́нок.
   _____ носкóв.
   _____ сапóг.
   _____ брю́к.

   Give me a smaller size shoe.
   _____ [pair of] socks.
   _____ boot.
   _____ [pair of] trousers.

6. Я́ ношý бóльший нóмер галóш.
   _____ бýтсов.
   _____ боти́нок.
   _____ сапóг.

   I wear a larger size overshoe.
   _____ soccer shoe.
   _____ shoe.
   _____ boot.

7. Э́тот гáлстук вáм óчень идёт.
   Э́тот костю́м _____.
   Э́та рубáшка _____.

   This tie is very becoming on you.
   This suit _____.
   This shirt _____.

8. Э́то плáтье тебé óчень к лицý.
   Э́тот плáщ _____.
   Э́та шля́па _____.

   This dress is very becoming on you.
   This raincoat _____.
   This hat _____.

9. Пýсть óн примéрит э́ти бýтсы.
   _____ трусы́.
   _____ штаны́.

   Let (*or* Have) him try on these soccer shoes.
   _____ shorts.
   _____ pants.

10. Скажи́ Пéте, пýсть óн надéнет пальтó.
    Скажи́ Пéте, пýсть óн надéнет плáщ.

    Tell Petya he's to put on his overcoat.
    Tell Petya he's to put on his raincoat.

11. Пу́сть Бо́ря игра́ет вме́сто меня́.
———— Са́ша ————.
———— Ви́тя ————.

12. Пу́сть Зи́на е́дет, е́сли хо́чет.
———— идёт ————.
———— выхо́дит за́муж ——.

13. Дава́йте, я ва́м помогу́.
———— э́то понесу́.
———— принесу́ ва́м ча́ю.

14. Дава́й, я тебя́ научу́ э́той игре́.
———— пришью́ тебе́ пу́говицу.
———— поведу́ тебя́ на като́к.

15. Да́й, я э́то сде́лаю.
———— э́то принесу́.

16. Э́то Ко́лины бу́тсы.
—— Воло́дины ——.
—— Ва́нины ——.
—— Са́шины ——.
—— Фили́ппа ——.

17. О́лина сестра́ просту́жена.
На́дина ————.
Лю́бина ————.
Ви́тина ————.

18. Вы́ знако́мы с Лю́биным женихо́м?
———— с На́диным ————?
———— со Све́тиным ————?

19. Вы́ знако́мы с Ко́линой неве́стой?
———— с Ва́ниной ————?
———— с Воло́диной ——?

20. Э́то дя́дины кни́ги.
—— тётины ——.
—— ма́мины ——.
—— па́пины ——.

21. Вы́ игра́ете в футбо́л?
———— в хокке́й?
———— в те́ннис?
———— в бейсбо́л?
———— в ша́хматы?

22. Вы́ в профессиона́льной кома́нде?
Вы́ в люби́тельской кома́нде?
Вы́ футболи́ст?

23. У меня́ боли́т коле́но.
———— плечо́.
———— гру́дь.
———— зу́б.
———— у́хо.

Let Borya play in my place.
—— Sasha ————.
—— Vitya ————.

Let Zina go if she wants to.
———— go ————.
———— get married ——.

Let me help you.
———— carry that.
———— bring you some tea.

Let me teach you this game.
———— sew a button on for you.
———— take you to the skating rink.

Let me do that.
Let me bring that.

Those are Kolya's soccer boots.
———— Volodya's ————.
———— Vanya's ————.
———— Sasha's ————.
———— Philip's ————.

Olya's sister has a cold.
Nadya's ————.
Lyuba's ————.
Vitya's ————.

Are you acquainted with Lyuba's fiancé?
———— Nadya's ——?
———— Sveta's ——?

Are you acquainted with Kolya's fiancée?
———— Vanya's ——?
———— Volodya's ——?

Those are Uncle's books.
———— Aunt's ——.
———— Mamma's ——.
———— Papa's ————.

Do you play soccer?
———— hockey?
———— tennis?
———— baseball?
———— chess?

Are you on a professional team?
Are you on an amateur team?
Are you a soccer player?

My knee hurts.
—— shoulder ——.
—— chest ————.
—— tooth ————.
—— ear ————.

24. У меня болéл живóт.   I had a stomach ache.
       _____ болéла спинá.   ____ a backache.
               _____ грýдь.   ____ a pain in the chest.
       _____ болéло всё тéло.   My whole body ached.

25. Я ничегó плохóго не слыхáл про её
                           сы́на.   I haven't heard anything bad about her son.
_____ дóчь.   _____ daughter.

Pronunciation practice: clusters of three consonants with с as the initial consonant

A. Clusters in which **с** is pronounced voiced.

1. **сбр** pronounced [zbr] or [zbr̩]
   [zbrátəm] с брáтом
   with brother
   [zbróṣiṭ] сбрóсить
   throw down
   [zbr̩íṭ] сбрить
   to shave off

2. **сгр** pronounced [zgr] or [zgr̩]
   [zgróməm] с грóмом
   with thunder
   [zgruẓínəm] с грузи́ном
   with the Georgian
   [zgr̩ibámi̩] с грибáми
   with mushrooms

3. **сдр** pronounced [zdr] or [zdr̩]
   [zdróbju] с дрóбью
   with a fraction
   [zdravámi̩] с дровáми
   with firewood
   [zdr̩évni̩m] с дрéвним
   with ancient

4. **сдв** pronounced [zdv] or [zdv̩]
   [zdvajṇój] с двойнёй
   with the twins
   [zdv̩ík] сдвиг
   shift
   [zdv̩ínuṭ] сдви́нуть
   to move

5. **сгл** pronounced [zgl] or [zgl̩]
   [zglupcóm] с глупцóм
   with a fool
   [zgl̩ínəj] с гли́ной
   with clay
   [zgl̩áncim] с гля́нцем
   with gloss

B. Clusters in which **с** is pronounced voiceless.

1. **скн** pronounced [skn] or [skn̩]
   [r̩isknúṭ] рискнýть
   to risk
   [skn̩ígəj] с кни́гой
   with a book
   [skn̩áẓim] с кня́зем
   with a prince

2. **скр** pronounced [skr] or [skr̩]
   [skráṣiṭ] скрáсить
   to brighten
   [skruṭíṭ] скрути́ть
   to twist
   [skr̩ágə] скря́га
   miser

3. **схр** pronounced [sxr] or [sxr̩]

[rəsxrabr̩ítcə] расхрабри́ться
to get bold

[sxr̩ípəm] с хри́пом
with a wheeze

[sxr̩énəm] с хре́ном
with horseradish

4. **схв** pronounced [sxv]

[sxvójij] с хво́ей
with evergreen needles

[sxvaţíţ] схвати́ть
to snatch

[sxvósţikəm] с хво́стиком
with a small tail

5. **спл** pronounced [spl] or [spl̩]

[spláf] спла́в
alloy

[splóš] спло́шь
completely

[spl̩ú] сплю́
I sleep

STRUCTURE AND DRILLS

Declension of possessive adjectives ending in the suffix -ин

	SINGULAR			PLURAL
	Masculine	*Neuter*	*Feminine*	
NOM	Ко́лин	Ко́лино	Ко́лина	Ко́лины
ACC	(*like* nom *or* gen)	Ко́лино	Ко́лину	(*like* nom *or* gen)
GEN	Ко́линого		Ко́линой	Ко́линых
PREP	Ко́лином			
DAT	Ко́линому			Ко́линым
INSTR	Ко́линым			Ко́лиными

MODELS

Я тебе́ покажу́ па́пину ко́мнату.
——————— ма́мину ———.
——————— тётину ———.
——————— дя́дину ———.
——————— ба́бушкину ——.
——————— де́душкину ——.

I'll show you Papa's room.
——————— Mamma's—.
——————— Aunt's ——.
——————— Uncle's ——.
——————— Grandma's —.
——————— Grandpa's —.

Мы́ поката́лись на Ви́тиной ло́дке.
——————— Ма́шиной ——.
——————— Ва́ниной ——.
——————— Бо́риной ——.

We went for a ride in Vitya's boat.
——————— Masha's ——.
——————— Vanya's ——.
——————— Borya's ——.

Чей э́то слова́рь?	Whose dictionary is that?
— Та́нин.	Tanya's.
— Ва́син.	Vasya's.
— То́лин.	Tolya's.
— Зи́нин.	Zina's.
— Ми́шин.	Misha's.
— Све́тин.	Sveta's.

Я тебя́ познако́млю с Пе́тиными бра́тьями.	I'll introduce you to Petya's brothers.
————————— с Са́шиными ———.	————————— to Sasha's ———.
————————— с Ми́шиными ———.	————————— to Misha's ———.

Ты́ знако́м с Ва́синой сестро́й?	Are you acquainted with Vasya's sister?
——————— с Ната́шиной ——?	——————— with Natasha's ——?
——————— с На́диной ———?	——————— with Nadya's ——?

Ты́ знако́м с Зи́ниным му́жем?	Are you acquainted with Zina's husband?
——————— с Та́ниным ———?	——————— with Tanya's ———?
——————— с хозя́йкиным ——?	——————— with the landlady's ——?
——————— с сосе́дкиным ——?	——————— with the neighbor's ——?

■ REPETITION DRILL

Repeat the given models illustrating the use of possessive adjectives formed primarily from **жена́**-class nicknames and nouns denoting kinship. The declension is similar to that of surnames ending in **–ов** and **–ин**, except that all masculine endings, other than the nominative and inanimate accusative, are adjectival.

■ RESPONSE DRILLS

1. *Vitya bought himself a hat.*
   So that's Vitya's hat!
   Ви́тя купи́л себе́ шля́пу.
   Так э́то Ви́тина шля́па!
   Ви́тя купи́л себе́ бу́тсы.
   Так э́то Ви́тины бу́тсы!
   (пояс, ботинки, плащ, майку,
   трусы, пальто, шапку, галстук)

2. *Your raincoat is being fixed.*
   Then I'll put on (or wear) Sasha's.
   Тво́й пла́щ в ремо́нте.
   Тогда́ я наде́ну Са́шин.
   Твои́ брю́ки в ремо́нте.
   Тогда́ я наде́ну Са́шины.
   (костюм, сапоги, шляпа, пальто,
   рубашка, пиджак, ботинки)

3. *This dress is already too small for Tanya.*
   Have her try on Valya's.
   Та́не э́то пла́тье уже́ мало́.
   Пу́сть приме́рит Ва́лино.
   Та́не э́та руба́шка уже́ мала́.
   Пу́сть приме́рит Ва́лину.
   (носки, пояс, шапка, юбка,
   ботинки, пальто, майка, трусы)

4. *Borya lost his fountain pen.*
   Didn't anyone see Borya's pen?
   Бо́ря потеря́л свою́ авторучку.
   Никто́ не ви́дел Бо́риной авторучки?
   Бо́ря потеря́л свой каранда́ш.
   Никто́ не ви́дел Бо́риного карандаша́?
   (свою тетрадь, свои носки, свою
   майку, свой галстук, свой пояс, свою
   шапку, свой кошелёк)

■ STRUCTURE REPLACEMENT DRILLS

1. *He talked to the landlady's daughter.*
   Óн говори́л с до́черью хозя́йки.
   Óн говори́л с хозя́йкиной до́черью.
   Óн говори́л с дочерьми́ хозя́йки.
   Óн говори́л с хозя́йкиными дочерьми́.
   (ма́терью, му́жем, сы́ном, сыновья́ми,
   ба́бушкой, гостя́ми, бра́том, сестро́й)

2. *I've been in Grandfather's room.*
   Я́ бы́л в ко́мнате де́душки.
   Я́ бы́л в де́душкиной ко́мнате.
   Я́ бы́л в до́ме де́душки.
   Я́ бы́л в де́душкином до́ме.
   (избе́, саду́, кварти́ре, селе́, дере́вне,
   до́ме, ко́мнате, колхо́зе)

■ EXPANSION DRILLS

1. *I'm talking about Olya.*
   I'm talking about Olya's brother.
   Я́ говорю́ об О́ле.
   Я́ говорю́ об О́лином бра́те.
   Я́ говорю́ о Га́ле.
   Я́ говорю́ о Га́лином бра́те.
   (о Са́ше, о Ва́не, о Ва́се, об Алёше,
   о Ко́ле, о Та́не, о Ми́ше, о Све́те)

2. *[Do you] want to meet Olya?*
   [Do you] want to meet Olya's sister?
   Хо́чешь познако́миться с О́лей?
   **Хо́чешь познако́миться с О́линой
   сестро́й?**
   Хо́чешь познако́миться с Ма́шей?
   **Хо́чешь познако́миться с Ма́шиной
   сестро́й?**
   (со Све́той, с Ната́шей, с Алёшей,
   с Воло́дей)

3. *We've got to telephone Volodya.*
   We've got to telephone Volodya's mother.
   На́до позвони́ть Воло́де.
   На́до позвони́ть Воло́диной ма́ме.
   На́до позвони́ть Ми́ше.
   На́до позвони́ть Ми́шиной ма́ме.
   (Ко́ле, Та́не, Бо́ре, Пе́те, Са́ше,
   На́де, О́ле, Ве́ре, Ва́се)

4. *I found that out from Vera.*
   I found that out from Vera's father.
   Я́ узна́л э́то от Ве́ры.
   Я́ узна́л э́то от Ве́риного отца́.
   Я́ узна́л э́то от Та́ни.
   Я́ узна́л э́то от Та́ниного отца́.
   (Све́ты, Ната́ши, На́ди, О́ли, То́ли,
   Ко́ли, Са́ши, Пе́ти)

Third person imperatives with пусть

MODELS

Пу́сть о́н ва́м э́то пока́жет.
——— она́ ——————.
——— они́ ———пока́жут.

Let him show it to you.
— her —————.
— them —————.

Пу́сть Влади́мир са́м э́то сде́лает.
——— Ири́на сама́ э́то сде́лает.
——— студе́нты са́ми э́то сде́лают.

Let Vladimir do it himself.
— Irina do it herself.
— the students do it themselves.

Верёвкин стои́т в коридо́ре.
— Пу́сть подождёт.
Верёвкина стои́т в коридо́ре.
— Пу́сть подождёт.
Верёвкины стоя́т в коридо́ре.
— Пу́сть подожду́т.

Veryovkin's standing in the hall.
Let him wait.
Miss Veryovkin's standing in the hall.
Let her wait.
The Veryovkins are standing in the hall.
Let them wait.

Пу́сть о́н игра́ет вме́сто меня́.
——— она́ игра́ет —————.
——— они́ игра́ют —— на́с.

Let him play instead of me.
— her play —————.
— them play ——— us.

Пу́сть о́н не рабо́тает по суббо́там.	Don't have him work Saturdays.
_____ она́ не рабо́тает _____.	_____ her work _____.
_____ они́ не рабо́тают _____.	_____ them work _____.

Пу́сть Та́ня постира́ет руба́шки.	Let (or Have) Tanya wash the shirts.
_____ пригото́вит обе́д.	_____ cook dinner.
_____ помо́ет посу́ду.	_____ wash the dishes.
_____ пришьёт пу́говицу.	_____ sew on the button.
_____ побежи́т в ла́вку.	_____ run (or go) to the store.
_____ встаёт.	See that Tanya gets up.
_____ не опа́здывает.	_____ isn't late.

■ REPETITION DRILL

Repeat the given models, noting that **пусть** is followed by a nominative construction and that the verb may be either in the imperfective present or the perfective future.

■ STRUCTURE REPLACEMENT DRILLS

1. *I want Oleg to play, too.*
   Let Oleg play, too.
   Я хочу́, что́бы Оле́г то́же игра́л.
   Пу́сть Оле́г то́же игра́ет.
   Я хочу́, что́бы Оле́г то́же пошёл.
   Пу́сть Оле́г то́же пойдёт.
   (примерил, поехал, поспал, покатался, позанимался, это прочитал)

2. *It's time for Philip to get up.*
   See that Philip gets up.
   Фили́ппу пора́ встава́ть.
   Пу́сть Фили́пп встаёт.
   Фили́ппу пора́ гото́виться.
   Пу́сть Фили́пп гото́вится.
   (собираться, уходить, одеваться, умываться, обедать, завтракать, бриться)

■ QUESTION-ANSWER DRILL

You don't advise him to go?
No, he'd better not go.
Вы́ ему́ не сове́туете е́хать?
Не́т, пу́сть лу́чше не е́дет.
Вы́ ему́ не сове́туете игра́ть?
Не́т, пу́сть лу́чше не игра́ет.
(плавать, гулять, ходить, лежать, сидеть, встава́ть)

■ RESPONSE DRILLS

1. *I heard that Olya's getting married.*
   So what? Let her!
   Я́ слы́шал, что О́ля выхо́дит за́муж.
   Ну́ и что́ ж? Пу́сть выхо́дит!
   Я́ слы́шал, что О́ля уезжа́ет.
   Ну́ и что́ ж? Пу́сть уезжа́ет!
   (поступает в вуз, уходит с работы, учит английский, на тебя сердится, тебя ищет)

2. *She doesn't want to go?*
   O.K., let her stay.
   Так она́ не хо́чет идти́?
   Хорошо́, пу́сть не идёт.
   Так она́ не хо́чет е́сть?
   Хорошо́, пу́сть не е́ст.
   (спать, вставать, ужинать, учиться, отвечать, шить)

DISCUSSION

Commands directed toward a third person (or persons) are usually expressed in Russian by пусть followed by a nominative subject and the third person verb in the present-future:

Пусть о́н игра́ет.	Let him play.
Пусть они́ подожду́т.	Let them wait.
Пусть они́ откро́ют о́кна.	Have them open the windows.

The omission of the subject noun or pronoun adds an element of abruptness or impoliteness:

Пусть ждёт.	Let him wait (I don't care).

Note that with кто́-нибудь either the пусть construction or the second person plural imperative may be used:

Помоги́те мне́, кто́-нибудь!	Somebody help me!
Пусть кто́-нибудь мне́ помо́жет!	

In colloquial Russian, пуска́й is often used instead of пу́сть.

Suggestions in which the speaker volunteers to perform an activity

MODELS

Да́й, я́ э́то сде́лаю.	Let me do that.
Да́йте, —————.	Let —————.
Да́й, мы́ э́то сде́лаем.	Let us do that.
Да́йте, —————.	Let —————.
Я́ не зна́ю, ка́к приши́ть пу́говицу.	I don't know how to sew on a button.
— Дава́й, я́ пришью́.	Let me do it.
Я́ не уме́ю запако́вывать посы́лки.	I don't know how to wrap a package.
— Дава́й, я́ запаку́ю.	Let me do it.
Я́ не могу́ закры́ть окно́.	I can't close the window.
— Да́йте, я́ закро́ю.	Let me do it.
Ва́м тяжело́ нести́ чемода́н.	The suitcase is too heavy for you to carry.
Дава́йте, я́ ва́м помогу́.	Let me help you.

■ REPETITION DRILL

Repeat the given models illustrating the use of дава́й(те) or да́й(те) plus a first person construction to suggest that the speaker perform an activity. Note particularly that the perfective future form is used for the main verb.

■ RESPONSE DRILLS

1. *I can't do this.*
   Let's do it together.
   Я́ не могу́ э́того сде́лать.
   Дава́йте, мы́ э́то сде́лаем вме́сте.
   Я́ не могу́ э́того принести́.
   Дава́йте, мы́ э́то принесём вме́сте.
   (передвинуть, написать, почистить, объяснить, составить, почистить)

2. *I'm afraid to ask them.*
   Let me do it.
   Я́ бою́сь и́х спра́шивать.
   Дава́й, я́ спрошу́.
   Я́ бою́сь с ни́ми говори́ть.
   Дава́й, я́ поговорю́.
   (им звонить, к ним заходить, их катать на лодке, им писать, их везти в деревню)

1. *How do you write this?*
   Let me do it.
   Ка́к э́то пи́шется?
   Да́й, я напишу́.
   Ка́к э́то ва́рится?
   Да́й, я сварю́.
   (начина́ется, чита́ется, открыва́ется,
   мо́ется, закрыва́ется, снима́ется,
   де́лается)

2. *Do you know how to cook fish?*
   Yes, let me do it.
   Ты́ уме́ешь вари́ть ры́бу?
   Да́, дава́й, я сварю́.
   Ты́ уме́ешь пришива́ть пу́говицы?
   Да́, дава́й, я пришью́.
   (гото́вить грибы́, печь пиро́г, мыть
   посу́ду, стира́ть бельё, игра́ть в
   ша́хматы, писа́ть заявле́ния, чита́ть
   стихи́)

1. *I want to finish; then we'll go.*
   Let me first finish; then we'll go.
   Я́ хочу́ ко́нчить, тогда́ пойдём.
   Да́й, я ко́нчу, тогда́ пойдём.
   Я́ хочу́ вы́купаться, тогда́ пойдём.
   Да́й, я вы́купаюсь, тогда́ пойдём.
   (поспа́ть, поу́жинать, позавтракать,
   пообе́дать, пое́сть, чего́-нибудь закуси́ть,
   чего́-нибудь вы́пить, дое́сть, допи́ть)

2. *I'll put on the record.*
   Let me put on the record.
   Я́ поста́влю пласти́нку.
   Дава́й, я поста́влю пласти́нку.
   Я́ посмотрю́.
   Дава́й, я посмотрю́.
   (объясню́, узна́ю, помо́ю, пое́ду,
   пригото́влю, сообщу́, напишу́,
   прочита́ю)

DISCUSSION

Suggestions in which the speaker volunteers to perform an activity are expressed by a combination of дава́й(те) or да́й(те) plus я and the appropriate verb, which is almost always in the perfective future:

> Да́й, я э́то сде́лаю.   Let me do that.
> Дава́йте, я ва́м помогу́.   Let me help you.

If the suggestion includes someone in addition to the speaker, дава́й(те) or да́й(те) plus мы́ and the appropriate verb are used:

> Да́й, мы́ пойдём туда́ вме́сто тебя́.   Let us go there instead of you.

The choice of whether one uses the singular or the plural-polite imperative form of дава́ть, да́ть depends on the relationship of the speaker to the addressee:

> Ми́ша, да́й, я тебе́ помогу́.   Misha, let me help you.
> Михаи́л Ива́нович, да́йте, я ва́м помогу́.   Mikhail Ivanovich, let me help you.

Use of the perfective да́й or да́йте makes the suggestion stronger and lends a greater immediacy to the proposed action.

Uses of the accusative case

MODELS

Одолжи́те мне́ э́ту пласти́нку на неде́лю.   Lend me this record for a week.
_____ э́ти кни́ги _____.   _____ these books _____.
_____ э́тот слова́рь _____.   _____ this dictionary _____.
_____ э́ту ве́щь _____.   _____ this thing _____.

Объясни́ мне́, пожа́луйста, э́тот пла́н.   Please explain this plan to me.
_____ э́то сло́во.   _____ this word ____.
_____ э́ти слова́.   _____ these words ____.

Óн бы́л здéсь тóлько однý зи́му.   He was here only one winter.
——————————— однó лéто.   ——————————— one summer.
——————————— однý минýту.   ——————————— a minute.

Моя́ шáпка упáла за дивáн.   My cap fell behind the sofa.
——————————— за кровáть.   ——————————— the bed.
——————————— за шкáф.   ——————————— the dresser.

Óн э́то сдéлал за оди́н дéнь.   In one day he had it done.
——————————— за двé недéли.   In two weeks ——————————.
——————————— за двá дня́.   In two days ——————————.

Э́то стóило двáдцать оди́н рýбль.   That cost twenty-one rubles.
——————————— однý копéйку.   ——————————— one kopeck.
——————————— ты́сячу рублéй.   ——————————— a thousand rubles.

Мы́ éдем тудá на всю́ зи́му.   We're going there for the whole winter.
——————————— на всё лéто.   ——————————— for the whole summer.

Онá молóже егó на оди́н мéсяц.   She's a month younger than he.
——————————— на оди́н гóд.   —— a year ——————————.
——————————— на однý недéлю.   —— a week ——————————.

■ STRUCTURE REPLACEMENT DRILLS

1. *Do you have a spade?*
   Can you lend me a spade?
   У вáс éсть лопáта?
   Вы́ мóжете одолжи́ть мнé лопáту?
   У вáс éсть нýжная одéжда?
   **Вы́ мóжете одолжи́ть мнé нýжную
   одéжду?**
   (рубль, десять копеек, галоши, мыло,
   белые нитки, тонкая иголка,
   авторучка, синий галстук, голубая
   рубашка)

2. *These are some new rules.*
   Please explain these rules to me.
   Э́то каки́е-то нóвые прáвила.
   Объясни́ мнé, пожáлуйста, э́ти прáвила.
   Э́то какóе-то нóвое слóво.
   Объясни́ мнé, пожáлуйста, э́то слóво.
   (план, вопросы, дело, мысль,
   словечко, просьба, игра, рекламы)

■ QUESTION-ANSWER DRILLS

1. *How many years were you there?*
   One year.
   Скóлько лéт вы́ тáм бы́ли?
   Оди́н гóд.
   Скóлько минýт вы́ тáм бы́ли?
   Однý минýту.
   (недель, месяцев, лет, минут, зим,
   вёсен, ночей, вечеров, часов)

2. *Did you find the kerchief on the dresser?*
   No, it fell behind the dresser.
   Ты́ нашёл платóк на шкафý?
   Нéт, óн упáл за шкáф.
   Ты́ нашёл платóк на буфéте?
   Нéт, óн упáл за буфéт.
   (полке, кровати, диване, гардеробе,
   комоде, кресле, проигрывателе, коробке)

3. *In how many days will you be back?*
   I'll be back in exactly one day.
   Через скóлько днéй ты́ вернёшься?
   Я́ вернýсь рóвно через дéнь.
   Через скóлько недéль ты́ вернёшься?
   Я́ вернýсь рóвно через недéлю.
   (месяцев, дней, часов, недель,
   месяцев, часов, дней)

4. *Will you need several weeks for that?*
   No, I'll do it in a week.
   Вáм для э́того нýжно нéсколько недéль?
   Нéт, я́ э́то сдéлаю в однý недéлю.
   **Вáм для э́того нýжно нéсколько
   мéсяцев?**
   Нéт, я́ э́то сдéлаю в оди́н мéсяц.
   (лет, часов, вечеров, дней, зим, ночей)

1. *They were walking along the road.*
   They crossed the road.
   Они́ шли́ по доро́ге.
   Они́ перешли́ через доро́гу.
   Они́ шли́ по у́лице.
   Они́ перешли́ через у́лицу.
   (по пло́щади, по переу́лку, по саду,
   по парку, по полю, по базару)

2. *I'll count this instead of you.*
   I'll count this for you.
   Я́ э́то посчита́ю вме́сто тебя́.
   Я́ э́то за тебя́ посчита́ю.
   Я́ э́то посчита́ю вме́сто него́.
   Я́ э́то за него́ посчита́ю.
   (Зины, вас, Олега, Тамары, Оли, неё,
   Петровой, Маши)

3. *I'll be in the country the whole summer.*
   I'm going to the country for the whole summer.
   Я́ всё ле́то бу́ду в дере́вне.
   Я́ е́ду в дере́вню на всё ле́то.
   Я́ всю́ зи́му бу́ду в дере́вне.
   Я́ е́ду в дере́вню на всю́ зи́му.
   (месяц, лето, весну, неделю, день,
   год, осень, зиму)

4. *There's two years' difference between them.*
   He's two years older than she.
   Ме́жду ни́ми два́ го́да ра́зницы.
   Он ста́рше её на́ два го́да.
   Ме́жду ни́ми оди́н ме́сяц ра́зницы.
   Он ста́рше её на оди́н ме́сяц.
   (один год, три месяца, пять лет,
   один месяц, три года, два месяца,
   шесть лет)

DISCUSSION

The accusative has several functions, the most important of which are the following:

To indicate the direct object of the transitive non-negated verb:

Вчера́ Оле́г уда́рил **меня́** по коле́ну.	Yesterday Oleg hit *me* in the knee.
Мне́ ка́к-то разби́ли **но́гу** во вре́мя игры́.	I got my *leg* hurt once during a game.
Мы́ ва́м объясни́м **всё пра́вила**.	We'll explain *all the rules* to you.
Я́ ему́ одолжи́л **бу́тсы**.	I loaned him *soccer shoes*.
Ты́ **кото́рый но́мер** но́сишь?	What *size* do you wear?

To indicate distance covered:

Мы́ уже́ прошли́ **одну́ ми́лю**.	We've already gone *a mile*.
Он прое́хал **де́сять киломе́тров**.	He drove *ten kilometers*.

To indicate the total extent of time during which an action takes place:

Мы́ **всю́ но́чь** танцева́ли.	We danced *all night*.
Ты́ **всё вре́мя** сиди́шь до́ма.	You stay home *all the time*.
Я́ **всю́ зи́му** ва́с не ви́дел.	I haven't seen you *all winter*.
Она́ **ве́сь де́нь** рабо́тала над сочине́нием.	She worked on the composition *all day*.

To indicate the cost of a thing:

Э́ти гало́ши сто́ят **два́дцать оди́н ру́бль**.	These rubbers cost *twenty-one rubles*.
Э́тот по́яс сто́ил **три́дцать одну́ копе́йку**.	This belt cost *thirty-one kopecks*.

With the prepositions **про** *about* and **через** *across, through, in (a period of time)*:

Я́ мно́го слыха́л **про ва́ш бейсбо́л**.	I've heard a lot *about your baseball*.
Через ре́ку постро́или мо́ст.	They've built a bridge *across the river*.
Пойдём **через па́рк**.	Let's go *through the park*.
Они́ приду́т **через ча́с**.	They'll be coming *in an hour*.

With the prepositions **в** and **на** after verbs of motion to indicate a destination:

Я́ иду́ **в библиоте́ку**.	I'm on my way *to the library*.
Пойдём **на конце́рт**.	Let's go *to the concert*.

With the preposition **в** to indicate the specific time that an action takes place:

В пя́тницу у на́с бу́дет экза́мен.	We're going to have an exam *on Friday*.
В э́ту мину́ту она́ вошла́ в ко́мнату.	*At that moment* she entered the room.
Фи́льм начина́ется **в се́мь часо́в**.	The movie begins *at seven o'clock*.

With the preposition **в** to express frequency:

О́н хо́дит к до́ктору два́ ра́за **в ме́сяц**.	He goes to the doctor twice *a month*.
Ра́з **в неде́лю** в клу́бе пока́зывают фи́льм.	Once *a week* they show a movie at the club.

With the preposition **в** to indicate games played:

Вы́ игра́ете **в ша́хматы**?	Do you play *chess*?
Я́ игра́л **в хокке́й**.	I used to play *hockey*.

With the preposition **на** to indicate the period of time projected for a certain activity:

Они́ уе́хали в дере́вню **на ме́сяц**.	They went to the country *for a month*.
Пое́дем к на́м **на кани́кулы**.	Let's spend *the vacation* at our place *or* Let's go to our place *for the holidays*.

With the preposition **на** to express the degree of difference in comparisons:

Она́ ста́рше меня́ **на́ год**.	She's *a year* older than I am.
Э́то **на одну́ копе́йку** деше́вле.	This is *one kopeck* cheaper.
Ва́ша посы́лка **на́ два кило́** ле́гче мое́й.	Your package is *two kilos* lighter than mine.

With the preposition **на** in a few other fixed phrases:

Во́т ва́м **тало́ны на обе́д**.	Here are your *meal tickets*.
На э́тот ра́з бу́дут та́нцы.	*This time* there'll be dancing.
Что́ сего́дня **на обе́д**?	What's *for dinner* today?
На еду́ на́м ну́жно три́дцать рубле́й в ме́сяц.	We need thirty rubles a month *for food*.
О́н похо́ж **на сестру́**.	He looks like his *sister*.

With the preposition **за** in conjunction with verbs of motion to indicate a destination behind or beyond something:

Поста́вь па́лку **за две́рь**.	Put the stick *behind the door*.
Пое́дем **за́ город**.	Let's drive *to the country*.

With the preposition **за** to indicate the period of time during which an activity takes place, often with emphasis on the short time in which the activity is accomplished:

О́н ко́нчил университе́т **за́ три го́да**.	He finished the university *in three years*.
За э́ту зи́му о́н ни ра́зу не́ был у на́с.	*This winter* he hasn't been to see us once.
За после́днее вре́мя о́н о́чень вы́рос.	He's really grown *lately*.

With the preposition **за** to indicate purpose or reason:

За ва́ше здоро́вье!	*To your health!*
Спаси́бо **за конфе́ты**.	Thanks *for the candy*.
Благодарю́ ва́с **за пода́рок**.	Thank you *for the present*.

With the preposition **за** to indicate an exchange, replacement, or substitute:

Сде́лай э́то **за меня́**.   Do this *for me.*

Я́ купи́л э́ти гало́ши **за со́рок оди́н**   I bought these rubbers *for forty-one rubles.*
ру́бль.

За ко́мнату на́до плати́ть ка́ждую   You have to pay *for the room* every week.
неде́лю.

ПОВТОРЕ́НИЕ

— Са́ша, мо́жешь одолжи́ть мне́ сво́й велосипе́д?

— Могу́, коне́чно. А куда́ тебе́ на́до е́хать?

— Никуда́ осо́бенно. Про́сто хочу́ пое́хать в па́рк поката́ться.

— А мо́жно тебя́ спроси́ть, с ке́м ты́ собира́ешься ката́ться?

— Мо́жно. С Тама́рой.

— Ви́дишь, я́ та́к и зна́л, что ты́ не оди́н пое́дешь. Кто́ она́?

— Де́вушка из сосе́дней кварти́ры. Неда́вно прие́хала с Кавка́за.

— Я́ тебе́ скажу́, ка́к она́ вы́глядит: ма́ленького ро́ста, с ка́рими глаза́ми. Я́ ведь зна́ю, каки́е де́вушки тебе́ нра́вятся.

— А во́т и не́т: она́ высо́кая, глаза́ у неё голубы́е, и вообще́ она́ блонди́нка и дово́льно по́лная.

— Во́т ка́к! Э́то что́-то но́вое.

Вчера́ Ку́рочкин бы́л у на́с в гостя́х. О́н немно́го вы́пил и на́чал говори́ть о себе́. Во́т что́ о́н говори́л: «Тепе́рь я́ профе́ссор, и у меня́ уже́ сыновья́ студе́нты. Мне́ уже́ тру́дно предста́вить себе́, что я́ бы́л когда́-то дереве́нским мальчи́шкой, лови́л пти́ц, игра́л в лапту́ с прия́телями, ходи́л с ни́ми на лы́жах, кото́рые мы́ са́ми де́лали. Ле́том в на́шу дере́вню приезжа́ло две́ семьи́ на да́чу. У ни́х бы́ло мно́го дете́й — четы́ре ма́льчика и три́ де́вочки. Ме́жду на́ми, дереве́нскими ребя́тами, и те́ми городски́ми ма́льчиками была́ больша́я ра́зница. Мы́ отли́чно пла́вали, бе́гали, ходи́ли в ле́с за гриба́ми и ничего́ не боя́лись. А те́ ма́льчики пла́вать не уме́ли, и ходи́ть в ле́с без взро́слых и́м не разреша́ли. Говори́ть с ни́ми на́м бы́ло ску́чно, и мы́ ре́дко игра́ли вме́сте. И во́т я́ тепе́рь ста́л профе́ссором и неда́вно уви́дел в одно́м нау́чном журна́ле знако́мую фами́лию. Э́то оди́н из те́х ма́льчиков. О́н то́же ста́л профе́ссором, и я́ тепе́рь спо́рю с ни́м в журна́ле о нау́чных вопро́сах, а о́н и не зна́ет, что мы́ встреча́лись, когда́ бы́ли детьми́».

Вчера́ по́сле конце́рта, когда́ Ви́тя провожа́л Га́лю, они́ до́лго стоя́ли о́коло её до́ма и разгова́ривали. Но́чь была́ о́чень холо́дная, но они́ э́того не замеча́ли и горячо́ спо́рили. Га́ля говори́ла, что обяза́тельно посту́пит в Нефтяно́й институ́т, а Ви́тя да́же серди́лся и не сове́товал е́й идти́ туда́, потому́ что э́то совсе́м не же́нское де́ло. Ка́ждый счита́л, что о́н пра́в, и они́ могли́ бы спо́рить та́к до утра́, е́сли бы не моро́з. Ви́тя пе́рвый почу́вствовал, что у него́ уже́ боля́т у́ши и но́с, а тогда́ и Га́ля заме́тила, что она́ не чу́вствует па́льцев. Га́ля предложи́ла Ви́те зайти́ и посиде́ть у ни́х в тёплой ко́мнате, но у Ви́ти не́ было вре́мени, на́до бы́ло спеши́ть домо́й занима́ться. И́м пришло́сь расста́ться.

PREPARATION FOR CONVERSATION

Фёдор Васи́льевич заболе́л

заболе́ть, заболе́ют (pfv I)
Фёдор Васи́льевич заболе́л.
Встава́й, Фе́дя.

Опозда́ешь в университе́т.

Я, Ва́ря, ка́жется, заболе́л.

го́рло
У меня́ боли́т го́рло.

подня́ться (pfv I) (past подня́лся, –о́сь,
    –а́сь, –и́сь; fut поднниму́сь,
    подни́мешься)
Я не могу́ да́же подня́ться.
    сла́бость (f)
**У меня́ така́я сла́бость, что не могу́ да́же
подня́ться.**

вы́звать, вы́зовут (pfv I)
Мо́жет быть, вы́звать врача́?
    поликли́ника
Мо́жет быть, вы́звать врача́ из поликли́ники?

Бою́сь, что придётся.

температу́ра
изме́рить, –ят (pfv II)
Я изме́рю температу́ру.
    гра́дусник
    –ка (unstressed particle)

**Да́й-ка мне́ гра́дусник, я изме́рю
температу́ру.**

to fall ill, get sick
Fyodor Vasilyevich has fallen ill.
Get up, Fedya.

You'll be late to the university.

I guess I'm sick, Varya.

throat
I have a sore throat.

to raise oneself, get up, rise; to climb; to
    start up

I can't even get up.
weakness
I feel so weak I can't even get up.

to summon, call, get; to bring on, cause
Perhaps I should call a doctor?
out-patient clinic
Perhaps I should call a doctor from the out-
patient clinic?

I'm afraid you'll have to.

temperature
to measure
I'll take my temperature.
thermometer
how about, suppose (often used to soften
    command)
How about handing me the thermometer; I'll
take my temperature.

◀ Госуда́рственный истори́ческий музе́й в Москве́.

Гра́дусник разби́лся. — The thermometer broke.

У на́с не́т гра́дусника, о́н разби́лся. — But we don't have a thermometer—it broke.

урони́ть, уро́нят (pfv II) — to drop, let fall

По́мнишь, ты́ его́ урони́л? — Remember, you dropped it?

полго́да — half a year, six months

А́х, да́! Но э́то бы́ло уже́ полго́да наза́д. — Oh yes! But that was six months ago.

до си́х по́р — till now, up to now, up to here

Почему́ же ты́ до си́х по́р не купи́ла но́вого гра́дусника? — But why haven't you bought a new thermometer up to now?

Я́ хоте́ла купи́ть, но ты́ сказа́л, что не сто́ит. — I wanted to buy one, but you said it wasn't worthwhile.

боле́ть, боле́ют (I) — to be sick

Мы́ с тобо́й никогда́ не боле́ем. — You and I are never sick.

мо́л — says he, to quote you, in your words

Мы́ с тобо́й, мо́л, никогда́ не боле́ем. — You and I, to quote you, are never sick.

Неуже́ли я́ тако́е сказа́л? — Did I really say such a thing?

наказа́ть, нака́жут (pfv I) — to punish
нака́зан, –а, –о (ppp of наказа́ть) — punished

подело́м мне́ — it serves me right

Зна́чит, подело́м и нака́зан. — Then it serves me right and I'm punished.

пирамидо́н — pyramidon (headache remedy)

Да́й мне́, Ва́ря, пирамидо́на. Голова́ боли́т. — Give me some pyramidon, Varya. My head aches.

Сейча́с. Ну́, ты́ лежи́. — Right away. Well now, you stay in bed.

апте́ка — pharmacy
сбе́гать, –ают (pfv I) — to run (out and back)

Я́ сбе́гаю в апте́ку и позвоню́ в поликли́нику. — I'll run to the pharmacy and phone the out-patient clinic.

ми́гом — in a jiffy, in no time at all, quickly

Я́ ми́гом сбе́гаю в апте́ку и позвоню́ в поликли́нику. — I'll run quickly to the pharmacy and phone the out-patient clinic.

заодно́ — while [I'm] at it; at the same time

Заодно́ и гра́дусник куплю́. — And while I'm at it, I'll buy a thermometer.

Ва́ренька (var. of Ва́ря) — Varya, Varya dear

Спаси́бо, Ва́ренька. — Thanks, Varya dear.

одея́ло — blanket
укры́ть, укро́ют (pfv I) — to cover; to shelter

Укро́й меня́ ещё одни́м одея́лом. — Cover me with another blanket.

ухо́д — leaving, going away, departure

Перед ухо́дом укро́й меня́ ещё одни́м одея́лом, пожа́луйста. — Before you go, put another blanket on me, please.

зноби́ть (II) — to have the chills, shiver

Меня́ зноби́т. — I feel chills *or* I'm shivering.

Сейча́с.

проветриться, –ятся (pfv II)

Ко́мната уже́ прове́трилась.
ф́орточка
Я закро́ю ф́орточку.
**Я закро́ю ф́орточку, ко́мната уже́
прове́трилась.**

Right away. (I'll do it right away.)

to get some fresh air; to refresh oneself; to
get aired (out)
The room has already been aired.
vent (small hinged window)
I'll close the vent.
I'll close the vent; the room has already been
aired.

SUPPLEMENT

подня́ть, подни́мут (pfv I) (past по́днял,
–о, –и; f –а́)
Подними́ полоте́нце, оно́ упа́ло на́ пол.
поднима́ть, –а́ют (I)
Не поднима́й таки́х тяжёлых веще́й!
поднима́ться (I)

Ей тру́дно поднима́ться по ле́стнице.
вызыва́ть, –а́ют (I)
Он вызыва́ет такси́.
измеря́ть, –я́ют (I)
Ка́ждое у́тро мне́ измеря́ют температу́ру.
гра́дус
Ско́лько сего́дня гра́дусов?
Сего́дня де́сять гра́дусов моро́за.
Це́льсий
Фаренге́йт
Э́то по Це́льсию и́ли по Фаренге́йту?
поду́шка
Э́та поду́шка сли́шком твёрдая.
на́волока (or на́волочка)
Я вам принесу́ чи́стую на́волоку.
Я вам принесу́ чи́стую на́волочку.
простыня́, –и́; про́стыни, просты́нь
Чи́стые про́стыни в ни́жнем я́щике.
матра́с (or матра́ц)
Я не люблю́ спа́ть на мя́гком матра́се.
Я не люблю́ спа́ть на мя́гком матра́це.
больни́ца
Он уже́ де́сять дне́й лежи́т в больни́це.
кли́ника
Вы́зовите врача́ из кли́ники.
до каки́х по́р
До каки́х по́р вы та́м рабо́тали?
До каки́х по́р вы собира́етесь здесь
остава́ться?
до те́х по́р

to lift, pick up; to raise

Pick up the towel; it fell on the floor.
to lift, pick up; to raise
Don't lift such heavy things!
to raise oneself up, go (or come) up; to
climb
It's hard for her to climb the stairs.
to summon, call; to bring on, cause
He's calling a taxi.
to measure, check (by measuring)
Every morning they take my temperature.
degree
What's the temperature today?
It's ten degrees below today.
centigrade
Fahrenheit
Is that (according to) centigrade or Fahrenheit?
pillow
This pillow is too hard.
pillowcase

I'll bring you a clean pillowcase.

sheet
Clean sheets are in the bottom drawer.
mattress

I don't like to sleep on a soft mattress.

hospital
He's been in the hospital ten days now.
clinic
Call a doctor from the clinic.
up to when, how long, how much longer
How long did you work there?
How much longer are you planning to stay here?

up to then, till then, till that time, before
that time

До тéх пóр óн рабóтал в поликлúнике.	Before that time he worked at the out-patient clinic.
здорóвье	health
Кáк вáше здорóвье?	How's your health?
На здорóвье!	Gesundheit! or God bless you! or Your health!
За вáше здорóвье!	To your health! or Cheers! (toast)

Фёдор Васúльевич заболéл

Ф.В. — Фёдор Васúльевич Берёзов (Фéдя)   В.С. — Варвáра Сергéевна (Вáря), егó женá

В. С. 1 Вставáй, Фéдя! Опоздáешь в университéт.

Ф. В. 2 Я, Вáря, кáжется, заболéл: болúт гóрло, и такáя слáбость, что не могý дáже поднáться.

В. С. 3 Мóжет быть, вýзвать врачá из поликлúники?

Ф. В. 4 Боюсь, что придётся. Дáй-ка мнé грáдусник, я измéрю температýру.[1]

В. С. 5 У нáс нéт грáдусника, óн разбúлся. Пóмнишь, ты егó уронúл?

Ф. В. 6 Áх, дá! Но это бýло ужé полгóда назáд. Почемý же ты до сúх пóр не купúла нóвого?

В. С. 7 Я хотéла купúть, но ты сказáл, что не стóит. Мý с тобóй, мóл, никогдá не болéем.

Ф. В. 8 Неужéли я такóе сказáл? Знáчит, поделóм и накáзан. Дáй мнé, Вáря, пирами-дóна.[2] Головá болúт.

В. С. 9 Сейчáс. Нý, ты лежú, а я мúгом сбéгаю в аптéку и позвоню в поликлúнику.[3] Заоднó и грáдусник куплю.

Ф. В. 10 Спасúбо, Вáренька. Перед ухóдом укрóй меня ещё однúм одеялом, пожáлуй-ста. Меня знобúт.

В. С. 11 Сейчáс. Я закрóю фóрточку, кóмната ужé провéтрилась.[4]

NOTES

[1] To measure both body and atmospheric temperature, Russians use the centi-grade thermometer. Many Russians say **термóметр** instead of **грáдусник**.

[2] Besides aspirin, a common headache remedy is **пирамидóн** *pyramidon*. It comes in either powder form or crystals and is dissolved in water. It is also available in tablet form.

[3] **Аптéка** is a *pharmacy* in the European sense of the word, that is, a retail store where prescriptions are filled and only medical supplies and toiletries are sold. In every **аптéка** there is a pay telephone booth. Since comparatively few people in the Soviet Union have their own telephone, it is common to call the doctor from there.

[4] The typical Russian window contains a small section which can be opened for ventilation. This **фóрточка** *vent* is usually located in the upper right hand part of the window. Most Russian windows are of the wing type; that is, the two door-shaped halves open inward or outward. In very cold weather, when the rest of the window has been sealed with putty or weather stripping against cold drafts, the small vent is used to air out the room.

У Берёзова грипп

грипп	flu, grippe
У Берёзова грипп.	Beryozov has the flu.
Да́, температу́ра дово́льно высо́кая: три́дцать во́семь и три́.	Yes, your temperature is quite high: 38.3°.
Что́ у него́, до́ктор?	What does he have, doctor?
вероя́тность (f)	probability, likelihood
По все́й вероя́тности у ва́с грипп.	In all probability you have the flu.
определённый	definite, sure, certain
Сейча́с ещё тру́дно сказа́ть определённо, но по все́й вероя́тности, грипп.	It's still difficult at the moment to say for certain, but in all probability, the flu.
подозрева́ть, –а́ют (I)	to suspect
Я та́к и подозрева́л.	I suspected as much.
кашне́ (indecl n) [kašné]	muffler, scarf
Я два́ дня́ ходи́л без кашне́.	I went around without my scarf for two days.
признава́ться, признаю́тся (I)	to confess, admit
Признаю́сь, я два́ дня́ ходи́л без кашне́.	I admit I went around without my scarf for two days.
поня́ть, пойму́т (pfv I) (past по́нял, –а́, –о, –и)	to understand
Я не могу́ тебя́ поня́ть, Фе́дя!	I can't understand you, Fedya!
мете́ль (f)	blizzard, snowstorm
настоя́щий	real; present
На дворе́ настоя́щая мете́ль.	There's a real blizzard outdoors.
На дворе́ настоя́щая мете́ль, а ты́ бе́гаешь с откры́той ше́ей.	There's a real blizzard outdoors and you run around with your neck uncovered.
Ва́ря, ми́лая, я не винова́т.	Varya dear, it's not my fault.
Кашне́ потеря́лось.	The scarf got lost.
Ва́ря, ми́лая, я ведь не винова́т, что кашне́ где́-то потеря́лось.	Varya dear, it's not really my fault that the scarf got lost somewhere.
перча́тка	glove
Перча́тки и кашне́ у все́х теря́ются.	Gloves and scarfs are things everybody loses.
Пра́вда, до́ктор?	Isn't that right, doctor?
Соверше́нно ве́рно.	That's absolutely right.
о́пыт	experience; experiment
со́бственный	own, personal
Я зна́ю по со́бственному о́пыту.	I know from personal experience.
есте́ственный	natural
тем бо́лее	all the more
А у ва́с э́то те́м бо́лее есте́ственно: вы́ профе́ссор.	And with you it's all the more natural—you're a professor.
рассе́янный	absent-minded; scatter-brained (lit. scattered)
Все́ профессора́ рассе́янны.	All professors are absent-minded.

поэтому

therefore

И поэтому рассеян, как все профессора.

And therefore, like all professors, absent-minded.

Вы это хотели сказать?

Is that what you meant to say?

именно

exactly; just, namely

вот именно

that's exactly (or just) it

Вот именно.

That's exactly my point.

лекарство

medicine, drug

прописать, пропишут (pfv I)

to prescribe, write a prescription; to register

Я вам пропишу лекарство.

I'll prescribe some medicine for you.

итак

well now, so, thus

Итак, я вам пропишу лекарство.

Well now, I'm going to prescribe some medicine for you.

Вы его принимайте три раза в день.

You're to take it three times a day.

чайная ложка

teaspoon

по чайной ложке

at the rate of a teaspoon (or a teaspoonful)

по чайной ложке перед едой

a teaspoon before each meal

Вы его принимайте три раза в день по чайной ложке перед едой.

You're to take it three times a day, a teaspoon before each meal.

постель (f)

bed

И скажите ему, доктор, чтобы он лежал в постели.

And tell him, doctor, he's to stay in bed.

слушаться, –аются (I) (plus gen)

to obey, listen to, mind

совет

advice; council; soviet

слушаться советов

to take (or heed) advice

Он не слушается моих советов.

He doesn't take my advice.

непременно

surely, without fail

Он непременно сядет за свой стол.

He's sure to get back to his desk (lit. sit down at his desk).

А то он моих советов не слушается и непременно сядет за свой стол.

Otherwise, [since] he doesn't listen to my advice, he's sure to get back to his desk.

рекомендовать, –дуют (I)

to recommend, advise

Я вам рекомендую немного полежать.

I recommend you stay in bed awhile.

нормальный

normal

пока не (plus pfv verb)

until

Да, я вам рекомендую полежать, пока у вас температура не станет нормальной.

Yes, I recommend you stay in bed until your temperature is normal.

обещать, –ают (I)

to promise

так и быть

so be it, all right; well, all right then

Так и быть, обещаю лежать.

Well, all right then; I promise to stay in bed.

болезнь (f)

illness, sickness

продлиться, продлятся (pfv II)

to last, continue

По-вашему, эта болезнь долго продлится?

Do you think this illness will last long?

полтора (m, n); полторы (f) (plus gen)

one and a half

Полторы недели.

A week and a half.

Неделю — полторы.

A week or a week and a half.

бюллете́нь (m) [bu̯lite̯n]

вы́писать, вы́пишут (pfv I)

По́зже зайди́те ко мне́ в поликли́нику, я́ ва́м вы́пишу бюллете́нь.

поправля́ться, –я́ются (I)

Ну́, поправля́йтесь!

До свида́ния, до́ктор. Большо́е спаси́бо.

medical certificate; bulletin

to write out, copy; to subscribe

Later, drop in to see me at the out-patient clinic and I'll write you out a medical certificate.

to get well, get better, recover; to correct oneself

Well, hurry up and get well!

Good-bye, doctor. Thanks very much.

SUPPLEMENT

послу́шаться (pfv I) (*plus* gen)

Почему́ ты́ не послу́шался учи́теля?

Послу́шайся моего́ сове́та и лети́ самолётом.

попра́виться, –ятся (pfv II)

Его́ здоро́вье попра́вилось.

раздева́ться, –аются (I)

Я́ не бу́ду раздева́ться, я́ то́лько на мину́тку.

разде́ться, разде́нутся (pfv I)

Разде́ньтесь, до́ктор сейча́с придёт.

ка́шлять, –яют (I)

Я́ до си́х по́р ка́шляю.

просту́да

У ва́с ка́жется просту́да?

на́сморк

У меня́ си́льный на́сморк.

ка́шель, ка́шля (m)

Вы́ мне́ пропи́шете лека́рство от ка́шля?

анги́на

Я́ подозрева́ю, что у меня́ анги́на.

бронхи́т

Ему́ тепе́рь ху́же: просту́да перешла́ в бронхи́т.

аспири́н

Ложи́тесь в посте́ль и прими́те аспири́н.

табле́тка

Ско́лько табле́ток в де́нь ва́м прописа́ли?

Во́т табле́тки от просту́ды.

столо́вая ло́жка

Принима́йте э́то лека́рство три́ ра́за в де́нь по столо́вой ло́жке по́сле еды́.

буты́лка

Одолжи́те мне буты́лку молока́.

полбуты́лки

К сожале́нию, у меня́ е́сть то́лько полбуты́лки.

to obey, listen to, heed, mind

Why didn't you mind the teacher?

Take my advice and go by plane.

to get well, recover, improve; to correct oneself

His health has improved.

to undress, take off one's clothes (*or* coat)

I won't take off my coat; I'm only staying a minute.

to undress, take off one's clothes (*or* coat)

Take off your clothes; the doctor will be here in a minute.

to cough, have a cough

I'm still coughing.

cold

You seem to have a cold?

head cold; runny nose

I have a bad head cold.

cough

Will you prescribe some medicine for my cough?

sore throat; strep throat; tonsillitis

I suspect that I have a strep throat.

bronchitis

He's worse now: his cold developed into bronchitis.

aspirin

Go to bed and take aspirin.

tablet, pill

How many tablets a day were you told to take?

Here are some cold tablets.

tablespoon

Take this medicine three times a day, a tablespoon after each meal.

bottle

Lend me a bottle of milk.

half a bottle

Unfortunately, I have only half a bottle.

У Берёзова грипп

Те́ же и вра́ч.[1]

Вра́ч 1 Да́, температу́ра дово́льно высо́кая: три́дцать во́семь и три́.[2]

В. С. 2 Что́ у него́, до́ктор?

Вра́ч 3 Сейча́с ещё тру́дно сказа́ть определённо, но по всей вероя́тности, грипп.

Ф. В. 4 Я та́к и подозрева́л. Признаю́сь, я два́ дня́ ходи́л без кашне́.

В. С. 5 Не могу́ тебя́ поня́ть, Фе́дя! На дворе́ настоя́щая мете́ль, а ты́ бе́гаешь с откры́той ше́ей.

Ф. В. 6 Ва́ря, ми́лая, я ведь не винова́т, что кашне́ где́-то потеря́лось. Перча́тки и кашне́ у все́х теря́ются, пра́вда, до́ктор?

Вра́ч 7 Соверше́нно ве́рно. Зна́ю по со́бственному о́пыту. А у ва́с э́то те́м бо́лее есте́ственно: вы́ профе́ссор.

В. С. 8 И поэ́тому рассе́ян как все́ профессора́. Вы́ э́то хоте́ли сказа́ть?

Вра́ч 9 Во́т и́менно. Ита́к, я ва́м пропишу́ лека́рство. Вы́ его́ принима́йте три́ ра́за в де́нь по ча́йной ло́жке перед едо́й.

В. С. 10 И скажи́те ему́, до́ктор, чтобы о́н лежа́л в посте́ли. А то́ о́н мои́х сове́тов не слу́шается и непреме́нно ся́дет за свой сто́л.[3]

Вра́ч 11 Да́, я ва́м рекоменду́ю полежа́ть, пока́ у ва́с температу́ра не ста́нет норма́льной.

Ф. В. 12 Та́к и бы́ть, обеща́ю лежа́ть. По-ва́шему, э́та боле́знь до́лго продли́тся?

Вра́ч 13 Неде́лю — полторы́. По́зже зайди́те ко мне́ в поликли́нику, я ва́м вы́пишу бюллете́нь.[4] Ну́, поправля́йтесь!

Ф. В. 14 До свида́ния, до́ктор. Большо́е спаси́бо.

NOTES

[1] **Те́ же и вра́ч** means that the same speakers as in the preceding Conversation (**Фёдор Васи́льевич** and **Варва́ра Серге́евна**) and the doctor appear in this Conversation.

[2] Russians use a comma instead of a period for writing decimal fractions, for example, 38,3. This is usually read as **и** *and*: **три́дцать во́семь и три́** (for **три́дцать во́семь и три́ деся́тых** *thirty-eight and three tenths*). Conversely, a period instead of a comma is written between thousands: 1.000.000 (one million).

[3] Russians very often use the plural form **сове́ты** in the sense *advice*:

Он лю́бит дава́ть сове́ты.   *He loves to give advice.*

We have already encountered the political-administrative meaning of this word in the term **горсове́т** (**городско́й сове́т**) *city soviet* or *council*. The noun **сове́т** can never be used in reference to the Soviets as people, but the adjective **сове́тский** may be so used, for example, **сове́тский наро́д** *the Soviet people.*

⁴ It is a law that every Soviet worker who has been absent from work because of illness must bring in a statement to that effect, that is, a medical certificate. This document, called a **бюллетéнь**, is issued at the nearest regional out-patient clinic and must be obtained there even if the person has been treated at home by a private physician.

Basic sentence patterns

1. Óн всё испóртил.
    ———— потерял.
    ———— приготóвил.
    ———— украл.
    ———— съéл.

He spoiled everything.
— lost ————.
— prepared ————.
— stole ————.
— ate ————.

2. Онá не рассéрдится.
    ———— заболéет.
    ———— сумéет.
    ———— услы́шит.
    ———— повéрит.

She won't be angry.
———— get sick.
———— be able to.
———— hear.
———— believe it.

3. Ктó э́то сдéлает?
    ———— подéржит?
    ———— прочитáет?
    ———— нальёт?
    ———— сошьёт?

Who'll do this?
———— hold —?
———— read —?
———— pour —?
———— sew —?

4. Онá емý соврала.
    —— егó полюбила.
    —— емý написáла.
    —— егó испугáла.

She lied to him.
— fell in love with him.
— wrote to him.
— scared him.

5. Повéрьте мнé!
    Заплатите —!
    Позвоните —!
    Посовéтуйте —!
    Налéйте ————!

Believe me!
Pay ————!
Call ————!
Advise —!
Pour for —! (*I.e.*, Pour me some!)

6. Налéй мнé полчáшки чáю.
    ———— полстакáна винá.
    ———— пол-лóжки лекáрства.

Pour me half a cup of tea.
———— half a glass of wine.
———— half a spoonful of medicine.

7. Я́ тáм прóбыл всегó полчасá.
    ———— полгóда.
    ———— полмéсяца.
    ———— полдня́.

I was there for only half an hour.
———— half a year.
———— half a month.
———— half a day.

8. Мы́ ужé прошли полкилóметра.
    ———— полмили.
    ———— полдорóги.

We've already gone half a kilometer.
———— half a mile.
———— half of the way.

9. Мнé нýжно не бóльше получáса.
    ———— полугóда.
    ———— полумéтра.

I don't need more than half an hour.
———— half a year.
———— half a meter.

10. Двéрь былá полуоткры́та.
    ———— полузакры́та.

The door was half-open.
———— half-shut.

11. Я не сразу понял, что сделал ошибку.

    Она не сразу поняла, что сделала ошибку.

I didn't understand right away that I'd made a mistake.

She didn't understand right away that she'd made a mistake.

12. Я этого никогда не пойму.
    Мы ——————— поймём.
    Он ——————— поймёт.

I'll never understand it.
We'll ———————.
He'll ———————.

13. Я вам не рекомендую туда ехать.
    Я вам порекомендую лучшую гостиницу.

    Кто вам порекомендовал эту гостиницу?

    Это не рекомендуется.

I wouldn't advise you to go there.
I'll recommend a better hotel to you.

Who recommended this hotel to you?

It's not recommended. (You'd better not do it.)

14. Я поднимусь наверх.
    Он поднимется ——.
    Мы поднимемся ——.
    Поднимитесь на гору.
    ——————— на лестницу.
    ——————— на второй этаж.

I'll go upstairs.
He'll go ——.
We'll go ——.
Climb the mountain.
—— the stairs.
—— to the second floor.

15. Я сейчас вызову такси.
    ——————— машину.
    ——————— врача.
    ——————— милицию.

I'll get a taxi right away.
—— a car ————.
—— the doctor ——.
—— the police ——.

16. Вызовите милицию.
    ——————— дружинников.
    ——————— мне такси.

Send for (or Call) the police.
——————— the militiamen.
Call me a taxi.

17. Хочешь, я укрою тебя вторым одеялом?

    ——————— мы укроем ———————?
    ——————— она укроет ———————?

[Do you] want me to put a second blanket on you?

——————— us to put ———————?
——————— her to put ———————?

18. Кого вы подозреваете?
    — Мы никого не подозреваем.
    Кого ты подозреваешь?
    — Я никого не подозреваю.

Whom do you suspect?
We don't suspect anyone.
Whom do you suspect?
I don't suspect anyone.

19. Зимой я всегда болею гриппом.
    —— ты —— болеешь ——.
    —— она —— болеет ——.

In winter I'm always sick with the flu.
——————— you're ———————.
——————— she's ———————.

20. Они редко болеют.
    Мы —— болеем.
    Вы —— болеете.

They're seldom sick.
We're ———————.
You're ———————.

21. Я признаюсь, что виноват.
    Мы признаёмся, что виноваты.

I admit that I'm to blame.
We admit that we're to blame.

22. Доктор сказа́л ему́ приня́ть горя́чую
　　　　　　　　　　　　　　ва́нну.
　＿＿＿＿＿＿＿＿＿ принима́ть э́то
　　　　　　　　　　　　лека́рство.
　＿＿＿＿＿＿＿＿＿ принима́ть э́ти
　　　　　　　　　　　　табле́тки.
　＿＿＿＿＿＿＿＿＿ прийти́ в
　　　　　　　　　　　поликли́нику.

The doctor told him to take a hot bath.
＿＿＿＿＿＿＿＿＿ to take this medicine.
＿＿＿＿＿＿＿＿＿ to take these pills.
＿＿＿＿＿＿＿＿＿ to come to the
　　　　　　　　out-patient clinic.

23. У тебя́ высо́кая температу́ра.
　＿＿＿＿ норма́льная температу́ра.
　＿＿＿＿ серьёзная боле́знь.

You have a high temperature.
Your temperature is normal.
You have a serious illness.

24. У меня́ ка́шель.
　＿＿＿＿ на́сморк.
　＿＿＿＿ просту́да.

I have a cough.
＿＿＿ a head cold.
＿＿＿ a cold.

25. Он заболе́л.
　Он лежи́т больно́й.
　＿＿＿＿＿ в посте́ли.
　＿＿＿＿＿ в больни́це.

He's fallen sick.
＿＿ sick in bed.
＿＿ in bed.
＿＿ in the hospital.

Pronunciation practice: clusters of three consonants
with з as the initial consonant

A. Consonant cluster здр pronounced [zdr] or [zdr̩].

[zdrástuj] здра́вствуй
hello
[pəzdravḷáju] поздравля́ю
congratulations

[nózdr̩i] но́здри
nostrils

B. Consonant cluster здв pronounced [zdv] or [zd̮v̮].

[rəzdvajéņijə] раздвое́ние
splitting
[izdvóŗikə] из дво́рика
from the small yard

[izd̮v̮éŗi] из две́ри
from the door

C. Consonant cluster збр pronounced [zbr] or [zbr̩].

[izbr̩úkvi] из брю́квы
from turnips
[vrazbrót] вразбро́д
disunitedly

[rəzbrasáṭ] разброса́ть
to scatter

D. Consonant cluster звр pronounced [zvr] or [zvr̩].

[vəzvraṭíṭ] возврати́ть
to return
[b̮izvr̩éṃiņjə] безвре́менье
hard times

[bizvŗédnij] безвре́дный
harmless

E. Consonant cluster **згл** pronounced [zgl] or [zgl̡].

[rəzgl̡iḍét̡]   разгляде́ть
   to discern
[izgl̡ín̡i]   из гли́ны
   from clay

[izglúpəj]   из глу́пой
   from stupid

F. Consonant cluster **згр** pronounced [zgr] or [zgr̡].

[rəzgran̡íčit̡]   разграни́чить
   to differentiate
[izgr̡ibóf]   из грибо́в
   from mushrooms

[izgrúš]   из гру́ш
   from pears

G. Consonant cluster **згн** pronounced [zgn] or [zgn̡].

[izgnán̡ijə]   изгна́ние
   banishment
[razgn̡évətcə]   разгне́ваться
   to become angry

[vazgnát̡]   возгна́ть
   to turn to vapor

STRUCTURE AND DRILLS

Verbal prefixes: part 1—perfectivization by prefixation

The prefixes most commonly used as perfectivizers of simple imperfective verbs are the following: **по–**, **с–**, **вы–**, **на–**, **у–**, and to a lesser extent, **из–**, **за–**, **при–**, **под–**, **про–**, and **раз–**. In this lesson we will treat these prefixes only in their function to provide basic perfectives for unprefixed imperfective verbs:

MODELS

Кто́-то стучи́т.	Someone's knocking.
Кто́-то **по**стуча́л.	Someone knocked.
Я ему́ не ве́рю.	I don't believe him.
Я ему́ не **по**ве́рил.	I didn't believe him.
О́н ва́с зовёт.	He's calling you.
О́н ва́с **по**зва́л.	He called you.
Мы́ ча́сто гуля́ем в па́рке.	We often stroll in the park.
Мы́ **по**гуля́ли в па́рке.	We took a stroll in the park.
Она́ ча́сто поёт.	She often sings.
Она́ **с**пе́ла краси́вую пе́сню.	She sang a beautiful song.
Я уме́ю э́то де́лать.	I know how to do it.
Я **с**уме́ю э́то **с**де́лать.	I'll be able to do it.
О́н о́чень бы́стро растёт.	He's growing very rapidly.
О́н ско́ро **вы**растет.	He'll soon grow up.
Я не пью́ ко́фе.	I don't drink coffee.
Я **вы**пью ча́шку ча́ю.	I'll drink a cup of tea.

Óн у́чит меня́ игра́ть в те́ннис.	He's teaching me how to play tennis.
Научи́те меня́ игра́ть в те́ннис.	Teach me how to play tennis.
Вы́ слы́шите звоно́к?	Do you hear the bell?
Вы́ ско́ро **у**слы́шите звоно́к.	You'll soon hear a bell.
Я́ не ви́жу ва́шего портфе́ля.	I don't see your briefcase.
Я́ ва́с **у**ви́жу за́втра у́тром.	I'll see you tomorrow morning.
Óн э́тим интересова́лся.	He was interested in it.
Óн э́тим **за**интересова́лся.	He became interested in it.

■ REPETITION DRILL

Repeat the given models illustrating the use of the prefixes most often employed in forming basic perfectives.

■ STRUCTURE REPLACEMENT DRILLS

1. *She's out taking a walk.*
   She's going to take a walk.
   Она́ гуля́ет.
   Она́ погуля́ет.
   Она́ звони́т по телефо́ну.
   Она́ позвони́т по телефо́ну.
   (нам верит, нас зовёт, нас любит,
   нам мешает, нас слушается)

2. *Who'll be singing this?*
   Who's going to sing this?
   Кто́ э́то бу́дет пе́ть?
   Кто́ э́то споёт?
   Кто́ э́то бу́дет вари́ть?
   Кто́ э́то сва́рит?
   (делать, есть, печь, шить, играть)

■ RESPONSE DRILLS

1. *I don't want to wash it.*
   Let me wash it.
   Я́ не хочу́ э́того стира́ть.
   Дава́й я́ вы́стираю.
   Я́ не хочу́ э́того пи́ть.
   Дава́й я́ вы́пью.
   (учить, мыть, пить, стирать)

2. *They've already danced.*
   Let's dance now, you and I.
   Они́ уже́ танцева́ли.
   Тепе́рь дава́йте мы́ потанцу́ем.
   Они́ уже́ иска́ли.
   Тепе́рь дава́йте мы́ пои́щем.
   (катались, танцевали, обедали,
   у́жинали, гуляли, слушали радио)

■ QUESTION-ANSWER DRILLS

1. *Does she like to sew?*
   Yes, she sewed this for me.
   Она́ лю́бит ши́ть?
   Да́, она́ мне́ э́то сши́ла.
   Она́ лю́бит пе́ть?
   Да́, она́ мне́ э́то спе́ла.
   (варить, петь, играть, шить, варить)

2. *Are they going to have dinner?*
   No, they've already had it.
   Они́ бу́дут обе́дать?
   Не́т, они́ уже́ пообе́дали.
   Они́ бу́дут спа́ть?
   Не́т, они́ уже́ поспа́ли.
   (гулять, танцевать, звонить, мыть
   окна, кататься на лыжах, играть в
   лапту)

1. *Wake me up!*
   Don't wake me!
   Разбуди́те меня́!
   Не буди́те меня́!
   Напиши́те мнé!
   Не пиши́те мнé!
   Позвони́те мнé!
   Подожди́те меня́!
   Научи́те меня́!
   Позови́те меня́!
   Сыгра́йте со мно́й!

2. *He ate up everything.*
   He ate everything.
   Óн всё съéл.
   Óн всё éл.
   Óн всё потеря́л.
   Óн всё теря́л.
   (испортил, выпил, украл, прочитал,
   выстирал, помыл, спрятал)

3. *They've fallen ill.*
   They often fell ill.
   Они́ заболéли.
   Они́ ча́сто болéли.
   Они́ вы́купались ещё ра́з.
   Они́ ча́сто купа́лись.
   (сыграли ещё раз, написали ещё раз,
   спели ещё раз, погуляли, позвонили,
   помечтали, заболели)

4. *He scared everybody.*
   He was always scaring everybody.
   Óн всéх испуга́л.
   Óн всегда́ всéх пуга́л.
   Óн всéх научи́л.
   Óн всегда́ всéх учи́л.
   (со всеми поспорил, на всех
   рассердился, всем написал, всех
   побил, обо всех подумал, всем
   поверил, всех позвал)

DISCUSSION

The prefix **вы–** always attracts the stress to itself in perfective verbs: **расти́** (imperfective), **вы́расти** (perfective); **купа́ться** (imperfective), **вы́купаться** (perfective); **учи́ть** (imperfective), **вы́учить** (perfective).

The imperfective verb **пéчь** *to bake* has two basic perfectives with exactly the same meaning: **спéчь** and **испéчь**. It should be noted that the prefixes **из–** and **раз–** are spelled **ис–** and **рас–** when they join stems beginning with a voiceless consonant: **испуга́ть** (compare **изучи́ть**, **измéрить**), **рассерди́ться** (compare **разбуди́ть**, **разли́ть**). Note also that when a prefix ending in a consonant is joined to a stem ordinarily beginning with **и**, the **и** is replaced by **ы**: compare **игра́ть** with perfective **сыгра́ть**.

Like the prepositions from which most of them are derived, prefixes ending in a consonant may have an alternate form ending in **–о** (actually an inserted vowel). This occurs when the root begins with a consonant cluster:

Compare	сши́ть	*with*	**со**шью́, **со**шьёшь, etc.
	жда́ть		**подо**жда́ть
	вра́ть		**со**вра́ть

Compounds formed by means of the prefix пол- (or полу-)

MODELS

Прошло́ полмину́ты.	Half a minute passed.
———— полчаса́.	—— an hour ——.
———— полдня́.	—— a day ————.
———— полго́да.	—— a year ————.

Мне́ ну́жно полстака́на са́хару.	I need half a glass of sugar.
———— полча́шки ————.	———— a cup ————.
———— полкило́ ————.	———— a kilogram ——.
———— пол-лимо́на.	———— a lemon.
———— пол-апельси́на.	———— an orange.
———— пол-листа́ бума́ги.	———— a sheet of paper.
Нале́й мне́ полча́шки ча́ю.	Pour me half a cup of tea.
———— полстака́на молока́.	———— a glass of milk.
———— пол-ло́жки лека́рства.	———— a teaspoonful of medicine.
———— полведра́ воды́.	———— a pailful of water.
На́м оста́лось о́коло полукиломе́тра.	We have about half a kilometer left.
———————— полуми́ли.	———————— a mile ————.
Мы́ та́м пробы́ли о́коло полуго́да.	We spent about half a year there.
———————— получа́са.	———————— an hour ——.
Её глаза́ бы́ли полуоткры́ты.	Her eyes were half-open.
———————— полузакры́ты.	———————— half-shut.
Они́ бы́ли полуоде́ты.	They were half-dressed.
———— полубольны́.	———— half-sick.
———— полуголодны.	———— half-starved.

■ REPETITION DRILL

Repeat the given models illustrating the patterns of nouns and adjectives formed by means of **пол–** (*or* **полу–**).

■ STRUCTURE REPLACEMENT DRILLS

1. *Lend me a glass of sugar.*
   Lend me half a glass of sugar.
   Одолжи́те мне́ стака́н са́хару.
   Одолжи́те мне́ полстака́на са́хару.
   Одолжи́те мне́ кило́ са́хару.
   Одолжи́те мне́ полкило́ са́хару.
   (килограмм, чашку, ложку, кило,
   стакан)

2. *A minute passed.*
   Half a minute passed.
   Прошла́ мину́та.
   Прошло́ полмину́ты.
   Прошёл ча́с.
   Прошло́ полчаса́.
   (год, месяц, ночь, день, жизнь,
   минута, час)

3. *You can see the whole village from here.*
   You can see half the village from here.
   Отсю́да ви́дно всё село́.
   Отсю́да ви́дно полсела́.
   Отсю́да ви́дно ве́сь го́род.
   Отсю́да ви́дно полго́рода.
   (окно, дом, здание, избу, коридор,
   деревню, площадь, парк)

4. *He said that in earnest.*
   He said that half seriously.
   О́н э́то сказа́л серьёзно.
   О́н э́то сказа́л полусерьёзно.
   О́н э́то сказа́л рассе́янно.
   О́н э́то сказа́л полурассе́янно.
   (определенно, спокойно, театрально,
   серьёзно, рассеянно)

5. *He was drunk.*
   He was half-drunk.
   О́н бы́л пья́ный.
   О́н бы́л полупья́ный.
   О́н бы́л больно́й.
   О́н бы́л полубольно́й.
   (голодный, одетый, сумасшедший,
   пьяный, больной)

6. *We have one kilometer to go.*
   We have about half a kilometer to go.
   На́м оста́лся оди́н киломе́тр.
   На́м оста́лось о́коло полукиломе́тра.
   На́м оста́лась одна́ ми́ля.
   На́м оста́лось о́коло полуми́ли.
   (час, год, месяц, километр, миля)

Compound adjectives and adverbs are formed by prefixing unstressed **полу–** *half* to a number of adjectives, adverbs, and participles: **полупья́ный** *half-drunk*, **полупусто́й** *half-empty*, **полуоткры́тый** *half-open*, **полусерьёзно** *half-seriously*, **полуоде́тый** *half-dressed*, and others.

Compound nouns are formed essentially the same way except that in the nominative and accusative cases the first part of the compound is usually **пол–**, followed by the genitive singular of the noun: compare **ча́шка** *cup* with **полча́шки**, **стака́н** *glass* with **полстака́на**. The prefix **пол–** must be written with a hyphen before nouns beginning with an **л** (**пол-ло́жки**), before vowels (**пол-огурца́**), and before capitalized words (**пол-Москвы́**).

Compound nouns formed by means of the prefix **пол–** are generally used only in the nominative and accusative cases. In other cases, the regular noun **полови́на** is ordinarily used instead. In the genitive case, both **пол–** and **полу–** occur with some nouns, for example:

о́коло **получа́са** *or* о́коло **полчаса́**   about half an hour

Review of two-stem first conjugation verbs

Two-stem verbs were discussed in Lesson 12 of Volume I. In this section we review and drill some of the most important two-stem verbs introduced in later lessons.

Remember that almost all two-stem verbs belong to the first conjugation.

MODELS

Она́ наде́ла но́вое пла́тье.	She put on a new dress.
Она́ наде́нет но́вое пла́тье.	She'll put on a new dress.
Она́ уже́ разде́ла дете́й.	She's already undressed the children.
Она́ сейча́с разде́нет дете́й.	She'll get the children undressed now.
Я́ ва́с не по́нял.	I didn't understand you.
Вы́ меня́ не поймёте.	You won't understand me.
Она́ сняла́ пальто́ и се́ла.	She took off her coat and sat down.
Сними́те пальто́ и сади́тесь.	Take off your overcoat and sit down.
Я́ не могу́ подня́ть э́того я́щика.	I can't lift this box.
Дава́йте подни́мем вме́сте.	Let's try lifting it together.
Она́ ча́сто мы́ла о́кна.	She often washed the windows.
———— мо́ет ——.	———— washes ————.
На́до закры́ть фо́рточку.	The window vent has got to be closed.
Закро́йте, пожа́луйста, фо́рточку.	Please close the window vent.
Ско́лько дне́й вы́ пробы́ли в Ки́еве?	How many days did you spend in Kiev?
———————— вы́ пробу́дете ——?	———————— will you spend ——?
Ты́ уже́ до́пил молоко́?	Have you already finished your milk?
— Не́т, я́ сейча́с допью́.	No, I'll finish it right away.
Зи́на приши́ла пу́говицу.	Zina sewed the button on.
—— пришьёт ————.	—— will sew ————.

Какой-то мальчик сбил меня с ног.	Some little boy knocked me down.
Осторожно, Петя. Ты собьёшь кого-нибудь с ног.	Careful, Petya. You'll knock somebody down.
Кто-то разлил молоко.	Somebody spilled the milk.
Осторожно, ты разольёшь молоко.	Careful, you'll spill the milk.
Я уже позвал доктора.	I've already called the doctor.
Позовите, пожалуйста, доктора.	Please call the doctor.
Вы уже собрали вещи?	Have you already collected your things?
Нет, мы сейчас соберём.	No, we'll do it right away.
Куда вы спрятали чайные ложки?	Where have you hidden the teaspoons?
_____ ты спрячешь эти бумаги?	_____ will you hide these papers?
Что он рекомендовал?	What did he recommend?
_____ он рекомендует?	_____ does he recommend?
Вы уже запаковали свои вещи?	Have you already packed your things?
Когда вы запакуете свои вещи?	When are you going to pack your things?
Нам надо переехать на другую квартиру.	We've got to move to another apartment.
Они скоро переедут на другую квартиру.	They'll soon be moving to another apartment.

■ REPETITION DRILL

Repeat the given models illustrating two-stem verbs. Note particularly that the form of the stem used in the past and the infinitive differs from that used in the present-future and the imperative:

INFINITIVE	наде́–ть	FUTURE	наде́н–у, наде́н–ешь
PAST	наде́–л, наде́–ла, etc.	IMPERATIVE	наде́н–ь! наде́н–ьте!

■ TRANSFORMATION DRILLS

1. *I've packed the books.*
   I'll pack the books.
   Я запаковал книги.
   Я запакую книги.
   Ты запаковал книги.
   Ты запакуешь книги.
   (мы, он, вы, они, я, она)

2. *She closed the vent.*
   She'll close the vent.
   Она закрыла форточку.
   Она закроет форточку.
   Вы закрыли форточку.
   Вы закроете форточку.
   (я, они, ты, он, мы, она, вы)

3. *You won't understand a thing.*
   You didn't understand a thing.
   Вы ничего не поймёте.
   Вы ничего не поняли.
   Я ничего не пойму.
   Я ничего не понял.
   (она, он, вы, мы, они, она)

4. *I'll spend a week and a half there.*
   I spent a week and a half there.
   Я там пробуду полторы недели.
   Я там пробыл полторы недели.
   Ты там пробудешь полторы недели.
   Ты там пробыла полторы недели.
   (мы, он, они, вы, она)

5. *I collected some material.*
I'll collect some material.
Я собра́л материа́л.
Я соберу́ материа́л.
Мы собра́ли материа́л.
Мы соберём материа́л.
(ты, он, вы, они, мы, она)

6. *I looked in my desk.*
I'll look in my desk.
Я поиска́л у себя́ в столе́.
Я поищу́ у себя́ в столе́.
Он поиска́л у себя́ в столе́.
Он пойщет у себя́ в столе́.
(мы, они, ты, она, вы, он, я, мы)

■ QUESTION-ANSWER DRILLS

1. *Did you finish your juice?*
Not yet; I'm going to finish it now.
Ты до́пил со́к?
Нет ещё, я сейча́с допью́.
Вы до́пили со́к?
Нет ещё, мы сейча́с допьём.
(он, ты, они, вы, она, ты, они)

2. *When are you going to move to the city?*
I've already moved.
Когда́ ты перее́дешь в го́род?
Я уже́ перее́хал.
Когда́ вы перее́дете в го́род?
Мы уже́ перее́хали.
(он, вы, она, они, Варя, Варя с Федей)

3. *Are you going to rent a cottage here?*
We already have.
Вы сни́мете здесь да́чу?
Мы уже́ сня́ли.
Ты сни́мешь здесь да́чу?
Я уже́ сня́л.
(она, он, вы, они, она)

4. *You haven't started training yet?*
I'll start in half an hour.
Ты ещё не на́чал тренирова́ться?
Я начну́ через полчаса́.
Он ещё не на́чал тренирова́ться?
Он начнёт через полчаса́.
(вы, она, ты, он, вы, они, ты)

5. *Did he sing at the party?*
No, he doesn't sing at parties.
Он пе́л на ве́чере?
Нет, он не поёт на вечера́х.
Вы пе́ли на ве́чере?
Нет, я не пою́ на вечера́х.
(она, они, ты, он, вы, она)

■ RESPONSE DRILLS

1. *You see, I didn't spill any milk.*
And you were afraid I would.
Ви́дишь, я не разли́л молока́.
А ты боя́лся, что я разолью́.
Ви́дишь, он не разли́л молока́.
А ты боя́лся, что он разольёт.
(мы, она, я, они, мы, он, я, они)

2. *It's necessary that you raise this question.*
I certainly will.
На́до, чтобы ты по́днял э́тот вопро́с.
Я непреме́нно подниму́.
На́до, чтобы вы по́дняли э́тот вопро́с.
Мы непреме́нно подни́мем.
(он, они, вы, она, мы, он, ты)

3. *You forgot to hide the key.*
I'll do it now.
Ты забы́л спря́тать клю́ч.
Я сейча́с спря́чу.
Вы забы́ли спря́тать клю́ч.
Мы сейча́с спря́чем.
(она, ты, они, вы, он, она, мы)

4. *I haven't sewn on the pockets yet.*
I'll sew them on tomorrow.
Я ещё не приши́л карма́нов.
Я пришью́ за́втра.
Они́ ещё не приши́ли карма́нов.
Они́ пришью́т за́втра.
(мы, ты, он, она, я, вы, они, ты)

Although two-stem verbs contain several different subclasses, all have two features in common:

1. The stem ends in a vowel before the infinitive ending –ть and before the past tense endings –л, –ла, –ло, and –ли.

2. The stem ends in a consonant (including [j]) before endings of the present-future and imperative:

INFINITIVE	показа́–ть *to show*	FUTURE	покаж–у́
PAST	показа́–л		пока́ж–ешь
	показа́–ла		пока́ж–ут
	показа́–ли	IMPERATIVE	покаж–и́!
			покаж–и́те!

The small but important class of two-stem verbs that pattern like **пи́ть** *to drink* have a vowel inserted in their root in the imperative:

приши́ть	*to sew on*	прише́й! прише́йте!
допи́ть	*to drink on*	допе́й! допе́йте!
разли́ть	*to spill*	разле́й! разле́йте!
сби́ть	*to knock down*	сбе́й! сбе́йте!

Verbs of this type whose prefix is a single consonant or ends in a consonant (**с–, раз–**) have an alternate prefix ending in a vowel (**со–, разо–**) before the forms of the present-future:

Compare	**собью́, собьёшь, собью́т**
	разолью́, разольёшь, разолью́т
with	**сби́ть**
	разби́ть

Further reflexive verb drills

MODELS

Ва́м на́до офо́рмиться.	You've got to register (*or* fill out the forms).
— Офо́рмитесь!	Register! *or* Fill out the forms!
Ва́м на́до поправля́ться.	You've got to get better.
— Поправля́йтесь!	Get well!
Тебе́ на́до умыва́ться.	You've got to wash up.
— Умыва́йся!	Wash up!
Тебе́ на́до побри́ться.	You've got to get shaved.
— Побре́йся!	Get shaved! *or* Shave!
Ты́ уже́ оде́лся?	Have you gotten dressed?
— Оде́нься!	Get dressed!
Ты́ разде́лся?	Have you gotten undressed?
— Разде́нься!	Get undressed!
Ты́ умы́лся?	Have you washed up?
— Умо́йся!	Wash up!
Я́ в э́том не сомнева́юсь.	I don't doubt it.
Я́ в э́том не сомнева́лся.	I didn't doubt it.
Не сомнева́йтесь в э́том.	Have no doubt of it.

Я обы́чно остана́вливаюсь у друзе́й.	I usually stay with friends.
Почему́ вы́ остана́вливаетесь?	Why are you stopping?
Не остана́вливайтесь!	Don't stop!
Я постара́юсь прийти́ в во́семь.	I'll try to come at eight.
Постара́йтесь прийти́ в во́семь.	Try to come at eight.
Я постара́лся прийти́ пора́ньше.	I tried to come as early as I could.

■ REPETITION DRILL

Repeat the given models illustrating the use of reflexive verbs.

■ TRANSFORMATION DRILLS

1. *I always stop here.*
   I always stopped here.
   Я́ зде́сь всегда́ остана́вливаюсь.
   Я́ зде́сь всегда́ остана́вливался.
   Óн зде́сь всегда́ остана́вливался.
   Óн зде́сь всегда́ остана́вливается.
   (мы, она, ты, они, я, он, туристы, вы)

2. *I didn't doubt it.*
   I don't doubt it.
   Я́ в э́том не сомнева́лся.
   Я́ в э́том не сомнева́юсь.
   Она́ в э́том не сомнева́лась.
   Она́ в э́том не сомнева́ется.
   (мы, они, я, он, ты, она, вы, мы)

■ QUESTION-ANSWER DRILLS

1. *Have you dressed?*
   No, we're getting dressed.
   Вы́ оде́лись?
   Не́т, мы́ одева́емся.
   Óн оде́лся?
   Не́т, о́н одева́ется.
   (ты, вы, она, они, ты, он, вы)

2. *Have you washed up yet?*
   No, I'm just washing up.
   Ты́ уже́ умы́лся?
   Не́т, я́ как ра́з умыва́юсь.
   Они́ уже́ умы́лись?
   Не́т, они́ как ра́з умыва́ются.
   (вы, он, ты, они, вы, она, ты)

■ RESPONSE DRILLS

1. *You're not disturbing me.*
   We'll try not to.
   Вы́ мне́ не меша́ете.
   Мы́ постара́емся не меша́ть.
   Óн мне́ не меша́ет.
   Óн постара́ется не меша́ть.
   (ты, она, вы, они, ты, он, вы)

2. *She never listens to me.*
   This time she will.
   Она́ меня́ никогда́ не слу́шается.
   На э́тот ра́з послу́шается.
   Ты́ меня́ никогда́ не слу́шаешься.
   На э́тот ра́з послу́шаюсь.
   (они, вы, он, ты, она, вы, он)

■ STRUCTURE REPLACEMENT DRILLS

1. *It was easy to break it.*
   It broke easily.
   Э́то легко́ бы́ло слома́ть.
   Э́то легко́ слома́лось.
   Э́то легко́ бы́ло пе́чь.
   Э́то легко́ пекло́сь.
   (снимать, стирать, оформлять, делать, закрывать, открывать, играть, начинать, ломать)

2. *You must get registered.*
   Register!
   Тебе́ на́до офо́рмиться.
   Офо́рмись!
   Тебе́ на́до побри́ться.
   Побре́йся!
   (одеваться, слушаться, раздеваться, побриться, повернуться, умываться, поправляться)

ПОВТОРЕ́НИЕ

— Ну́, молодо́й челове́к, прошу́ ва́с разде́ться. Посмо́трим, попра́вились ли вы́ за лето.

— Пе́тя, когда́ бу́дешь раздева́ться, не броса́й боти́нки и положи́ бельё на сту́л.

— Я, ма́ма, са́м зна́ю — не ма́ленький. Во́т, я уже́ гото́в, до́ктор.

— Прекра́сно, Пе́тя, иди́ сюда́. Дыши́ споко́йно. Тепе́рь переста́нь дыша́ть. Хорошо́.

— Ну́, ка́к вы́ нахо́дите его́ здоро́вье, до́ктор?

— Ва́ш Пе́тя молоде́ц, кре́пкий ма́льчик, здоро́вый. Ты́, Пе́тя, мно́го пла́вал ле́том, ка́к я тебе́ сове́товал?

— Да́, до́ктор. И пла́вал, и в го́ры ходи́л, и на велосипе́де е́здил.

— О́чень хорошо́, спо́рт — лу́чшее сре́дство, чтобы ста́ть кре́пким и здоро́вым. По́мнишь, каки́м ты́ бы́л сла́бым про́шлой зимо́й? А тепе́рь на тебя́ прия́тно смотре́ть.

— Я́ по́мнил ва́ш сове́т, до́ктор: «Побо́льше движе́ния, спо́рта».

— Ви́жу, Пе́тенька. Продолжа́й да́льше занима́ться спо́ртом и — кто́ зна́ет — мо́жет бы́ть, в бу́дущем из тебя́ вы́йдет настоя́щий ма́стер спо́рта.

Жена́ профе́ссора Берёзова о́чень рассе́янная же́нщина. Вчера́ она́ положи́ла в су́п столо́вую ло́жку са́хара вме́сто со́ли, а сего́дня она́ пекла́ сла́дкий пиро́г и вме́сто са́хара положи́ла в него́ полстака́на со́ли. Знако́мые Берёзовых удивля́ются, как бе́дный Берёзов мо́жет жи́ть с тако́й жено́й. Но у него́ споко́йный, ти́хий хара́ктер, а гла́вное, ему́ соверше́нно всё равно́, что́ е́сть: за едо́й о́н всегда́ чита́ет и да́же не смо́трит, что́ перед ни́м поста́вили. Сча́стье бы́ть жено́й тако́го му́жа.

Берёзов преподаёт ру́сский язы́к и литерату́ру в одно́м америка́нском университе́те. Неда́вно его́ студе́нты чита́ли «Мете́ль» Пу́шкина. Мно́гие не пове́рили, что тако́е могло́ случи́ться. И́м каза́лось стра́нным, что жени́х потеря́л доро́гу, что в це́рковь прие́хал друго́й челове́к вме́сто него́, а гла́вное, что неве́ста не посмотре́ла на своего́ жениха́ и вы́шла за́муж за друго́го челове́ка. Берёзов объясни́л свои́м студе́нтам, что в то́ вре́мя, когда́ Пу́шкин писа́л свою́ «Мете́ль», в ру́сской литерату́ре — и не то́лько в ру́сской, но и в други́х литерату́рах — таки́е ве́щи счита́лись интере́сными.

LESSON **29**

PREPARATION FOR CONVERSATION   **Да́й прикури́ть**

прикури́ть, прику́рят (pfv II)
Да́й прикури́ть, Оле́г.

бензи́н
зажига́лка
У меня́ ко́нчился бензи́н в зажига́лке.
Пожа́луйста.

спи́чка
Во́т, возьми́ заодно́ спи́чки.

кури́ть, ку́рят (II)
папиро́са
Ты́ каки́е папиро́сы ку́ришь?

«Кре́мль» (m)
Я́ курю́ «Кре́мль».

угоща́ться (I)

угоща́йся!
Во́т, пожа́луйста, угоща́йся.

Не́т, спаси́бо, «Кре́мль» у меня́ самого́ е́сть.

сигаре́та
Я́ ду́мал, ты́ ку́ришь америка́нские сигаре́ты.

па́чка
вы́курить, –ят (pfv II)
Не́т, в понеде́льник вы́курил после́днюю
па́чку.
Не́т, к сожале́нию, в понеде́льник вы́курил
после́днюю па́чку.

Покажи́ мне́ свою́ зажига́лку.
Покажи́-ка мне́ свою́ зажига́лку.

сде́лан, –а, –о (ppp of сде́лать)
Интере́сно сде́лана.

to light up (from another cigarette)
Give me a light from your cigarette, Oleg.

gas; lighter fluid
cigarette lighter
I've run out of fluid in my lighter.
O.K.

match
Here, take the matches while you're at it.

to smoke
cigarette (with hollow, built-in filter)
What kind of cigarettes do you smoke?

"Kreml" (brand of cigarettes)
I smoke "Kreml."

to be treated, be given (something good);
    to be one's guest; to treat oneself
help yourself! have one! be my guest!
Here, please help yourself.

No, thanks, I have "Kreml" myself.

cigarette
I thought you smoked American cigarettes.

pack; stack
to smoke, finish smoking, smoke up
No, I smoked the last pack on Monday.

No, unfortunately I smoked the last pack on
    Monday.

Show me your lighter.
How about showing me your lighter.

made, done
Interestingly made.

◀ **Моро́женщицы на одно́й из моско́вских у́лиц.**

709

А кака́я у тебя́ зажига́лка?

Никако́й.

    лома́ться, –а́ются (I)
    па́ра
    па́ру ра́з

Я па́ру ра́з покупа́л, а они́ лома́лись.
    момента́льно

Я па́ру ра́з покупа́л, а они́ момента́льно лома́лись.

    махну́ть, махну́т (pfv I)
    махну́ть руко́й

    наконе́ц

Так я́, наконе́ц, махну́л руко́й и перешёл на спи́чки.

    бри́тва
    электри́ческая бри́тва

Я купи́л электри́ческую бри́тву в ГУ́Ме в про́шлом ме́сяце.
    беда́

У меня́ така́я же беда́ с электри́ческой бри́твой.

    переста́ть, переста́нут (pfv I)

Купи́л в ГУ́Ме в про́шлом ме́сяце, она́ порабо́тала дня́ три́ и переста́ла.

    исто́рия

Знако́мая исто́рия.

    безопа́сный

Я всегда́ бре́юсь безопа́сной бри́твой.
    че́шский
    предпочита́ть, –а́ют (I)
    ле́звие

Я предпочита́ю че́шские ле́звия — они́ лу́чше на́ших.

Я всегда́ бре́юсь безопа́сной бри́твой, а ле́звия предпочита́ю че́шские — они́ лу́чше на́ших.

    ка́чество

У ва́с почти́ всё таки́е ве́щи нева́жного ка́чества.
    обижа́ться, –а́ются (I)

Не обижа́йся!

Ты́ не обижа́йся, е́сли я́ скажу́, что у ва́с почти́ всё таки́е ве́щи нева́жного ка́чества.

    чего́ та́м (*or* что́ та́м)

Да чего́ та́м обижа́ться, э́то пра́вда.

	What kind of lighter do you have?

None.

    to break, be broken
    couple, pair
    a couple of times

I bought them a couple of times, but they broke.
    immediately, instantly; in no time at all

I bought them a couple of times, but in no time at all they'd break.

    to wave
    to wave one's hand; to throw up one's hands, give up
    finally, at last

So I finally gave up and switched to matches.

    razor
    electric razor

I bought an electric razor at GUM last month.
    misfortune, trouble; harm

I had the same kind of trouble with an electric razor.

    to stop, cease

I bought one at GUM last month; it worked for about three days and stopped.

    history, story

A familiar story.

    safe, safety (adj)

I always shave with a safety razor.
    Czech (adj)
    to prefer
    blade

I prefer Czech blades—they're better than ours.

I always shave with a safety razor and, [as for] blades, I prefer the Czech ones—they're much better than ours.

    quality

Almost all such things in your country are of poor quality.
    to be offended, take offense, be hurt

Don't take offense! *or* Don't be offended!

Don't take offense if I say that almost all such things in your country are of poor quality.

    what for, why

Why, what's there to be offended about—it's the truth.

ширпотре́б

о́бласть (f)

затрудне́ние

Э́то затрудне́ния в о́бласти ширпотре́ба.

У на́с всегда́ затрудне́ния в о́бласти
ширпотре́ба.

положе́ние

улу́чшить, –ат (pfv II)

прави́тельство

Прави́тельство обеща́ет улу́чшить
положе́ние.

семиле́тка

Ка́жется, ва́ше прави́тельство обеща́ет
улу́чшить положе́ние в сле́дующей
семиле́тке.

пятиле́тка

Ра́ньше всё обеща́ли на сле́дующую
пятиле́тку.

отодви́нуть, –ут (pfv I)

сро́к

Тепе́рь опя́ть сро́к отодви́нули.

дожда́ться, дожду́тся (pfv I)

аво́сь

Аво́сь, дождёмся.

consumer goods

region, sphere, province, field

difficulty, trouble

These are difficulties in the sphere of consumer
goods.

We're always having difficulties in the area of
consumer goods.

position, situation, condition

to improve

government

The government promises to improve the situation.

seven-year plan

It seems your government promises to improve
the situation in the next seven-year plan.

five-year plan

Formerly they kept promising it for the following five-year plan.

to move away, move off; move back

date, deadline; time, period of time

Now they've again moved back the deadline.

to wait (until something is obtained); to get
(by waiting long enough)

maybe; let's hope

Maybe we'll live to see it.

SUPPLEMENT

туши́ть, –ат (II)

Не туши́ ла́мпы.

потуши́ть, –ат (pfv II)

Я́ потушу́ све́т.

зажига́ть (I)

Не зажига́йте электри́чества.

заже́чь (pfv I) (past зажёг, зажгла́; fut
зажгу́, зажжёшь, зажгу́т)

Я́ зажгу́ спи́чку.

закури́ть, –ят (pfv II)

Мо́жно закури́ть?

Дава́й заку́рим.

маха́ть (I) (plus instr) (pres машу́,
ма́шешь, ма́шут)

Она́ ма́шет на́м платко́м из окна́.

помаха́ть, пома́шут (pfv I)

Помаши́ руко́й!

оби́деться, оби́жусь, оби́дятся (pfv II)

Я́ бою́сь, что она́ оби́дится.

to turn out, put out, switch off; to extinguish

Don't turn out the light.

to put out, turn out; to extinguish

I'll turn out the light.

to light, turn on; to set on fire

Don't turn on the electric lights.

to light, turn on; to set on fire

I'll light a match.

to light up, have a smoke, begin smoking

May I smoke? or Is it all right to smoke?

Let's have a smoke.

to wave

She's waving her kerchief at us from the window.

to wave

Wave your hand!

to be offended, be hurt, take offense

I'm afraid she'll be offended.

обижа́ть (pfv оби́деть)　　　　　　　　　　　to offend, slight, hurt
Меня́ обижа́ют таки́е разгово́ры.　　　　　　I feel hurt by such talk.
Наде́юсь, что я́ её не оби́дел.　　　　　　　I hope I didn't offend her.
　　зажига́ться (pfv заже́чься)　　　　　　　　to light up; to begin to burn
Вдру́г в окне́ зажёгся све́т.　　　　　　　　Suddenly, the light went on in the window.
Э́ти спи́чки пло́хо зажига́ются.　　　　　　These matches are hard to light.

Да́й прикури́ть

Ф. — Фили́пп　　　　О. — Оле́г

Ф.　1　Да́й прикури́ть, Оле́г. У меня́ ко́нчился бензи́н в зажига́лке.

О.　2　Пожа́луйста. Во́т возьми́ заодно́ спи́чки. Ты́ каки́е папиро́сы ку́ришь?

Ф.　3　«Кре́мль».[1] Во́т, пожа́луйста, угоща́йся.

О.　4　Не́т, спаси́бо, «Кре́мль» у меня́ самого́ е́сть. Я́ ду́мал, ты́ ку́ришь америка́нские сигаре́ты.[2]

Ф.　5　Не́т, к сожале́нию, в понеде́льник вы́курил после́днюю па́чку.

О.　6　Покажи́-ка мне́ свою́ зажига́лку. Интере́сно сде́лана.

Ф.　7　А кака́я у тебя́?

О.　8　Никако́й. Я́ па́ру ра́з покупа́л, а они́ момента́льно лома́лись. Так я́, наконе́ц, махну́л руко́й и перешёл на спи́чки.[3]

Ф.　9　У меня́ така́я же беда́ с электри́ческой бри́твой: купи́л в ГУ́Ме в про́шлом ме́ся-це, она́ порабо́тала дня́ три́ и переста́ла.

О.　10　Знако́мая исто́рия. Я́ всегда́ бре́юсь безопа́сной бри́твой, а ле́звия предпочита́ю че́шские — они́ лу́чше на́ших.

Ф.　11　Ты́ не обижа́йся, е́сли я́ скажу́, что у ва́с почти́ всё таки́е ве́щи нева́жного ка́чества.

О.　12　Да чего́ та́м обижа́ться, э́то пра́вда. У на́с всегда́ затрудне́ния в о́бласти шир-потре́ба.

Ф.　13　Ка́жется, ва́ше прави́тельство обеща́ет улу́чшить положе́ние в сле́дующей семи-ле́тке.[4]

О.　14　Да́, ра́ньше всё обеща́ли на сле́дующую пятиле́тку, тепе́рь опя́ть сро́к отодви́-нули. Аво́сь дождёмся.[5]

NOTES　　　　[1] «Кре́мль» is named after the famous Kremlin, the ancient fortress located on Red Square in the center of Moscow, where the Russian czars lived and where the Soviet government is now located.

Some of the other popular Soviet brands of cigarettes are «Казбе́к», «Авро́ра», «Беломо́р», and «Ла́йка». The last is named after the famous dog who went up in one of the early Soviet space ships. The best home-grown tobaccos come from coastal regions along the Black Sea.

² **Папиро́са**, the typical Russian cigarette, contains a long hollow filter comprising about a third of its length. The term **сигаре́та** is used for the kind without the hollow filter.

³ The expression **махну́ть руко́й** illustrates a common feature of Russian grammar: the use of the instrumental to describe movement of the parts of one's body. Compare other similar constructions: **покача́ть голово́й** *to shake one's head*, **то́пать нога́ми** *to stamp one's feet*, **пожа́ть плеча́ми** *to shrug one's shoulders*.

⁴ In the Soviet planned economy, the **семиле́тка** *seven-year plan* has recently replaced the former five-year plan. The word **семиле́тка** also refers to the seven-year secondary school, which has now given way to the **восьмиле́тка** *eight-year school*.

⁵ The term **аво́сь** may express both resignation and hope, for example, the phrases «**жи́ть на аво́сь**» *to live by relying on luck or chance* and **идти́ на аво́сь** *to take a chance, to venture*. From the term **аво́сь** is derived the word **аво́ська**, a *shopping bag* one takes along in hope of finding something to buy.

PREPARATION FOR CONVERSATION	Я́ тебя́ угоща́ю моро́женым

моро́женое, –ого	ice cream
угоща́ть, –а́ют (I)	to treat, buy for someone
Я́ тебя́ угоща́ю моро́женым.	I'm treating you to some ice cream.
моро́женщица	ice cream vender (f)
перекрёсток, –тка	intersection, crossroads
Во́н та́м моро́женщица на перекрёстке.	There's an ice cream vender over there at the intersection.
Хо́чешь моро́женого? Я́ угоща́ю.	Want some ice cream? I'm treating.
шокола́дный	chocolate (flavor)
идёт	O.K., it's a deal
Идёт. Я́ люблю́ шокола́дное, а ты́ како́е?	O.K., I like chocolate—what kind do you like?
сли́вочный	cream (adj), vanilla (flavor)
Я́ предпочита́ю сли́вочное.	I prefer vanilla.
по́рция	portion, helping; order
Две́ по́рции, пожа́луйста: одну́ по́рцию сли́вочного и одну́ шокола́дного.	Two [portions] please: one vanilla and one chocolate.
Два́дцать копе́ек.	Twenty kopecks.
сда́ча	change (money in exchange); surrender
Извини́те, у меня́ не́т сда́чи с рубля́.	Sorry, I don't have change for a ruble.
Дава́й, Фили́пп, я́ заплачу́.	Let me pay, Philip.
ме́лочь (f)	change (small); trifle; detail
У меня́ е́сть ме́лочь.	I have some change.
ни в ко́ем слу́чае	under no circumstances
Не́т, не́т, ни в ко́ем слу́чае.	No, no, under no circumstances.
Во́т я́ нашёл два́дцать копе́ек.	Here, I found the twenty kopecks.
скаме́йка	bench

LESSON 29   713

сквер

Ну, хорошо. Пойдём, сядем вон там в сквере на скамейку.

public garden, small park

Well, all right. Let's go sit on the bench over there in the public garden.

легковая машина

Ладно. Вот смотрю и удивляюсь: всё грузовики едут, а легковых машин почти не видно.

automobile, passenger car

Fine. You know, I look and I'm amazed: trucks going by all the time, but almost no passenger cars to be seen.

Да, их у нас гораздо меньше, чем грузовиков.

Yes, we have far fewer of them than we do of trucks.

миллион

В Америке около семидесяти миллионов машин.

million

In America there are about seventy million cars.

А скажи, это правда, что в Америке около семидесяти миллионов машин?

Tell me, is it true that there are about seventy million cars in America?

вроде (*plus* gen)

like, something (*or* somewhat) like, that looks like

Да, что-то вроде этого.

Yes, something like that.

автомобиль (m)
количество

Я не знаю точного количества.

automobile, car, auto
quantity, number, amount

I don't know the exact number.

У нас почти каждая семья имеет автомобиль.

In our country almost every family owns a car.

невероятно

Прямо невероятно!

incredible, inconceivable, beyond belief

It's just incredible!

SUPPLEMENT

предпочесть (pfv I) (past предпочёл, предпочла; fut предпочту, предпочтёшь, –ут)

to prefer

Я предпочёл бы остаться дома.
угостить, угощу, угостят (pfv II)
Чем они вас угостили?
Я вас угощу мороженым.
улучшать (I)

I'd prefer to stay home.
to treat, buy for someone
What did they treat you to?
I'll treat you to some ice cream.
to improve

С каждым годом у нас улучшают качество автомобилей.
улучшаться (pfv улучшиться)

They improve the quality of automobiles [with] every year.
to improve, get better

Его здоровье улучшается.
Погода немного улучшилась.
сливки, сливок (pl only)

His health is improving.
The weather has improved slightly.
cream

Вы пьёте кофе со сливками?
мороженщик

Do you take cream in your coffee?
ice cream vender (m)

Вон там на перекрёстке стоит мороженщик.

There's an ice cream man standing over there at the intersection.

кислый

Этот сок слишком кислый.
сладкий

sour

This juice is too sour.
sweet

Это мороженое слишком сладкое. | This ice cream is too sweet.
сладкое, –ого | dessert
Что вы хотите на сладкое? | What do you want for dessert?
желе (indecl n) | gelatin
Хочешь желе на сладкое? | Do you want gelatin for dessert?
компот | stewed fruit
Давай закажем компот. | Let's order stewed fruit.
срочный | urgent; prompt
Это очень срочное дело. | This matter is very urgent.

Я тебя угощаю мороженым

Ф. — Филипп   О. — Олег   М. — Мороженщица

Ф. 1 Вон там мороженщица на перекрёстке.[1] Хочешь мороженого? Я угощаю.

О. 2 Идёт. Я люблю шоколадное, а ты какое?

Ф. 3 Я сливочное. Две порции, пожалуйста: одну сливочного и одну шоколадного.

М. 4 Двадцать копеек. Извините, у меня нет сдачи с рубля.

О. 5 Давай, Филипп, я заплачу. У меня есть мелочь.

Ф. 6 Нет, нет, ни в коем случае. Вот я нашёл двадцать копеек.

О. 7 Ну, хорошо. Пойдём, сядем вон там в сквере на скамейку.[2]

Ф. 8 Ладно. Вот смотрю и удивляюсь: всё грузовики едут, а легковых машин почти не видно.

О. 9 Да, их у нас гораздо меньше, чем грузовиков. А скажи, это правда, что в Америке около семидесяти миллионов машин?

Ф. 10 Да, что-то вроде этого. Я не знаю точного количества. У нас почти каждая семья имеет автомобиль.

О. 11 Прямо невероятно!

NOTES

[1] A typical sight on a hot summer day in any Russian city is the **мороженщица** or **мороженщик** *ice cream vender*. Soviet ice cream venders are employees of a state corporation.

[2] The term **сквер** is borrowed from the English *square* and refers to any rest area or small public garden, usually with benches. The government has expended a good deal of effort to make cities attractive through the establishment of many such public gardens or rest areas, not to mention the large **Парки культуры и отдыха** *Parks of Culture and Rest*, which usually have very ornate flower beds and well-cared-for lawns and trees.

Basic sentence patterns

1. Óн подошёл к окнý.
   Óн отошёл от окнá.
   Онá подходúла к двéри.
   Онá отходúла от двéри.
   Онú подъéхали к стáнции.
   Онú отъéхали от стáнции.

   He stepped up to the window.
   He stepped away from the window.
   She was approaching the door.
   She was coming away from the door.
   They drove up to the station.
   They drove away from the station.

2. Самолёт ужé прилетéл.
   ——————— вýлетел.
   ——————— отлетéл.
   ——————— улетéл.

   The plane has already arrived.
   ——————— taken off.
   ——————— departed.
   ——————— left.

3. Самолёты ужé вылетáют.
   ——————— подлетáют.
   ——————— отлетáют.
   ——————— улетáют.

   The planes are already flying out.
   ——————— approaching.
   ——————— departing.
   ——————— leaving.

4. Принесúте воды́.
   Ктó принёс вóду?
   Унесúте эту едý.
   Ктó унёс едý?
   Внесúте чемодáны.
   Ктó внёс чемодáны?
   Вýнесите на двóр матрáцы.
   Ктó вýнес на двóр матрáцы?

   Bring some water.
   Who brought the water?
   Take this food away.
   Who took the food away?
   Bring in the suitcases.
   Who brought in the suitcases?
   Take (or carry) the mattresses outdoors.
   Who took the mattresses outdoors?

5. Мы́ зáвтра тудá переезжáем.
   Онú тудá ужé переéхали.
   Мы́ зáвтра оттýда выезжáем.
   Онú оттýда ужé вы́ехали.
   Мы́ зáвтра тудá въезжáем.
   Онú тудá ужé въéхали.

   We're moving there tomorrow.
   They've already moved there.
   We're moving out from there tomorrow.
   They've already moved from there.
   We're moving in there tomorrow.
   They've already moved in there.

6. Пришлó óколо пятúдесяти человéк.
   ——————— шестúдесяти ———.
   ——————— семúдесяти ———.
   ——————— восьмúдесяти ——.

   About fifty people came.
   —— sixty ————.
   —— seventy ———.
   —— eighty ———.

7. Авóсь, к семúдесяти годáм óн стáнет умнéе.

   Авóсь, к восьмúдесяти годáм óн стáнет умнéе.

   Perhaps by the time he's seventy he'll be smarter.

   Perhaps by the time he's eighty he'll be smarter.

8. Онá должнá забóтиться о сорокá мáльчиках.
   ——————— о девянóста ——.
   ——————— о стá ———.
   ——————— о пятúдесяти ——.

   She has to take care of forty boys.

   ——————— of ninety ——.
   ——————— of a hundred ——.
   ——————— of fifty ———.

9. Чтó нáм дéлать с этими пятью́десятью зажигáлками?
   ——————— шестью́десятью ——?
   ——————— семью́десятью ——?
   ——————— восемью́десятью ——?

   What'll we do with these fifty lighters?

   ——————— sixty ———?
   ——————— seventy ——?
   ——————— eighty ———?

10. У меня́ всего́ па́ра ру́к.

_____ па́ра гла́з.

_____ па́ра ног.

I only have two hands.

_____ eyes.

_____ feet.

11. У него́ две́ па́ры перча́ток.

_____ гало́ш.

_____ брю́к.

He has two pairs of gloves.

_____ rubbers.

_____ trousers.

12. Óн зави́довал э́той молодо́й па́ре.

_____ счастли́вой —.

_____ весёлой ——.

He envied this young couple.

_____ happy ——.

_____ merry ——.

13. Э́тот слу́чай мне́ ка́жется невероя́тным.

_____ необы́чным.

_____ неинтере́сным.

This case seems incredible to me.

_____ unusual ——.

_____ uninteresting —.

14. Хоти́те желе́ на сла́дкое?

— Нéт, я предпочита́ю компо́т.

_____ свéжие фру́кты.

_____ моро́женое.

Do you want gelatin for dessert?

No, I prefer stewed fruit.

_____ fresh fruit.

_____ ice cream.

15. Óн обеща́л прие́хать сего́дня у́тром.

_____ сего́дня ве́чером.

_____ сего́дня но́чью.

_____ сего́дня днём.

He promised to come this morning.

_____ this evening.

_____ tonight (or late tonight).

_____ this afternoon (or during the day today).

16. Они́ пожени́лись э́тим ле́том.

_____ э́той весно́й.

_____ про́шлой о́сенью.

_____ про́шлой зимо́й.

They got married this summer.

_____ this spring.

_____ last autumn.

_____ last winter.

17. По́езд прихо́дит но́чью?

— Дá, в два́ часа́ но́чи.

По́езд прихо́дит у́тром?

— Дá, в три́ часа́ утра́.

По́езд отхо́дит ве́чером?

— Дá, в се́мь часо́в ве́чера.

Does the train arrive tonight (or at night)?

Yes, at two A.M.

Does the train arrive in the morning?

Yes, at three A.M.

Does the train leave this evening (or during the evening)?

Yes, at seven A.M.

18. Чéм óн брéется?

— Безопа́сной бри́твой.

— Электри́ческой бри́твой.

What does he shave with?

A safety razor.

An electric razor.

19. Зажги́ свéт!

Не зажига́й свéта!

Потуши́ ла́мпу!

Не туши́ ла́мпы!

Помаши́ де́душке руко́й!

Не маши́ рука́ми!

Turn on the light!

Don't turn on the light!

Switch off the lamp! or Turn out the light!

Don't switch off the lamp!

Wave to Grandfather!

Don't wave your hands around!

20. Переста́нь кури́ть! Здéсь нельзя́ кури́ть.

— Я́ уже́ переста́л.

Отодви́нь сто́л от окна́.

— Я́ уже́ отодви́нул.

Stop smoking! It's not allowed here.

I've already stopped.

Move the table away from the window.

I already did.

21. Она́, вероя́тно, предпочтёт друго́й цве́т.   She'll probably prefer a different color.
     Она́, вероя́тно, предпочла́ бы друго́й   She'd probably prefer a different color.
     цве́т.

     Она́ предпочита́ет бо́лее тёмный цве́т.   She prefers a darker color.

Pronunciation practice : clusters of three consonants with д as the initial consonant

A. Clusters in which initial д is pronounced voiced.

1. дгр pronounced [dgr] or [dgr̩]
   [nadgríst̩] надгры́зть
   to nibble at
   [pədgr̩ist̩í] подгрести́
   to rake under
   [pr̩idgróẓjə] предгро́зье
   pre-stormy weather

2. дгл pronounced [dgl] or [dgl̩]
   [padgl̩ádivət̩] подгля́дывать
   to spy on
   [nadglávək] надгла́вок
   top of a cupola
   [padgláẓjə] подгла́зье
   area under the eyes

3. дбр pronounced [dbr] or [dbr̩]
   [padbrásivət̩] подбра́сывать
   to throw up
   [padbr̩ít̩] подбри́ть
   to shave
   [padbr̩úšn̩ik] подбрю́шник
   part of harness

4. дзн pronounced [dzn]
   [padznákəm] под зна́ком
   under the sign
   [padznójim] под зно́ем
   in the heat
   [pr̩idznəm̩inavánjə] предзнаменова́ние
   omen

B. Clusters in which initial д is pronounced voiceless.

1. дкр pronounced [tkr] or [tkr̩]
   [patkrášit̩] подкра́сить
   to add color
   [pətkr̩ip̩ít̩] подкрепи́ть
   to strengthen
   [nətkr̩iml̩óm] над Кремлём
   above the Kremlin

2. дст pronounced [tst]
   [patstáfkə] подста́вка
   prop
   [patstát̩] подста́ть
   to be fitting
   [pr̩itstaját̩] предстоя́ть
   to be in store

3. дпр pronounced [tpr] or [tpr̩]
   [patpráv̩it̩] подпра́вить
   to correct
   [patpr̩ígnut̩] подпры́гнуть
   to jump up
   [pr̩itpr̩iját̩ijə] предприя́тие
   enterprise

4. дсн pronounced [tsn] or [tsn̩]
   [nətsn̩igám̩i] над снега́ми
   over the stretches of snow
   [p̩ir̩itsnóm] перед сно́м
   before sleep
   [patsn̩éžn̩ik] подсне́жник
   a flower

5. дск pronounced [tsk]
   [pr̩itskazát̩] предсказа́ть
   to forecast
   [patskók] подско́к
   a small jump
   [pətskabl̩ít̩] подскобли́ть
   to scrape off

6. дпл pronounced [tpl] or [tpl̩]
   [patplótnim] под пло́тным
   under a thick
   [patpl̩ól] подплёл
   wove
   [pr̩itpl̩éčjə] предпле́чье
   part of arm

7. **дсм** pronounced [tsm] or [tṣṃ]
[pətsmatṛéṭ] подсмотре́ть
to look, spy
[patsmóḻiṇij] подсмо́ленный
smoked
[pritṣṃértṇij] предсме́ртный
dying

8. **дкл** pronounced [tkl] or [tkḻ]
[patklátkə] подкла́дка
lining
[natklúbəm] над клу́бом
over the club
[patkḻónəṃi] под клёнами
under the maples

9. **дсв** pronounced [tsv] or [tṣɣ]
[piṛitsvádbəj] перед сва́дьбой
before the wedding
[nətsvajím] над свои́м
over one's
[patṣɣétəm] под све́том
under the light

STRUCTURE AND DRILLS

Verbal prefixes: part II—verbs of motion with the directional prefixes в-, под-, при-, вы-, от-, and у-

The prefixes give the following basic meanings to verbs of motion:

в–	*into, entry into*
вы–	*out of, exiting, going out of*
под–	*toward, to, approach, going* or *coming up to* or *under*
от–	*off from, departure, moving off from* (or *away from*)
при–	*to, arrival at a destination*
у–	*away, leaving, going away*

MODELS

Не входи́те в э́то зда́ние.	Don't go into that building.
Войди́те в ко́мнату.	Come into the room.
Не выходи́ из ко́мнаты.	Don't go out of the room.
Вы́йди из ко́мнаты.	Step out of the room.
Не подходи́ к окну́.	Don't go over to the window.
Подойди́те к доске́.	Come (*or* Go) up to the blackboard.
Отойди́те от окна́.	Come away from the window.
По́езд сейча́с отхо́дит.	The train is about to leave.
Приходи́те к нам.	Come and see us.
Приди́те по́зже.	Come later.
Уйди́ отсю́да.	Get away from here.
Уходи́ от меня́!	Get away from me!
Приходи́те на обе́д.	Come to dinner.
Я не приду́ на ве́чер.	I won't be coming to the party.

Они́ ушли́ с собра́ния.	They left the meeting.
Все́ ухо́дят из па́рка.	Everyone's leaving the park.
Когда́ вы́ прие́хали в Москву́?	When did you arrive in Moscow?
—————— уе́хали из Москвы́?	—————— leave Moscow?
Когда́ о́н пришёл на рабо́ту?	When did he get to work?
—————— ушёл с рабо́ты?	—————— leave work?
Когда́ вы́ прие́хали на Кавка́з?	When did you arrive in the Caucasus?
—————— уе́хали с Кавка́за?	—————— leave the Caucasus?
Подойдём к бе́регу.	Let's walk over to the shore.
Отойдём от бе́рега.	Let's get away from the shore.
Мы́ подъе́хали к реке́.	We drove up to the river.
Мы́ отъе́хали от реки́.	We drove away from the river.
Мы́ подплы́ли к бе́регу.	We swam over to the shore.
Мы́ отплы́ли от бе́рега.	We swam away from the shore.

■ REPETITION DRILL

Repeat the given models, noting particularly that the prefixes в–, под–, and при– denote arrival and are respectively the exact opposites of the prefixes вы–, от–, and у–, which denote departure: в– versus вы–, под– versus от–, and при– versus у–.

■ STRUCTURE REPLACEMENT DRILLS

1. *I'll step into the room for a minute.*
   I'll step out·of the room for a minute.
   Я́ войду́ на мину́тку в ко́мнату.
   Я́ вы́йду на мину́тку из ко́мнаты.
   О́н войдёт на мину́тку в ко́мнату.
   О́н вы́йдет на мину́тку из ко́мнаты.
   (они, Варя, мы, ты, вы, она, я)

2. *He stepped over to the window.*
   He stepped away from the window.
   О́н подошёл к окну́.
   О́н отошёл от окна́.
   Она́ подошла́ к окну́.
   Она́ отошла́ от окна́.
   (Федя, они, Варя, он, дети, она)

3. *Take this boy out of here.*
   Bring this boy here.
   Уведи́те отсю́да э́того мальчи́шку.
   Приведи́те сюда́ э́того мальчи́шку.
   Увези́те отсю́да э́того мальчи́шку.
   Привези́те сюда́ э́того мальчи́шку.
   (унесите, уведите, увезите, уносите,
   уводите, увозите)

4. *When does your train arrive?*
   When does your train depart?
   Когда́ прихо́дит ва́ш по́езд?
   Когда́ отхо́дит ва́ш по́езд?
   Когда́ прилета́ет ва́ш самолёт?
   Когда́ отлета́ет ва́ш самолёт?
   Когда́ прихо́дит ва́ш авто́бус?
   Когда́ приезжа́ет ва́ша маши́на?
   Когда́ прилета́ет ва́ш самолёт?
   Когда́ приезжа́ет ва́ше такси́?
   Когда́ прихо́дит ва́ш по́езд?
   Когда́ прихо́дит ва́ш грузови́к?
   Когда́ прилета́ет ва́ш самолёт?

5. *He ran into the garden.*
   He ran out of the garden.
   Óн вбежáл в сáд.
   Óн вы́бежал из сáда.
   Óн влетéл в сáд.
   Óн вы́летел из сáда.
   (вошёл, въéхал, влетéл, вбежáл)

6. *We stepped out of the hall.*
   We entered the hall.
   Мы́ вы́шли из аудитóрии.
   Мы́ вошли́ в аудитóрию.
   Я́ вы́шел из аудитóрии.
   Я́ вошёл в аудитóрию.
   (они, она, он, мы с Зиной, Варя,
   Федя, подруги)

7. *Get a little farther away from the shore.*
   Come a bit closer to the shore.
   Отойди́ подáльше от бéрега.
   Подойди́ поближе к бéрегу.
   Отведи́ их подáльше от бéрега.
   Подведи́ их поближе к бéрегу.
   (отвези их, отнеси их, отбеги,
   отъезжай, отойди, отведи их)

8. *Where did he go?*
   Where did he come from?
   Кудá óн ушёл?
   Откýда óн пришёл?
   Кудá óн уéхал?
   Откýда óн приéхал?
   (убежал, улетел, их увёз, их унёс,
   их увёл, их уносил, их увозил,
   их уводил, ушёл, уехал)

DISCUSSION

The directional prefixes can be added to any of the basic non-prefixed motion verbs. Each adds its particular notion of direction to the principal meanings contained in the basic verb. From the non-prefixed multidirectional verb comes the new imperfective, and from the non-prefixed unidirectional verb comes the new perfective:

носи́ть (m-d ipfv)	нести́ (u-d ipfv)	*to carry; to be carrying (while on foot)*
IMPERFECTIVE	PERFECTIVE	
вноси́ть	внести́	to carry in, bring in
выноси́ть	вы́нести	to carry out, take out
подноси́ть	поднести́	to carry up to, bring up to
относи́ть	отнести́	to carry off, take off
приноси́ть	принести́	to carry to, bring to
уноси́ть	унести́	to carry away, take away

éздить (m-d ipfv)	éхать (u-d ipfv)	*to go, drive; to be going, be driving*
IMPERFECTIVE	PERFECTIVE	
въезжáть	въéхать	to drive into, enter (by vehicle)
выезжáть	вы́ехать	to drive out of, exit (by vehicle)
подъезжáть	подъéхать	to approach, drive up to
отъезжáть	отъéхать	to depart, drive off
приезжáть	приéхать	to arrive, come (by vehicle)
уезжáть	уéхать	to leave, go away (by vehicle)

Note particularly that the verb **éзди́ть** is replaced in its prefixed forms by **–езжа́ть**.

It is important to know the prepositions which generally accompany these prefixed motion verbs. They are illustrated in the models below:

Войди́те **в** сад.	Come *into* the garden.
Не выходи́те **из** ко́мнаты.	Don't go *out of* the room.
Подойди́ **к** окну́.	Come *over to* the window.
Отойди́ **от** окна́.	Come *away from* the window.
Приходи́ **к** на́м.	Come and see us.
Когда́ вы́ прие́хали **в** Москву́?	When did you arrive *in* Moscow?
Уходи́те **от** на́с.	Go *away from* us.
Мы́ уезжа́ем **из** Москвы́ за́втра у́тром.	We're leaving Moscow tomorrow morning.

Prefixed verbs of motion and taking[1]			
VERBS OF MOTION			
входи́ть, войти́	въезжа́ть, въе́хать	влета́ть, влете́ть	вбега́ть, вбежа́ть
выходи́ть, вы́йти	выезжа́ть, вы́ехать	вылета́ть, вы́лететь	выбега́ть, вы́бежать
подходи́ть, подойти́	подъезжа́ть, подъе́хать	подлета́ть, подлете́ть	подбега́ть, подбежа́ть
отходи́ть, отойти́	отъезжа́ть, отъе́хать	отлета́ть, отлете́ть	отбега́ть, отбежа́ть
приходи́ть, прийти́	приезжа́ть, прие́хать	прилета́ть, прилете́ть	прибега́ть, прибежа́ть
уходи́ть, уйти́	уезжа́ть, уе́хать	улета́ть, улете́ть	убега́ть, убежа́ть
VERBS OF TAKING			
вноси́ть, внести́	ввози́ть, ввезти́	вводи́ть, ввести́	
выноси́ть, вы́нести	вывози́ть, вы́везти	выводи́ть, вы́вести	
подноси́ть, поднести́	подвози́ть, подвезти́	подводи́ть, подвести́	
относи́ть, отнести́	отвози́ть, отвезти́	отводи́ть, отвести́	
приноси́ть, принести́	привози́ть, привезти́	приводи́ть, привести́	
уноси́ть, унести́	увози́ть, увезти́	уводи́ть, увести́	

Declension of со́рок, пятьдеся́т, шестьдеся́т, се́мьдесят, во́семьдесят, девяно́сто, and сто́

	forty	*ninety*	*one hundred*
NOM-ACC	со́рок	девяно́сто	сто́
GEN-PREP-DAT-INSTR	сорока́	девяно́ста	ста́

	fifty	*sixty*	*seventy*	*eighty*
NOM-ACC	пятьдеся́т	шестьдеся́т	се́мьдесят	во́семьдесят
GEN-PREP-DAT	пяти́десяти	шести́десяти	семи́десяти	восьми́десяти
INSTR	пятью́десятью	шестью́десятью	семью́десятью	восьмью́десятью (*or* восемью́десятью)

---

[1] In the chart, the *imperfective* verb is always listed first and the *perfective* verb second.

MODELS

Это сто́ит со́рок рубле́й.   This costs forty rubles.
_____ пятьдеся́т __.   _____ fifty _____.
_____ шестьдеся́т __.   _____ sixty _____.
_____ се́мьдесят __.   _____ seventy ___.
_____ во́семьдесят ___.   _____ eighty _____.
_____ девяно́сто _____.   _____ ninety ____.
_____ сто́ _____.   _____ a hundred __.

Мы́ про́дали о́коло сорока́ пласти́нок.   We sold about forty records.
_____ девяно́ста _____.   _____ ninety _____.
_____ ста́ _____.   _____ a hundred __.

Здесь живёт пятьдеся́т ты́сяч америка́нцев.   Fifty thousand Americans live here.
_____ шестьдеся́т _____.   Sixty _____.
_____ се́мьдесят _____ .   Seventy _____.
_____ во́семьдесят _____ .   Eighty _____.

Та́м бы́ло бо́льше пятидесяти челове́к.   There were more than fifty people there.
_____ шести́десяти _____.   _____ sixty _____.
_____ семи́десяти _____.   _____ seventy _____.
_____ восьми́десяти ____.   _____ eighty _____.

Что́ случи́лось с на́шими пятью́десятью   What happened to our fifty tourists?
                              тури́стами?
_____ шестью́десятью ___?   _____ sixty _____?
_____ семью́десятью ___?   _____ seventy ___?
_____ восьмью́десятью __?   _____ eighty ____?

■ REPETITION DRILL

Repeat the model illustrating the declension of forty, fifty, sixty, seventy, eighty, ninety, and one hundred.

Note that there are two patterns for the declension of numbers from forty to one hundred: **со́рок**, **девяно́сто**, and **сто́** follow a very simple declension pattern, while **пятьдеся́т**, **шестьдеся́т**, **се́мьдесят**, and **во́семьдесят** follow a slightly more complex one.

■ RESPONSE DRILLS

1. *You have to read these forty applications.*
   I didn't forget about those forty applications.
   Ну́жно прочита́ть э́ти со́рок заявле́ний.
   Я́ не забы́л об э́тих сорока́ заявле́ниях.
   Ну́жно прочита́ть э́ти пятьдеся́т
      заявле́ний.
   **Я́ не забы́л об э́тих пяти́десяти
      заявле́ниях.**
   (100, 80, 90, 60, 40, 70, 50)

2. *We have only fifty packs of cigarettes.*
   Even less than fifty packs.
   У на́с всего́ пятьдеся́т па́чек папиро́с.
   Да́же ме́ньше пяти́десяти па́чек.
   У на́с всего́ шестьдеся́т па́чек папиро́с.
   Да́же ме́ньше шести́десяти па́чек.
   (70, 80, 40, 50, 60, 100)

3. *Forty boxes of matches are left.*
   I'll pay you for all forty boxes.
   Оста́лось со́рок коро́бок спи́чек.
   Я вам заплачу́ за всё со́рок коро́бок.
   Оста́лось сто́ коро́бок спи́чек.
   Я вам заплачу́ за всё сто́ коро́бок.
   (90, 40, 100, 50, 60, 80)

4. *We've ordered forty pairs of boots.*
   What happened to those forty pairs?
   Мы́ заказа́ли со́рок па́р боти́нок.
   Что́ случи́лось с э́тими сорока́ па́рами?
   Мы́ заказа́ли се́мьдесят па́р боти́нок.
   Что́ случи́лось с э́тими семьюдесятью па́рами?
   (100, 60, 90, 80, 40, 50, 100)

■ STRUCTURE REPLACEMENT DRILLS

1. *They sent trucks to fifty areas.*
   Fifty areas need trucks.
   В пятьдеся́т областе́й посла́ли
   грузовики́.
   Пяти́десяти областя́м нужны́ грузовики́.
   В со́рок областе́й посла́ли грузовики́.
   Сорока́ областя́м нужны́ грузовики́.
   (80, 100, 70, 40, 60, 90, 50)

2. *This tree is one hundred years old.*
   This tree is about a hundred years old.
   Э́тому де́реву сто́ ле́т.
   Э́тому де́реву о́коло ста́ ле́т.
   Э́тому де́реву во́семьдесят ле́т.
   Э́тому де́реву о́коло восьми́десяти ле́т.
   (60, 100, 70, 90, 50, 40, 80)

3. *We've driven a hundred kilometers.*
   We've driven more than a hundred kilometers.
   Мы́ прое́хали сто́ киломе́тров.
   Мы́ прое́хали бо́льше ста́ киломе́тров.
   Мы́ прое́хали во́семьдесят киломе́тров.
   Мы́ прое́хали бо́льше восьми́десяти киломе́тров.
   (50, 40, 60, 70, 90, 80, 100)

4. *Life begins at forty.*
   Life begins after forty.
   Жи́знь начина́ется в со́рок ле́т.
   Жи́знь начина́ется по́сле сорока́ ле́т.
   Жи́знь начина́ется в сто́ ле́т.
   Жи́знь начина́ется по́сле ста́ ле́т.
   (70, 80, 90, 100, 50, 60, 40)

DISCUSSION

The numbers **со́рок** *forty*, **девя́носто** *ninety*, and **сто́** *one hundred* follow a very simple declension pattern: the forms **со́рок**, **девяно́сто**, and **сто́** for the nominative and accusative cases, and the forms **сорока́**, **девяно́ста**, and **ста́** for all the other cases.

The numbers **пятьдеся́т** *fifty*, **шестьдеся́т** *sixty*, **се́мьдесят** *seventy*, and **во́семьдесят** *eighty* have a more complicated declensional pattern.

NOM-ACC	пятьдеся́т	шестьдеся́т	се́мьдесят	во́семьдесят
GEN-PREP-DAT	пяти́десяти	шести́десяти	семи́десяти	восьми́десяти
INSTR	пятью́десятью	шестью́десятью	семью́десятью	восьмью́десятью (*or* восемью́десятью)

Note that although they are treated as compounds, with both parts declined in the oblique cases, each form has only a single stress: **пяти́десяти** [piṭíḍiṣiṭi], **пятью́десятью** [piṭjúḍiṣiṭju].

In terms of agreement, they follow the pattern typical for numbers from five upward: the nominative-accusative form is followed by the genitive plural form of the noun, but in all the other cases the noun is in the same case as the number itself:

Compare Он нашёл пятьдеся́т рубле́й.

He found fifty rubles.

with Я рабо́тал вме́сте с пятью́десятью колхо́зниками.

I worked together with fifty collective farm workers.

Пяти́десяти колхо́зам нужны́ грузовики́.

Fifty kolkhozes need trucks.

Adjectives and adverbs formed by means of the unstressed negative prefix не-

Несла́дкий ча́й невку́сно пи́ть.   Unsweetened tea doesn't taste good.

У ни́х небольша́я ко́мната.   They have a rather small room.
—————————— кварти́ра.   —————————— apartment.
—————————— маши́на.   —————————— car.

Она́ неглу́пый челове́к.   She's not a stupid person.
—— неинтере́сный ——.   —— a dull ——————.
—— неу́мный ————.   —— not a very bright —.
—— нехоро́ший ——.   —— not a good ——————.

Э́то нену́жные ве́щи.   Those are unnecessary things.
—— нева́жные ——.   —————— unimportant ——.
—— недороги́е ——.   —————— inexpensive ——.

Она́ нева́жно себя́ чу́вствует.   She doesn't feel very well.
—— нехорошо́ ——————.   —— feels poorly.
—— неплохо́ ——————.   —— feels pretty good.

Э́то совсе́м недо́рого.   It's quite inexpensive.
—————— невозмо́жно.   —————— impossible.
—————— невероя́тно.   —————— unbelievable.

■ REPETITION DRILL

Repeat the given models illustrating the use of the unstressed negative prefix не– in forming adjectives and adverbs of opposite meaning.

■ STRUCTURE REPLACEMENT DRILLS

1. *It isn't done quite right.*
   It's done wrong.
   Э́то сде́лано не вполне́ пра́вильно.
   Э́то сде́лано непра́вильно.
   Э́то сде́лано не вполне́ то́чно.
   Э́то сде́лано нето́чно.
   (хорошо, крепко, ровно, серьёзно, точно, правильно, понятно)

2. *She doesn't look very well.*
   She looks sick.
   У неё не совсе́м здоро́вый ви́д.
   У неё нездоро́вый ви́д.
   У неё не совсе́м дово́льный ви́д.
   У неё недово́льный ви́д.
   (хороший, умный, счастливый, весёлый, здоровый, довольный, обычный)

3. *He's to blame.*
   He's innocent.
   О́н винова́т.
   О́н невинова́т.
   О́н умён.
   О́н неумён.
   (прав, красив, высок, способен, доволен, глуп, женат, умён, виноват)

4. *This is an important question.*
   This is an unimportant question.
   Э́то ва́жный вопро́с.
   Э́то нева́жный вопро́с.
   Э́то интере́сный вопро́с.
   Э́то неинтере́сный вопро́с.
   (нужный, естественный, обычный, правильный, определённый, новый)

1. *Were you comfortable?*
   No, I wasn't.
   Вáм бы́ло удóбно?
   Нéт, мнé бы́ло неудóбно.
   Вáм бы́ло плóхо?
   Нéт, мнé бы́ло неплóхо.
   (хорошо, тяжело, весело, удобно,
   уютно, легко)

2. *Is this possible?*
   No, it's impossible.
   Э́то возмóжно?
   Нéт, э́то невозмóжно.
   Э́то удóбно?
   Нéт, э́то неудóбно.
   (верно, дорого, хорошо, понятно,
   умно, известно, дёшево, естественно,
   нормально, вероятно, важно)

DISCUSSION

Many adjectives and adverbs are formed in Russian by means of the negative prefix **не–**. Although such words are usually more or less equivalent to non-prefixed adjectives and adverbs based on other stems, there is often a slight shade of difference between the pairs. For example:

Compare **большóй** *large, big*

with **небольшóй** *small, rather small, not so large*
    мáленький *small, little*

Compare **дорогóй** *expensive*

with **недорогóй** *inexpensive, not too expensive*
    дешёвый *cheap*

Compare **плохóй** *bad, poor*

with **неплохóй** *not half bad, pretty good*
    хорóший *good*

Sometimes the meaning is quite different:

Compare **мéдленно** *slowly*

with **немéдленно** *immediately*
    бы́стро *quickly*

Uses of the instrumental case:
part I—the instrumental without a preposition

MODELS

Пиши́те карандашóм.
_____ мéлом.
_____ рýчкой.
_____ перóм.

Write with a pencil *or* Use a pencil to write.
_____ a chalk.
_____ a pen.
_____ a pen.

В своё врéмя óн бы́л извéстным учёным.
_____ певцóм.

In his time he was a famous scientist.
_____ singer.

В своё врéмя онá былá извéстной певи́цей.
_____ учи́тельницей пéния.

In her time she was a famous singer.
_____ singing teacher.

Мы́ е́хали по́лем.   We went by way of the field.
———————— ле́сом.   ———————————— the woods.

Како́й доро́гой вы́ пошли́?   Which way did you go?
— Мы́ пошли́ ста́рой доро́гой.   We went the old way.
———————— но́вой ————.   ———— a new ————.
———————— друго́й————.   ———— a different ——.

Мы́ прие́хали по́ездом.   We came by train.
———————— авто́бусом.   ———————— bus.
———————— грузовико́м.   ———————— truck.
———————— легково́й маши́ной.   ———————— passenger car.
———————— автомоби́лем.   ———————— car.
— прилете́ли самолётом.   ———————— plane.

Э́тот ковёр сде́лан са́мой хозя́йкой.   This rug was made by the landlady herself.
———————————— мое́й ма́терью.   ———————————— my mother.

О́н вы́глядит о́чень споко́йным.   He looks very calm.
———————————— счастли́вым.   ———————— happy.
———————————— несча́стным.   ———————— unhappy.

О́н счита́ется прекра́сным студе́нтом. He's considered an excellent student.
———————— плохи́м ————————.   ———————— a poor ————————.
———————— отли́чным ————————.   ———————— an outstanding ——.
———————— неплохи́м ————————.   ———————— not a bad ————————.

Вы́ по́льзуетесь э́тим словарём?   Are you using this dictionary?
———————————— э́той кни́гой?   ———————— this book?
———————————— э́той тетра́дью?   ———————— this notebook?
———————————— э́тим телефо́ном?   ———————— this phone?

Че́м о́н заболе́л?   What made him ill? (*Lit.* What did he fall ill
                                     with?)
— Гри́ппом.   Flu.
— Бронхи́том.   Bronchitis.
— Анги́ной.   Strep throat.

Че́м вы́ интересу́етесь?   What are you interested in?
— Ру́сской литерату́рой.   Russian literature.
— Наро́дной му́зыкой.   Folk music.
— Иностра́нными языка́ми.   Foreign languages.
— Англи́йским языко́м.   The English language.
— Ру́сским теа́тром.   The Russian theater.

Вы́ дово́льны и́м?   Are you pleased (*or* satisfied) with him?
———————— е́ю?   ———————————— her?
———————— мно́й?   ———————————— me?
———————— на́ми?   ———————————— us?
———————— и́ми?   ———————————— them?

■ REPETITION DRILL

Repeat the models illustrating the use of the instrumental case.

1. *Here, take a pencil.*
   It's all right to write the address with a pencil.
   На́, возьми́ каранда́ш.
   А́дрес мо́жно написа́ть карандашо́м.
   На́, возьми́ ру́чку.
   А́дрес мо́жно написа́ть ру́чкой.
   (хими́ческий каранда́ш, авторучку,
   перо́, каранда́ш, ру́чку)

2. *He's so calm!*
   He's just trying to look calm.
   О́н тако́й споко́йный!
   Э́то о́н стара́ется вы́глядеть споко́йным.
   О́н тако́й молодо́й!
   Э́то о́н стара́ется вы́глядеть молоды́м.
   (счастли́вый, весёлый, несча́стный,
   дово́льный, больно́й, ва́жный,
   серьёзный)

3. *I love the woods.*
   Let's go by way of the woods then!
   Я́ люблю́ ле́с.
   Так пое́дем ле́сом!
   Я́ люблю́ мо́ре.
   Так пое́дем мо́рем!
   (э́ту доро́гу, ма́ленькие переу́лки,
   э́тот пу́ть, э́тот па́рк, ле́с, мо́ре,
   э́тот переу́лок)

4. *He's a chemist.*
   I plan to be a chemist, too.
   О́н хи́мик.
   Я́ то́же собира́юсь бы́ть хи́миком.
   О́н вра́ч.
   Я́ то́же собира́юсь бы́ть врачо́м.
   (учи́тель, дире́ктор, космона́вт,
   журнали́ст, до́ктор, инжене́р)

1. *The buns weren't too tasty.*
   The buns turned out to be not too tasty.
   Бу́лочки бы́ли невку́сные.
   Бу́лочки оказа́лись невку́сными.
   Желе́ бы́ло невку́сное.
   Желе́ оказа́лось невку́сным.
   (компо́т, моро́женое, сли́вки,
   шокола́д, конфе́ты, тяну́чки)

2. *I'll go on the train.*
   I'll go by train.
   Я́ пое́ду на по́езде.
   Я́ пое́ду по́ездом.
   Я́ пое́ду на авто́бусе.
   Я́ пое́ду авто́бусом.
   (на ло́дке, на грузови́ке,
   на легково́й маши́не, на по́езде)

1. *May I borrow this dictionary?*
   Yes, you may use this dictionary.
   Мо́жно взя́ть э́тот слова́рь?
   Да́, вы́ мо́жете по́льзоваться э́тим словарём.
   Мо́жно взя́ть э́ту ру́чку?
   Да́, вы́ мо́жете по́льзоваться э́той ру́чкой.
   (э́ту ла́мпу, э́тот зо́нтик, э́ту су́мку,
   э́то полоте́нце, э́ти часы́, э́ту бума́гу,
   э́тот сто́л)

2. *Did she take the pictures herself?*
   Yes, all the pictures were taken by her.
   Она́ сама́ сде́лала сни́мки?
   Да́, все́ сни́мки сде́ланы е́ю.
   Ты́ са́м сде́лал сни́мки?
   Да́, все́ сни́мки сде́ланы мно́й.
   (он, вы, они, Оле́г, Фе́дя, бра́т, сестра́)

DISCUSSION

The instrumental case without a preposition has many functions, the most important of which are the following:

To indicate the means by which an action is accomplished, that is, the tool used to perform the action:

Пишѝте карандашо́м.	Use a pencil to write with.
Наре́жь огурцы́ э́тим ножо́м.	Slice the cucumbers with this knife.
Вы́три ру́ки э́тим полоте́нцем.	Use this towel to wipe your hands.

To define one's position or profession, particularly in past and future tense constructions:

Он был инжене́ром.	He was an engineer.
Она́ ста́нет певи́цей.	She's going to be a singer.

To describe a temporary state or condition:

Она́ вы́глядит счастли́вой.	She looks happy.
Он счита́ется пе́рвым в гру́ппе.	He's considered the first in his group.
Дни стано́вятся дли́нными.	The days are getting long.

To indicate the vehicle by means of which one travels:

Мы прие́хали авто́бусом.	We came by bus.
_____ по́ездом.	_____ by train.

To indicate the medium or route taken during travel:

Не е́здите ле́сом.	Don't go by way of the forest.
_____ по́лем.	_____ the field.

To indicate the agent performing an action in reflexive and passive constructions:

Э́та посы́лка запако́вана мно́й, а та́ — Фили́ппом.	This package was wrapped by me and that one, by Philip.
Э́тот мо́ст стро́ится на́шими инжене́рами.	This bridge is being built by our engineers.

As the complement of a number of verbs, for example **боле́ть, заболе́ть** *to be sick*; **по́льзоваться, воспо́льзоваться** *to use*; **занима́ться, позанима́ться** *to study, occupy oneself with*; **интересова́ться, заинтересова́ться** *to be interested in*; as well as such adjectives as: **дово́льный, недово́льный** *satisfied, dissatisfied*; **бо́лен** *sick*:

Он заболе́л гри́ппом.	He came down with the flu.
Я не по́льзуюсь э́тим словарём.	I don't use this dictionary.
Он занима́ется ру́сским языко́м.	He's studying the Russian language.
Он интересу́ется хи́мией и фи́зикой.	He's interested in chemistry and physics.
Она́ недово́льна мое́й рабо́той.	She's dissatisfied with my work.
Он дово́лен мои́ми успе́хами.	He's pleased with my progress.

Additional time expressions

MODELS

У́тром бы́ло хо́лодно.	It was cold in the morning (*or* this morning).
Днём _____.	_____ this afternoon (*or* during the day).
Но́чью _____.	_____ last night (*or* during the night).
Ве́чером _____.	_____ last evening (*or* during the evening).

Заходи́те к на́м сего́дня ве́чером.   Drop in and see us this evening.

_____ за́втра _____.   _____ tomorrow __.

_____ за́втра у́тром.   _____ tomorrow morning.

_____ за́втра днём.   _____ tomorrow afternoon.

Она́ прие́хала сего́дня у́тром.   She arrived this morning.

_____ вчера́ _____.   _____ yesterday __.

_____ про́шлым ле́том.   _____ last summer.

_____ но́чью.   _____ at night (or during the night).

_____ вчера́ но́чью.   _____ last night.

Когда́ о́н прие́дет, э́тим ле́том?   When will he come—this summer?

_____ бу́дущим ле́том?   _____ next summer?

_____ э́той зимо́й?   _____ this winter?

_____ бу́дущей зимо́й?   _____ next winter?

_____ э́той весно́й?   _____ this spring?

_____ бу́дущей весно́й?   _____ next spring?

_____ э́той о́сенью?   _____ this fall?

_____ бу́дущей о́сенью?   _____ next fall?

Она́ прие́хала в два́ часа́ дня́.   She arrived at two P.M.

_____ в два́ часа́ но́чи.   _____ at two A.M.

Мы́ уезжа́ем в се́мь часо́в утра́.   We leave at seven A.M.

_____ в се́мь часо́в ве́чера.   _____ at seven P.M.

■ REPETITION DRILL

Repeat the models illustrating expressions of time. Note that most of these employ the instrumental case forms, but that the genitive case forms **но́чи, утра́, дня́**, and **ве́чера** are used for A.M. and P.M.

■ STRUCTURE REPLACEMENT DRILLS

1. *Call the day after tomorrow at seven in the morning.*

   Call the day after tomorrow at seven A.M.

   Позвони́те послеза́втра у́тром, в се́мь часо́в.

   Позвони́те послеза́втра, в се́мь часо́в утра́.

   Позвони́те послеза́втра ве́чером, в во́семь часо́в.

   Позвони́те послеза́втра, в во́семь часо́в ве́чера.

   Позвони́те послезавтра утром, в де́сять часов.

   Позвони́те послезавтра вечером, в де́сять часов.

   Позвони́те послезавтра днём, в четыре часа.

   Позвони́те послезавтра утром, в четыре часа.

   Позвони́те послезавтра вечером, в де́вять часов.

   Позвони́те послезавтра утром, в девять часов.

   Позвони́те послезавтра днём, в пять часов.

   Позвони́те послезавтра вечером, в пять часов.

2. *He arrived at seven P.M.*

   He arrived at seven o'clock in the evening.

   О́н прие́хал в се́мь часо́в ве́чера.

   О́н прие́хал ве́чером, в се́мь часо́в.

   О́н прие́хал в ше́сть часо́в утра́.

   О́н прие́хал у́тром, в ше́сть часо́в.

   (в 8 часов вечера, в 8 часов утра,

   в 9 часов вечера, в 9 часов утра,

   в 10 часов вечера, в 10 часов утра,

   в 5 часов вечера, в 5 часов утра)

3. *He arrived at three P.M.*
   He arrived at three in the afternoon.
   Он приехал в три часа дня.
   Он приехал днём, в три часа.
   Он приехал в двенадцать часов ночи.
   Он приехал ночью, в двенадцать часов.
   (в 4 часа дня, в 2 часа ночи, в 2 часа
   дня, в час ночи, в час дня, в 12
   часов дня, в 12 часов ночи, в 3 часа дня)

4. *I worked all day and all night.*
   I worked day and night.
   Я работал весь день и всю ночь.
   Я работал днём и ночью.
   Я работал всю зиму.
   Я работал зимой.
   (весь день, весь вечер, всё утро,
   всю ночь, всё лето, всю весну,
   всю осень, всю зиму)

■ RESPONSE DRILLS

1. *He couldn't wait for evening to come.*
   She had promised to come in the evening.
   Он не мог дождаться вечера.
   Она обещала приехать вечером.
   Он не мог дождаться весны.
   Она обещала приехать весной.
   (утра, зимы, вечера, лета, дня,
   осени, весны, утра)

2. *It'll soon be fall [already].*
   Yes, in the fall we'll go to the city.
   Уже скоро осень.
   Да, осенью мы поедем в город.
   Уже скоро зима.
   Да, зимой мы поедем в город.
   (вечер, осень, утро, весна,
   вечер, лето, утро, зима)

■ EXPANSION DRILLS

1. *He returned in the summer.*
   He returned last summer.
   Он вернулся летом.
   Он вернулся прошлым летом.
   Он вернулся зимой.
   Он вернулся прошлой зимой.
   (осенью, зимой, весной, летом,
   осенью, весной, зимой, летом)

2. *I was there during the winter.*
   I was there this winter.
   Я там был зимой.
   Я там был этой зимой.
   Я там был осенью.
   Я там был этой осенью.
   (зимой, весной, летом, осенью,
   зимой, летом, весной)

DISCUSSION

The instrumental case provides a number of very useful time expressions, particularly those indicating the seasons and the division of the day into parts:

зимой	in winter, during the winter
вечером	in the evening, during the evening
сегодня вечером	this evening, tonight
этим летом	this summer

Note that *this* is expressed by means of **сегодня** in **сегодня вечером, сегодня утром**, but that otherwise the instrumental form of **этот** is used: **этим летом, этой зимой**, and so forth.

In colloquial usage, however, Russians frequently omit **сегодня** and sometimes **завтра** when it is obvious from the context which morning, evening, etc. is meant:

Утром было холодно.	It was cold this morning.
Приходите вечером, в семь часов.	Come this evening at seven.
Позвони мне утром, до девяти.	Call me tomorrow morning before nine.

Although **днём** literally means *during the day*, it is often understood to mean *in the afternoon*:

Он приехал днём, в три часа.	He arrived at three in the afternoon.

Other ways of expressing the notion *in the afternoon* in Russian are: **по́сле обе́да, по́сле двена́д-цати**, and **во второ́й полови́не дня́.**

The genitive forms **но́чи, утра́, дня́,** and **ве́чера** are used to express A.M. and P.M. in more specific statements of time:

два́ часа́ но́чи	two A.M.
два́ часа́ дня́	two P.M.
се́мь часо́в утра́	seven A.M.
се́мь часо́в ве́чера	seven P.M.

These terms (with some overlapping) are used as follows: **но́чи** from midnight until about four A.M. (**ча́с но́чи, два́ часа́ но́чи**); **утра́** from four A.M. until about noon (**четы́ре часа́ утра́, оди́ннадцать часо́в утра́**); **дня́** from noon until about five P.M. (**ча́с дня́, четы́ре часа́ дня́**); **ве́чера** from five P.M. until midnight (**пя́ть часо́в ве́чера, де́сять часо́в ве́чера**). The word for *midnight* is **по́лночь** (gen sg **полу́ночи**) and the word for *noon* is **по́лдень** (gen sg **полу́дня**).

ПОВТОРÉНИЕ

— Пожа́луйста, Никола́й, переста́нь кури́ть. До́ктор сказа́л тебе́, что ты́ сли́шком мно́го ку́ришь.

— Но я́ то́лько что закури́л, и, вообще́, за ве́сь де́нь сего́дня я́ вы́курил то́лько две́ папиро́сы. Не беспоко́йся.

— Ну́, хорошо́. Я́ сейча́с иду́ в го́род, тебе́ ничего́ не ну́жно?

— Ка́жется, ничего́. Во́т ра́зве что папиро́с. У меня́ уже́ конча́ются.

— Почему́ и́менно меня́ ты́ про́сишь покупа́ть тебе́ папиро́сы? Ты́ же зна́ешь, ка́к мне́ не нра́вится, что ты́ ку́ришь!

— Зна́ю, но мне́ самому́ не́когда пойти́ за папиро́сами. Пожа́луйста, не обижа́йся. Я́ тебе́ обеща́ю, что не бу́ду кури́ть бо́льше, чем пя́ть папиро́с в де́нь.

— Ну́, ла́дно. Что́ с тобо́й поде́лаешь?

— Зна́ешь, Вади́м, я́ бы́л вчера́ на вокза́ле и ви́дел, как на́ша Га́ля провожа́ла кого́-то. По́езд уже́ шёл, а она́ всё стоя́ла и маха́ла руко́й.

— Ты́ спроси́л её, кто́ э́то уезжа́л?

— Не́т, как-то неудо́бно бы́ло, она́ была́ сли́шком взволно́вана. Я́ про́сто подо-шёл и предложи́л ей зайти́ в буфе́т и закуси́ть.

— И пра́вильно сде́лал. Э́то, наве́рно, уезжа́л Оле́г. О́н получи́л пра́ктику на лето где́-то далеко́ на се́вере.

— А́х, во́т оно́ что́! Они́ с Га́лей бли́зкие друзья́?

— Бо́льше, чем друзья́. Они́ собира́ются о́сенью пожени́ться.

— Да ну́? А я́, призна́ться, ничего́ не подозрева́л.

— Посове́туй, Вади́м, что́ купи́ть Козло́ву на де́нь рожде́ния. Ты́ его́ лу́чше зна́ешь, вы́ това́рищи по ко́мнате.

— Таки́е ве́щи тру́дно сове́товать.

— Ну́, наприме́р, что́ ты́ ска́жешь насчёт га́лстука?

— Не́т, о́н га́лстуков не лю́бит. Да и костю́ма у него́ подходя́щего не́т.

— А что́ е́сли ему́ купи́ть хоро́ших папиро́с?

— Папиро́сы, по-мо́ему, сли́шком ма́ленький пода́рок.

— Пожа́луй, ты́ пра́в. А зажига́лка у него́ е́сть?

— Не́т, не́ту. Зажига́лка — э́то хоро́шая мы́сль. Бы́ло бы хорошо́, е́сли бы ты́ доста́л америка́нскую, а то на́ши плохо́го ка́чества.

— Постара́юсь. У меня́ е́сть знако́мые америка́нцы.

В дву́х киломе́трах от на́шего го́рода е́сть большо́й ле́с. Когда́-то о́н начина́лся сра́зу за го́родом, всего́ в полукиломе́тре от го́рода. Мы́ с това́рищами ча́сто ходи́ли туда́ за гриба́ми и́ли игра́ть в войну́. Но пото́м го́род вы́рос, и из окна́ на́шего до́ма ле́са уже́ не ви́дно — о́н далеко́ у реки́. И вообще́ тепе́рь э́того ме́ста не узна́ешь: на берегу́ стои́т больша́я фа́брика, через ле́с хо́дят поезда́, по доро́гам е́дут автомоби́ли. Ра́ньше всё бы́ло ти́хо и споко́йно, а тепе́рь везде́ лю́ди, движе́ние.

PREPARATION FOR CONVERSATION | **На по́чте**

Мы́ уже́ пришли́? — Are we here already?

двести — two hundred
свя́зь (f) — connection, tie, contact; communication
вы́веска — sign

Да́. Ви́дишь, вы́веска: «Отделе́ние свя́зи В–261 (вэ-две́сти шестьдеся́т оди́н)». — Yes. See, there's a sign: Branch V–261.

–то (unstressed emphatic particle) — why! goodness!

Наро́ду-то ско́лько! — Goodness, look at all the people!

око́шко — window

Тебе́ к како́му око́шку? — What window do you want?

вы́дача — issue; delivery, distribution
напи́сан, –а, –о (ppp of написа́ть) — written

Во́н туда́, где́ напи́сано «Вы́дача посы́лок». — Over there, where it's written "Parcel Delivery."

бла́нк — blank, form
запо́лнить, –ят (pfv II) — to fill out

Я́ ми́гом запо́лню бла́нк. — It'll take me just a minute to fill out a form.

извеще́ние — notification, notice; summons
доста́точно — sufficient, enough

Ра́зве не доста́точно показа́ть извеще́ние? — Isn't it enough to show your notice?

предъяви́ть, предъя́вят (pfv II) — to produce, present, show

Не́т, чтобы получи́ть посы́лку, ну́жно ещё запо́лнить бла́нк и предъяви́ть па́спорт. — No, in order to get a package you also have to fill out a form and present your passport.

ступи́ть, –ят (pfv II) — to step
ступи́ть ша́г — to take a step, make a move; to do a thing

У ва́с, я́ ви́жу, без па́спорта ша́гу ступи́ть нельзя́. — I see that in your country it's impossible to make a move without a passport.

Э́то, зна́ешь, для поря́дка. — It's for the sake of order, you know.

три́ста — three hundred

◀ Шко́льники осма́тривают пе́рвый спу́тник.

735

Ну́ во́т, смотри́: Москва́, Сове́тская три́ста со́рок во́семь, Никола́й Ива́нович Остро́вский.	Well now, watch: Moscow, 348 Sovetskaya Street, Nikolay Ivanovich Ostrovsky.
Гото́во.	All set.
конве́рт	envelope
откры́тка	post card
Я́ куплю́ откры́ток и конве́ртов.	I'll buy some post cards and envelopes.
пока́ (*plus* ipfv verb)	while
Пока́ ты́ бу́дешь получа́ть посы́лку, я́ куплю́ конве́ртов и откры́ток.	While you're getting your package, I'll buy some envelopes and post cards.
Тебе́ купи́ть?	Should I buy any for you?
дю́жина	dozen
Купи́, пожа́луй, дю́жину откры́ток.	[Maybe] buy me a dozen post cards.
перевести́, переведу́т (pfv I)	to lead across; to transfer; to remit; to translate
перевести́ де́ньги	to send a money order; to remit money
Да́, мне́ ещё ну́жно перевести́ отцу́ де́ньги. Ты́ меня́ подождёшь?	Oh, yes; I also have to send my father a money order. Will you wait for me?
Коне́чно.	Of course.
тём вре́менем	in the meantime, meanwhile
отпра́вить, –ят (pfv II)	to send off, dispatch
Я́ тём вре́менем отпра́влю письмо́.	In the meantime I'll mail a letter.
грани́ца	border, frontier; limit
за грани́цу	abroad, overseas
авиапо́чта	airmail
авиапо́чтой (*or* а́виа)	by airmail
Я́ тём вре́менем отпра́влю за грани́цу письмо́ авиапо́чтой.	In the meantime I'll send an airmail letter abroad.
вы́ход	exit, way out; appearance
Та́к встре́тимся у вы́хода.	We'll meet at the exit then.

SUPPLEMENT

анке́та	questionnaire, form
Запо́лните э́ту анке́ту.	Fill in this form *or* Fill out this questionnaire.
выдава́ть (pfv вы́дать)	to give out, hand out, distribute; to give away
В э́том око́шке выдаю́т посы́лки.	At this window they hand out parcels.
Не бо́йтесь, я́ ва́с не вы́дам.	Don't be afraid; I won't give you away.
переводи́ть, –ят (II)	to lead across; to transfer; to translate; to remit
Его́ перево́дят на Кавка́з.	He's being transferred to the Caucasus.
переводи́ть (pfv перевести́) с (*plus* gen) на (*plus* acc)	to translate from (one language) to (another)
Переводи́те с ру́сского на англи́йский.	Translate from Russian to English.
Переведи́те э́то с англи́йского на ру́сский.	Translate this from English to Russian.
перево́дчик	translator, interpreter
О́н хо́чет ста́ть перево́дчиком.	He wants to be an interpreter (*or* translator).

перево́д	translation; transfer
Э́то о́чень плохо́й перево́д.	It's a very bad translation.
почто́вый перево́д	postal money order
Пошли́те де́ньги почто́вым перево́дом.	Send the money by postal money order.
почто́вый я́щик	mailbox, letter box
Я ищу́ почто́вый я́щик.	I'm looking for a mailbox.
Бро́сьте ва́ше письмо́ в э́тот почто́вый я́щик.	Drop your letter in this mailbox.
вхо́д	entrance, entry, way in
Жди́ меня́ у вхо́да.	Wait for me at the entrance.
четы́реста	four hundred
Э́то бы́ло четы́реста ле́т тому́ наза́д.	That was four hundred years ago.

На по́чте

Н. — Никола́й   Ф. — Фили́пп

Ф.   1 Мы́ уже́ пришли́?

Н.   2 Да́. Ви́дишь, вы́веска: «Отделе́ние свя́зи В-261».[1]

Ф.   3 Наро́ду-то ско́лько! Тебе́ к како́му око́шку?

Н.   4 Во́н туда́, где напи́сано «Вы́дача посы́лок». Я ми́гом запо́лню бла́нк.

Ф.   5 Ра́зве не доста́точно показа́ть извеще́ние?

Н.   6 Не́т, чтобы получи́ть посы́лку, ну́жно ещё запо́лнить бла́нк и предъяви́ть пас-порт.[2]

Ф.   7 У ва́с, я ви́жу, без па́спорта ша́гу ступи́ть нельзя́.

Н.   8 Э́то, зна́ешь, для поря́дка.[3] Ну́ во́т, смотри́: Москва́, Сове́тская 348, Никола́й Ива́нович Остро́вский.[4] Гото́во.

Ф.   9 Пока́ ты́ бу́дешь получа́ть посы́лку, я куплю́ конве́ртов и откры́ток. Тебе́ купи́ть?

Н. 10 Купи́, пожа́луй, дю́жину откры́ток. Да́, мне́ ещё ну́жно перевести́ отцу́ де́ньги. Ты́ меня́ подождёшь?

Ф. 11 Коне́чно. Я те́м вре́менем отпра́влю за грани́цу письмо́ авиапо́чтой.

Н. 12 Так встре́тимся у вы́хода.

NOTES

[1] Post office branch V–261 is located near Moscow University. Note that the letter **В** is pronounced as in the alphabet, using the letter name, **вэ**.

[2] A form must be filled out and one's passport shown not only when receiving a letter or package from abroad, but when sending them as well.

[3] Nikolay's comment on all the red tape being necessary for the sake of order is said in irony. Requirements to produce one's passport at every step are a feature not only of the Soviet bureaucracy but were also typical of the Czarist government.

[4] Here Philip is being shown the way to fill out the form: first the city, next the street address, and then the first name, patronymic, and surname.

Ма́рки для колле́кции

колле́кция	collection
ма́рка	stamp; brand
Я хочу́ купи́ть не́сколько ма́рок для колле́кции.	I want to buy a few stamps for my collection.
Во́т и я́!	Here I am.
Ты́ уже́ давно́ ждёшь?	Have you been waiting long?
Не́т. Ну́, пошли́.	No. Well, let's go.
спу́тник	"sputnik" (satellite); co-traveler
А́х, я забы́л купи́ть ма́рок со спу́тниками для свое́й колле́кции.	Oh, I forgot to buy some stamps with "sputniks" for my collection.
вря́д ли	scarcely, hardly; it's unlikely, I doubt whether
Вря́д ли ты́ и́х ту́т доста́нешь.	I doubt that you'll get them here.
почта́мт	post office
Гла́вный почта́мт	Main Post Office
Э́то на́до спра́шивать на Гла́вном почта́мте.	You have to ask for them at the Main Post Office
попро́бовать, попро́буют (pfv I)	to try, attempt; to taste
всё же	anyway, nevertheless, all the same
Я всё же попро́бую.	I'm going to try all the same.
филатели́ст	stamp collector, philatelist
Росси́я	Russia
А ка́к у ва́с в Росси́и, мно́го филатели́стов?	How is it in Russia—are there many stamp collectors?
подро́сток, –тка	teenager, youngster, young person
Э́тим занима́ются де́ти и подро́стки.	Children and teenagers go in for it.
о́браз	form, mode; image, kind; way
гла́вным о́бразом	mainly, chiefly
Не зна́ю. Э́тим занима́ются, гла́вным о́бразом, де́ти и подро́стки.	I don't know. It's mainly children and teenagers who go in for it.
филатели́я [filəteļíjə]	stamp collecting, philately
увлека́ться, –а́ются (I) (plus instr)	to be fascinated by, be intrigued by, be carried away by; to have as one's hobby
взро́слые, –ых	adults, grown-ups
В Аме́рике мно́гие взро́слые увлека́ются филатели́ей.	But in America lots of adults go in for stamp collecting.
Собира́ют ма́рки все́х стра́н ми́ра.	They collect stamps from all the countries of the world.
заграни́чный	foreign, foreign made; imported
большинство́	the majority
У на́с большинство́ собира́ет не заграни́чные, а свои́, сове́тские.	With us the majority don't collect foreign stamps, but rather their own, Soviet ones.

сло́жный — complicated, complex

заграни́ца — foreign countries

Связь с заграни́цей — де́ло сло́жное. — Communication with foreign countries is a complicated business.

Я понима́ю. — I understand.

о́чередь (f) — line; turn

Ну́ во́т, уже́ моя́ о́чередь. — Well, it's already my turn.

служи́ть, –ат (II) — to serve, work

слу́жащий, –его (prap used as noun)[1] — employee, clerk

Спроси́ у того́ слу́жащего. — Ask that clerk over there.

ко́смос — cosmos, universe, space

се́рия — series

У ва́с е́сть се́рия «Челове́к страны́ Сове́тов в ко́смосе»? — Do you have the series, "Soviet Man in Space"?

У ва́с е́сть се́рия шестьдеся́т пе́рвого го́да «Челове́к страны́ Сове́тов в ко́смосе»? — Do you have the 1961 series, "Soviet Man in Space"?

Да́. Ме́жду про́чим, е́сть ещё одна́ се́рия. — Yes, we do. Incidentally, we also have one other series.

кора́бль (m) — ship

косми́ческий — cosmic

косми́ческий кора́бль-спу́тник — space ship, space satellite

У на́с е́сть «Косми́ческий кора́бль-спу́тник Восто́к пе́рвый» и «Восто́к второ́й». — We have "Space Ship Vostok 1" and "Vostok 2."

та́кже — as well, likewise, also

Да́. Ме́жду про́чим, е́сть та́кже «Косми́ческий кора́бль-спу́тник Восто́к пе́рвый» и, то́й же се́рии, «Восто́к второ́й». — Yes, we do. Incidentally, we also have "Space Ship Vostok 1" and "Vostok 2" in the same series.

портре́т — portrait, picture; likeness

О́, с портре́тами Гага́рина и Тито́ва! — Oh, with pictures of Gagarin and Titov!

повезти́ (pfv I) — to be in luck, be lucky

мне́ повезло́ — I was lucky, I've had luck

Ви́дишь, Никола́й, ка́к мне́ повезло́! — See, Nikolay, how lucky I was!

SUPPLEMENT

про́бовать, про́буют (ipfv I) — to try, attempt; to taste

Я́ давно́ про́бую доста́ть э́ту ма́рку. — I've been trying for a long time to get this stamp.

везёт (везло́) — is lucky (was lucky)

Ему́ всегда́ везло́. — He was always lucky.

Ему́ всегда́ во всём везёт. — He's always lucky in everything.

увле́чься (pfv I) (*plus* instr) (past увлёкся, увлекла́сь; fut увлеку́сь, увлечёшься, увлеку́тся) — to be fascinated by; to be carried away with, be mad for, be crazy about; to fall for

О́н вдру́г увлёкся спо́ртом. — He's suddenly become crazy about sports.

парохо́д — steamer, steamship

---

[1] The abbreviation *prap* stands for *present active participle.*

Парохо́д отхо́дит в два́ часа́ но́чи.	The steamer leaves at two A.M.
заграни́цей	abroad, overseas
О́н учи́лся заграни́цей.	He studied abroad.
из-за (*plus* gen)	from behind; from; because of, on account of
Ты́ получи́л посы́лку из-за грани́цы.	You received a package from abroad.
Из-за дете́й я́ ва́с не слы́шал.	Because of the children I didn't hear you.
каки́м о́бразом	how, in what way
Каки́м о́бразом вы́ наде́етесь э́то доста́ть?	How do you hope to get it?
се́верный	north, northern
ю́жный	south, southern
восто́чный	east, eastern
за́падный	west, western

NAMES OF CONTINENTS AND WESTERN EUROPEAN COUNTRIES

А́зия	А́нглия
А́фрика	Фра́нция
Австра́лия	За́падная Герма́ния
Се́верная Аме́рика	Восто́чная Герма́ния
Ю́жная Аме́рика	Ита́лия
А́рктика	Испа́ния
Анта́рктика	

Ма́рки для колле́кции

Сл. — Почто́вый слу́жащий   Н. — Никола́й   Ф. — Фили́пп

Н. 1 Во́т и я́! Ты́ уже́ давно́ ждёшь?

Ф. 2 Не́т. Ну́, пошли́. А́х, я́ забы́л купи́ть ма́рок со спу́тниками для свое́й колле́кции.[1]

Н. 3 Вря́д ли ты́ и́х ту́т доста́нешь. Э́то на́до спра́шивать на Гла́вном почта́мте.

Ф. 4 Я́ всё же попро́бую. А ка́к у ва́с в Росси́и, мно́го филатели́стов?[2]

Н. 5 Не зна́ю. Э́тим занима́ются, гла́вным о́бразом, де́ти и подро́стки.

Ф. 6 А в Аме́рике мно́гие взро́слые увлека́ются филатели́ей. Собира́ют ма́рки все́х стра́н ми́ра.

Н. 7 У на́с большинство́ собира́ет не заграни́чные, а свои́, сове́тские.[3] Свя́зь с заграни́цей — де́ло сло́жное.

Ф. 8 Я́ понима́ю. Ну́ во́т, уже́ моя́ о́чередь. Скажи́те, у ва́с е́сть се́рия 61-го го́да «Челове́к страны́ Сове́тов в ко́смосе»?

Сл. 9 Да́. Ме́жду про́чим, е́сть та́кже «Косми́ческий кора́бль-спу́тник Восто́к 1» и, то́й же се́рии, «Восто́к 2».[4]

Ф. 10 О́, с портре́тами Гага́рина и Тито́ва! Ви́дишь, Никола́й, ка́к мне́ повезло́!

NOTES

¹ The first successful Soviet earth satellite, **Спу́тник пе́рвый**, was launched in October 1957.

² The term **Росси́я** was banned and officially replaced by **СССР** shortly after the Revolution of 1917. During World War II it began to be accepted again, particularly if preceded by the adjective **сове́тский** (**Сове́тская Росси́я**).

³ There are two adjectives that mean *foreign*, **иностра́нный** and **заграни́чный**. Of the two, **заграни́чный** is more limited, usually being used to describe *imported* or *foreign-made* products, whereas **иностра́нный** may refer not only to foreign things but to people as well:

Compare	Я ре́дко покупа́ю **заграни́чные** ви́на.	I rarely buy *imported* wines.
with	Она́ зна́ет два́ **иностра́нных** языка́.	She knows two *foreign* languages.
	Ско́лько **иностра́нных** тури́стов!	There are so many *foreign* tourists!

⁴ The first successful Soviet-manned earth satellite was «**Восто́к пе́рвый**», piloted by Yury Gagarin in April 1961; the second one, in August 1961, was «**Восто́к второ́й**», with Gherman Titov at the controls.

Basic sentence patterns

1. Она́ замаха́ла платко́м.
   ____ закури́ла.
   ____ заспеши́ла.
   ____ заторопи́лась.

   She began to wave her kerchief.
   _____ to smoke.
   _____ to hurry.
   _____ to rush.

2. Э́то на́до переписа́ть.
   _____ переши́ть.
   _____ перепакова́ть.
   _____ переде́лать.
   _____ перестро́ить.

   This has to be rewritten.
   _____ resewn.
   _____ rewrapped.
   _____ redone.
   _____ rebuilt.

3. Зайдём за Пе́тей.

   Забежи́м за Пе́тей.
   Зае́дем за Пе́тей.

   Let's stop by for Petya *or* Let's drop in and get Petya.
   Let's run over and get Petya.
   Let's stop by and pick up Petya.

4. Когда́ мы́ перейдём грани́цу?
   _____ перее́дем _____?
   _____ перелети́м _____?

   When will we cross the border?
   When _____?
   _____ fly across ____?

5. Они́ встре́тились заграни́цей.
   _____ во Фра́нции.
   _____ в А́нглии.
   _____ в Герма́нии.
   _____ в За́падной Герма́нии.
   _____ в Испа́нии.
   _____ в Ита́лии.

   They met abroad.
   _____ in France.
   _____ in England.
   _____ in Germany.
   _____ in West Germany.
   _____ in Spain.
   _____ in Italy.

6. Мы́ пое́дем заграни́цу.
———————— во Фра́нцию.
———————— в А́нглию.
———————— в Ита́лию.

We're going to go abroad.
———————— to France.
———————— to England.
———————— to Italy.

7. Вы́ когда́-нибудь бы́ли в Ю́жной Аме́рике?
———————— в Се́верной Аме́рике?
———————— в За́падной Евро́пе?
———————— в Восто́чной Евро́пе?

Have you ever been to South America?
———————— to North America?
———————— to Western Europe?
———————— to Eastern Europe?

8. Я́ тогда́ зараба́тывал две́сти рубле́й.
———————— о́коло двухсо́т рубле́й.
———————— три́ста рубле́й.
———————— о́коло трёхсо́т рубле́й.
———————— четы́реста рубле́й.
———————— о́коло четырёхсо́т рубле́й.

I was earning two hundred rubles then.
———————— about two hundred rubles then.
———————— three hundred rubles then.
———————— about three hundred rubles then.
———————— four hundred rubles then.
———————— about four hundred rubles then.

9. С двумяста́ми рубля́ми далеко́ не уе́дешь.
С тремяста́ми ————————.
С четырьмяста́ми ————————.

You won't go far with two hundred rubles.
———————— three hundred ——.
———————— four hundred ——.

10. Что́ та́м напи́сано?
— «Авиапо́чта».
— «Вы́дача посы́лок».
— «Почто́вые перево́ды».
— «Почто́вый я́щик».

What does it say there? or What's written there?
"Airmail."
"Parcel delivery."
"Postal money orders."
"Mailbox."

11. Э́то должно́ быть момента́льно сде́лано.
———————— напи́сано.
———————— офо́рмлено.
———————— запако́вано.
———————— переде́лано.

This has to be done immediately.
———————— written ————.
———————— made official ——.
———————— packed ————.
———————— redone ————.

12. Э́то лека́рство пропи́сано О́сиповым.
Э́тот о́черк напи́сан О́сиповым.
Э́та рабо́та перепи́сана О́сиповым.

This medicine was prescribed by Osipov.
This essay was written by Osipov.
This work was rewritten by Osipov.

13. Две́рь не закры́та.
———————— заперта́.
Две́ри не закры́ты.
———————— за́перты.

The door isn't closed.
———————— locked.
The doors aren't closed.
———————— locked.

14. Э́то оста́нется ме́жду на́ми.
———————— ме́жду мно́й и тобо́й.
———————— ме́жду мно́й и ва́ми.
———————— ме́жду мно́й и Ко́лей.

This will remain between us.
———————— between you and me.
———————— between you and me.
———————— between Kolya and me.

15. Она́ сиде́ла ря́дом со мной.

She was sitting next to me.

_____ за мной.

_____ behind me.

_____ передо мной.

_____ in front of me.

16. О́н высо́кий блонди́н с ка́рими глаза́ми.

He's a tall blond with brown eyes.

_____ с се́рыми _____.

_____ with grey _____.

_____ с чёрными _____.

_____ with dark _____.

_____ с голубы́ми _____.

_____ with blue _____.

17. Я́ позвоню́ перед конце́ртом.

I'll call just before the concert.

— Лу́чше позвони́ за ча́с до конце́рта.

Better call an hour before.

Я́ позвоню́ перед ле́кцией.

I'll call just before the lecture.

— Лу́чше позвони́ за ча́с до ле́кции.

Better call an hour before.

Я́ позвоню́ перед рабо́той.

I'll call just before work.

— Лу́чше позвони́ за ча́с до рабо́ты.

Better call an hour before.

Я́ позвоню́ перед экза́меном.

I'll call just before the examination.

— Лу́чше позвони́ за ча́с до экза́мена.

Better call an hour before the exam.

18. Я́ до́лжен зае́хать за Ве́рой.

I've got to stop by and pick up Vera.

_____ за Верёвкиным.

_____ Veryovkin.

_____ за Верёвкиной.

_____ Miss (*or* Mrs.) Veryovkin.

_____ за Верёвкиными.

_____ the Veryovkins.

19. Его́ не́т. О́н пошёл за хле́бом.

He's not here. He went out to get bread.

_____ за папиро́сами.

_____ cigarettes.

_____ за моро́женым.

_____ ice cream.

_____ за сли́вками.

_____ cream.

20. Позвони́ ме́жду ча́сом и двумя́.

Call between one and two.

_____ ме́жду двумя́ и тремя́.

_____ two and three.

_____ ме́жду тремя́ и четырьмя́.

_____ three and four.

_____ ме́жду четырьмя́ и пятью́.

_____ four and five.

21. Вы́ живёте в само́й Москве́?

Do you live right in Moscow?

— Не́т, под Москво́й.

No, near Moscow.

Вы́ живёте в само́м Ленингра́де?

Do you live right in Leningrad?

— Не́т, под Ленингра́дом.

No, near Leningrad.

22. Над Москво́й встаёт со́лнце.

The sun is rising over Moscow.

Перед на́ми Кре́мль.

In front of us is the Kremlin.

За на́ми Кра́сная пло́щадь.

Behind us is Red Square.

Э́тот переу́лок ме́жду у́лицей Ге́рцена и Сове́тской.

This alley is between Herzen and Sovetskaya Streets.

23. Ско́лько тури́стов е́здило в Евро́пу?

How many tourists went to Europe?

— Пя́ть с полови́ной миллио́нов.

Five and a half million.

— Три́ с полови́ной миллио́на.

Three and a half million.

24. Ты́ ви́дишь вы́веску над две́рью?

Do you see the sign over the door?

_____ над вхо́дом?

_____ over the entrance?

_____ над дверьми́?

_____ over the doors?

25. Ва́м ну́жно запо́лнить бла́нк.

You've got to fill out the blank.

_____ анке́ту.

—_____ the questionnaire.

_____ предъяви́ть па́спорт.

_____ to present your passport.

_____ ви́зу.

_____ visa.

Pronunciation practice: clusters of four consonants with ст as the two middle consonants

1. **встр** pronounced [fstr] or [fstr̯]

   [fstraṋé] в стране́
   in the country
   [fstrokú] в строку́
   in a line

   [fstr̯éčə] встре́ча
   meeting

2. **льств** pronounced [l̦stv], [l̦s̯t̯v], or [l̦stf]

   [apstajáṭil̦stvə] обстоя́тельство
   circumstance
   [udavól̦s̯t̯ɣijə] удово́льствие
   satisfaction

   [pasól̦stf] посо́льств
   of legations

3. **мств** pronounced [mstv] or [mstf]

   [patómstvə] пото́мство
   offspring
   [b̦izúmstvə] безу́мство
   madness

   [ɣédəmstf] ве́домств
   of departments

4. **нств** pronounced [nstv] or [nstf]

   [kr̦isṭjánstvə] крестья́нство
   the peasant class
   [p̦jánstvə] пья́нство
   drunkenness

   [blažénstf] блаже́нств
   of beatitudes

5. **рств** pronounced [rstv] or [rstf]

   [abžórstvə] обжо́рство
   gluttony
   [upórstvə] упо́рство
   persistence

   [l̦ikárstf] лека́рств
   of medicine

6. **бств, пств** pronounced [pstv] or [pstf]

   [pápstvə] па́пство
   papacy
   [xalópstvə] холо́пство
   slavishness

   [udópstf] удо́бств
   of comforts

7. **вств, фств** pronounced [fstv] or [fstf]

   [ribalófstvə] рыболо́вство
   fishing
   [šéfstvə] ше́фство
   patronage over something

   [kəral̦éfstf] короле́вств
   of kingdoms

8. **дств, тств** pronounced [tstv] or [tstf]

[bagátstvə] бога́тство
riches

[rukavótstvə] руково́дство
guidance

[sŗétstf] сре́дств
of means

9. **йств** pronounced [jstv] or [jstf]

[svójstvə] сво́йство
property

[ustrójstvə] устро́йство
arrangement

[svójstf] сво́йств
of properties

STRUCTURE AND DRILLS

General remarks on the verbal prefixes

The addition of a verbal prefix to a simple imperfective verb stem not only provides a new perfective but usually involves some change in meaning as well. For example:

кури́ть (ipfv)	to smoke
закури́ть (pfv)	to begin to smoke; to light up a cigarette
вы́курить (pfv)	to have a smoke; to smoke up all one's cigarettes; to finish smoking; to smoke someone out
прикури́ть (pfv)	to get a light from another cigarette
покури́ть (pfv)	to smoke for a while, do a bit of smoking
накури́ть (pfv)	to fill up with smoke; to smoke up the room.

In this lesson and the lessons following, the major verbal prefixes which provide new perfective verbs from given simple imperfective verbs will be treated.

Perfective verbs formed by means of the prefix за-

In addition to its use as a pure perfectivizing prefix (пакова́ть, запакова́ть), the prefix за- very often modifies the meaning of the basic verb stem. Some of the most common changes in meaning that occur with the addition of за- to simple imperfective verbs are illustrated below:

To indicate the beginning of an action:

Вдру́г зазвони́л телефо́н.	The phone suddenly began to ring.
Она́ ти́хо запе́ла.	She began to sing softly.
Все́ де́вушки замаха́ли платка́ми.	All the girls started waving their kerchiefs.
Она́ заговори́ла о свои́х несча́стьях.	She began talking about her troubles.

To indicate motion behind or beyond, that is, to a position out of sight:

Ма́льчик забежа́л за де́рево.	The boy ran behind a tree.
Со́лнце уже́ зашло́.	The sun has already set.
Я́ зае́ду за до́м.	I'll drive behind the house.

To indicate an action interrupted by a stopping off:

Мы́ зайдём к ва́м по́сле ле́кции.   We'll drop by your place after the lecture.
Они́ зае́дут за ва́ми.   They'll stop by and pick you up.
Занеси́ ему́ э́ту кни́гу.   Drop this book off at his place.
Я́ забегу́ на мину́тку к сосе́дке.   I'll run in to [see] my neighbor for a minute.

To indicate closing, covering, or performing the action over a limited area:

Закро́йте кни́ги!   Close your books!
Я́ зашью́ э́ту ды́рку.   I'll sew up this hole.
Заде́лай э́ту ды́рку в стене́!   Fix that hole in the wall!
Замо́йте э́то пятно́ на полу́!   Mop up this spot on the floor!
Застира́й э́то ме́сто на ска́терти!   Wash out this spot on the tablecloth!

To indicate an excess of the action:

Ты́ совсе́м заноси́л э́ти брю́ки.   You've completely worn these trousers out.
На́м на́до заучи́ть э́ти стихи́.   We've got to memorize these verses.
О́н зачита́лся.   He's become engrossed in reading.

■ REPETITION DRILL

Repeat the given models, noticing the various ways in which the prefix за– functions.

■ RESPONSE DRILLS

1. *I have an interesting book.*
   I'll drop it off at your place.
   У меня́ е́сть интере́сная кни́га.
   Я́ ва́м её занесу́.
   У него́ е́сть интере́сная кни́га.
   О́н ва́м её занесёт.
   (у них, у неё, у меня, у нас, у него,
   у них, у неё)

2. *I wanted to find out the schedule.*
   I'll run down to the information desk.
   Я́ хоте́л узна́ть расписа́ние.
   Я́ забегу́ в спра́вочное бюро́.
   Ты́ хоте́л узна́ть расписа́ние.
   Ты́ забежи́шь в спра́вочное бюро́.
   (мы, он, вы, она, я, они, ты, мы)

■ STRUCTURE REPLACEMENT DRILLS

1. *He began to speak.*
   О́н на́чал говори́ть.
   О́н заговори́л.
   О́н на́чал пе́ть.
   О́н запе́л.
   (курить, торопиться, беспокоиться,
   кашлять, спешить, интересоваться
   этим, махать рукой, говорить)

2. *He drove up to the fence.*
   He drove around behind the fence.
   О́н подъе́хал к забо́ру.
   О́н зае́хал за забо́р.
   О́н подошёл к забо́ру.
   О́н зашёл за забо́р.
   (подполз, подбежал, поднёс это,
   подвёл их, подвёз их, подъехал,
   подошёл)

1. *Are you going to Fedya's place?*
Yes, I have to stop by for Fedya.
Ты́ идёшь к Фе́де?
Да́, я́ до́лжен зайти́ за Фе́дей.
Ты́ е́дешь к Фе́де?
Да́, я́ до́лжен зае́хать за Фе́дей.
 (бежи́шь, идёшь, е́дешь, бежи́шь,
 идёшь, е́дешь)

2. *Do you want to run over and see him?*
Yes, let's run over and see him.
Хо́чешь забежа́ть к нему́?
Да́, дава́й забежи́м к нему́.
Хо́чешь зае́хать к нему́?
Да́, дава́й зае́дем к нему́.
 (зайти́, забежа́ть, зае́хать,
 забежа́ть, зайти́)

■ STRUCTURE REPLACEMENT DRILL

We thought for a long time.
We were lost in thought.
Мы́ до́лго ду́мали.
Мы́ заду́мались.[1]
Мы́ до́лго игра́ли.
Мы́ заигра́лись.
 (ду́мали, чита́ли, игра́ли, говори́ли,
 сиде́ли)

DISCUSSION

 The most basic meanings of the prefix **за–** are inherent in the preposition **за**; both prefix and preposition are often used together:

 Óн забежа́л за две́рь.   He ran behind the door.
 Со́лнце зашло́ за го́ры.   The sun has set behind the mountains.
 Зайдём за Оле́гом.   Let's stop by and get Oleg.

 Sometimes the addition of a prefix significantly alters the meaning of the basic verb, so that its meaning cannot be guessed:

Compare **вести́**   *to be leading*
with **завести́**   *to wind* (*a clock*)

Compare **рабо́тать**   *to work*
with **зарабо́тать**   *to earn*

 It is important to bear in mind, moreover, that the same prefix may provide a new verb with more than one meaning. For example, **зарабо́тать** means *to begin to work* as well as *to earn*. With the addition of the reflexive particle **–ся**, a completely different meaning may be added: **зарабо́таться** *to work too long, to lose oneself in one's work.*

 Here is a reference list of verbs with the prefix **за–** which are encountered and drilled in this section:

1. Beginning of the action:
 запе́ть   to begin to sing
 зазвони́ть   to begin to ring
 замаха́ть   to begin to wave
 заговори́ть   to begin to talk
 забеспоко́иться   to begin to worry
 затороли́ться   to begin to hurry

---

[1] Note that the perfective form becomes reflexive with the addition of the prefix **за-**.

зака́шлять	to begin to cough
заспеши́ть	to begin to hurry
закури́ть	to begin to smoke; to light up a cigarette
зажéчь	to set a fire; to light, turn on (a light)

2. Motion interrupted by stopping off; motion beyond, to a position out of sight:

зайти́	to drop in, stop by; to go behind
заéхать	to stop by (by vehicle); to drive behind
забежа́ть	to run in (to see someone); to run behind
занести́	to drop by (carrying something); to carry behind
завезти́	to drive by (carrying something)
завести́	to lead behind, lead astray
заползти́	to crawl behind

3. Closing, covering, or focusing activity on a single spot:

закры́ть	to close, shut, cover
запере́ть	to lock (conj like умере́ть)
заши́ть	to sew up, mend
замы́ть	to wash off, wash away; to mop up (a spot)
застира́ть	to wash off, wash out; to launder (a spot)
задéлать	to do up, fix up, close up (an opening)

4. Excess of action, overdoing of a thing:

Note that in the sense *to overdo a thing* most of the verbs are simultaneously prefixed and made reflexive:

заду́маться	to be lost in thought, be sunk in reverie
заигра́ться	to play too long; to lose oneself in playing
заговори́ться	to talk so much one forgets the time
засидéться	to sit too long; to stay too long
зачита́ться	to lose oneself in reading, become engrossed in reading
заучи́ть	to learn by heart, memorize
заучи́ться	to study too much, overdo one's studies
заноси́ть	to wear out; to wear to the point of fraying

Declension of двéсти, три́ста, and четы́реста

MODELS

Óн перевёл двéсти рублéй.

_____ три́ста _____.

_____ четы́реста ___.

He sent a two hundred ruble money order.

_____ three hundred _____.

_____ four hundred _____.

Скóлько та́м бы́ло человéк?
— Óколо двухсóт.
— Óколо трёхсóт.
— Óколо четырёхсóт.

How many people were there?
About two hundred.
About three hundred.
About four hundred.

Óн приéхал с двумястáми рублями в кармáне.	He arrived with two hundred rubles in his pocket.
_____ с тремястáми _____.	_____ with three hundred _____.
_____ с четырьмястáми _____.	_____ with four hundred _____.

О какúх деньгáх тú говорúшь?	What money are you talking about?
— О тéх двухстáх рублях, котóрые я тебé одолжúл.	About that two hundred rubles I lent you.
_____ трёхстáх рублях, котóрые _____.	_____ three hundred_____.
_____ четырёхстáх рублях, котóрые ___.	_____ four hundred _____.

Этим двумстáм колхóзам нужнú грузовикú.	These two hundred farms need trucks.
____ трёмстáм _____.	____ three hundred _____.
____ четырёмстáм _____.	____ four hundred _____.

Like fifty, sixty, seventy, and eighty, the numbers two hundred, three hundred, and four hundred decline in both parts.

NOM-ACC	двéсти	трúста	четúреста
GEN	двухсóт	трёхсóт	четырёхсóт
PREP	о двухстáх	о трёхстáх	о четырёхстáх
DAT	двумстáм	трёмстáм	четырёмстáм
INSTR	двумястáми	тремястáми	четырьмястáми

■ REPETITION DRILL

Repeat the given models, noting the declension patterns of numerals **двéсти** *two hundred*, **трúста** *three hundred*, and **четúреста** *four hundred*.

■ SUBSTITUTION DRILLS[1]

1. *They live at number one hundred and twenty-one.*

   Онú живýт в дóме нóмер стó двáдцать одúн.

   (222, 333, 444, 200, 300, 400, 202, 303, 404, 212, 313, 414, 221, 331, 441)

2. *It's about a hundred kilometers to that place.*

   Тудá óколо стá киломéтров.

   (200, 300, 400, 220, 330, 440, 202, 303, 404)

■ STRUCTURE REPLACEMENT DRILLS

1. *We've covered two hundred kilometers.*
   We've covered at least two hundred kilometers.
   Мú проéхали двéсти киломéтров.
   Мú проéхали не мéньше двухсóт киломéтров.
   Мú проéхали четúреста киломéтров.
   Мú проéхали не мéньше четырёхсóт киломéтров.
   (300, 100, 200, 400, 90, 300, 40, 200)

2. *Two hundred ships took the tourists.*
   Tourists were taken on two hundred ships.
   Двéсти парохóдов повезлú турúстов.
   Турúстов повезлú на двухстáх парохóдах.
   Трúста парохóдов повезлú турúстов.
   Турúстов повезлú на трёхстáх парохóдах.
   (400, 100, 200, 300, 100, 200, 400, 90, 300, 200)

---

[1] These substitution drills may be used in class for number reading practice with open books.

1. *We sent you a money order for a hundred rubles.*
   I didn't receive the hundred rubles.
   Мы́ ва́м перевели́ сто́ рубле́й.
   Я́ не получи́л э́тих ста́ рубле́й.
   Мы́ ва́м перевели́ две́сти рубле́й.
   Я́ не получи́л э́тих двухсо́т рубле́й.
   (300, 400, 200, 100, 300, 400, 200)

2. *He earns twelve hundred rubles a year.*
   Can one really live on twelve hundred rubles?
   Óн получа́ет ты́сячу две́сти рубле́й в го́д.
   Ра́зве мо́жно жи́ть на ты́сячу две́сти рубле́й?
   Óн получа́ет ты́сячу три́ста рубле́й в го́д.
   Ра́зве мо́жно жи́ть на ты́сячу три́ста рубле́й?
   (400, 1100, 200, 1300, 1200, 1400, 300, 200, 400)

3. *I have three hundred stamps in my collection already.*
   Here's another dozen to add to your three hundred.
   У меня́ в колле́кции уже́ три́ста ма́рок.
   Во́т тебе́ ещё дю́жина к твои́м трёмста́м.
   У меня́ в колле́кции уже́ две́сти ма́рок.
   Во́т тебе́ ещё дю́жина к твои́м двумста́м.
   (400, 100, 200, 300, 400, 200)

4. *Here's a hundred rubles for you.*
   Pay him with these hundred rubles.
   Во́т тебе́ сто́ рубле́й.
   Заплати́ ему́ э́тими ста́ рубля́ми.
   Во́т тебе́ две́сти рубле́й.
   Заплати́ ему́ э́тими двумяста́ми рубля́ми.
   (300, 100, 200, 400, 300)

DISCUSSION

Like the numerals fifty, sixty, seventy, and eighty, both parts of numerals two hundred, three hundred, and four hundred decline: две́сти, двухсо́т, двухста́х, двумста́м, двумяста́ми, and so forth.

Note that the last part of the compound functions as an independent noun after adverbs of quantity such as мно́го and не́сколько:

Не́сколько со́т рубле́й пропа́ло.
Это бы́ло мно́го со́т ле́т тому́ наза́д.
У меня́ в колле́кции не́сколько со́т ма́рок.

Several hundred rubles were missing.
It was many hundreds of years ago.
I have several hundred stamps in my collection.

Perfective verbs formed by means of the prefix пере–

Some of the most typical changes in meaning that occur by adding the verbal prefix пере– to simple imperfective verbs are illustrated below:

To indicate action across or over:

Перейдём через у́лицу.
Мы́ ско́ро перее́дем грани́цу.
Пти́ца перелете́ла через ре́ку.

Let's go across the street.
We'll soon cross the border.
The bird flew across the river.

To indicate transference (trans–):

Перелей сли́вки в э́ту ча́шку.	Pour the cream off into this cup.
Óн хорошо́ перевёл э́тот о́черк.	He translated this essay very well.
Его́ перевели́ на друго́е ме́сто.	He was transferred to a different spot.
Я́ хочу́ пересла́ть де́ньги в Ки́ев.	I want to send money to Kiev.
Мы́ перее́дем на но́вую кварти́ру.	We'll move to a new apartment.

To indicate a repetition of the action (re–, over):

Перепиши́те э́то объявле́ние.	Rewrite (or Copy) this announcement.
Э́то всё на́до переде́лать.	This all has to be done over.
Переше́й э́то ещё ра́з!	Sew this over again!
Перемо́й э́то ещё ра́з!	Wash this over again!

To indicate surpassing some limit, or action to an excess:

Они́ на́с не перего́нят.	They won't surpass us.
Óн ско́ро перерастёт бра́та.	He'll soon be bigger than his brother.
Ты́ перевари́ла бо́рщ.	You overcooked the borsch.
Я́ бою́сь, что де́ти перекупа́ются.	I'm afraid the children will stay in the water too long.

■ REPETITION DRILL

Repeat the models illustrating the various functions of the prefix пере–.

■ STRUCTURE REPLACEMENT DRILLS

1. *Let's go over to the other side.*
   Let's cross over to the other side.
   Пойдём на другу́ю сто́рону.
   Перейдём на другу́ю сто́рону.
   Пое́дем на другу́ю сто́рону.
   Перее́дем на другу́ю сто́рону.
   (поплывём, попо́лзём, побежи́м,
   пое́дем, пойдём, побежи́м, повезём их,
   поведём их, понесём их)

2. *He wrote it all once more.*
   He rewrote it all.
   Óн э́то всё написа́л ещё ра́з.
   Óн э́то всё переписа́л.
   Óн э́то всё почи́стил ещё ра́з.
   Óн э́то всё перечи́стил.
   (прочитал, запаковал, сшил, написал,
   посмотрел, сделал, помыл, почистил,
   примерил, постирал)

3. *The soup has been cooking too long.*
   I'm afraid it's overcooked.
   Су́п сли́шком до́лго вари́лся.
   Бою́сь, что о́н перевари́лся.
   Пиро́г сли́шком до́лго пёкся.
   Бою́сь, что о́н перепёкся.

   Кóфе сли́шком до́лго стоя́ло.
   Хле́б сли́шком до́лго лежа́л.
   Óн сли́шком мно́го стара́лся.
   Они́ сли́шком мно́го пи́ли.
   Она́ сли́шком до́лго купа́лась.
   Óн сли́шком мно́го заплати́л.

■ TRANSFORMATION DRILLS

1. *He'll outargue them.*
   He outargued them.
   Óн и́х переспо́рит.
   Óн и́х переспо́рил.
   Óн и́х перего́нит.
   Óн и́х перегна́л.
   (перерастёт, перепоёт, переспорит,
   переживёт, перепьёт, переиграет,
   перегонит)

2. *I'll translate it into English.*
   I translated it into English.
   Я́ переведу́ э́то на англи́йский.
   Я́ перевёл э́то на англи́йский.
   Она́ переведёт э́то на англи́йский.
   Она́ перевела́ э́то на англи́йский.
   (мы, учитель, Варя, студенты,
   учительница, мой приятель, подруги,
   Зина)

2. *This has to be carried over there.*
   Carry it over!
   Э́то ну́жно туда́ перенести́.
   Перенеси́те э́то!
   Э́то ну́жно туда́ перевезти́.
   Перевези́те э́то!
   (пересла́ть, перели́ть, переста́вить,
   переписа́ть, перенести́, перевезти́)

2. *You're sewing it wrong.*
   O.K., I'll sew it over.
   Ты́ не та́к шьёшь.
   Хорошо́, я́ перешью́.
   Ты́ не та́к паку́ешь.
   Хорошо́, я́ перепаку́ю.
   (мо́ешь, стро́ишь, пи́шешь,
   стира́ешь, де́лаешь)

DISCUSSION

With the addition of the prefix **пере–**, verbs that were intransitive as simple verbs may become transitive; for example, compare **идти́** *to be going* with **перейти́** *to cross*. With verbs of motion, the preposition **через** may be used or omitted with the same meaning retained. Compare the English *to cross the street* with *to go across the street.*

Occasionally the prefix **пере–** considerably alters the meaning of the basic verb: **би́ть** *to beat, strike,* but **переби́ть** *to interrupt.*

Here is a reference list of verbs with the prefix **пере–** which are encountered and drilled in this section:

1. Action across or over, transference:

перейти́	to go across, go over, cross (on foot); to switch over
перее́хать	to go across, drive across, cross (by vehicle); to move (to another residence)
перебежа́ть	to run across; to defect
перевести́	to lead across, take across (on foot); to translate; to transfer
перевезти́	to take across (by vehicle)
перенести́	to carry across (on foot)
переплы́ть	to swim across; to sail across; to drift across
пересла́ть	to send over
переста́вить	to shift over

2. Action in excess of or beyond some limit:

пережи́ть	to survive
перели́ть	to pour too much
перегна́ть	to surpass, outdistance
перевари́ть	to boil too long, overcook
перестоя́ть	to stand too long
перепи́ть	to outdrink
перепи́ться	to become inebriated
перепе́чься	to bake too long
перележа́ть	to lie around too long
перестара́ться	to try too hard
переспо́рить	to outargue
перепе́ть	to outsing
перерасти́	to exceed in growth
переигра́ть	to outplay
перекупа́ться	to bathe too long
переплати́ть	to overpay

3. Action repeated:

переписа́ть	to write over again, copy, rewrite
перечита́ть	to read over again, reread
переде́лать	to do over again, redo
переши́ть	to sew over again, resew
перемы́ть	to wash over again, rewash
перестира́ть	to wash over again, redo the wash
перепакова́ть	to pack over again, repack
пересмотре́ть	to look over again, take another look
перечи́стить	to clean over again, reclean
переме́рить	to measure again, remeasure
пересчита́ть	to count again, recount
перестро́ить	to build over again, rebuild

Past passive participles: part I—short forms ending in -т and -н

Past passive participles are derived from verbs (mostly perfective) but are adjectival in form. The short-form participles function like short-form adjectives.

In this section we drill only those past passive participles already introduced, plus a few based on the same stems but with different prefixes. Note that the stress of the past passive participle often differs from that of the verb from which it is derived.

MODELS

Past passive participles ending in –т:

Две́рь уже́ откры́та.	The door is already open.
Две́ри уже́ откры́ты.	The doors are already open.
Я́щик бы́л закры́т.	The drawer was closed.
Окно́ бы́ло закры́то.	The window was closed.
Э́тот сту́л за́нят?	Is this chair occupied?
Э́то ме́сто за́нято?	_____ seat _____?
Э́та ко́мната занята́?	_____ room _____?
Э́ти ко́мнаты за́няты?	Are these rooms occupied?
Ты́ уже́ оде́т?	Are you dressed yet (_or_ already)?
Ты́ уже́ оде́та?	Are _____?
Вы́ уже́ оде́ты?	Are _____?

Past passive participles ending in –н:

Э́та се́рия ма́рок уже́ распро́дана.	That series of stamps is already sold out.
Всё уже́ распро́дано.	Everything is already sold out.
Всё биле́ты уже́ распро́даны.	All the tickets are already sold out.
Че́м ты́ та́к взволно́ван?	What are you so agitated (_or_ upset) about?
_____ ты́ та́к взволно́вана?	What _____?
_____ вы́ та́к взволно́ваны?	What _____?

Пода́рок ещё не запако́ван.	The gift isn't wrapped yet.
Посы́лка ——— запако́вана.	—— package ——————.
Пла́тье ———— запако́вано.	—— dress ——————.
Пальто́ ——————.	—— overcoat —————.

Э́тот но́ж сде́лан из дорого́го материа́ла.	This knife is made of expensive material.
Э́та су́мка сде́лана ——————.	This purse is made ——————.

Э́тот рома́н бы́л напи́сан бо́льше ста́ ле́т тому́ наза́д.	This novel was written more than a hundred years ago.
Э́та пе́сня была́ напи́сана ————.	This song was written ——————.

■ REPETITION DRILL

Repeat the models illustrating the use of short-form past passive participles.

■ RESPONSE DRILLS

1. *Somebody open the window!*
   The window is already open.
   Пу́сть кто́-нибудь откро́ет окно́!
   Окно́ уже́ откры́то.
   Пу́сть кто́-нибудь откро́ет две́ри!
   Две́ри уже́ откры́ты.
     (ящик, дверь, письмо, форточку, окошко, коробку)

2. *I want to buy tomatoes.*
   The tomatoes are already sold out.
   Я́ хочу́ купи́ть помидо́ры.
   Помидо́ры уже́ распро́даны.
   Я́ хочу́ купи́ть ры́бу.
   Ры́ба уже́ распро́дана.
     (мороженое, фрукты, шоколад, конфеты, хлеб, тянучки, кофе)

3. *This has to be redone.*
   It's already been redone.
   Э́то на́до переде́лать.
   Э́то уже́ переде́лано.
   Э́ту ча́сть на́до переде́лать.
   Э́та ча́сть уже́ переде́лана.
     (этот конец, это начало, эти стихи, этот роман, эту историю, это заявление, этот план, эту часть)

4. *There's one more thing I have to do.*
   There, now it's done.
   Мне́ ну́жно сде́лать ещё одну́ ве́щь.
   Во́т, уже́ сде́лано.
   Мне́ ну́жно переписа́ть ещё одну́ ве́щь.
   Во́т, уже́ перепи́сано.
     (кончить, запаковать, написать, переделать, сделать)

■ QUESTION-ANSWER DRILLS

1. *Is this chair vacant (or unoccupied)?*
   No, it's occupied.
   Э́тот сту́л свобо́ден?
   Не́т, за́нят.
   Э́то кре́сло свобо́дно?
   Не́т, за́нято.
     (комната, место, номер, ванная, отделение, места́, такси, уборная)

2. *Is the store open?*
   No, it's closed.
   Магази́н откры́т?
   Не́т, закры́т.
   Ба́ня откры́та?
   Не́т, закры́та.
     (почтамт, бюро, дорога, каток, граница, поликлиника, базар)

3. *Is everything packed?*
   Yes, all the things are packed.
   Всё запако́вано?
   Да́, все ве́щи запако́ваны.
   Всё переде́лано?
   Да́, все ве́щи переде́ланы.
   (распро́дано, сде́лано, про́дано,
   переде́лано, запако́вано)

4. *Did you write everything?*
   Yes, everything's written.
   Вы́ всё написа́ли?
   Да́, всё напи́сано.
   Вы́ всё сде́лали?
   Да́, всё сде́лано.
   (закры́ли, переписа́ли, распро́дали,
   запакова́ли, откры́ли, сде́лали,
   написа́ли)

■ STRUCTURE REPLACEMENT DRILLS

1. *I'll do it in a jiffy.*
   It'll be done in a jiffy.
   Я́ э́то ми́гом сде́лаю.
   Э́то бу́дет ми́гом сде́лано.
   Я́ э́то ми́гом запаку́ю.
   Э́то бу́дет ми́гом запако́вано.
   (перепишу́, прода́м, напишу́,
   сде́лаю, запаку́ю)

2. *We wrote everything a long time ago.*
   Everything was written a long time ago.
   Мы́ давно́ всё написа́ли.
   Всё бы́ло давно́ напи́сано.
   Мы́ давно́ всё запакова́ли.
   Всё бы́ло давно́ запако́вано.
   (написа́ли, распро́дали, закры́ли,
   сде́лали, переписа́ли)

DISCUSSION

Past passive participles are formed from transitive verbs, usually perfective. They fall into three categories, two of which are based on the infinitive stem: those ending in –т and those ending in –н, preceded by the linking vowel **a** (or **я**).[1]

1. Past passive participles ending in –т are derived generally from verbs whose infinitives end in –нуть and from those verbs whose stem (not including the prefix) consists of a single syllable. Characteristic of this class are those verbs whose present-future stem differs from that of the infinitive-past tense stem:

> передви́нут, –а, –о, –ы *shifted* (from передви́нуть, передви́нут)
> откры́т, –а, –о, –ы *open, opened* (from откры́ть, откро́ют)
> наде́т, –а, –о, –ы *dressed* (from наде́ть, наде́нут)
> забы́т, –а, –о, –ы *forgotten* (from забы́ть, забу́дут)
> перемы́т, –а, –о, –ы *rewashed* (from перемы́ть, перемо́ют)
> на́чат, –а́, –о, –ы *begun* (from нача́ть, начну́т)

Note that the stress of this type of participle is usually like the stress of the past tense.

2. Past passive participles ending in –н are derived generally from verbs with infinitives ending in –ть preceded by the linking vowel **a** (or **я**):

> прочи́тан, –а, –о, –ы *read* (from прочита́ть, прочита́ют)
> ска́зан, –а, –о, –ы *said* (from сказа́ть, ска́жут)
> взволно́ван, –а, о, –ы *excited* (from взволнова́ть, взволну́ют)
> запако́ван, –а, –о, –ы *packed* (from запакова́ть, запаку́ют)
> напи́сан, –а, –о, –ы *written* (from написа́ть, напи́шут)
> про́дан, –а, –о, –ы *sold* (from прода́ть, продаду́т)
> распро́дан, –а, –о, –ы *sold out* (from распрода́ть, распродаду́т)
> да́н, –а́, –о́, –ы́ *given* (from да́ть, даду́т)
> сде́лан, –а, –о, –ы *done, made* (from сде́лать, сде́лают)

Note that in those verbs which stress the **a** (or **я**) in the active forms, the stress usually shifts back one syllable in the past passive participle forms.

---

[1] Those of the third category, ending in -ен (or -ён), are drilled and discussed in Lesson 33.

Uses of the instrumental case: part II—the instrumental with prepositions

Major prepositions which require the instrumental case are: **с** *with;* **за** *behind, after;* **перед** *before, in front of;* **над** *above;* **под** *below;* and **между** *between, among.*

MODELS

Принима́йте лека́рство перед едо́й.	Take the medicine before meals.
＿＿＿＿＿＿＿＿＿＿ перед за́втраком.	＿＿＿＿＿＿＿ before breakfast.
Она́ сиде́ла перед на́ми.	She was sitting in front of us.
＿＿＿＿＿＿ передо мно́й.	＿＿＿＿＿＿ in front of me.
За до́мом бы́л ма́ленький са́д.	Behind the house was a small garden.
За забо́ром ＿＿＿＿＿＿＿.	Behind the fence ＿＿＿＿＿＿.
За избо́й ＿＿＿＿＿＿＿.	Behind the cabin ＿＿＿＿＿＿.
За общежи́тием ＿＿＿＿.	Behind the dorm ＿＿＿＿＿.
Со́лнце уже́ за горо́й.	The sun is already behind the mountain.
＿＿＿＿＿＿ за гора́ми.	＿＿＿＿＿＿ behind the hills (*or* mountains).
Я́ пойду́ за лека́рством.	I'll go get the medicine.
＿＿＿＿ за ма́зью.	＿＿＿＿ the ointment.
＿＿＿＿ за врачо́м.	＿＿＿＿ the doctor.
＿＿＿＿ за до́ктором.	＿＿＿＿ the doctor.
За столо́м мы́ говори́ли о му́зыке.	At the table we talked about music.
За за́втраком ＿＿＿＿＿＿.	At breakfast ＿＿＿＿＿＿.
За обе́дом ＿＿＿＿＿＿＿.	At dinner ＿＿＿＿＿＿＿.
За не́й кто́-то идёт.	Someone's following her.
За мно́й ＿＿＿＿＿.	＿＿＿＿＿＿＿ me.
Со́лнце поднима́ется над горо́й.	The sun is rising above the mountain.
＿＿＿＿＿＿＿ над реко́й.	＿＿＿＿＿ above the river.
＿＿＿＿＿＿＿ над го́родом.	＿＿＿＿＿ above the city.
＿＿＿＿＿＿＿ над о́зером.	＿＿＿＿＿ above the lake.
Кни́га лежи́т под кре́слом.	The book is (lying) under the chair.
＿＿＿＿＿＿ под газе́той.	＿＿＿＿＿＿＿ newspaper.
Мы́ живём под Москво́й.	We live near Moscow.
＿＿＿＿ под Ленингра́дом.	＿＿＿ near Leningrad.
＿＿＿＿ под Ки́евом.	＿＿＿ near Kiey.
Ста́нь ря́дом с на́ми.	Stand next to us.
＿＿＿＿＿ с ни́м.	＿＿＿＿＿ him.
＿＿＿＿＿ с не́й.	＿＿＿＿＿ her.
Не шути́ со мно́й.	Don't joke with me.
＿＿＿＿ с ни́м.	＿＿＿＿ with him.
＿＿＿＿ с не́й.	＿＿＿＿ with her.

Мы́ с Ка́тей пойдём на като́к.
___ с Воло́дей _____.
___ с Тама́рой _____.

Katya and I will go to the rink.
Volodya _____.
Tamara _____.

Вы́ пьёте ча́й с лимо́ном?
_____ с са́харом?
_____ с молоко́м?
_____ со сли́вками?

Do you drink tea with lemon?
_____ with sugar?
_____ with milk?
_____ with cream?

Я́ с ни́м согла́сен.
_ с ва́ми _____.
_ с тобо́й _____.

I agree with him.
_____ with you.
_____ with you.

■ REPETITION DRILL

Repeat the given models illustrating the various prepositions used with the instrumental case.

■ STRUCTURE REPLACEMENT DRILLS

1. *He stepped behind the house.*
   He hid behind the house.
   О́н зашёл за до́м.
   О́н спря́тался за до́мом.
   (избу, кресло, диван, шкаф,
   скамейку, кровать, комод)

2. *He shaved an hour before dinner.*
   He shaved before dinner.
   О́н побри́лся за ча́с до обе́да.
   О́н побри́лся перед обе́дом.
   (до концерта, до занятий, до ужина,
   до вечеринки, до собрания, до
   экзамена, до лекции, до урока)

3. *There was a sign on the door.*
   There was a sign over the door.
   На дверя́х была́ вы́веска.
   Над дверьми́ была́ вы́веска.
   (на окне, на доме, на киоске, на избе,
   на здании, на окошке, на магазине,
   на лавке, на клубе)

4. *Sit beside us.*
   Sit next to us.
   Сади́тесь во́зле на́с.
   Сади́тесь ря́дом с на́ми.
   (возле него, возле них, возле меня,
   возле неё, возле него, возле нас,
   возле них, возле Вари, возле Феди,
   возле Ирины)

■ RESPONSE DRILLS

1. *We have no bread.*
   All right, I'll go get some bread.
   У на́с не́т хле́ба.
   Хорошо́, я́ пойду́ за хле́бом.
   У на́с не́т сли́вок.
   Хорошо́, я́ пойду́ за сли́вками.
   (папирос, мороженого, воды,
   соли, продуктов, сахара)

2. *I'm mad at him.*
   I'm not speaking to him.
   Я́ на него́ сержу́сь.
   Я́ с ни́м не разгова́риваю.
   Я́ на тебя́ сержу́сь.
   Я́ с тобо́й не разгова́риваю.
   (на них, на неё, на него, на вас,
   на тебя, на Козлова, на Петрову,
   на Фёдора Васильевича, Варвару
   Петровну)

1. *Will you call after one?*
   Yes, between one and two.
   Ты́ позвони́шь по́сле ча́са?
   Да́, ме́жду ча́сом и двумя́.
   Ты́ позвони́шь по́сле пяти́?
   Да́, ме́жду пятью́ и шестью́.
   (двух, десяти́, трёх, шести́,
   четырёх, восьми́, девяти́)

2. *Do they live in Moscow proper?*
   No, near Moscow.
   Они́ живу́т в само́й Москве́?
   Нет, под Москво́й.
   Они́ живу́т в само́м Ленингра́де?
   Нет, под Ленингра́дом.
   (Харькове, Киеве, Одессе,
   Владивостоке, Ялте, Ташкенте,
   Горьком)

DISCUSSION

The prepositions **перед** and **над** always require the instrumental case:

Ста́нь перед ни́м.	Stand in front of him.
Над на́ми лети́т самолёт.	There's a plane flying over us.

The prepositions **за** and **под** can be accompanied by either the instrumental or the accusative cases: the instrumental for locational constructions (answering to **где́**), and the accusative for destinational constructions (answering to **куда́**):

Где́ ло́жка?	Where's the spoon?
— Под столо́м. (instrumental)	Under the table.
— За шка́фом. (instrumental)	Behind the cupboard.
Куда́ исче́зла ло́жка? (accusative)	Where did the spoon disappear to?
— Она́ упа́ла под сто́л. (accusative)	It fell under the table.
— Она́ упа́ла за шка́ф. (accusative)	It fell behind the cupboard.

Note, however, that after verbs of motion **за** can be followed by the instrumental if it is not used to indicate destination:

Кто́-то идёт за на́ми.	Someone's following us.
Поезжа́й за э́той маши́ной.	Follow that car.
Я́ зайду́ за ва́ми.	I'll stop by for you.

Notice also that the preposition **под** is used with the instrumental in the special meaning *near, in the environs of* in conjunction with names of cities:

Мы́ жи́ли под Москво́й.	We lived near Moscow.

The preposition **с** is often employed where English uses *and*:

Э́то сто́ит два́ с полови́ной рубля́.	That costs two and a half rubles.
Мы́ с бра́том всю́ но́чь прорабо́тали.	My brother and I worked the whole night through.

Remember that **с** takes the instrumental only when used in the sense of *accompaniment*. In the meaning *from*, it is followed by the genitive:

Compare	Поговори́ с ни́м. (instrumental)	Have a talk with him.
with	Я́ иду́ с рабо́ты. (genitive)	I'm coming from work.

Notice the special use of **перед** in the expression **винова́т перед**, as in **Я́ винова́т перед ва́ми** *I've done something to you* (for which I ought to apologize) or *I haven't "done right by you."*

ПОВТОРЕНИЕ

— Витя, ты не знаешь Бориного адреса?

— Знаю: Герцена 442. А зачем тебе?

— Да такая глупая история. Он мне раз одолжил свой словарь. Я обещал вернуть его через полторы недели и совсем забыл об этом. Вчера делал у себя порядок и вдруг, вижу на полке между книгами стоит какой-то словарь. Смотрю — Борин. Я хотел сразу же идти к нему, но мне сказали, что Боря не живёт больше на старом месте.

— А ты разве не знал, что он переехал? Это уже давно было.

— Да вот не знал. Я всех спрашивал, но никто не мог мне сказать, куда именно он переехал: одни говорили, что в центр города, другие — что на край города или вообще за город. И вот только сейчас от тебя я узнал его точный адрес. Большое тебе спасибо.

— Пожалуйста. Рад, что смог помочь.

— Михаил, когда будешь в городе, зайди, пожалуйста, на почтамт и отправь это письмо авиапочтой.

— Хорошо. Я тогда заодно и своё пошлю авиапочтой, чтобы скорее было. Я написал отцу, что мне очень нужны деньги, не могу дождаться от него перевода.

— Да, я заметил, что ты обычно получаешь извещение в начале каждого месяца, а сегодня уже десятое. Может быть, твой отец сердится, что ты покупаешь столько марок?

— Нет, чего там! Если бы я пил или в карты играл, тогда другое дело. И потом, пять рублей в месяц на марки — это не так много.

— Ну, для моего кармана пять рублей это большие деньги. Но, конечно, я — бедный студент, а твой отец директор завода. Это большая разница.

— Да, у него денег больше, чем достаточно.

После войны Пётр Николаевич выехал заграницу. Первые годы он жил в Европе и переезжал из одной страны в другую. Это было очень неприятно, потому что в каждой новой стране ему приходилось учить новый язык. Каждый раз, как только он начинал уже немного говорить на новом языке, ему надо было уезжать. На новом месте он опять начинал учить язык этой страны. И так он не выучил как следует ни одного языка. Наконец он приехал в Америку и стал американским гражданином. Но к этому времени он стал уже старым человеком, и выучить английский язык оказалось для него почти невозможным. Пётр Николаевич говорил на каком-то своём, очень странном языке: одно слово английское, другое — русское, а третье ещё из какого-нибудь языка, который он учил когда-то в Европе. Трудно жить «без языка».

PREPARATION FOR CONVERSATION

Проведём óтпуск в Москвé

óтпуск, –а; –á, –óв	leave, vacation; holiday
в отпускý	on leave, on one's vacation
провестú óтпуск	to spend one's vacation
Проведём óтпуск в Москвé.	Let's spend our vacation in Moscow.
А не провестú ли нáм óтпуск в Москвé?	Shouldn't we spend our vacation in Moscow?
Слýшайте, друзья́, а не провестú ли нáм óтпуск в Москвé?	Listen, friends, don't you think we ought to spend our vacation in Moscow?
Мы́ мóжем остановúться у знакóмых.	We can stay with friends.
идéя	idea
Неплохáя идéя!	That's not a bad idea!
стрáшный	terrible, awful, frightful
Я́ бывáл в Москвé мнóго рáз, но всегдá бы́л стрáшно зáнят и ничегó не вúдел.	I've been in Moscow many times but was always terribly busy and never saw anything.
А ты́, Алёша?	How about you, Alyosha?
мавзолéй	mausoleum, tomb
Крóме мавзолéя Лéнина и Крáсной плóщади ты́ ничегó тáм не знáешь.	Aside from Lenin's Tomb and Red Square you know nothing there.
жáловаться, жáлуются (I)	to complain
жáловаться на (*plus* acc)	to complain of (*or* about)
пóмнится	I seem to remember
Пóмнится, ты́ тóже жáловался, что крóме мавзолéя Лéнина и Крáсной плóщади ничегó тáм не знáешь.	I seem to remember that you were complaining, too, that aside from Lenin's Tomb and Red Square you know nothing there.
кáк и	just like
Дá, я́, кáк и Мúтя, всегдá торопúлся.	Yes, just like Mitya, I was always in a hurry.
вéчный	eternal, everlasting, immortal; perpetual
вéчно	constantly, perpetually; forever
Да ещё и Вáля вéчно просúла, чтобы я́ поскорéе возвращáлся.	And besides, Valya was forever begging me to return as soon as possible.
задéрживаться, –аются (I)	to stay too long, linger

◄ В москóвском метрó.

Да ещё и Ва́ля ве́чно проси́ла, чтобы я́ не заде́рживался, поскоре́е возвраща́лся.

And besides, Valya was forever begging me not to stay too long but to return as soon as possible.

А я́ совсе́м в Москве́ не была́.

And I've never been to Moscow at all.

Выхо́дит, что из на́с всех ты́ одна́, Ва́ля, зна́ешь Москву́.

It turns out that of us all, only you know Moscow, Valya.

повсю́ду

everywhere

Да́, и поэ́тому бу́дешь на́шим ги́дом. Бу́дешь води́ть на́с повсю́ду.

Yes, and for that reason you'll be our guide. You'll take us everywhere.

во-пе́рвых
осмотре́ть, осмо́трят (pfv II)

first, first of all
to examine, look over; to sightsee

Во-пе́рвых, мы́ должны́ осмотре́ть Кре́мль.

First we must see the Kremlin.

ба́шня, –и; –и, ба́шен
дворе́ц, дворца́; –ы́, –о́в
собо́р
стари́нный

tower
palace
cathedral
antique, old, ancient

Хорошо́. Во-пе́рвых, мы́ должны́ осмотре́ть Кре́мль — стари́нные дворцы́, ба́шни, собо́ры.

All right. First we must see the Kremlin—the old palaces, towers, and cathedrals.

хра́м
хра́м Васи́лия Блаже́нного

temple
Saint Basil's Cathedral

И хра́м Васи́лия Блаже́нного на́до осмотре́ть.

And we must see Saint Basil's Cathedral.

внутри́
снару́жи

inside, on the inside
outside, from the outside

Я́ его́ ви́дел то́лько снару́жи, а внутри́ не́ был.

I've only seen it from the outside; I've never been inside.

музе́й
истори́ческий
побыва́ть, –а́ют (pfv I)

museum
historical, historic
to visit, go see, stop in

А ещё на́м на́до побыва́ть в Истори́ческом музе́е.

And we've also got to visit the Historical Museum.

галере́я
Третьяко́вская галере́я

gallery
the Tretyakov Gallery

А ещё на́м на́до побыва́ть в Третьяко́вской галере́е и в Истори́ческом музе́е.

And we've also got to visit the Tretyakov Gallery and the Historical Museum.

худо́жественный
Худо́жественный теа́тр

art, artistic
Art Theater (that is, the Moscow Art Theater)

Мы́ бу́дем ходи́ть в Худо́жественный теа́тр.
вечера́ми

We'll be going to the Moscow Art Theater.
(during the) evenings

А вечера́ми бу́дем ходи́ть в Худо́жественный и Большо́й.

And we'll go to the Moscow Art Theater and the Bolshoi evenings.

програ́мма [pragrámə]

program, itinerary

Во́т програ́мма и гото́ва.

Well, our itinerary is set.

SUPPLEMENT

пра́здник [práznik]

holiday

По пра́здникам музе́й закры́т.

On holidays the museum is closed.

худо́жник	artist, painter; writer
Óн изве́стный худо́жник.	He's a well-known artist
па́мятник	monument, memorial; statue
На́до осмотре́ть все стари́нные па́мятники.	We've got to visit all the old monuments.
задержа́ться, –атся (pfv II)	to be detained, be delayed
Óн немно́го задержа́лся.	He was delayed a bit.
заде́рживать (pfv задержа́ть)	to detain, delay; to arrest
Наде́юсь, что я́ ва́с не заде́рживаю.	I hope I'm not detaining you.
Óн непра́вильно переходи́л у́лицу, и милиционе́р его́ задержа́л.	He was jaywalking and the policeman arrested him.
осма́тривать, –ают (I)	to sightsee, visit; to inspect, examine
Сего́дня мы́ осма́триваем Кре́мль.	Today we see the Kremlin.
пожа́ловаться, пожа́луются (pfv I)	to complain
пожа́ловаться на (plus acc)	to complain about
Дава́йте пожа́луемся дире́ктору на плохо́е обслу́живание.	Let's complain to the director about the poor service.
моско́вский	Moscow (adj), Muscovite
Вы́ уже́ осмотре́ли моско́вский Кре́мль?	Have you visited the Moscow Kremlin?
ленингра́дский	Leningrad (adj)
Гла́вная ленингра́дская у́лица — э́то Не́вский проспе́кт.	Leningrad's main street is the Nevsky Prospect.
ки́евский	Kiev (adj), Kievan
Ка́к прое́хать на Ки́евский вокза́л?	How does one get to the Kiev station?
ташке́нтский	Tashkent (adj)
Вы́ уже́ бы́ли на ташке́нтском база́ре?	Have you already been to the Tashkent market?
оде́сский	Odessa (adj)
Вы́ чита́ли про оде́сских воро́в?	Have you read about the Odessa thieves?
ха́рьковский	Kharkov (adj)
Я́ учи́лся в Ха́рьковском университе́те.	I studied at Kharkov University.
кита́йский	China (adj), Chinese
В СССР тепе́рь мно́го кита́йских студе́нтов.	There are lots of Chinese students in the U.S.S.R. now.
во-вторы́х	secondly, in the second place
Во-пе́рвых, у меня́ не́т вре́мени, а во-вторы́х, у меня́ не́т де́нег.	In the first place I have no time, and in the second place I have no money.
знамени́тый	famous
Вы́ осмотре́ли знамени́тый хра́м Васи́лия Блаже́нного?	Have you visited the famous Saint Basil's Cathedral?

Проведём о́тпуск в Москве́

A. — Алёша (Алексе́й)   В. — Ва́ля (Валенти́на)   М. — Ми́тя (Дми́трий)
Л. — Лю́ба (Любо́вь)

В. 1 Слу́шайте, друзья́, а не провести́ ли на́м о́тпуск в Москве́?[1] Останови́ться мо́жем у знако́мых.

М. 2 Неплоха́я иде́я! Я́ быва́л в Москве́ мно́го ра́з, но всегда́ бы́л стра́шно за́нят и ничего́ та́м не ви́дел.

Л. 3 А ты́, Алёша? По́мнится, ты́ то́же жа́ловался, что кро́ме мавзоле́я Ле́нина и Кра́сной пло́щади ничего́ та́м не зна́ешь.[2]

А. 4 Да́, я́, ка́к и Ми́тя, всегда́ торопи́лся. Да ещё и Ва́ля ве́чно проси́ла не заде́рживаться и поскоре́е возвраща́ться.

Л. 5 А я́ совсе́м в Москве́ не была́. Выхо́дит, что из на́с все́х ты́ одна́, Ва́ля, зна́ешь Москву́.

М. 6 Да́, и поэ́тому бу́дешь на́шим ги́дом. Бу́дешь води́ть на́с повсю́ду.

В. 7 Хорошо́. Во-пе́рвых, мы́ должны́ осмотре́ть Кре́мль — стари́нные дворцы́, ба́шни, собо́ры.[3]

М. 8 И хра́м Васи́лия Блаже́нного.[4] Я́ его́ ви́дел то́лько снару́жи, а внутри́ не́ был.

В. 9 А ещё на́м на́до побыва́ть в Третьяко́вской галере́е и в Истори́ческом музе́е.[5]

Л. 10 А вечера́ми бу́дем ходи́ть в Худо́жественный и Большо́й.[6]

В. 11 Во́т програ́мма и гото́ва.

NOTES

[1] The word for *school vacation* is **кани́кулы**; vacation from work is **о́тпуск**, which is also used in the military sense *leave*. Compare **пра́здники** *holidays*, which cannot be substituted for *vacation*.

[2] Lenin's Tomb is a prime tourist attraction in Moscow and the shrine to which communists everywhere make their pilgrimage. It is open only during certain hours and there is always a long line of people waiting to enter the underground mausoleum and file slowly past the glass coffin. No pictures are allowed to be taken, and any cameras and baggage must be checked before one enters the tomb. After Stalin's death in 1953 his body shared the tomb with Lenin. The de-Stalinization campaign in 1961 brought about its removal to a simple grave along the Kremlin wall.

[3] The Kremlin wall, originally built in 1156, has been replaced twice—once in the fourteenth century and again in the late fifteenth century. Over a mile and a half in length and roughly triangular in shape, it contains, in addition to the famous cathedrals, such varied tourist attractions as the great bell tower of **Ива́н Вели́кий** *Ivan the Great*, with over fifty bells; the famous eighteen-foot **Ца́рь-пу́шка** *Czar's cannon*; the gigantic, broken **Ца́рь-ко́локол** *Czar's bell*; as well as various museums and palaces, including an amusement palace.

[4] The magnificent **хра́м Васи́лия Блаже́нного** *Saint Basil's Cathedral*, located on Red Sqare, was built by **Ива́н Гро́зный** *Ivan IV* to commemorate his victory over the Kazan and Astrakhan Tatars in the fifteenth century. Uniquely constructed, it consists of a central chapel surrounded by eight churches, each with its onion-shaped dome. Officially called the **Покро́вский собо́р**, it received its more popular second name at the end of the sixteenth century when Saint Basil the Blessed was canonized and buried there. According to popular legend, the cathedral was so beautiful that Ivan IV ordered the architect blinded after it was built so that he would not be able to duplicate his masterpiece anywhere else.

[5] The Tretyakov Art Gallery got its name from a rich merchant who for forty years collected paintings of native Russian artists in the last half of the nineteenth century. In 1892 he donated his gallery to the city of Moscow. It is located across the river from the Kremlin.

The State Historical Museum, founded toward the end of the last century, traces the history and cultural development of Russia from ancient times to the present and is a must for students of anthropology and archaeology. It is located on Red Square just opposite the north Kremlin wall.

[6] The Bolshoi Theater, founded in 1776, is the oldest and most renowned in the country. It is here that operas and ballets are performed by the famous Bolshoi Company and that the great orchestra and concert artists play. Political meetings are also held there on occasion.

The Moscow Art Theater, known as the **Худо́жественный теа́тр** or **МХА́Т** (**Моско́вский Худо́жественный академи́ческий теа́тр**), opened in 1898. Its most celebrated founder was the producer and director Stanislavsky, who originated "method acting." It was here that the plays of the great writer Anton Chekhov were produced. The theater emblem which adorns its curtains is a seagull, in honor of Chekhov's play *The Seagull*.

PREPARATION FOR CONVERSATION   **В трамва́е**

трамва́й	streetcar
Ско́лько в трамва́е наро́ду!	So many people in the streetcar!
разменя́ть, –я́ют (pfv I)	to change, give change for
Алёша, мо́жешь разменя́ть ру́бль?	Alyosha, can you give me change for a ruble?
Мне́ ну́жно три́ копе́йки на биле́т.	I need three kopecks for a ticket.
У меня́ не оста́лось ме́лочи.	I don't have any change left.
пассажи́р	passenger
Мо́жет бы́ть, найдётся у кого́-нибудь из пассажи́ров?	Maybe somebody among the passengers would have it?
Да не хо́чется спра́шивать.	I don't feel like asking.
беда́	trouble, misfortune
ве́чная беда́	constant nuisance
Ве́чная беда́ с э́той ме́лочью.	It's a constant nuisance with this small change.
моне́та	coin
Подожди́, я нашёл моне́ту.	Wait a minute, I found a coin.
Как ра́з три́ копе́йки.	It just happens to be three kopecks.
вы́ручить, –ат (pfv II)	to rescue, save, come to one's aid
Спаси́бо, что вы́ручил.	Thanks for saving my life.
черепа́ха	tortoise, turtle
А трамва́й ползёт, ка́к черепа́ха.	The streetcar's crawling along like a tortoise.
дое́хать, дое́дут (pfv I)	to reach, arrive (by vehicle)
Пока́ дое́дем, в ка́ссе не оста́нется биле́тов.	By the time we get there, there won't be any tickets left at the box office.
Не бо́йся, на́м ведь не на сего́дня.	Don't worry; after all, it's not for today.
сати́ра	satire
Теа́тр сати́ры	Satiric Theater

МХА́Т (Моско́вский Худо́жественный академи́ческий теа́тр)

Moscow Art Theater

А е́сли не доста́нем в МХА́Т, то́ попро́буем в Теа́тр сати́ры.

And if we don't get tickets to the Moscow Art Theater, we'll try the Satiric Theater.

А что́ та́м тепе́рь идёт?

And what's playing there now?

Ка́жется, «Ба́ня»?

The Bathhouse, isn't it?

Да́.

Yes.

смех — laughter
помира́ть (I) — to die
помира́ть со́ смеху — to die laughing, split one's sides laughing
Всё пря́мо помира́ют со́ смеху. — Everybody just dies laughing.
пу́блика — audience, people
Пу́блика пря́мо помира́ет со́ смеху. — The audience just dies laughing.
пье́са — play, piece (musical)
остроу́мный — witty, clever

«Ба́ня» така́я остроу́мная пье́са, что пу́блика пря́мо помира́ет со́ смеху.

The Bathhouse is such a witty play that the public just dies laughing.

Да́, я слы́шал.

Yes, so I've heard.

попа́сть, попаду́т (pfv I) — to get in (*or* to), make it to; to hit; to fall
То́лько на э́ту пье́су почти́ нельзя́ попа́сть. — Only it's almost impossible to get in to see this play.

То́лько на э́ту пье́су, говоря́т, почти́ нельзя́ попа́сть.

Only they say it's almost impossible to get in to see this play.

Мы́ всё-таки попро́буем.

We'll try anyway.

На́м ско́ро выходи́ть.

We have to get off soon.

вперёд — ahead, forward
продвига́ться, –а́ются (I) — to move on, push on

Ну́, продвига́йся вперёд, на́м ско́ро выходи́ть.

Well, push on ahead; we've got to get off soon.

тролле́йбус [traléjbus] — trolley
пересе́сть, переся́дут (pfv I) — to transfer, change vehicles; to change seats

Мы́ переся́дем на тролле́йбус?

Will we transfer to the trolley?

метро́ — subway

Не́т, пое́дем на метро́.

No, we'll go by subway.

SUPPLEMENT

ве́к, ве́ка; века́, веко́в — century; lifetime
Он роди́лся в пе́рвой полови́не семна́дцатого ве́ка. — He was born in the first half of the seventeenth century.
акаде́мия — academy
Он рабо́тает в Акаде́мии нау́к. — He works at the Academy of Sciences.
цена́, –ы́; це́ны, це́н — price, value
Це́ны бы́ли о́чень высо́кие. — The prices were very high.
доезжа́ть (I) — to reach, get to; to arrive at
Он всегда́ доезжа́ет со мно́й до моста́. — He always rides with me as far as the bridge.

не доезжáя до (*plus* gen)

Не доезжáя до стáнции, пóезд вдрýг остановúлся.

Не доезжáя двýх киломéтров до гóрода, свернúте напрáво.

пассажúрский

Пассажúрские поездá здéсь прохóдят двá рáза в дéнь.

впередú (*plus* gen)

Онú ужé далекó впередú нáс.

позадú (*plus* gen)

Э́ти тяжёлые гóды позадú нáс.

óстрый

Мнé нýжен óстрый нóж.

тупóй

Э́тот нóж тупóй.

глубóкий

Байкáл — сáмое глубóкое óзеро в мúре.

мéлкий

Тýт мéлко, мы́ мóжем здéсь перейтú рéку.

У меня́ нéт мéлких дéнег.

крýпный

Егó отéц — крýпный учёный.

before reaching, before one gets to

Just before reaching the station, the train suddenly stopped.

Two kilometers before you get to town, turn right.

passenger (adj)

Passenger trains go by here twice a day.

in front of, ahead of, up ahead

They're already way ahead of us.

behind, in back of

Those difficult years are behind us.

sharp, keen; witty

I need a sharp knife.

dull, blunt

This knife is dull.

deep, profound

Baikal is the deepest lake in the world.

shallow; fine, small; petty

It's shallow here; we can cross the river here.

I don't have any small change.

important; big, large-scale; coarse

His father's a big scientist.

В трамвáе

A. — Алёша   M. — Мúтя

M. 1 Алёша, мóжешь разменя́ть рýбль? Мнé нýжно трú копéйки на билéт.

A. 2 У меня́ не остáлось мéлочи. Мóжет бы́ть, найдётся у когó-нибудь из пассажú-ров?

M. 3 Да не хóчется спрáшивать. Вéчная бедá с э́той мéлочью![1]

A. 4 Подождú, я́ нашёл монéту. Как рáз трú копéйки.

M. 5 Спасúбо, что вы́ручил.

A. 6 А трамвáй ползёт, кáк черепáха. Покá доéдем, в кáссе не остáнется билéтов.

M. 7 Не бóйся, нáм ведь не на сегóдня. А éсли не достáнем в МХА́Т, тó попрóбуем в Теáтр сатúры.[2]

A. 8 А чтó тáм тепéрь идёт? Кáжется, «Бáня»?

M. 9 Дá. Такáя остроýмная пьéса — пýблика пря́мо помирáет сó смеху.

A. 10 Дá, я́ слы́шал. Тóлько на э́ту пьéсу, говоря́т, почтú нельзя́ попáсть.

M. 11 Мы́ всё-таки попрóбуем. Нý, продвигáйся вперёд, нáм скóро выходúть.

A. 12 Мы́ переся́дем на троллéйбус?

M. 13 Нéт, поéдем на метрó.[3]

[1] Bus drivers are often not equipped to provide small change, so unless one comes prepared, it may be necessary to ask other passengers for change. This also is true for the small entrance fees one must pay to get into museums and other such places.

[2] The **Театр сатиры** *Satiric Theater* is claimed by the Soviet Union to be the only one of its kind in the world. It has gained new popularity in recent years when such satires on Soviet bureaucracy as Mayakovsky's *The Bathhouse* and *The Bedbug* have been allowed to reappear on its stage.

[3] The Moscow **метро** *subway* is seventy kilometers long and has fifty-one stations. It is famous for its ornateness: elaborate chandeliers, mosaic work, and statues decorate its stations. The first line was completed in 1935, and even during World War II, work on it was carried on. It is considered a great achievement in engineering and is remarkably efficient in its operation. Many of the motormen and most of the station workers are women.

Basic sentence patterns

1. Давайте проведём отпуск в Москве. — Let's spend our vacation in Moscow.
   _____ в Ялте. — _____ in Yalta.
   _____ в Одессе. — _____ in Odessa.

2. Мы остановимся у знакомых. — We'll stay with friends.
   _____ у друзей. — _____ with friends.
   _____ у родственников. — _____ with relatives.

3. Что мы осмотрим, кроме собора? — What should we visit besides the cathedral?
   _____ дворца? — _____ palace?
   _____ башни? — _____ tower?
   _____ Кремля? — _____ Kremlin?

4. Кто из вас не видел мавзолея Ленина? — Which of you hasn't seen Lenin's Tomb?
   ____ из них _____? — ____ them _____?
   ____ из студентов _____? — ____ the students _____?

5. Внутри здания было темно. — Inside the building it was dark.
   ____ мавзолея ____. — ____ mausoleum ____.

6. Музей открыт от восьми до четырёх. — The museum is open from eight to four.
   _____ от девяти до пяти. — _____ from nine to five.
   _____ от десяти до шести. — _____ from ten to six.

7. Мы осмотрели Исторический музей. — We visited the State Historical Museum.
   _____ Третьяковскую галерею. — _____ the Tretyakov Gallery.
   _____ много знаменитых соборов. — _____ many famous cathedrals.

8. Мы встретились возле МХАТа. — We met near the Moscow Art Theater.
   _____ Третьяковской галереи. — _____ Tretyakov Gallery.
   _____ Исторического музея. — _____ Historical Museum.

9. Мы́ переся́дем на тролле́йбус?
   — Не́т, пое́дем на метро́.
   — Не́т, пое́дем на авто́бусе.

Shall we transfer to the trolley?
No, let's take the subway.
No, let's take the bus.

10. Во́т ва́м сда́ча с рубля́.
   ———————— с десяти́ рубле́й.
   ———————— с двадцати́ рубле́й.
   ———————— со ста́ рубле́й.

Here's your change for a ruble.
———————— for ten rubles.
———————— for twenty rubles.
———————— for a hundred rubles.

11. Пока́ мы́ дойдём, галере́я закро́ется.

   ———————— музе́й ————.
   ———————— дворе́ц ————.
   ———————— мавзоле́й ————.

By the time we get there, the gallery will be
                closed.
———————— museum ————.
———————— palace ————.
———————— mausoleum ————.

12. Я́ рабо́таю здесь с о́сени.
   ———————— с января́.
   ———————— с понеде́льника.
   ———————— с про́шлого ме́сяца.
   ———————— с про́шлого го́да.

I've been working here since fall.
———————— since January.
———————— since Monday.
———————— since last month.
———————— since last year.

13. О́н уже́ верну́лся из о́тпуска.
   ———————— из командиро́вки.
   ———————— из теа́тра.
   ———————— из це́ркви.

He's already returned from his vacation.
———————— from his assignment.
———————— from the theater.
———————— from [the] church.

14. Из-за горы́ показа́лось со́лнце.
   ——— ле́са ————————.
   ——— дере́вьев ————————.

The sun appeared from behind the mountain.
———————— woods.
———————— trees.

15. Мы́ из-за тебя́ опозда́ем.
   ———— ни́х ————.
   ———— неё ————.

Because of you we'll be late.
———— them ————.
———— her ————.

16. Я́ не успе́л дочита́ть о́черк.
   ———— дописа́ть ————.
   ———— досмотре́ть сни́мки.

   ———— дое́сть ка́шу.
   ———— допи́ть молоко́.

I didn't manage to finish reading the essay.
———————— to finish writing ————.
———————— to finish looking at the
                snapshots.
———————— to finish eating the kasha.
———————— to finish drinking my milk.

17. Доведи́те и́х до угла́.
   Довези́те и́х до вокза́ла.
   Мы́ не успе́ем дойти́ до трамва́я.
   Мы́ не успе́ем добежа́ть до трамва́я.

Walk them up to the corner.
Take them as far as the terminal.
We won't make it to the streetcar.
We won't make it to the streetcar, even [by]
   running.

18. Докури́ папиро́су.
   Допиши́ письмо́.
   Дочита́й газе́ту.
   Допе́й ча́й.
   Дое́шь компо́т.

Finish smoking your cigarette.
———— writing your letter.
———— reading the newspaper.
———— drinking your tea.
———— eating your stewed fruit.

19. Мы́ дое́хали до са́мой грани́цы.
   ——— дошли́ ————————.
   ——— долете́ли ————————.

We drove right up to the border.
—— walked ————————.
—— flew ————————.

20. Я опя́ть недоспа́л.

_____ недое́л.

I didn't get enough sleep again.

_____ to eat again.

21. Вы ему́ опя́ть звони́ли?

— Да́, наконе́ц дозвони́лся.

Вы к нему́ опя́ть стуча́ли?

— Да́, наконе́ц достуча́лся.

Вы его́ разбуди́ли?

— Да́, наконе́ц добуди́лся.

Did you phone him again?

Yes, I finally reached him.

Did you knock on his door again?

Yes, I finally got him to answer.

Did you wake him up?

Yes, I finally roused him.

22. Ка́к туда́ пройти́?

_____ пройти́ на Кра́сную пло́щадь?

_____ прое́хать на ста́нцию?

_____ прое́хать на Ки́евский вокза́л?

How does one get there?

_____ to Red Square?

_____ to the station?

_____ to the Kiev Station?

23. Он проигра́л бо́льше двухсо́т рубле́й.

_____ трёхсо́т _____.

_____ четырёхсо́т _____.

He lost more than two hundred rubles

gambling.

_____ three hundred _____.

_____ four hundred _____.

24. Он её разлюби́л.

Он разду́мал туда́ е́хать.

Он разучи́лся говори́ть по-ру́сски.

Ему́ расхоте́лось спа́ть.

He's fallen out of love with her.

He's changed his mind about going there.

He's forgotten how to speak Russian.

He's gotten over his desire to sleep.

25. Всё разошли́сь по дома́м.

_____ разъе́хались _____.

Де́ти разбежа́лись _____.

Everyone went off to his home.

_____ drove off _____.

The children ran off _____.

26. Вы уже́ распакова́ли чемода́ны?

_____ разде́ли дете́й?

_____ разобра́ли всё бума́ги?

Вы разобра́ли, что́ та́м напи́сано?

Раскро́й зо́нтик, начина́ется до́ждь.

Have you already unpacked the suitcases?

_____ undressed the children?

_____ sorted out all the papers?

Did you make out what's written there?

Open the umbrella; it's beginning to rain.

Pronunciation practice : part I—initial consonant clusters with no parallel in the English sound system

A. Initial clusters with л as the first consonant.

  1. лг, льг pronounced [lg] or [l̡g]

   [l̡gótnij] льго́тный
   preferential

   [lgát̡] лга́ть
   to lie

   [lgút] лгу́т
   they lie

   [lgún] лгу́н
   liar

   [lgúṇjə] лгу́нья
   liar (f)

   [lguṇíškə] лгуни́шка
   fibber

  2. лж pronounced [lž]

   [lží] лжи́
   of a lie

   [lžót] лжёт
   he's lying

   [lží vəş t] лжи́вость
   falsity

   [lžéc] лже́ц
   liar

   [lžənaúkə] лженау́ка
   pseudoscience

3. **льд** pronounced [ļd] or [ļḍ]

[ļdí] льды́
ices

[ļdá] льда́
of ice

[ļdú] льду́
to the ice

[ļḍínə] льди́на
ice floe

4. **льн** pronounced [ļn] or [ļṇ]

[ļná] льна́
of flax

[ļnavódstvə] льново́дство
flax growing

[ļṇinój] льняно́й
flaxen

[ļnúţ] льну́ть
cling to

[ļṇót] льнёт
he clings to

B. Initial clusters with **p** as the first consonant.

1. **рв** pronounced [rv] or [rɣ]

[rvánij] рва́ный
torn

[rváṇ] рвань
rags

[rváţ] рва́ть
to tear

[rvú] рву́
I tear

[rɣóš] рвёшь
you tear

[rváč] рва́ч
grabber

[rvótə] рво́та
retching

2. **рж** pronounced [rž]

[rží] ржи́
of rye

[ržáfčinə] ржа́вчина
rust

[ržiɣéţ] ржаве́ть
to rust

[ržánkə] ржа́нка
plover

[ržáţ] ржа́ть
to neigh

[ržót] ржёт
neighs

3. **рт** pronounced [rt] or [rţ]

[rtí] рты́
mouths

[rtá] рта́
of the mouth

[rtúţ] рту́ть
mercury

[rtútnij] рту́тный
mercurial

[rtóm] рто́м
with the mouth

[rţíščif] Рти́щев
name

STRUCTURE AND DRILLS

Perfective verbs formed by means of the prefix до-

Among the most common functions of the verbal prefix до- are the following:

To indicate the reaching or attainment of a goal; action up to or as far as:

Мы́ дошли́ до о́зера за ча́с.
We reached the lake in an hour.

Они́ хотя́т на́с догна́ть.
They want to catch up to us.

Доведи́ дете́й до остано́вки.
Take the children up to the stop.

О́н довёз на́с до вокза́ла.
He gave us a lift to the station.

Мы́ дошли́ до кра́я го́рода.
We walked as far as the edge of town.

To emphasize the final stages necessary to complete an action, that is, to put the finishing touches to an action:

Óн докури́л папиро́су.	He finished smoking the cigarette.
Я́ не успе́л добри́ться.	I didn't finish shaving.
Допе́й молоко́, Пе́тя!	Finish drinking your milk, Petya!
Когда́ ты́ дое́шь ка́шу?	When are you going to finish eating your kasha?
Я́ сейча́с достира́ю бельё.	I'll be finished with the wash right away.
Она́ сейча́с дова́рит уху́.	She'll soon be finished cooking the fish chowder.

Together with the negative prefix не– (that is, недо–), to indicate falling short of a goal or failure to complete an action:

Óн недорабо́тал полдня́.	He worked half a day less than was expected.
Она́ недосмотре́ла, и су́п сбежа́л.	She failed to watch, and the soup boiled over.
Я́ недоспа́л.	I didn't get enough sleep.
Я́ недое́л.	I didn't get enough to eat.
Ты́ недодержа́л термо́метра.	You didn't leave the thermometer in long enough.

■ REPETITION DRILL

Repeat the given examples illustrating the functions of the verbal prefix до– and the compound prefix недо–.

■ STRUCTURE REPLACEMENT DRILLS

1. *When will you finish writing it?*
Когда́ ты́ ко́нчишь э́то писа́ть?
Когда́ ты́ э́то допи́шешь?
Когда́ ты́ ко́нчишь э́то есть?
Когда́ ты́ э́то дое́шь?
(мыть, чистить, стирать, варить, читать, пить, шить)

2. *Keep sitting until the end!*
Sit through to the end!
Сиди́ до конца́!
Досиди́ до конца́!
Слу́шай до конца́!
Дослу́шай до конца́!
(играй, пой, читай, говори, делай, пиши)

3. *He drank the tea.*
He didn't have time to finish his tea.
Óн вы́пил ча́й.
Óн не успе́л допи́ть ча́й.
Óн съе́л бу́лку.
Óн не успе́л дое́сть бу́лку.
(курил папиросу, мыл посуду, играл в шахматы, чистил ботинки, делал уроки, писал письмо, читал газету)

4. *They flew across the border.*
They flew as far as the border.
Они́ перелете́ли через грани́цу.
Они́ долете́ли до грани́цы.
Они́ перешли́ через грани́цу.
Они́ дошли́ до грани́цы.
(переехали, переползли, перебежали, перешли, перелетели, перенесли это, перевезли это, перевели их)

■ QUESTION-ANSWER DRILLS

1. *Did you call him?*
Yes, but I couldn't get through to him.
Ты́ ему́ звони́л?
Да́, но не мо́г дозвони́ться.
Ты́ с ни́м говори́л?
Да́, но не мо́г договори́ться.
(его будил, ему звонил, к нему стучал, его ждал, его просил, с ним говорил)

2. *You slept poorly, didn't you?*
Yes, I didn't get enough sleep.
Вы́, ка́жется, пло́хо спа́ли?
Да́, я́ недоспа́л.
Вы́, ка́жется, пло́хо е́ли?
Да́, я́ недое́л.
(смотрели, слышали, спали, ели)

■ RESPONSE DRILLS

1. *We've already been driving so long!*
   Never mind, we'll soon get there.
   Мы́ уже́ та́к до́лго е́дем!
   Ничего́, ско́ро дое́дем.
   Мы́ уже́ та́к до́лго лети́м!
   Ничего́, ско́ро долети́м.

   (идём, ползём, едем, летим, это
   несём, это везём)

2. *Stop sewing and let's go.*
   All right, I'll finish up later.
   Бро́сь ши́ть и пойдём.
   Хорошо́, я́ дошью́ пото́м.
   Бро́сь стира́ть и пойдём.
   Хорошо́, я́ достира́ю пото́м.

   (варить, читать, мыть посуду, писать,
   чистить, слушать пластинки)

DISCUSSION

Like other verbal prefixes, до– sometimes alters the basic meaning of the verb so that knowing both prefix and stem does not necessarily give an insight into the meaning of the prefixed verb. Compare, for example, бы́ть *to be* with добы́ть *to obtain*, or нести́ *to be carrying* with донести́ *to denounce, to inform on.*

Here is a reference list of verbs with the prefix до– (and недо–) which are treated in this lesson:

1. Reaching, getting to, action up to a point (usually followed by the preposition до plus the genitive):

дойти́	to reach, get to (on foot)
дое́хать	to reach, get to (by vehicle)
догна́ть	to catch up to, overtake
довести́	to conduct (as far as); to accompany (on foot)
довезти́	to take to, haul to (by vehicle)
долете́ть	to reach (by air)
добежа́ть	to reach (by running); to run (as far as)
доползти́	to reach (by crawling); to crawl (as far as)
досиде́ть	to sit through (up to a point)
дослу́шать	to hear out, listen to (up to a point)

2. Finishing an action, emphasis on the final attainment of a goal:

достуча́ться	to knock until someone answers
дозвони́ться	to ring until someone answers; to reach, get through to (by phone)
дожда́ться	to get what you've waited for, wait through to the end
добуди́ться	to manage to rouse
добри́ться	to finish shaving (oneself)
договори́ться	to talk until one reaches an agreement (*or* to a point of absurdity)
доигра́ть	to finish playing
допи́ть	to finish drinking
дое́сть	to finish eating
домы́ть	to finish washing
достира́ть	to finish the wash
дописа́ть	to finish writing
дочита́ть	to finish reading
довари́ть	to finish cooking
доши́ть	to finish sewing
дочи́стить	to finish cleaning
докури́ть	to finish smoking
договори́ть	to finish talking
доде́лать	to finish doing, complete
достро́ить	to finish building

3. Falling short of a goal, failure to perform an activity (**недо–**):

недоде́лать	to half-finish
недорабо́тать	to work less than the full amount
недоплати́ть	to pay less than the full amount, underpay
недобра́ть	to not get the full amount
недослы́шать	to fail to hear, not catch what is said
недосмотре́ть	to fail to watch carefully enough; to overlook
недое́сть	to get less than enough to eat
недоспа́ть	to get less than the full amount of sleep

Perfective verbs formed by means of the prefix про–

The most important meanings of the verbal prefix **про–** are illustrated below:

To indicate action through:

Пройдём через па́рк.	Let's go through the park.
Проведи́те на́с через ле́с.	Take us through the woods.
Пробежи́м через са́д.	Let's run through the garden.
Мы́ прое́хали через ве́сь го́род.	We drove (or rode) right through the city.
Я́ не зна́ю, ка́к туда́ пройти́.	I don't know how to get there.
Ка́к прое́хать на Кра́сную пло́щадь?	How does one get to Red Square?
Смотри́, не промочи́ но́ги.	See that you don't get your feet all wet.

To indicate action past or alongside of:

Мы́ прошли́ ми́мо ва́шего до́ма.	We went past your house.
Кто́ э́то пробежа́л?	Who's that [who] just ran by?
Они́ прое́хали бли́зко от грани́цы.	They passed close to the border.
Парохо́д проплы́л далеко́ от бе́рега.	The steamer sailed by far from the shore.

To indicate coverage or action extended over a specified period of time:

Мы́ уже́ прошли́ два́дцать уро́ков.	We've already covered (or gone through) twenty lessons.
Ско́лько ми́ль мы́ уже́ прое́хали?	How many miles have we driven now?
Мы́ прорабо́тали всю́ но́чь.	We've spent the whole night working.
Мы́ пробу́дем в Ки́еве де́сять дне́й.	We'll spend ten days in Kiev.
О́н не́сколько ле́т про́жил на Кавка́зе.	He spent (or lived) several years in the Caucasus.
Я́ проспа́л всю́ ле́кцию.	I slept through the whole lecture.
Они́ всю́ но́чь проигра́ли в ша́хматы.	They spent the whole night playing chess.
Тру́дно прожи́ть на таки́е де́ньги.	It's hard to get by on such money.

To indicate loss:

Я́ проигра́л де́сять рубле́й.	I gambled away ten rubles.
Е́сли я́ проспо́рю, ты́ полу́чишь от меня́ пя́ть рубле́й.	If I lose the bet, you'll get my five rubles.
Она́ проспала́ сво́й по́езд.	She slept late and missed her train.
О́н всё про́пил.	He lost everything drinking.

Repeat the given examples illustrating the various uses of the verbal prefix **про–**.

■ QUESTION-ANSWER DRILLS

1. *How many lessons did you cover?*
   We covered thirty lessons.
   Ско́лько уро́ков вы́ прошли́?
   Мы́ прошли́ три́дцать уро́ков.
   Ско́лько уро́ков ты́ прошёл?
   Я́ прошёл три́дцать уро́ков.

   (она, вы, он, ты, она, вы, он)

2. *Did they stand there long?*
   No, they stood there for only a week.
   Они́ та́м до́лго стоя́ли?
   Не́т, они́ та́м простоя́ли всего́ неде́лю.
   Они́ та́м до́лго лежа́ли?
   Не́т, они́ та́м пролежа́ли всего́ неде́лю.

   (были, лежали, стояли, висели,
   лежали, были)

■ STRUCTURE REPLACEMENT DRILLS

1. *The time flew [by] fast for me.*
   I had a good time.
   Вре́мя пролете́ло для меня́ бы́стро.
   Я́ хорошо́ провёл вре́мя.
   Вре́мя пролете́ло для ни́х бы́стро.
   Они́ хорошо́ провели́ вре́мя.

   (для Зины, для Олега, для нас,
   для них, для неё, для Феди, для Вари,
   для девушек, для него)

2. *We have halfway to go.*
   We've gone halfway.
   На́м оста́лось пройти́ полпути́.
   Мы́ прошли́ полпути́.
   На́м оста́лось прое́хать полпути́.
   Мы́ прое́хали полпути́.

   (пробежать, проползти, проплыть,
   пролететь, пройти, проехать)

3. *They were driving along far from the shore.*
   They passed far from the shore.
   Они́ е́хали далеко́ от бе́рега.
   Они́ прое́хали далеко́ от бе́рега.
   Они́ шли́ далеко́ от бе́рега.
   Они́ прошли́ далеко́ от бе́рега.

   (плыли, бежали, летели, ползли,
   ехали, бежали, шли)

4. *We studied all night long.*
   We spent the whole night studying.
   Мы́ занима́лись всю́ но́чь.
   Мы́ прозанима́лись всю́ но́чь.
   Мы́ игра́ли всю́ но́чь.
   Мы́ проигра́ли всю́ но́чь.

   (работали, ждали, танцевали, сидели,
   стояли, говорили, спорили)

■ TRANSFORMATION DRILLS

1. *You made a hole through the wall.*
   You'll make a hole through the wall.
   Ты́ проби́л ды́рку в стене́.
   Ты́ пробьёшь ды́рку в стене́.
   Ты́ прожёг ды́рку в брю́ках.
   Ты́ прожжёшь ды́рку в брю́ках.

   (промочил ноги, прошил подкладку,
   прожёг дырку, проделал дырку,
   пробил дырку)

2. *We spent about two hours there.*
   We'll spend about two hours there.
   Мы́ та́м пробы́ли часа́ два́.
   Мы́ та́м пробу́дем часа́ два́.
   Мы́ та́м просиде́ли часа́ два́.
   Мы́ та́м просиди́м часа́ два́.

   (простояли, прождали, пробыли,
   просидели, прождали, простояли)

3. *They gambled away everything.*
   He gambled away everything.
   Они́ всё проигра́ли.
   О́н всё проигра́л.

   Они́ всё про́пили.
   О́н всё про́пил.

   (проспали, проиграли, прослушали,
   пролили, проспали)

They ran into the corridor. Они вбежáли в кóмнату.
They ran through the corridor. **Они пробежáли через кóмнату.**
Они вбежáли в коридóр. (сад, парк, переулок, закусочную,
Они пробежáли через коридóр. зал, столовую, буфет)

DISCUSSION

With the addition of the prefix **про–**, otherwise intransitive verbs may become transitive: compare **Óн спáл** *He was asleep* with **Óн проспáл свою останóвку** *He slept through (and missed) his stop.*

Like the other prefixes, **про–** may alter the meaning of the verb to which it is affixed: compare **вéрить** *to believe* with **провéрить** *to check; to verify.*

Here is a reference list of verbs formed by means of the prefix **про–** which are treated in this lesson:

1. Action through or past:

пройти	to go through, go past, pass; to get to (by walking through)
проéхать	to go through, go past, pass; to get to (by driving through)
пробежáть	to run through, run past
провести	to lead through, take through, lead past, pass
пролетéть	to fly through, fly past
проплы́ть	to swim through, swim past, sail past, pass (by water)
проползти́	to crawl through, crawl past
промочи́ть	to wet through, get soaking wet
проби́ть	to pierce, make a hole through
прожéчь	to burn (a hole) through
проши́ть	to sew through, stitch
прокáшляться	to clear one's throat

2. Coverage, action extended over a period of time:

пройти	to go, go through; to cover
проéхать	to go, go through; to cover
прорабóтать	to work through, spend time working
проигрáть	to play through, spend time playing
пробы́ть	to spend time, stay
прожи́ть	to stay; to live (for a specified period of time); to make ends meet
проспáть	to sleep through, oversleep
просидéть	to sit through, spend time sitting
простоя́ть	to stand through, spend time standing
пролежáть	to lie through, spend time lying
прождáть	to wait through, spend time waiting
прозанимáться	to study through, spend time studying
проспóрить	to spend time arguing
проговори́ть	to spend time talking
протанцевáть	to spend time dancing

3. Loss:

проигрáть	to lose by gambling
проспáть	to miss by sleeping
пропи́ть	to lose through drinking
проспóрить	to lose a bet

Uses of the genitive case: part I—the genitive with prepositions

More prepositions require the genitive than any other case. The most common of these are:

без *without, minus*

Ваш перевод сделан **без** ошибок.

Я приду́ **без** че́тверти двена́дцать.

Your translation was done *without* any mistakes.

I'll come at a quarter to twelve (*lit.* at twelve *minus* a quarter).

для *for*

Купи́те **для** неё коро́бку конфе́т.

Для иностра́нца о́н о́чень хорошо́ говори́т по-англи́йски.

Buy a box of candy *for* her.

He speaks English very well *for* a foreigner.

до *to, up to, as far as, until; before; of*

Отсю́да **до** аэродро́ма бо́льше пяти́ киломе́тров.

Я его́ жда́л **до** шести́ часо́в.

It's more than five kilometers from here *to* the airport.

I waited for him *until* six o'clock.

из *from, of, out of*

Они́ то́лько что прие́хали **из** Фра́нции.

Мы́ узна́ли об э́том **из** вече́рней газе́ты.

Кто́ **из** ва́с помо́жет ему́?

They just came *from* France.

We learned about it *from* the evening paper.

Which *of* you is going to help him?

из-за *from behind, from beyond, from around; because of, on account of*

Мы́ то́лько что вста́ли **из-за** стола́.

Из-за угла́ вы́бежал ма́льчик.

Это всё **из-за** него́.

We just got up *from* the table.

A little boy ran out *from around* the corner.

It's all *on account of* him.

от *from, away from; to*

До́ктор принима́ет **от** ча́са до шести́.

Отойди́ **от** окна́.

Я получи́л письмо́ **от** роди́телей.

Где́ клю́ч **от** э́того чемода́на?

The doctor's office hours are *from* one to six.

Get away *from* the window.

I received a letter *from* my parents.

Where's the key *to* this suitcase?

с *from, off; since, for*

О́н упа́л **с** ле́стницы.

Я то́лько что верну́лся **с** заво́да.

Переведи́те **с** англи́йского на ру́сский.

Я **с** утра́ не е́л.

У ва́с е́сть сда́ча **с** пяти́ рубле́й?

He fell *off* a ladder.

I just returned *from* the plant.

Translate *from* English to Russian.

I haven't eaten *since* morning.

Do you have change *for* five rubles?

у *at, by; from; at the place of, with; to have*

Я бу́ду ва́с жда́ть **у** вхо́да.

Они́ живу́т **у** мо́ря.

Я э́то взя́л **у** бра́та.

Она́ была́ **у** друзе́й.

У меня́ боли́т голова́.

I'll wait for you *at* the entrance.

They live *by* the sea (shore).

I got it *from* my brother.

She was *with* friends.

I *have* a headache.

вме́сто *instead of, in place of*

Вме́сто моро́женого, я сего́дня закажу́ компо́т.

Я пойду́ на собра́ние **вме́сто** тебя́.

Instead of ice cream, I'll order the stewed fruit today.

I'll go to the meeting *in* your *place*.

во́зле *alongside, next to, near, by*

Она́ сиде́ла **во́зле** меня́ в трамва́е.	She sat *next to* me in the streetcar.
Они́ живу́т **во́зле** реки́.	They live *by* the river.

вокру́г *around*

Мы́ до́лго сиде́ли **вокру́г** стола́ и разгова́ривали.	We sat *around* the table for a long time and talked.

внутри́ *inside, within*

Внутри́ избы́ бы́ло о́чень темно́.	*Inside* the cottage it was very dark.
Внутри́ страны́ бы́ло неспоко́йно.	There was unrest *within* the country.

впереди́ *in front of, ahead of*

Она́ стоя́ла **впереди́** на́с на два́ челове́ка.	She stood two places *ahead of* us (in line).
О́н шёл **впереди́** все́х.	He was walking *ahead of* all the rest.

позади́ *behind, in back of* (at some distance)*; on the other side*

О́н оста́вил все́х други́х **позади́** себя́.	He left all the others *behind* him.
Они́ шли́ **позади́** на́с.	They were walking a couple of paces *behind* us.

вро́де *like, something like, sort of*

О́н **вро́де** неё: не лю́бит рабо́тать.	He's *like* her; [he] doesn't like to work.

о́коло *near, next to, by; about*

Апте́ка где́-то **о́коло** гости́ницы.	The pharmacy is somewhere *near* the hotel.
Сади́сь **о́коло** меня́.	Sit down *by* me.
Я́ жда́л **о́коло** сорока́ мину́т.	I waited *about* forty minutes.

насчёт *about, concerning, as to*

Ка́к **насчёт** холо́дного пи́ва?	How *about* some cold beer?
Насчёт себя́ не могу́ сказа́ть ничего́ определённого.	*As far as* I'm *concerned* I can't tell you anything definite.
Насчёт э́того на́до спроси́ть у Фе́ди.	*As to* that, you have to ask Fedya.

по́сле *after*

По́сле дождя́ ста́ло прохла́днее.	*After* the rain it got cooler.
Они́ прие́хали сюда́ **по́сле** войны́.	They came here *after* the war.

кро́ме *except for, but, outside of, aside from; besides*

Кро́ме тебя́, никто́ об э́том не зна́ет.	*Except for* you, nobody knows about it.
Все́ бы́ли на собра́нии, **кро́ме** Алексе́ева.	Everyone *but* Alexeev was at the meeting.

про́тив *opposite, across from; against, opposed to*

Апте́ка нахо́дится как ра́з **про́тив** Гастроно́ма.	The pharmacy is just *opposite* the food store.
О́н ничего́ не име́ет **про́тив** э́того.	He doesn't have anything *against* it.
Я́ не **про́тив** его́ пла́на.	I'm not *opposed to* his plan.

■ REPETITION DRILL

Repeat the given examples illustrating the use of prepositions requiring the genitive case. Note that some are pronounced without stress: **без, для, до, из, из-за, от, с, у**, while others are pronounced with a weak secondary stress: **вме́сто, во́зле, вокру́г, внутри́, впереди́, вро́де, о́коло, кро́ме, насчёт, по́сле, позади́, про́тив**.

■ STRUCTURE REPLACEMENT DRILLS

1. *It's Mitya who's to blame.*
It's all because of Mitya.
Это Ми́тя винова́т.
Это всё из-за Ми́ти.
Это Ва́ля винова́та.
Это всё из-за Ва́ли.
   (ребя́та, сосе́дка, Алёша,
   моро́женщик, сестра́, брат)

2. *Olya invited everybody to her place.*
Everybody gathered at Olya's place.
О́ля пригласи́ла все́х к себе́.
Все́ собрали́сь у О́ли.
Ва́ля пригласи́ла все́х к себе́.
Все́ собрали́сь у Ва́ли.
   (Орло́вы, Фёдор Васи́льевич, Ири́на,
   Бори́с Миха́йлович, Мари́я Ива́новна,
   Алёша, Фили́пп)

3. *I've brought you some stamps.*
I'm collecting stamps for you.
Я принёс ва́м ма́рки.
Я собира́ю для ва́с ма́рки.
Я принёс ему́ ма́рки.
Я собира́ю для него́ ма́рки.
   (им, ей, тебе, вам, ему, им, тебе)

4. *It was dark in the theater.*
Inside the theater it was dark.
В теа́тре бы́ло темно́.
Внутри́ теа́тра бы́ло темно́.
В музе́е бы́ло темно́.
Внутри́ музе́я бы́ло темно́.
   (в бане, в гостинице, в мавзолее,
   в галерее, в башне, во дворце,
   в храме, в соборе)

■ RESPONSE DRILLS

1. *Let Fedya take his bath first.*
I'll bathe after Fedya.
Пу́сть Фе́дя купа́ется пе́рвый.
Я вы́купаюсь по́сле Фе́ди.
Пу́сть Вади́м купа́ется пе́рвый.
Я вы́купаюсь по́сле Вади́ма.
   (Витя, Олег, Борис, Володя,
   Михаил, Петя, Николай, Вадим)

2. *My visa runs out in May.*
Extend my visa till June.
Моя́ ви́за конча́ется в ма́е.
Продли́те мне́ ви́зу до ию́ня.
Моя́ ви́за конча́ется в ию́не.
Продли́те мне́ ви́зу до ию́ля.
   (в июле, в августе, в сентябре,
   в октябре, в ноябре, в декабре)

3. *It's already eight.*
Let's wait until nine.
Уже́ во́семь.
Подождём до девяти́.
Уже́ де́вять.
Подождём до десяти́.
   (десять, одиннадцать, двенадцать,
   час, два, три, четыре)

4. *Kolya can't play; he's sick.*
But who'll play in Kolya's place?
Ко́ля не мо́жет игра́ть, о́н бо́лен.
Кто́ же бу́дет игра́ть вме́сто Ко́ли?
Фили́пп не мо́жет игра́ть, о́н бо́лен.
Кто́ же бу́дет игра́ть вме́сто Фили́ппа?
   (Федя, Олег, Ирина, Орлов, Петрова,
   Николай, Борис, Верёвкин)

■ QUESTION-ANSWER DRILLS

1. *Is the museum close to the Kremlin?*
The museum is directly opposite the Kremlin.
Музе́й недалеко́ от Кремля́?
Музе́й пря́мо про́тив Кремля́.
Музе́й недалеко́ от дворца́?
Музе́й пря́мо про́тив дворца́.
   (от галереи, от собора, от парка,
   от гостиницы, от горсовета, от театра)

2. *Does this road go through the village?*
No, around the village.
Э́та доро́га идёт че́рез село́?
Не́т, вокру́г села́.
Э́та доро́га идёт че́рез ле́с?
Не́т, вокру́г ле́са.
   (через деревню, через город, через
   поле, через парк, через сад, через гору,
   через село, через лес)

1. *The boy was sitting on the fence.*
   He jumped from (or off) the fence.
   Ма́льчик сиде́л на забо́ре.
   Он пры́гнул с забо́ра.
   Ма́льчик сиде́л на де́реве.
   Он пры́гнул с де́рева.
   (на мосту́, на столе́, на ле́стнице, на крова́ти, на берегу́, на дива́не)

2. *The sun hid behind a cloud.*
   The sun appeared from behind the cloud.
   Со́лнце спря́талось за ту́чу.
   Со́лнце показа́лось из-за ту́чи.
   Со́лнце спря́талось за го́ру.
   Со́лнце показа́лось из-за горы́.
   (за ту́чи, за дере́вья, за зда́ния, за го́ры, за го́род, за село́)

DISCUSSION

As pointed out in an earlier lesson, **до**, when used in a time sense, means *an unspecified range of time prior to* an event, whereas **перед** (which requires the instrumental) means *just before* the event:

Compare	Э́то случи́лось **до** войны́.	That happened *before* the war.
with	Он позвони́л **перед** за́втраком.	He phoned [just] *before* breakfast.

The prepositions **впереди́** *in front of* and **позади́** *in back of*, both of which require the genitive, are far less common than **перед** and **за** used in these meanings. In addition, there is a slight distinction in meaning: **впереди́** and **позади́** specify something that is further removed from the speaker than is the case with **перед** and **за**:

Compare	Она́ сиде́ла где́-то **позади́** нас.	She sat somewhere *in back of* us.
with	Она́ сиде́ла **за** на́ми.	She sat [right] *behind* us.

Furthermore, **впереди́** and **позади́** may be used as adverbs as well as prepositions, whereas **перед** and **за** are only used as prepositions:

Что́ э́то та́м **впереди́**?	What's that up *ahead* there?
Мы́ оста́вили его́ далеко́ **позади́**.	We've left him way *behind*.

Note particularly that in conjunction with motion verbs, the prepositions **из**, **с**, and **от** indicate motion away from. They are the opposites of **в**, **на**, and **к**, respectively. While **к** indicates going to a person, **от** is used for coming from a person. While **в** indicates going to (*or into*) a place, **из** must be used for coming from (*or out of*) a place. While **на** indicates going to a place, **с** must be used for coming from a place:

куда́ *where to*	отку́да *from where*
к (*plus* dat) Я́ иду́ **к** бра́ту.	от (*plus* gen) Я́ иду́ **от** бра́та.
в (*plus* acc) Я́ иду́ **в** общежи́тие.	из (*plus* gen) Я́ иду́ **из** общежи́тия.
на (*plus* acc) Я́ иду́ **на** слу́жбу.	с (*plus* gen) Я́ иду́ **со** слу́жбы.

Note the contrast between **из до́ма** *from the house* and **и́з дому** *from home, from one's own house.*

Compare	Они́ успе́ли вы́нести всю́ ме́бель **из до́ма**.	They managed to carry all the furniture *out of the house.*
with	Она́ ре́дко выхо́дит **и́з дому**.	She rarely steps *out of the house.*
	Я́ получи́л два́ письма́ **и́з дому**.	I received two letters *from home.*

Perfective verbs formed by means of the prefix раз-

The most important functions of the verbal prefix **раз-** are the following:

To indicate separation, dispersal, or distribution, that is, action in various directions:

Всё разошли́сь.	Everybody's gone off.
Вы́ уже́ разосла́ли всё извеще́ния?	Have you already sent out all the notices?
Де́ти разбежа́лись.	The children ran off in different directions.
Я до́лжен разобра́ть всё э́ти бума́ги.	I've got to sort out all these papers.
Она́ разошла́сь с му́жем.	She separated from her husband.
Она́ расста́вила всё кни́ги на по́лке.	She arranged the books on the shelf.
Ты́ уже́ разре́зала пиро́г?	Have you already sliced up the pirog?
Ты́ и́х распуга́л.	You've frightened them away.

To indicate opening to the full extent, removal, undoing, taking apart, or analysis (compare the English prefix un–):

Разде́ньтесь. До́ктор сейча́с вернётся.	Undress. The doctor will be right back.
Распаку́й чемода́ны.	Unpack the suitcases.
Сейча́с пойдёт до́ждь. Раскро́й зо́нтик.	It's about to rain. Open the umbrella.
Я не рассль́шал, что́ вы́ сказа́ли.	I couldn't make out what you said.
Я не разобра́л, что́ вы́ написа́ли.	I wasn't able to make out what you wrote.

To indicate the thoroughness or intensity of an action:

Карто́шка развари́лась.	The potatoes got cooked to a pulp.
Я уже́ рассмотре́л его́ заявле́ние.	I've already examined his application (that is, looked at it from all angles).
Я хочу́ разучи́ть э́ту пе́сню.	I want to really learn this song.
Она́ разби́ла два́ стака́на.	She's smashed two glasses.
Я бою́сь, что она́ разобьёт всё стака́ны.	I'm afraid she'll break all the glasses.
Он расплати́лся за свою́ оши́бку.	He really paid for his mistake.
Он совсе́м растеря́лся.	He completely lost his head.

To indicate the complete reversal of an activity:

Она́ его́ разлюби́ла.	She stopped loving him.
Э́та рабо́та расстро́ила его́ здоро́вье.	The work ruined his health.
Он совсе́м разучи́лся говори́ть по-англи́йски.	He's completely forgotten (*lit.* unlearned) how to speak English.
Ему́ расхоте́лось спа́ть.	He doesn't want to sleep anymore.
Ты́ расхоте́л купа́ться?	Did you decide against going swimming?
Ты́ разду́мал поступа́ть в ву́з?	Did you change your mind about going to college?

■ REPETITION DRILL

Repeat the given examples illustrating the various ways in which the verbal prefix **раз-** functions.
Note the different possible spellings of the prefix: **раз-, рас-, разъ-, разо-**.

1. *They ran in different directions.*
   They ran off in different directions.
   Они́ побежа́ли в ра́зные сто́роны.
   Они́ разбежа́лись.
   Они́ пошли́ в ра́зные сто́роны.
   Они́ разошли́сь.
   (пое́хали, полете́ли, попо́лзли, пошли́, побежа́ли)

2. *He learned to speak Russian.*
   He forgot how to speak Russian.
   О́н научи́лся говори́ть по-ру́сски.
   О́н разучи́лся говори́ть по-ру́сски.
   Мы́ научи́лись говори́ть по-ру́сски.
   Мы́ разучи́лись говори́ть по-ру́сски.
   (она́, вы, он, они́, Фили́пп, его́ неве́ста, его́ роди́тели, его́ бра́т)

3. *He fell in love with her.*
   He fell out of love with her.
   О́н её полюби́л.
   О́н её разлюби́л.
   Они́ её полюби́ли.
   Они́ её разлюби́ли.
   (мы, Оле́г, подру́ги, все, я, учи́тельница, Вади́м, сосе́ди)

4. *I'll pay him tomorrow.*
   I'll settle accounts with him tomorrow.
   Я́ ему́ заплачу́ за́втра.
   Я́ с ни́м расплачу́сь за́втра.
   Они́ ему́ запла́тят за́втра.
   Они́ с ни́м распла́тятся за́втра.
   (ты, мы, я, она́, вы, они́, он)

5. *You won't be able to make out this word.*
   You won't make out this word.
   Вы́ не смо́жете разобра́ть э́то сло́во.
   Вы́ не разберёте э́того сло́ва.
   Я́ не смогу́ разобра́ть э́то сло́во.
   Я́ не разберу́ э́того сло́ва.
   (они, ты, мы, я, она, вы, он)

6. *I'm afraid he's changed his mind.*
   I'm afraid he'll change his mind.
   Бою́сь, что о́н разду́мал.
   Бою́сь, что о́н разду́мает.
   Бою́сь, что ты́ разду́мала.
   Бою́сь, что ты́ разду́маешь.
   (они, вы, он, она, вы, они)

1. *Did you hear everything?*
   No, there was a lot I didn't catch.
   Ты́ всё слы́шал?
   Не́т, я́ мно́гого не расслы́шал.
   Вы́ всё слы́шали?
   Не́т, мы́ мно́гого не расслы́шали.
   (он, они, она, Оле́г, Ва́ля, вы)

2. *Where did they all run to?*
   I don't know; they all ran off somewhere.
   Куда́ они́ всё побежа́ли?
   Не зна́ю, всё куда́-то разбежа́лись.
   Куда́ они́ всё полете́ли?
   Не зна́ю, всё куда́-то разлете́лись.
   (пошли́, пое́хали, попо́лзли, побежа́ли, полете́ли, пошли́)

DISCUSSION

The verbal prefix **раз–** is spelled **рас–** before voiceless consonants, thus conforming to its pronunciation, for example, **рассмотре́ть**. It takes the form **разо–** before certain stems beginning with a consonant cluster: **разойти́сь, разойду́сь, разобью́, разобьёшь**. Before stems beginning with **е, я,** and **ё** the prefix is written **разъ–**: **разъе́хаться**; stems beginning with **и** replace the **и** with **ы**: **разыгра́ть**.

Like the other prefixes, **раз–** may alter the meaning of the verb to which it is affixed: compare **пе́чь** *to bake* with **распе́чь** *to give a good scolding.*

Here is a reference list of verbs formed by means of the prefix **раз–** which are treated in this lesson:

1. Separation; dispersal, distribution:

   разойти́сь   to separate, go off (in different directions)
   разъе́хаться   to drive off (in different directions)
   разбежа́ться   to run off (in different directions)

разлете́ться	to fly off (in different directions)
расползти́сь	to crawl off (in different directions)
разменя́ть	to change money
разре́зать	to cut up, slice up; to cut open
расста́вить	to arrange; to distribute; to place in a standing position (at certain intervals)
разогна́ть	to drive off, chase off (in different directions)
разосла́ть	to send around, circulate; to distribute

2. Opening out; undoing, uncovering, removal; taking apart, analyzing; elaboration:

разде́ть	to undress
разде́ться	to undress, remove one's clothing
распакова́ть	to unpack
раскры́ть	to open up, open out (to the full extent); to disclose
рассл́ышать	to catch, make out (hear everything)
разобра́ть	to take to pieces, disassemble, analyze; to sort out

3. Intensity or thoroughness of an activity; action to excess:

рассмотре́ть	to examine thoroughly, study and evaluate
развари́ться	to be overcooked, be ruined by cooking too much, be cooked to a pulp
разучи́ть	to learn thoroughly; to memorize a part
разби́ть	to break completely, smash; to break down (*or* up)
разби́ться	to be broken, be smashed; to be broken down (*or* up)
расплати́ться	to pay up, settle one's account in full
разыгра́ть	to play; to perform in a play; to play a trick on
растеря́ться	to lose one's head, become lost or confused
разли́ть	to spill; to ladle out
разрабо́тать	to work out, elaborate; to exploit, cultivate
размочи́ть	to soak, wet through

4. Reversal or cessation of an activity; undoing:

разлюби́ть	to fall out of love, cease to love
разучи́ться	to unlearn, forget something one has learned
разду́мать	to change one's mind
расхоте́ть	to no longer want, cease to want
расхоте́ться	to no longer feel like doing something
расстро́ить	to disturb; to ruin, shatter, tear down
расстро́иться	to be upset, be disturbed

ПОВТОРЕ́НИЕ

— Ка́к мы́ бу́дем е́хать, Ми́тя? Дое́дем э́тим авто́бусом до Ки́евского вокза́ла и та́м переся́дем на метро́?

— Не́т, мы́ сойдём с авто́буса недоезжа́я до вокза́ла, пройдём оди́н кварта́л и ся́дем на трамва́й.

— И о́н довезёт на́с до у́лицы Го́рького?

— Почти́. Отту́да уже́ две́ мину́ты до Козло́вых. Они́ бу́дут на́с жда́ть. Ты́ у ни́х быва́л, Ко́ля?

— Да́, заходи́л па́ру ра́з. Зна́чит, они́ пое́дут с на́ми в Третьяко́вскую галере́ю?

— Да́. Сего́дня, я́ ду́мал, мы́ осмо́трим карти́ны худо́жников девятна́дцатого ве́ка.

— Очень рад. Это самое интересное для меня. Я, признаться, не люблю нового искусства. Не понимаю его.

— Ну, знаешь, наше новое искусство не такое уж и новое, его понять не трудно. Вот западное — это другое дело.

— Западного я не знаю и ничего сказать не могу, хотя наши газеты и журналы пишут, что оно плохое.

— Дмитрий Иванович, я хочу угостить вас настоящим китайским чаем. Вот, пожалуйста, попробуйте.

— Спасибо, я очень люблю этот чай. Насколько он вкуснее грузинского.

— Конечно. Но, знаете, если вы хотите пить чай, как его пьют в Китае, то не кладите сахару. Там считают, что от сахара чай становится менее вкусным.

— Это, может быть, в Китае так считают, но не у нас, в России. Я вот люблю сладкий чай, кладу в стакан два или даже три куска сахару.

— Ну, пейте себе по-русски.

Козлов по профессии инженер, но у него душа художника. Когда его послали на Кавказ на нефтяной завод, то он всё свободное время ходил и смотрел на снег на горах, на низкие тучи, которые ползли с этих гор. Смотрел, как солнце поднимается над горами. Всё было для него ново и почти невероятно красиво.

Там в горах он нашёл старинную грузинскую башню и назвал её «Башней Тамары». Ему сказали, что её построили лет восемьсот — девятьсот тому назад. Эта башня стояла на высокой горе, и к ней вела старинная каменная лестница. Козлов ходил туда каждый свободный день и знал там каждый камень.

PREPARATION FOR CONVERSATION   ## На вы́ставке

вы́ставка	exhibition, show
Во́т мы́ и на вы́ставке.	Well, here we are at the exhibition.
павильо́н	pavilion
грузи́нский	Georgian
Пойдём тепе́рь в Грузи́нский павильо́н.	Let's go into the Georgian Pavilion now.
тка́нь (f)	fabric, cloth, textile
замеча́тельный	wonderful, remarkable
Та́м замеча́тельные тка́ни.	There are wonderful fabrics there.
Подожди́, я́ ещё ту́т не всё осмотре́л.	Wait a bit; I still haven't seen everything here.
арбу́з	watermelon
огро́мный	enormous, huge, vast, great
Како́й огро́мный арбу́з!	What an enormous watermelon!
А вы́ заме́тили у вхо́да ковры́?	And did you notice the rugs by the entrance?
красота́	beauty
Кака́я красота́!	What beauty!
Э́х вы́, же́нщины! «Тка́ни, ковры́!»	Oh you women with your "fabrics and rugs"!
промы́шленность (f)	industry
Ва́с не интересу́ет промы́шленность.	You're not interested in industry.
виноде́льческий	wine making
экспона́т	display, exhibit
В одно́м павильо́не бо́льше двухсо́т экспона́тов виноде́льческой промы́шленности.	In one pavilion there are more than two hundred displays of the wine industry.
пятьсо́т [p̦itsót]	five hundred
молда́вский	Moldavian
В Молда́вском павильо́не бо́льше пятисо́т экспона́тов виноде́льческой промы́шленности.	In the Moldavian Pavilion there are more than five hundred displays of the wine industry.

◀ **Ви́д на на́бережную Москвы́-реки́ и сте́ны Кремля́.**   787 путеводи́тель (m) — guidebook

ска́зан, –а, –о (ppp of сказа́ть) — said, told

Слу́шайте, что́ ска́зано в путеводи́теле: «В Молда́вском павильо́не бо́льше пятисо́т экспона́тов виноде́льческой промы́шленности». — Listen to what's said in the guidebook: "In the Moldavian Pavilion there are more than five hundred displays of the wine industry."

обра́доваться, обра́дуются (pfv I) — to be happy, be glad

А ты́ и обра́довался! — And didn't that make you glad!

Ты́ ду́маешь, что тебе́ даду́т попро́бовать э́ти са́мые «экспона́ты»? — You think they're going to let you taste those same "displays"?

смея́ться, –ю́тся (I) — to laugh, make fun

Не сме́йся, Ва́ля! — Don't laugh, Valya!

бутылочка — bottle, a bottle, a nice bottle

дари́ть, да́рят (II) — to give, make a present of

Э́то неплоха́я иде́я, чтобы ка́ждому дари́ли буты́лочку вина́. — It wouldn't be a bad idea if they gave everyone a nice bottle of wine.

посети́тель (m) — visitor; customer

Э́то неплоха́я иде́я, чтобы ка́ждому посети́телю дари́ли буты́лочку вина́. — It wouldn't be a bad idea if they gave every visitor a nice bottle of wine.

па́мять (f) — memory

на па́мять — to remember one by, as a souvenir (or keepsake)

Ты́ смеёшься, Ва́ля, а э́то неплоха́я иде́я, чтобы ка́ждому посети́телю дари́ли на па́мять буты́лочку вина́. — You may laugh, Valya, but it wouldn't be a bad idea if they were to give every visitor a nice bottle of wine as a souvenir.

шампа́нское, –ого — champagne

Наприме́р, шампа́нского. — For example, champagne.

гениа́льный — brilliant; great; ingenious

Гениа́льная иде́я! — Brilliant idea!

о́рден — order, decoration, medal

Тебе́ за неё даду́т о́рден Ле́нина. — They'll give you the Order of Lenin for it.

зна́мя, зна́мени; знамёна, знамён — banner

трудово́й — working, laboring (adj)

Тебе́ за неё даду́т о́рден Ле́нина и́ли Трудово́го Кра́сного Зна́мени. — They'll give you the Order of Lenin or the Order of Labor's Red Banner for it.

ме́ра — measure

кра́йний, –яя, –ее — extreme, drastic; last; lowest

по кра́йней ме́ре — at least

Тебе́ за неё даду́т о́рден Ле́нина и́ли, по кра́йней ме́ре, Трудово́го Кра́сного Зна́мени. — They'll give you the Order of Lenin or at least the Order of Labor's Red Banner for it.

дура́к, –а́, –и́, –о́в — fool

валя́ть дурака́ — to play the fool, fool around

Ну́, хва́тит валя́ть дурака́. — Well, enough of this fooling around.

проголода́ться, –а́ются (pfv I) — to get hungry; to be famished (or starved)

Я́ ду́маю, мы́ все́ проголода́лись. — I'm sure we're all starved.

ко́лос, –а; коло́сья, –ьев	ear (of grain)
золото́й	golden, of gold
подкрепи́ться, –я́тся (pfv II)	to refresh oneself, to fortify oneself
Зайдём в «Золото́й ко́лос» подкрепи́ться.	Let's drop in at the "Golden Ear" to refresh ourselves.
пионе́р	pioneer
ю́ный	young, youthful
Я гото́в, ка́к ю́ный пионе́р. А ка́к вы́?	Like a Young Pioneer, I'm prepared. What about the rest of you?
Мы́ с Алёшей то́же.	We are too, Alyosha and I.
зоопа́рк [zəapárk]	zoo
Кста́ти, каки́е у на́с на за́втра пла́ны? Зоопа́рк?	By the way, what are our plans for tomorrow? The zoo?
Да́.	Yes.

SUPPLEMENT

шестьсо́т [šissót]	six hundred
семьсо́т [şimsót]	seven hundred
восемьсо́т [vəşimsót]	eight hundred
Он нашёл восемьсо́т рубле́й.	He found eight hundred rubles.
смея́ться над (*plus* instr)	to laugh at, make fun of (someone)
Она́ смея́лась над ни́м.	She laughed at him.
засмея́ться (pfv I)	to begin laughing; to burst out laughing
засмея́ться от (*plus* gen)	to begin laughing at (something)
Он засмея́лся от э́той мы́сли.	He began to laugh at the thought.
ра́доваться, ра́дуются (I) (*plus* dat)	to be glad, be happy, rejoice
Чему́ вы́ ра́дуетесь?	What are you happy about?
подари́ть, –я́т (pfv II)	to give, present, make a present of
Он ей подари́л кни́гу ко дню́ рожде́ния.	He gave her a book for her birthday.
тру́д	work, effort; difficulty
Я с больши́м трудо́м доста́л биле́ты.	It was with great difficulty [that] I got the tickets.
ге́ний, ге́ния	genius
Он, действи́тельно, ге́ний	He's really a genius.
гру́ша	pear; pear tree
Вы́ лю́бите гру́ши?	Do you like pears?
У ни́х в саду́ мно́го гру́ш.	They have a lot of pear trees in their orchard.
я́блоко, –а; –и, я́блок	apple(s)
Пе́тя съе́л все́ я́блоки.	Petya ate all the apples.
сли́ва	plum, plum tree
Ты́ купи́ла э́ти сли́вы на база́ре?	Did you buy these plums at the market?
виногра́д (sg only)	grapes
Э́тот виногра́д о́чень ки́слый.	These grapes are very sour.
ды́ня	melon; cantaloupe
Я предпочита́ю ды́ню арбу́зу.	I prefer cantaloupe to watermelon.
украи́нский	Ukrainian (adj)
Пойдём тепе́рь в Украи́нский павильо́н.	Let's go to the Ukrainian Pavilion now.
яку́тский	Yakut (adj)

Пойдём тепе́рь в Яку́тский павильо́н.	Let's go to the Yakut Pavilion now.
промы́шленный	industrial
Э́то большо́й промы́шленный це́нтр.	It's a large industrial center.

На вы́ставке

Ва́ля и Алёша (пе́рвая па́ра)   Ми́тя и Лю́ба (втора́я па́ра)

Ва́ля 1 Пойдём тепе́рь в Грузи́нский павильо́н. Та́м замеча́тельные тка́ни.[1]

Алёша 2 Подожди́, я ещё ту́т не всё осмотре́л. Како́й огро́мный арбу́з!

Лю́ба 3 А вы́ заме́тили у вхо́да ковры́? Кака́я красота́!

Ми́тя 4 Э́х вы, же́нщины! «Тка́ни, ковры́»... Ва́с не интересу́ет промы́шленность.

Алёша 5 Слу́шайте, что́ ска́зано в путеводи́теле: «В Молда́вском павильо́не бо́льше пятисо́т экспона́тов виноде́льческой промы́шленности».[2]

Ва́ля 6 А ты́ и обра́довался! Ду́маешь, что тебе́ даду́т попро́бовать э́ти са́мые «экспона́ты»?

Ми́тя 7 Ты́ смеёшься, Ва́ля, а э́то неплоха́я иде́я, чтобы ка́ждому посети́телю дари́ли на па́мять буты́лочку вина́. Наприме́р, шампа́нского.[3]

Лю́ба 8 Гениа́льная иде́я! Тебе́ за неё даду́т о́рден Ле́нина и́ли, по кра́йней ме́ре, Трудово́го Кра́сного Зна́мени.[4]

Алёша 9 Ну́, хва́тит валя́ть дурака́. Я́ ду́маю, мы́ все́ проголода́лись. Зайдём в «Золото́й ко́лос» подкрепи́ться.

Ми́тя 10 Я́ гото́в, ка́к ю́ный пионе́р.[5] А ка́к вы́?

Ва́ля 11 Мы́ с Алёшей то́же. Кста́ти, каки́е у на́с на за́втра пла́ны? Зоопа́рк?

Лю́ба 12 Да́.

NOTES

[1] The permanent agricultural exhibition, now called **Вы́ставка достиже́ний наро́дного хозя́йства** *Exhibit of Achievements of the National Economy*, was first organized in the early nineteen thirties. It is located in north Moscow and occupies a space of over five hundred acres. There are some three hundred pavilions, each featuring the products typical of a particular republic or geographical area. For example, the Georgian Pavilion exhibits such products as fruits, wines, teas, and silks. In addition, the exhibition has several thematic pavilions, for example, a "Hunting Pavilion," "Pavilion of the Academy of Sciences" (which exhibits models of satellites), a "Flowers and Gardening Pavilion," and a "Beekeeping Pavilion."

[2] The Moldavian Republic is located near the Black Sea to the northeast of Rumania. It is famous not only for its grapes and wines, but also for its grains, dairy products, and fruits.

[3] The so-called **сове́тское шампа́нское** is not considered comparable in quality to the French or the better American champagnes. Like other Soviet wines, it is mainly produced in areas surrounding the Black Sea, such as Moldavia, Georgia, and the Krasnodar region.

4 The **о́рден Ле́нина** *Order of Lenin* is the highest medal of honor in the U.S.S.R. It may be awarded not only to individual citizens, but to organizations, factories, farms, theaters, and other enterprises. The Order of Labor's Red Banner is usually bestowed on factory workers and farmers for outstanding performance in surpassing established norms.

5 The "Young Pioneers" is an organization which somewhat resembles the Boy Scouts and Girl Scouts, but it has a political slant. Considerable emphasis is placed on sports and group activities as well as on indoctrination in the philosophy and principles of communism. The expression «**Гото́в, ка́к ю́ный пионе́р**» is a take-off on the typical scout rallying cry: «**Бу́дь гото́в! — Всегда́ гото́в!**» *Be prepared!—always prepared!"*

PREPARATION FOR CONVERSATION   # В зоопа́рке

Иди́ сюда́, Ва́ля.	Come here, Valya.
обезья́на	monkey
Посмотри́ на э́тих обезья́н.	Look at those monkeys.
дру́г дру́га	each other, one another
дру́г за дру́гом	after one another, after each other
гоня́ться (I)	to chase
Посмотри́, как э́ти обезья́ны гоня́ются дру́г за дру́гом.	Look at those monkeys chasing each other.
смешно́й	funny, amusing; ridiculous
ужа́сный	terrible, awful
Ужа́сно смешно́.	It's terribly amusing.
вы́держать, –ат (pfv II)	to stand, endure; to pass (exam)
Но ту́т тако́й во́здух, что я́ не могу́ бо́льше вы́держать.	But I can't stand the air in here any longer.
помеще́ние	place, quarters, premises
Но зна́ешь, в э́том помеще́нии тако́й во́здух, что я́ не могу́ бо́льше вы́держать.	But, you know, I can't stand the air in this place any longer.
Я́ то́же.	Neither can I.
зве́рь, –я; –и, –е́й (m)	wild animal
о́стров, –а; –а́, –о́в	island
Я́ то́же. Пойдём к «О́строву звере́й».	Neither can I. Let's go to the "Island of Animals."
ти́гр	tiger
ле́в, льва́	lion
Та́м львы́ и ти́гры.	There are lions and tigers there.
медве́дь, –я; –и, –ей (m)	bear
бе́лый медве́дь	polar bear
взгляну́ть, –ут (pfv I)	to glance, look
Дава́йте взгля́нем на бе́лых медве́дей.	Let's look at the polar bears.
Я́ предлага́ю снача́ла взгляну́ть на бе́лых медве́дей.	I suggest first looking at the polar bears.
Их павильо́н как ра́з ря́дом.	Their pavilion is right next door.

Хорошо́.

Сейча́с без десяти́ пя́ть.

кормить, –ят (II)
Через де́сять мину́т начну́т корми́ть звере́й.

бегемо́т
Дава́йте посмо́трим, как ко́рмят бегемо́тов.

зре́лище
удиви́тельный
Э́то удиви́тельное зре́лище.

алле́я [aḽéjə]
кле́тка
Тогда́ поспеши́м — и́х кле́тка в конце́ алле́и.

пла́н
Покажи́ мне́ пла́н.

терра́риум [teráṛijum]
Ага́, ту́т ря́дом терра́риум.

уда́в
Смо́жем посмотре́ть, как ко́рмят уда́ва.

свинья́, –и́; сви́ньи, свине́й
живо́й
Ему́, говоря́т, даю́т це́лую живу́ю свинью́.

Не́т, на э́то я́ смотре́ть не хочу́.

пуска́ть, –а́ют (I)
Пу́блику туда́ в э́то вре́мя не пуска́ют.
наско́лько

К тому́ же, наско́лько я́ зна́ю, пу́блику в
э́то вре́мя туда́ не пуска́ют.

И сла́ва Бо́гу!

отврати́тельный
Э́то должно́ бы́ть отврати́тельное зре́лище.

живо́тное, –ого
Я́ люблю́ живо́тных.
уничтожа́ть (I)
Я́ люблю́ живо́тных, но смотре́ть, как они́
уничтожа́ют дру́г дру́га — э́то не для
меня́.

мы́шь (f)
ко́шка
Э́х вы́! Ва́ля бои́тся да́же смотре́ть, когда́
ко́шка ло́вит мы́шь.

All right.

It's ten to five right now.

to feed
In ten minutes they're going to start feeding the
animals.
hippopotamus
Let's watch them feed the hippopotamuses.

sight
amazing, marvelous
It's a marvelous sight.

path, lane, walk (in a park or garden)
cage
Then let's hurry, their cage is at the end of the
walk.

plan, map, scheme
Show me the map.

terrarium (vivarium for land animals)
Ah, the terrarium is right next door.

boa constrictor
We'll be able to watch them feeding the boa
constrictor

pig
live, alive; lively, living, vivid
They give it a whole live pig, they say.

No, I don't want to watch that.

let, let in, allow; start, open
The public isn't allowed in at that time.
as far as, how much, so much, to what
extent
Besides, as far as I know, the public isn't allowed
in at that time.

Thank goodness!

repulsive, disgusting
That must be a disgusting sight.

animal
I love animals.
to destroy, annihilate, do away with
I love animals, but to watch them destroying
each other is not for me.

mouse
cat
Oh, you! Valya's even afraid to watch a cat catch
a mouse.

накорми́ть, –ят (pfv II)	to feed
На́с о́чень хорошо́ накорми́ли.	They fed us very well.
пусти́ть, –ят (pfv II)	to let, let in, allow; start, open
На́с пу́стят в э́тот собо́р?	Will they let us in this cathedral?
уничто́жить (pfv II)	to destroy, annihilate, do away with
Моро́з уничто́жил всё фру́кты.	The frost destroyed all the fruit.
во́лк, –а; –и, –о́в	wolf
В э́тих леса́х бо́льше не́т волко́в.	There are no more wolves in these forests.
лиси́ца	fox
Лиси́ца вы́бежала из-за де́рева.	The fox ran out from behind the tree.
сло́н, –а́; –ы́, –о́в	elephant
Где́ нахо́дится кле́тка слона́?	Where is the elephant cage located?
ло́шадь, –и; –и, –е́й	horse
На Кавка́зе мы́ е́здили на лошадя́х.	We rode horses in the Caucasus.
коро́ва	cow
Ско́лько в э́том колхо́зе коро́в?	How many cows are there on this farm?
соба́ка	dog
Она́ бои́тся соба́к.	She's afraid of dogs.
за́яц, за́йца; –ы, –ев	rabbit
Соба́ка пойма́ла за́йца.	The dog caught the rabbit.
дома́шний, –яя, –ее	domestic; home (adj)
Вы́ уже́ ко́нчили дома́шнюю рабо́ту?	Have you already finished your homework?
ди́кий	wild
В э́том зоопа́рке мно́го ди́ких звере́й.	There are lots of wild animals in this zoo.
и́мени (*plus* gen)	named after
Э́то Па́рк культу́ры и о́тдыха и́мени Го́рького.	That's the Gorky Park of Culture and Rest.

В зоопа́рке

Лю́ба 1 Иди́ сюда́, Ва́ля. Посмотри́, как э́ти обезья́ны гоня́ются дру́г за дру́гом.

Ва́ля 2 Ужа́сно смешно́! Но зна́ешь, в э́том помеще́нии тако́й во́здух, что я́ не могу́ бо́льше вы́держать.

Ми́тя 3 Я́ то́же. Пойдём к «О́строву звере́й». Та́м львы́ и ти́гры.[1]

Алёша 4 Не́т, я́ предлага́ю снача́ла взгляну́ть на бе́лых медве́дей. И́х павильо́н как ра́з ря́дом.

Лю́ба 5 Хорошо́. Сейча́с без десяти́ пя́ть. Через де́сять мину́т начну́т корми́ть звере́й.

Ва́ля 6 Дава́йте посмо́трим, как ко́рмят бегемо́тов. Э́то удиви́тельное зре́лище.

Ми́тя 7 Тогда́ поспеши́м — и́х кле́тка в конце́ алле́и.

Алёша 8 Покажи́ мне́ пла́н. Ага́, ту́т ря́дом терра́риум. Смо́жем посмотре́ть, как ко́рмят уда́ва. Ему́, говоря́т, даю́т це́лую живу́ю свинью́.

Лю́ба 9 Не́т, на э́то я́ смотре́ть не хочу́. К тому́ же, наско́лько я́ зна́ю, пу́блику в э́то вре́мя туда́ не пуска́ют.[2]

Ва́ля   10 И сла́ва Бо́гу! Э́то должно́ бы́ть отврати́тельное зре́лище. Я́ люблю́ живо́т-
ных, но смотре́ть, как они́ уничтожа́ют дру́г дру́га — э́то не для меня́.

Алёша 11 Э́х вы́! Ва́ля бои́тся да́же смотре́ть, когда́ ко́шка ло́вит мы́шь.[3]

NOTES

[1] The Moscow Zoo was founded in 1864 and is the oldest and biggest in the Soviet Union. Located in the western part of the city, it is especially known for its large open-air enclosures which simulate the natural environments of the given species. The **О́стров звере́й** *Island of Animals* is an artificial rock "island," which houses lions, tigers, and other animals of prey.

[2] The public is not allowed to feed the animals, and severe fines are imposed for violations. Ordinarily, people may watch them being fed; but they are not permitted to watch when live animals are fed to the boa constrictor.

[3] Notice the use of **ка́к** and **когда́** after such verbs as **смотре́ть** and **посмотре́ть** to introduce a subordinate clause with a subject different from that of the main clause:

Посмотри́, как э́ти обезья́ны гоня́ются дру́г за дру́гом.	Look at those monkeys chasing each other *or* Look how those monkeys chase each other.
Ва́ля бои́тся да́же смотре́ть, когда́ ко́шка ло́вит мы́шь.	Valya is even afraid to watch a cat catching a mouse *or* Valya is even afraid to watch when a cat catches a mouse.

In Russian such subordinate clauses must be introduced by **ка́к** or **когда́**, always preceded by a comma, whereas in English a direct object and a second verb may be used to avoid a subordinate clause:

Мы́ смо́жем посмотре́ть, как ко́рмят уда́ва.	We can watch them feeding (*or* feed) the boa constrictor.

Basic sentence patterns

1. На пло́щади собрало́сь пятьсо́т
       пионе́ров.
   ———————— шестьсо́т ———.
   ———————— семьсо́т ———.

   Five hundred pioneers assembled in the square.
   Six hundred ————————.
   Seven hundred ————————.

2. На вы́ставке бо́льше семисо́т карти́н.

   ———————— восьмисо́т ——.
   ———————— девятисо́т ——.

   There are over seven hundred pictures at the
       exhibition.
   ——————— eight hundred ———————.
   ——————— nine hundred ———————.

3. Они́ полюби́ли дру́г дру́га.
   —— зави́довали дру́г дру́гу.
   —— забо́тились дру́г о дру́ге.
   —— рассерди́лись дру́г на дру́га.
   —— пря́тались дру́г от дру́га.

   They fell in love with each other.
   —— envied each other.
   —— took care of each other.
   —— got mad at each other.
   —— hid from each other.

4. С ке́м они́ встреча́лись?
   — Дру́г с дру́гом.
   У кого́ они́ быва́ли в гостя́х?
   — Дру́г у дру́га.

   Whom did they meet?
   Each other.
   Whom did they visit?
   Each other.

5. Смой грязь с галош.
Счисти грязь с брюк.
Сбей яблоко с дерева.
Слей сливки с молока.

Wash the dirt off your galoshes.
Clean the dirt off your trousers.
Knock an apple down from the tree.
Pour the cream off the milk.

6. На праздники всё съехались вместе.

Everyone came together (*or* convened) for the holidays.

_____ сошлись _____.
_____ собрались _____.

Everyone _____.
_____ gathered together _____.

7. Они сбежались со всех сторон.

They came running from all sides.

____ съехались _____.
____ сошлись _____.
____ слетелись _____.

____ came riding _____.
____ came on foot _____.
____ came flying _____.

8. Кто-то сбил его с ног.

Someone knocked him off his feet.

_____ снёс его с лестницы.
_____ свёз его с горы.

_____ carried him off the ladder.
_____ drove him down the hill.

9. Что вы ему подарите?
— Мы ему подарим золотую зажигалку.
Что они ему подарят?
— Они ему подарят золотые часы.

What (gift) will you give him?
We'll give him a gold cigarette lighter.
What (gift) will they give him?
They'll give him a gold watch.

10. Не смейтесь над ней!
_____ над ним!
_____ над ними!
Зачем ты смеёшься надо мной?

Don't laugh at her!
_____ at him!
_____ at them!
Why are you laughing at me?

11. Ей стало смешно от этой мысли.
Она засмеялась _____.
Им стало смешно _____.
Они засмеялись _____.

She was amused at the thought.
She began to laugh _____.
They were amused _____.
They began to laugh _____.

12. Посмотри, как публика смеётся.
— Да, прямо умирает со смеху.
Посмотри, как они смеются.
— Да, прямо умирают со смеху.

Look at the audience laughing.
Yes, they're simply dying of laughter.
Look at them laughing.
Yes, they're simply dying of laughter.

13. Я так проголодался.
Я прямо умираю с голоду.
Мы так проголодались.
Мы прямо умираем с голоду.

I've gotten so hungry.
I'm just dying of hunger.
We've gotten so hungry.
We're just dying of hunger.

14. Он купил пару галош.

He bought a pair of rubbers.

_____ перчаток.
_____ носков.

_____ gloves.
_____ socks.

15. Вы сделали много ошибок.

You've made lots of mistakes.

_____ несколько ____.
_____ немного ____.

_____ several _____.
_____ a few _____.

16. Попробуйте груш.

Try some pears.

_____ яблок.
_____ слив.
_____ винограда.

_____ apples.
_____ plums.
_____ grapes.

17. По-мо́ему, я́блоки вкусне́е апельси́нов.

   ————————————— ды́ни.

   ————————————— арбу́за.

   ————————————— всéх други́х
                           фру́ктов.

I think apples are tastier than oranges.

   ————————————— melons.

   ————————————— watermelons.

   ————————————— any other fruit.

18. В э́том лесу́ нéт волко́в.

   ————————————— лиси́ц.

   ————————————— за́йцев.

   ————————————— змéй.

   ————————————— медвéдей.

There aren't any wolves in these woods.

   ————————— foxes —————.

   ————————— rabbits —————.

   ————————— snakes —————.

   ————————— bears —————.

19. Тури́стов туда́ не пуска́ют.
Иностра́нцев ——————.
Детéй ——————.
Посети́телей ——————.
Пу́блику ——————.

Tourists aren't allowed in there.
Foreigners ——————.
Children ——————.
Visitors ——————.
The public isn't allowed in there.

20. Мнé не хвата́ет трёх копéек.

   ————————— двух ——.

I'm short three kopecks.

   ————— two —————.

21. С на́с дово́льно и одного́ экза́мена.
Со студéнтов ————————.

Even one exam is enough for us.

   ———————————— for the students.

22. Мы́ бы́ли в теа́тре и́мени Го́рького.

   ————————————— Лéнина.

   ————————————— Маяко́вского.

   ————————————— Чéхова.

We went to the Gorky Theater.

   ————————— Lenin —————.

   ————————— Mayakovsky —.

   ————————— Chekhov —————.

23. Ва́м ну́жно побыва́ть в музéе
                  Достоéвского.

   ————————————— Чайко́вского.

You've got to visit the Dostoevsky Museum.

   ———————————— Tschaikovsky —————.

24. Мы́ живём на у́лице Гéрцена.

   ————————————— Пу́шкина.

   ————————————— Гага́рина.

   ————————————— Тито́ва.

We live on Herzen Street.

   ————————— Pushkin —————.

   ————————— Gagarin —————.

   ————————— Titov —————.

Pronunciation practice: part II—initial consonant clusters with no parallel in the English sound system

A. Initial clusters with п as the first consonant.

   1. пн pronounced [pn] or [pn̩]

     [pnút̩] пну́ть
      to kick

     [pn̩í] пни́
      stumps

     [pn̩óm] пнём
      with a stump

     [pn̩ivmaní̩jə] пневмони́я
      pneumonia

     [pn̩á] пня́
      of a stump

     [pn̩ivmát̩ik] пневма́тик
      pneumatic tire

2. пс pronounced [ps] or [pş]

[psú] псу́
for the dog

[pşixalóģijə] психоло́гия
psychology

[psóm] псо́м
by the dog

[pşól] Псёл
river

[psalóm] псало́м
psalm

[pşivdaņím] псевдони́м
pseudonym

[psárņə] пса́рня
kennel

B. Initial clusters with в as the first consonant.

1. вм pronounced [vm] or [vm̦]

[vmázəţ] вма́зать
to putty in

[vm̦áţinə] вмя́тина
dent

[vm̦éstə] вме́сто
instead of

[vm̦ík] вми́г
in a flash

[vm̦ésţi] вме́сте
together

[vm̦išátcə] вмеша́ться
interfere

2. вн pronounced [vn] or [vņ]

[vnačáļi] внача́ле
in the beginning

[vnutŗí] внутри́
inside

[vņé] вне́
outside

[vnúčkə] вну́чка
granddaughter

[vņizápnə] внеза́пно
suddenly

[vnúk] вну́к
grandson

[vnaşíţ] вноси́ть
bring in

[vņís] вни́з
downstairs

[vņisţí] внести́
bring in

[vnóf̦] вно́вь
anew

STRUCTURE AND DRILLS

Declension of пятьсо́т, шестьсо́т, семьсо́т, восемьсо́т, and девятьсо́т

	five hundred	*six hundred*	*seven hundred*	*eight hundred*	*nine hundred*
NOM-ACC	пятьсо́т	шестьсо́т	семьсо́т	восемьсо́т	девятьсо́т
GEN	пятисо́т	шестисо́т	семисо́т	восьмисо́т	девятисо́т
PREP	о пятиста́х	о шестиста́х	о семиста́х	о восьмиста́х	о девятиста́х
DAT	пятиста́м	шестиста́м	семиста́м	восьмиста́м	девятиста́м
INSTR	пятьюста́ми	шестьюста́ми	семьюста́ми	восемьюста́ми	девятьюста́ми

MODELS

Та́м живёт приблизи́тельно семьсо́т
иностра́нцев.
_____ восемьсо́т _____.
_____ девятьсо́т _____.

About seven hundred foreigners live there.

_____ eight hundred _____.
_____ nine hundred _____.

Это сто́ило бо́льше пятисо́т рубле́й.	This cost more than five hundred rubles.
——————— шестисо́т ———.	——————— six hundred ———.
——————— семисо́т ———.	——————— seven hundred ———.
Это бы́ло бо́льше восьмисо́т ле́т тому́ наза́д.	That was more than eight hundred years ago.
——————— девятисо́т ———————.	——————— nine hundred ———————.
О ско́льких рабо́чих они́ говори́ли?	How many workers were they talking about?
— О пятиста́х.	Five hundred.
— О шестиста́х.	Six hundred.
— О семиста́х.	Seven hundred.
— О восьмиста́х.	Eight hundred.
— О девятиста́х.	Nine hundred.
Ско́лькими ковра́ми они́ интересова́лись?	How many rugs were they interested in?
— Пятьюста́ми.	Five hundred.
— Шестьюста́ми.	Six hundred.
— Семьюста́ми.	Seven hundred.
— Восемьюста́ми.	Eight hundred.
— Девятьюста́ми.	Nine hundred.

■ REPETITION DRILL

Repeat the models illustrating the declension of the numbers five hundred to nine hundred, noticing that both parts are declined.

■ QUESTION-ANSWER DRILLS

1. *How many displays did they bring?*
   Four hundred?
   No, five hundred.
   Ско́лько привезли́ экспона́тов?
   Четы́реста?
   Нет, пятьсо́т.
   Ско́лько привезли́ экспона́тов? Пятьсо́т?
   Нет, шестьсо́т.
   (600, 700, 800, 900, 400, 500, 600)

2. *How many students do you have from China?*
   Four hundred?
   No, five hundred.
   Ско́лько у вас студе́нтов из Кита́я?
   Четы́реста?
   Нет, пятьсо́т.
   Ско́лько у вас студе́нтов из Кита́я?
   Пятьсо́т?
   Нет, шестьсо́т.
   (700, 800, 500, 600, 400)

■ STRUCTURE REPLACEMENT DRILLS

1. *Five hundred workers received medals.*
   They gave medals to five hundred workers.
   Пятьсо́т рабо́чих получи́ли ордена́.
   Пятиста́м рабо́чим да́ли ордена́.
   Шестьсо́т рабо́чих получи́ли ордена́.
   Шестиста́м рабо́чим да́ли ордена́.
   (700, 800, 500, 900, 600)

2. *Nine hundred visitors have been here.*
   About nine hundred visitors have been here.
   Здесь побыва́ло девятьсо́т посети́телей.
   Здесь побыва́ло о́коло девятисо́т посети́телей.
   Здесь побыва́ло семьсо́т посети́телей.
   Здесь побыва́ло о́коло семисо́т посети́телей.
   (800, 900, 500, 600, 700)

1. *Six hundred bottles of champagne are missing.*
   Report these six hundred bottles.
   Пропа́ло шестьсо́т буты́лок
   шампа́нского.
   Сообщи́те об э́тих шестиста́х буты́лках.
   Пропа́ло семьсо́т буты́лок шампа́нского.
   Сообщи́те об э́тих семиста́х буты́лках.
   (800, 900, 500, 600, 700)

2. *About six hundred watermelons are left over.*
   What are we going to do with six hundred
   watermelons?
   Оста́лось о́коло шестисо́т арбу́зов.
   Что́ на́м де́лать с шестьюста́ми
   арбу́зами?
   Оста́лось о́коло восьмисо́т арбу́зов.
   Что́ на́м де́лать с восьмьюста́ми
   арбу́зами?
   (500, 700, 900, 600, 800)

DISCUSSION

The numbers five hundred to nine hundred, like two hundred, three hundred, and four hundred, decline in both parts. The stress is always on the last element of the compound:

NOMINATIVE-ACCUSATIVE	пятьсо́т	[p̡itsót]
GENITIVE	пятисо́т	[p̡it̡isót]
PREPOSITIONAL	о пятиста́х	[p̡it̡istáx]
DATIVE	пятиста́м	[p̡it̡istám]
INSTRUMENTAL	пятьюста́ми	[p̡it̡justám̡i]

Notice that in the nominative-accusative, the middle т or м is written soft but pronounced hard:
пятьсо́т [p̡itsót]   **восемьсо́т** [vəs̡imsót].

The reciprocal compound pronoun дру́г дру́га

Like the reflexive personal pronoun себя́, the reciprocal compound pronoun **дру́г дру́га** has no nominative form. When a preposition is used it falls between the two parts:

	Used without preposition	*Used with preposition*
ACC	дру́г дру́га	дру́г на дру́га
GEN	дру́г дру́га	дру́г у дру́га
PREP		дру́г о дру́ге
DAT	дру́г дру́гу	дру́г к дру́гу
INSTR	дру́г дру́гом	дру́г с дру́гом

MODELS

Мы́ лю́бим дру́г дру́га.	We love each other.
Они́ се́рдятся дру́г на дру́га.	They're angry at each other.
Они́ боя́тся дру́г дру́га.	They're afraid of one another.
Мы́ ча́сто быва́ем дру́г у дру́га.	We often visit each other.
Мы́ не меша́ем дру́г дру́гу.	We don't disturb one another.
Мы́ ча́сто захо́дим дру́г к дру́гу.	We often stop by to see each other.
Они́ не лю́бят говори́ть дру́г о дру́ге.	They don't like to talk about each other.
Забо́тьтесь дру́г о дру́ге!	Take care of one another!
Они́ интересу́ются дру́г дру́гом.	They're interested in each other.
Они́ бо́льше не говоря́т дру́г с дру́гом.	They don't talk to each other any more.

Repeat the above models illustrating the usage of **дру́г дру́га**, noting that the first part of the compound remains unchanged and that prepositions are placed between the two parts.

■ STRUCTURE REPLACEMENT DRILLS

1. *The brothers always helped one another.*
   The brothers always helped each other.
   Бра́тья всегда́ помога́ли оди́н друго́му.
   Бра́тья всегда́ помога́ли дру́г дру́гу.
   Сёстры всегда́ помога́ли одна́ друго́й.
   Сёстры всегда́ помога́ли дру́г дру́гу.
   (товарищи, подруги, соседи, приятели, соседки, друзья, ребята, девушки)

2. *They argued among themselves.*
   They argued with each other.
   Они́ поспо́рили между собо́й.
   Они́ поспо́рили дру́г с дру́гом.
   Роди́тели поспо́рили между собо́й.
   Роди́тели поспо́рили дру́г с дру́гом.
   (мы, муж и жена, пассажиры, Алёша и Валя, Митя и Люба, жених и невеста)

3. *They thought only of themselves.*
   They thought of each other.
   Они́ ду́мали то́лько о себе́.
   Они́ ду́мали дру́г о дру́ге.
   Они́ интересова́лись то́лько собо́й.
   Они́ интересова́лись дру́г дру́гом.
   Они́ жи́ли то́лько для себя́.
   Они́ забо́тились то́лько о себе́.
   Они́ по́мнили то́лько о себе́.
   Они́ люби́ли то́лько себя́.
   Они́ ве́рили то́лько себе́.
   Они́ занима́лись то́лько собо́й.

4. *We won't see each other soon.*
   Мы́ не ско́ро уви́димся.
   Мы́ не ско́ро уви́дим дру́г дру́га.
   Они́ не ско́ро уви́дятся.
   Они́ не ско́ро уви́дят дру́г дру́га.
   (вы, девушки, приятели, мы, подруги, вы, они)

■ EXPANSION DRILLS

1. *They often talk on the phone.*
   They often talk on the phone with each other.
   Они́ ча́сто разгова́ривают по телефо́ну.
   Они́ ча́сто разгова́ривают по телефо́ну дру́г с дру́гом.
   Они́ ча́сто встреча́ются.
   Они́ ча́сто встреча́ются дру́г с дру́гом.
   (играют, поют, пьют, танцуют, ходят в гости)

2. *They won't take offense?*
   They won't take offense at each other?
   Они́ не бу́дут обижа́ться?
   Они́ не бу́дут обижа́ться дру́г на дру́га?
   Они́ не бу́дут игра́ть?
   Они́ не бу́дут игра́ть дру́г с дру́гом?
   (завидовать, танцевать, мешать, звонить, ждать, спорить)

DISCUSSION

The usual way of expressing the reciprocal concept *one another*, *each other* is by means of the combination **дру́г дру́га.** The first **дру́г** is never inflected; prepositions, when used, fall between the two parts.

Since more than one person is involved, the subject is always plural:

Мы́ лю́бим дру́г дру́га.	We love each other.
Мы́ забо́тимся дру́г о дру́ге.	We take care of each other.

With certain reflexive verbs, the action is understood to be reciprocal without using forms of **дру́г дру́га**:

Мы́ ча́сто встреча́лись.	We often used to meet.
Когда́ мы́ опя́ть уви́димся?	When will we see each other again?

With reflexive verbs which are not inherently reciprocal, however, forms of **дру́г дру́га** are necessary to distinguish between reciprocal and non-reciprocal action:

Compare	Они́ рассерди́лись дру́г на дру́га.	They got mad at each other.
with	Они́ рассерди́лись на на́с.	They got mad at us.

Besides **дру́г дру́га**, reciprocal activity can also be expressed by a combination of **оди́н** and the adjective **друго́й**, particularly if only two people are involved:

Они́ забо́тились оди́н о друго́м.	
Они́ забо́тились дру́г о дру́ге.	They took care of one another.
Мы́ всегда́ помога́ли оди́н друго́му.	
Мы́ всегда́ помога́ли дру́г дру́гу.	We always helped one another.
Де́вушки на́чали танцева́ть одна́ с друго́й.	
Де́вушки на́чали танцева́ть дру́г с дру́гом.	The girls began to dance with one another.

Perfective verbs formed by means of the prefix с–

The verbal prefix **с–** is used for three distinctly different meanings:

To indicate a collection, combination, or gathering together:

Ты́ уже́ собра́л свои́ ве́щи?	Have you already gathered your things together?
Мы́ собра́ли ма́ссу грибо́в.	We picked lots of mushrooms.
Соста́вьте всю́ ме́бель в э́тот у́гол.	Put all the furniture together in the corner.
Сле́й сюда́ сли́вки из все́х буты́лок.	Pour the cream from all the bottles in here.
Го́сти уже́ собрали́сь.	The guests have already assembled.
Мы́ созва́ли все́х друзе́й.	We called all our friends together.
Мы́ созовём собра́ние.	We'll call a meeting together.
Смеша́й ка́шу с ма́слом.	Mix the kasha (together) with butter.
О́н смеша́л вино́ и во́ду.	He's mixed wine and water together.
Все́ сбежа́лись на пло́щадь.	Everyone came running to the square.
Все́ сошли́сь на пло́щадь.	
Все́ съе́хались на пло́щадь.	Everyone assembled in the square.

To indicate motion off the surface, down, or away from:

Я́ собью́ я́блоко с де́рева па́лкой.	I'll use a stick and knock an apple off the tree.
Медве́дь сби́л его́ с но́г.	The bear knocked him off his feet.
Я́ сойду́ на сле́дующей остано́вке.	I'll get off at the next stop.
Ты́ уже́ слила́ с молока́ сли́вки?	Have you already poured off the cream from the milk?
Я́ ва́с свезу́ на ста́нцию.	I'll give you a lift down to the station.
Дава́й я́ снесу́ твоё письмо́ на по́чту.	Let me take your letter off to the post office.
Пти́ца слете́ла с де́рева.	The bird flew from the tree.

Сре́жь коне́ц па́лки.

Cut the end off the stick.

Снеси́те мо́й бага́ж вни́з.

Take my baggage downstairs.

To indicate a single round trip:

Я схожу́ в ла́вку за хле́бом.

I'll go to the store and get bread.

У́тром мы́ съе́здили на о́зеро.

We drove to the lake this morning.

Дава́йте съе́здим в го́род.

Let's drive downtown and back.

Я ми́гом туда́ слета́ю.

I'll fly there and be back in no time.

Сбе́гай в апте́ку за лека́рством.

Run to the pharmacy and get the medicine.

Вчера́ ма́ть свози́ла сы́на к врачу́.

Yesterday Mother took her son to see the doctor.

Свози́те и́х на вы́ставку.

Take them to the exhibition.

Своди́ её на э́ту карти́ну.

Take her to that movie.

■ STRUCTURE REPLACEMENT DRILLS

1. *Everyone ran off in different directions.*
   Everybody came running from different directions.
   Все́ разбежа́лись в ра́зные сто́роны.
   Все́ сбежа́лись с ра́зных сторо́н.
   Все́ разошли́сь в ра́зные сто́роны.
   Все́ сошли́сь с ра́зных сторо́н.
   (разъе́хались, разлете́лись, распо́лзлись, разошли́сь, разбежа́лись)

2. *I'm taking your books.*
   I'll put your books together.
   Я беру́ твои́ кни́ги.
   Я соберу́ твои́ кни́ги.
   Я зову́ все́х на ве́чер.
   Я созову́ все́х на ве́чер.
   Я ста́влю сюда́ всю́ посу́ду.
   Я везу́ туда́ всю́ ме́бель.
   Я несу́ туда́ все́ буты́лки.
   Я зову́ туда́ все́х друзе́й.
   Я беру́ все́ ве́щи.

3. *We'll put things in their places.*
   We'll put things in one place.
   Мы́ расста́вим ве́щи по места́м.
   Мы́ соста́вим ве́щи в одно́ ме́сто.
   Мы́ разольём вино́ по стака́нам.
   Мы́ сольём вино́ в оди́н стака́н.
   Мы́ развезём пода́рки по дома́м.
   Мы́ разведём дете́й по дома́м.
   Мы́ разольём шампа́нское по стака́нам.

4. *He was driving down the mountain.*
   He drove down the mountain.
   О́н е́хал с горы́.
   О́н съе́хал с горы́.
   О́н шёл с горы́.
   О́н сошёл с горы́.
   (лете́л, по́лз, нёс э́то, вёз э́то, вёл и́х, вёз и́х, бежа́л, шёл)

■ TRANSFORMATION DRILLS

1. *I got off at the (very) last stop.*
   I'll get off at the (very) last stop.
   Я сошёл на после́дней остано́вке.
   Я сойду́ на после́дней остано́вке.
   Мы́ сошли́ на после́дней остано́вке.
   Мы́ сойдём на после́дней остано́вке.
   (она́, ты, он, вы, они́, мы, я)

2. *We ran out and got cigarettes.*
   We'll run out and get cigarettes.
   Мы́ сбе́гали за папиро́сами.
   Мы́ сбе́гаем за папиро́сами.
   Ты́ сбе́гал за папиро́сами.
   Ты́ сбе́гаешь за папиро́сами.
   (мы, она́, они́, он, вы, мы)

■ RESPONSE DRILL

Pour the cream off the milk.
I'll do it right away.
Слей сливки с молока.
Сейчас солью.
Срежь несколько листьев.
Сейчас срежу.

Сбей несколько яблок.
Счисти грязь с этих яблок.
Смой грязь с этих яблок.
Срежь конец огурца.
Сбей несколько груш.

■ QUESTION-ANSWER DRILLS

1. *Where are you going?*
   We'll run and get some matches and be back in a jiffy.
   Куда вы идёте?
   Мы мигом слетаем за спичками.
   Куда ты идёшь?
   Я мигом слетаю за спичками.
   (он, они, Петя, ты, Таня, они)

2. *Where are you going?*
   I want to go to the market to get a watermelon.
   Куда ты идёшь?
   Хочу сходить на базар за арбузом.
   Куда ты едешь?
   Хочу съездить на базар за арбузом.
   (бежишь, идёшь, едешь, бежишь, идёшь)

DISCUSSION

The verbal prefix **с–** (also spelled **со–** or **съ–**) may alter the meaning of the verb to which it is prefixed so that the meaning of the new verb is not predictable. Compare **быть** *to be* with **сбыть** *to dispose of* or compare **знать** *to know* with **сознать** *to realize* and **сознаться** *to confess*.

The two most basic meanings of the prefix **с–** are also inherent in the preposition **с**, with its opposed meanings *off* and *from* versus *with*.

Here is a reference list of verbs with the prefix **с–** which are encountered and drilled in this section. Note that some verbs employ the prefix in more than one meaning.

1. Assembling, gathering, combining, contacting:

собраться	to gather, assemble, get together
собрать	to collect, gather, pick
составить	to place together, assemble (in a standing position)
слить	to pour together (into one container)
созвать	to call together, convene
смешать	to mix together; to confuse
смешаться	to become mixed, be blended, merge; to become embarrassed
созвониться	to get together over the phone, talk on the phone
сговориться	to come to an agreement, come to a mutual understanding
списаться	to arrange some business by mail
сработаться	to work together in harmony
свезти	to bring together (by vehicle)
свести	to take together; to conduct in a group
снести	to bring together; to pile up
сойтись	to come together, converge
съехаться	to come together, converge (by vehicle)
сбежаться	to come running together, converge (running)
сползтись	to come crawling together, converge (crawling)
слететься	to come flying together, converge (flying)

2. Motion off the surface, down, away from:

сойти́	to get off, go off; to step off, descend (on foot)
съе́хать	to drive down, drive off; to descend (by vehicle); to move out
слете́ть	to fly down, fly off, come down flying
снести́	to carry off, carry away, to take down
свезти́	to carry off, carry away; to take down (by vehicle)
свести́	to take down, lead down, conduct down
сбежа́ть	to run down, descend running
сползти́	to crawl down, descend crawling
смы́ть	to wash off
счи́стить	to brush off, clear away
сли́ть	to pour off, pour out
сре́зать	to cut off
сби́ть	to knock off, knock down

3. A single round trip:

Note that while most prefixed perfectives are based on the unidirectional imperfective, these are all formed from multidirectional imperfectives.

сходи́ть	to go, make a round trip
съе́здить	to go, make a round trip (by vehicle)
слета́ть	to fly, make a round trip (by air), make a quick trip
сбе́гать	to run, make a round trip (running)
своди́ть	to take, conduct, lead (to a place and back)
свози́ть	to take, drive (to a place and back)
сноси́ть	to take, carry (to a place and back)

Uses of the genitive case: part II—the genitive without prepositions

MODELS

Че́й э́то зо́нтик?
— Михаи́ла.
Чья́ э́то маши́на?
— Соловьёва.

Whose umbrella is this?
Mikhail's.
Whose car is this?
Solovyov's.

Здесь большо́е коли́чество плаще́й.
————————————— лошаде́й.

There's a large number of raincoats here.
————————————— horses ————.

Владивосто́к бо́льше Ташке́нта.
Я́лта ме́ньше Оде́ссы.
Москва́ южне́е Ленингра́да.
Ки́ев краси́вее Ха́рькова.

Vladivostok is larger than Tashkent.
Yalta is smaller than Odessa.
Moscow is farther south than Leningrad.
Kiev is more beautiful than Kharkov.

Она́ прие́хала двадца́того а́вгуста.
————————— тридца́того ————.
————————— три́дцать пе́рвого —.

She arrived on the twentieth of August.
————————— thirtieth —————.
————————— thirty-first —————.

Сего́дня мы́ не получи́ли пи́сем.
————————————— газе́ты.
————————— ничего́ не получи́ли.

We didn't get any letters today.
————————— any newspaper —.
————————— anything ————.

Сегóдня нéт собрáния.	There's no meeting today.
Вчерá нé было ———.	There wasn't any ——— yesterday.
Зáвтра не бýдет ———.	There won't be any —— tomorrow.

В кáссе не остáлось ни одногó билéта.	There wasn't a single ticket left at the box office.
В колхóзе не остáлось ни одногó мужчи́ны.	There wasn't a single man left in the kolkhoz.

У нáс не хватáет бензи́на.	We don't have enough gas.
————————— мáсла.	————————— butter (*or* oil).
————————— картóшки.	————————— potatoes.
————————— мя́са.	————————— meat.
————————— сáхара.	————————— sugar.

Нáм не достáточно одногó килогрáмма мя́са.	One kilogram of meat isn't sufficient for us.
—— не довóльно ———————————.	————————— isn't enough ———.
—— не хвáтит ———————————.	————————— won't suffice ———.

Хóчешь воды́?	Want some water?
——— пи́ва?	——— beer?
——— вóдки?	——— vodka?
——— шампáнского?	——— champagne?

Óн прóсит совéта.	He's asking for advice.
———— хлéба.	————— bread.
———— дéнег.	————— money.

Я́ жду́ трамвáя.	I'm waiting for a streetcar.
——— автóбуса.	————— a bus.
——— пóезда.	————— a train.

Желáю вáм счастли́вого пути́.	I wish you a pleasant trip.
———————— спокóйной нóчи.	———————— a restful night.
———————— всегó хорóшего.	———————— all the best.
———————— всегó дóброго.	———————— everything good.

Я́ боюсь собáк.	I'm afraid of dogs.
———————— волкóв.	———————— wolves.

Óн жени́лся три́дцати́ дву́х лéт.	He married at the age of thirty-two.
———————— тридцати́ трёх лéт.	———————— thirty-three.
———————— тридцати́ пяти́ лéт.	———————— thirty-five.

Какóго цвéта вáш ковёр?	What color is your rug?
— Крáсного.	Red.
— Си́него.	Dark blue.
— Зелёного.	Green.
— Сéрого.	Gray.

■ REPETITION DRILL

Repeat the above models illustrating the various usages of the genitive case without a preposition.

1. *I'm looking for a job.*
   What kind of job are you looking for?
   Я́ ищу́ слу́жбы.
   Како́й вы и́щете слу́жбы?
   Я́ ищу́ уро́ков.
   Каки́х вы и́щете уро́ков?
   (рабо́ты, слу́чая, знако́мств, отве́та,
   вы́хода, пра́вды, ме́ста, заня́тия)

2. *The first of May will be here soon.*
   On the first of May I go on vacation.
   Ско́ро придёт пе́рвое ма́я.
   Пе́рвого ма́я я ухожу́ в о́тпуск.
   Ско́ро придёт второ́е ма́я.
   Второ́го ма́я я ухожу́ в о́тпуск.
   (тре́тье, четвёртое, пя́тое, шесто́е,
   седьмо́е, восьмо́е, девя́тое, деся́тое)

3. *It's going to rain.*
   I'm not afraid of rain.
   Бу́дет до́ждь.
   Я́ не бою́сь дождя́.
   Бу́дет экза́мен.
   Я́ не бою́сь экза́мена.
   (затрудне́ния, соревнова́ния, чи́стка,
   экза́мены, сне́г, спе́шка, гро́м)

4. *Here's the champagne.*
   Try some of this champagne.
   Во́т шампа́нское.
   Попро́буйте э́того шампа́нского.
   Во́т кра́сное вино́.
   Попро́буйте э́того кра́сного вина́.
   (бе́лое вино́, чёрное пи́во, шокола́дное
   моро́женое, замеча́тельный арбу́з,
   сла́дкий виногра́д, вку́сные сли́вы)

1. *Does this road go through Moscow?*
   No, a bit to the north of Moscow.
   Э́та доро́га идёт че́рез Москву́?
   Не́т, немно́го се́вернее Москвы́.
   Э́та доро́га идёт че́рез ва́шу о́бласть?
   Не́т, немно́го се́вернее на́шей о́бласти.
   (Владивосто́к, э́ти го́ры, э́тот го́род,
   э́то село́, э́ту дере́вню, Го́рький, Я́лту)

2. *Are there any wolves in these woods?*
   No, there are no wolves here.
   В э́тих леса́х е́сть во́лки?
   Не́т, зде́сь волко́в не́т.
   В э́тих леса́х е́сть медве́ди?
   Не́т, зде́сь медве́дей не́т.
   (лиси́цы, за́йцы, зме́и, обезья́ны,
   ти́гры, льви́, слоны́)

3. *Was he twenty years old then?*
   Yes, he married at twenty.
   Ему́ тогда́ бы́ло два́дцать ле́т?
   Да́, он жени́лся двадцати́ ле́т.
   Ему́ тогда́ бы́л два́дцать оди́н го́д?
   Да́, он жени́лся двадцати́ одного́ го́да.
   (два́дцать два́ го́да, два́дцать три́ го́да,
   два́дцать четы́ре го́да, два́дцать пя́ть
   ле́т, три́дцать ле́т, со́рок ле́т)

4. *Are there watermelons at the market?*
   Loads of watermelons.
   На база́ре е́сть арбу́зы?
   Ма́сса арбу́зов.
   На база́ре е́сть грибы́?
   Ма́сса грибо́в.
   (ды́ни, я́блоки, гру́ши, сли́вы, огурцы́,
   виногра́д, фру́кты, карто́шка)

1. *They're identical in height.*
   They're of identical height.
   У ни́х одина́ковый ро́ст.
   Они́ одина́кового ро́ста.
   У ни́х высо́кий ро́ст.
   Они́ высо́кого ро́ста.
   (ни́зкий, большо́й, ма́ленький, оди́н,
   высо́кий, одина́ковый)

2. *The towers can be seen from here.*
   The towers can't be seen from here.
   Отсю́да ви́дно ба́шни.
   Отсю́да не ви́дно ба́шен.
   Отсю́да ви́дно Кре́мль.
   Отсю́да не ви́дно Кремля́.
   (дворе́ц, собо́р, музе́й, хра́м, МХА́Т,
   тролле́йбус, трамва́й)

■ RESPONSE DRILLS

1. *Our bus has left.*
   Yes, we'll have to wait for the next bus.
   Наш автобус ушёл.
   Да, придётся ждать следующего автобуса.
   Наш трамвай ушёл.
   Да, придётся ждать следующего трамвая.
   (поезд, грузовик, троллейбус, машина,
   автобус, трамвай)

2. *There's only one cup of tea here.*
   One cup is plenty.
   Тут всего одна чашка чаю.
   Довольно и одной чашки.
   Тут всего один стакан молока.
   Довольно и одного стакана.
   (килограмм сахару, ведро воды,
   бутылка молока, чашка кофе, стакан
   сока, четверть бутылки, кусок пирога)

3. *We already have five hundred rubles.*
   Will five hundred rubles be enough for you?
   У нас уже есть пятьсот рублей.
   Вам будет достаточно пятисот рублей?
   У нас уже есть шестьсот рублей.
   Вам будет достаточно шестисот рублей?
   (семьсот, восемьсот, девятьсот, триста,
   четыреста, двести, сто, девяносто)

DISCUSSION

The genitive case without a preposition has many functions, the most important of which are the following:

To indicate relationships of possession:

Где машина **Олега**?	Where's *Oleg's* car?
Это шляпа **моей соседки, Марии Ивановны**.	This is the hat of *my neighbor, Maria Ivanovna.*

Note that nouns in apposition are in the same case as the one that precedes them.

To indicate relationships of descriptive limitation:

Посмотри на карту **Китая**.	Look at the map of *China.*
У меня был урок **пения**.	I had a *singing* lesson.
Пойдём на Выставку **достижений народного хозяйства**.	Let's go to the Exhibition of the *Achievements of the National Economy.*

Note that in a series the genitive is ordinarily used for nouns (and their modifiers) immediately following the first noun, that is, where English uses *of* phrases.

After nouns and adverbs of quantity:

Они получили большое количество **шампанского** из Молдавии.	They received a large quantity of *champagne* from Moldavia.
Хотите чашку **чаю**?	Want a cup of *tea*?
Купите мне дюжину **апельсинов**.	Buy me a dozen *oranges.*
Там много **арбузов**.	There are lots of *watermelons* there.
В зоопарке есть несколько **львов**.	They have several *lions* in the zoo.

After numbers from *two* upward:

Вы уронили десять **копеек**.	You dropped ten *kopecks.*
Я проиграл два **рубля**.	I lost two *rubles* gambling.

To indicate absence:

В э́тих леса́х нет **волко́в**.   There aren't any *wolves* in these woods.

У ни́х нет **де́нег**.   They have no *money*.

В ка́ссе не оста́лось **биле́тов** на э́тот   There aren't any *tickets* to this concert left at
концéрт.   the box office.

With certain verbs and adverbs to indicate sufficiency or, more often, insufficiency:

Я́ не ду́маю, что **э́того** доста́точно.   I don't think *that* will be sufficient.

Дово́льно и **одно́й ча́шки**.   *One cup* is plenty.

У на́с не хвата́ет **мя́са**.   We don't have enough *meat*.

Сорока́ рубле́й в неде́лю ему́ ма́ло.   *Forty* rubles a week is too little for him.

After negated verbs:

Мы́ не получи́ли сего́дня **пи́сем**.   We didn't get any *letters* today.

Отсю́да я́ не ви́жу **о́зера**.   I don't see the *lake* from here.

Она́ не е́ст **яи́чницы**.   She doesn't eat *fried eggs*.

Почему́ вы́ не лю́бите **стихо́в**?   Why don't you like *poetry*?

After certain verbs, for example, **боя́ться, испуга́ться, проси́ть, жела́ть, иска́ть,** and **жда́ть**:

Я́ бою́сь **змей**.   I'm afraid of *snakes*.

Де́ти испуга́лись **обезья́н**.   The children were frightened of the *monkeys*.

О́н про́сит **де́нег**.   He's asking for *money*.

Жела́ю ва́м **счастли́вого пути́**.   I wish you a *pleasant trip*.

О́н давно́ уже́ и́щет **рабо́ты**.   He's been looking for *work* a long time.

Придётся жда́ть **сле́дующего трамва́я**.   We'll have to wait for the *next streetcar*.

Note: Although the genitive is obligatory with **боя́ться, испуга́ться,** and **жела́ть**, the accusative is often used with the verbs **проси́ть, иска́ть,** and **жда́ть**, especially if the direct object is very specific.

Compare   Я́ жду́ **авто́буса**.   I'm expecting a *bus*.

with   Я́ жду́ **сестру́**.   I'm waiting for my *sister*.

After certain verbs, to indicate a portion of a larger amount, that is, in the partitive sense:

Хоти́те **шокола́да**?   Want *some chocolate*?

Попро́буйте э́того **то́рта**.   Try *some* of this *cake*.

Наре́жь **хле́ба**.   Slice *some bread*.

To indicate the object of a comparison:

Москва́ краси́вее **Ха́рькова**.   Moscow is more beautiful than *Kharkov*.

О́н симпати́чнее **бра́та**.   He's nicer than his *brother*.

Ки́ев на́м понра́вился бо́льше **Оде́ссы**.   We liked Kiev better than *Odessa*.

To express the concept *on a certain date*:

Э́то бы́ло **четвёртого ию́ля**.   It was *on the fourth of July*.

Она́ прие́хала **пятна́дцатого ма́я**.   She arrived *on May fifteenth*.

To indicate the age at which something happened:

Я́ на́чал кури́ть **семна́дцати ле́т**.   I started smoking *at the age of seventeen*.

Она́ вы́шла за́муж **двадцати́ одного́**   She married *at the age of twenty-one*.
го́да.

In certain stereotyped definitions:

Óн челове́к **высо́кого ро́ста**.   He's a man *tall in stature.*
Она́ о́чень **кре́пкого здоро́вья**.   She's very *sturdy or* She's of very *sound health.*
У неё глаза́ **си́него цве́та**.   She has *dark-blue* eyes.

ПОВТОРÉНИЕ

— Посмотри́, Алёша, на э́того во́лка. Óн совсе́м, ка́к соба́ка. Éсли бы я́ встре́тила его́ вдру́г на у́лице, я́ бы никогда́ не поду́мала, что э́то ди́кий зве́рь.

— А зна́ешь, тако́й слу́чай действи́тельно бы́л в Ха́рькове, в нача́ле тридца́тых годо́в. Ка́к-то ра́нней весно́й в Ха́рьковском зоопа́рке во́лк в свое́й кле́тке ста́л зва́ть к себе́ свои́х това́рищей. Далеко́ за го́родом, в лесу́, его́ услы́шал друго́й во́лк и пошёл к нему́.

— Ка́к пошёл? Пря́мо по у́лицам?

— Да́, пря́мо через го́род. Зоопа́рк та́м в са́мом це́нтре го́рода. Во́лк бежа́л по у́лицам, — э́то бы́ло но́чью — и всё ду́мали, что э́то соба́ка.

— Действи́тельно, кто́ мо́г поду́мать, что э́то во́лк?

— Во́т и́менно. Пришёл э́тот во́лк в зоопа́рк, се́л про́тив кле́тки своего́ това́рища, и они́ на́чали «разгова́ривать». Но служа́щий па́рка и́х услы́шал. Óн попро́бовал пойма́ть го́стя, но во́лк вы́бежал из па́рка.

— Та́к его́ и не пойма́ли?

— В па́рке не пойма́ли, но пото́м на у́лице его́ уби́л милиционе́р. Уже́ совсе́м на краю́ го́рода.

— Бе́дный во́лк!

На вы́ставке карти́н бо́льше всего́ говори́ли о рабо́тах худо́жника Медве́дева. Посети́тели заде́рживались перед его́ карти́нами и горячо́ спо́рили о ни́х. Его́ но́вые иде́и интересова́ли все́х. Мно́гие да́же говори́ли, что о́н ге́ний. Пу́блика привы́кла ви́деть, что молоды́е худо́жники пи́шут карти́ны та́к же, ка́к худо́жники 19-го ве́ка — ничего́ но́вого. Те́мы у все́х обы́чно и́ли истори́ческие, и́ли фа́брики, заво́ды, колхо́зы. В рабо́тах же худо́жника Медве́дева бы́ло мно́го сло́жного, совсе́м незнако́мого. Говори́ли, что о́н про́шлое ле́то провёл в Евро́пе — в Ита́лии и на ю́ге Фра́нции. Очеви́дно, о́н привёз с собо́й за́падные иде́и.

В Аме́рике зда́ние, кото́рому 300 ле́т, счита́ется уже́ стари́нным. А во́т в Евро́пе, не по́мню то́чно, во Фра́нции или Герма́нии бы́л со мно́й тако́й слу́чай. Прие́хал я́ ка́к-то в ма́ленький, ста́рый го́род и сра́зу же отпра́вился его́ осма́тривать. До́лго ходи́л я́ по его́ те́сным у́лицам и то́лько ве́чером поду́мал, что ещё не нашёл себе́ гости́ницы. Я́ подошёл к како́му-то молодо́му челове́ку на углу́ и спроси́л, е́сть ли здесь где́-нибудь недалеко́ гости́ница. Óн отве́тил, что е́сть и сказа́л, ка́к туда́ пройти́: «Иди́те по э́той у́лице и через два́ кварта́ла уви́дите но́вую це́рковь. Гости́ница как ра́з про́тив неё». Я́ прошёл два́ кварта́ла, смотрю́: стои́т стари́нная це́рковь, мо́жет бы́ть 15-го ве́ка, а но́вой никако́й не ви́жу. Тогда́ я́ спроси́л де́вушку, кото́рая проходи́ла ми́мо, где́ ту́т но́вая це́рковь. «А во́т», — отве́тила она́ и показа́ла руко́й на э́ту стари́нную це́рковь. Оказа́лось, что в э́том го́роде е́сть ещё и друга́я це́рковь, кото́рая у ни́х счита́ется уже́ действи́тельно ста́рой: е́й бо́льше семисо́т ле́т.

PREPARATION FOR CONVERSATION | **В чём ты́ пойдёшь на вечери́нку?**

В чём ты́ пойдёшь на вечери́нку?
Зна́ешь, А́ня, вчера́ я встре́тила О́лю.

> устра́ивать (I)
> устра́ивать (*or* устро́ить) вечери́нку

Они́ с Ми́шей устра́ивают у себя́ вечери́нку в пя́тницу и на́с приглаша́ют.

> новосе́лье
> отнести́, отнесу́т (pfv I)

Во́т, кста́ти, и отнесём и́м на́ш пода́рок на новосе́лье.

А кто́ у ни́х бу́дет?

Бу́дут на́ши ребя́та из институ́та и како́й-то студе́нт америка́нец.

> напра́сно

Во́т америка́нца они́ напра́сно позва́ли!

> при (*plus* prep)

При иностра́нцах нельзя́ свобо́дно разгова́ривать.

> смотря́ како́й (*or* смотря́ ка́к)

Смотря́ како́й иностра́нец.

Э́тот америка́нец, говоря́т, сво́й па́рень.

О́н о́чень интересу́ется на́шей жи́знью.

Ну́, ла́дно.

> повесели́ться, –я́тся (pfv II)

Пойдём, повесели́мся.

What are you going to wear to the party?
You know, Anya, yesterday I met Olya.

> to arrange, set up; to establish, organize
> to have a party, throw a party

She and Misha are having a party at their place on Friday, and we're invited.

> housewarming, housewarming party
> to take, carry away; to bring, deliver

Just the right moment for us to bring our housewarming present.

And who's going to be there?

There'll be our crowd from the institute and some American student.

> pointless, useless; unjustly

What was the point in inviting an American!

> at, with, attached to; under, connected with; in the presence of

You can't talk freely in front of foreigners.

> depending on, it depends on

It depends on the foreigner.

This American, they say, is right at home with us.

He's very much interested in our life.

Well, all right.

> to have fun, have a good time

Let's go and have a good time.

◀ У витри́ны Всесою́зного До́ма моде́лей в Москве́.

Ты́ в чём пойдёшь?	What are you going to wear?
шёлковый	silk
Я́ пойду́ в голубо́м шёлковом пла́тье.	I'm going to wear my light-blue silk dress.
Э́то моё люби́мое пла́тье.	It's my favorite dress.
наря́дный	smart, stylish, fashionable, dressy
еди́нственный	only, sole, one
Э́то моё люби́мое пла́тье, да и, по пра́вде сказа́ть, еди́нственное наря́дное.	It's my favorite dress and, to tell the truth, my only stylish one.
Оно́ тебе́ о́чень к лицу́.	It really becomes you.
А я́ во́т совсе́м не зна́ю, что́ наде́ть.	And I have no idea what to wear.
шерстяно́й	wool, woolen
кори́чневый	brown, tan
А твоё кори́чневое шерстяно́е?	What about your brown wool?
годи́ться, –я́тся (II)	to be good enough, be suitable, do
Ну́ не́т, оно́ годи́тся в университе́т, но не на ве́чер.	No, it's good enough for going to the university, but not (for) a party.
сви́нство	dirty trick, swinishness
поро́к	vice; defect
бе́дность (f)	poverty
«Бе́дность не поро́к, но большо́е сви́нство».	"Poverty is no crime, but it's an awfully dirty trick."
Во́т действи́тельно пра́вда, что «Бе́дность не поро́к, но большо́е сви́нство».	It sure is true that "Poverty is no crime, but it's an awfully dirty trick."
грусти́ть, грущу́, грустя́т (II)	to be sad
Бро́сь, А́ня, не грусти́.	Come on, Anya, don't be sad.
ту́фли, ту́фель (sg ту́фля)	shoes (women's), slippers
каблу́к, –а́	heel
ту́фли на каблука́х	high-heeled shoes
У меня́ не́т ту́фель на каблука́х.	I don't have any high-heeled shoes.
пла́кать, пла́чут (I)	to cry
Во́т у меня́ не́т ту́фель на каблука́х, и я́ ведь не пла́чу.	I don't have any high-heeled shoes, and I'm not crying after all.
тря́пка	rag (pl clothes [women's])
Из-за тря́пок не сто́ит по́ртить себе́ жи́знь.	It's not worthwhile ruining your life because of clothes.
Да́, пра́вильно, Ми́ла. Из-за тря́пок не сто́ит по́ртить себе́ жи́знь.	Yes, it's true, Mila. It's not worthwhile ruining your life because of clothes.
Коне́чно же.	Of course.

SUPPLEMENT

запла́кать, запла́чут (pfv I)	to begin crying, burst into tears
Она́ вдру́г запла́кала.	She suddenly began to cry.
пригоди́ться (pfv II)	to be useful, be of use, come in handy
Возьми́ зо́нтик, мо́жет бы́ть пригоди́тся.	Take an umbrella; it may come in handy.

матéрия	material, cloth, fabric; matter, stuff
Вóт красúвая матéрия на плáтье.	Here's some nice dress material.
блýзка	blouse
Ктó э́та дéвушка в жёлтой блýзке?	Who's that girl in the yellow blouse?
чулкú, чулóк (sg чулóк)	stockings
У неё тóлько однá пáра шёлковых чулóк.	She has only one pair of silk stockings.
Надéнь лýчше шерстянýе чулкú.	Better wear your woolen stockings.
сúтцевый	calico, cotton print
Онá пошлá на вечерúнку в сúтцевом плáтье.	She wore a cotton-print dress to the party.
грýстный [grúsnij]	sad
Мнé почемý-то грýстно.	Somehow I feel sad.
богáтый	rich, wealthy; abundant
Нáша óбласть богáта лесáми.	Our region is rich in forests.
богáче	richer, wealthier; more abundant
Вы́ богáче меня́.	You're richer than I.
мóдный	fashionable, stylish
Какáя на тебé мóдная шля́па!	What a stylish hat you have on!
вчерáшний, –яя, –ее	yesterday's
Ты́ ужé вы́бросила вчерáшнюю газéту?	Did you already throw out yesterday's paper?
сегóдняшний, –яя, –ее	today's
Сегóдняшняя газéта ещё не пришлá.	Today's paper hasn't come yet.
зáвтрашний, –яя, –ее	tomorrow's
Óн готóвится к зáвтрашнему экзáмену.	He's preparing for tomorrow's exam.
весéнний, –яя, –ее	spring (adj)
Мы́ рáдуемся весéнней погóде.	We're glad to see spring weather.
лéтний, –яя, –ее	summer (adj)
Чтó вы бýдете дéлать во врéмя лéтних канúкул?	What will you be doing during the summer vacation?
осéнний, –яя, –ее	autumn, fall (adj)
Осéнние дождú ужé началúсь.	The autumn rains have already begun.

В чём ты́ пойдёшь на вечерúнку?

А. — А́ня (А́нна)   М. — Мúла (Людмúла)

М. 1 Знáешь, А́ня, вчерá я́ встрéтила О́лю. Онú с Мúшей устрáивают у себя́ вечерúнку в пя́тницу и нáс приглашáют.

А. 2 Вóт, кстáти, и отнесём úм нáш подáрок на новосéлье. А ктó у нúх бýдет?

М. 3 Бýдут нáши ребя́та из институ́та и какóй-то студéнт америкáнец.

А. 4 Вóт америкáнца онú напрáсно позвáли! При инострáнцах нельзя́ свобóдно разговáривать.

М. 5 Смотря́ какóй инострáнец. Э́тот америкáнец, говоря́т, свóй пáрень и óчень интересýется нáшей жúзнью.

А. 6 Нý, лáдно. Пойдём, повеселúмся. Ты́ в чём пойдёшь?

М. 7 В голубóм шёлковом. Э́то моё любúмое плáтье, да и, по прáвде сказáть, едúнственное наря́дное.

А. 8 Онó тебé óчень к лицý. А я́ вóт совсéм не знáю, чтó надéть.

M. 9 А твоё кори́чневое шерстяно́е?[1]

A. 10 Ну́ не́т, оно́ годи́тся в университе́т, но не на ве́чер. Во́т действи́тельно пра́вда, что «Бе́дность не поро́к, но большо́е сви́нство».[2]

M. 11 Бро́сь, А́ня, не грусти́. Во́т у меня́ не́т ту́фель на каблука́х, — и я́ ведь не пла́чу.[3]

A. 12 Да́, пра́вильно, Ми́ла. Из-за тря́пок не сто́ит по́ртить себе́ жи́знь.

M. 13 Коне́чно же.

NOTES

[1] The adjective **кори́чневый** comes from the noun **кори́ца** *cinnamon* and generally describes things of a dark, brownish-yellow color. It is far more limited in usage than the English adjective *brown*, and Russians do not use it to refer to brown eyes or brown hair; **ка́рие глаза́** are *brown eyes*, **кашта́новые во́лосы** is *brown hair* (literally *chestnut-colored hair*).

[2] «**Бе́дность не поро́к, но большо́е сви́нство**» is a take-off on the old Russian proverb, «**Бе́дность не поро́к**». The latter was the title of a well-known play by the nineteenth-century dramatist, Ostrovsky.

[3] **Ту́фли на каблука́х** *women's high-heeled shoes* in the Soviet Union are not what Americans would call high-heeled shoes. They are similar to shoes with low or medium heels.

PREPARATION FOR CONVERSATION **Что́ тако́е меща́нство?**

Фили́пп, ты́ пе́рвый ра́з в ру́сском до́ме?	Philip, is this your first time in a Russian home?
Не́т, я́ уже́ быва́л в ру́сских дома́х.	No, I've been to Russian homes before.
И, наве́рно, тебя́ всю́ду угоща́ли ча́ем.	And probably everywhere you were served tea.
обы́чай	custom, tradition
Э́то на́ш ру́сский обы́чай.	It's our Russian custom.
самова́р	samovar
Да́, но то́лько меня́ удивля́ет, что я́ нигде́ не ви́дел самова́ра.	Yes, but I'm surprised that I haven't seen a samovar anywhere.
возня́	fuss, bother
С самова́ром мно́го возни́.	It's a lot of bother with a samovar.
старомо́дный	old-fashioned, outmoded
И пото́м э́то немно́го старомо́дно.	And then, too, it's a bit old-fashioned.
си́дя (verbal adverb from **сиде́ть**)	sitting, while sitting
си́дя за самова́ром	sitting by the samovar
бесе́довать, бесе́дуют (I)	to converse, discuss, talk, chat
Ра́ньше люби́ли бесе́довать, си́дя за самова́ром.	Formerly they used to love to talk while sitting by the samovar.
зи́мними вечера́ми	on (*or* during) winter evenings
Да́, э́то ра́ньше люби́ли зи́мними вечера́ми бесе́довать, си́дя за самова́ром.	Yes, formerly on winter evenings they used to love to talk while sitting by the samovar.
«Три́ сестры́»	*The Three Sisters*
Во́т ка́к у Че́хова в «Трёх сёстрах».	That's how it was in Chekhov's *The Three Sisters*.

«У самова́ра я́ и моя́ Ма́ша, а на дворе́ совсе́м уже́ темно́...»

"My Masha and I by the samovar, while outside it's quite dark already . . ."

Это пе́сня из «Трёх сестёр».

It's a song from *The Three Sisters*.

внима́ние
attention

обраща́ть внима́ние на (*plus* acc)
to pay attention (to)

Не обраща́й на неё внима́ния, Фили́пп, она́ шу́тит.
Don't pay any attention to her, Philip; she's joking.

меща́нский
tasteless, common, narrow-minded, bourgeois

фокстро́т
dance tune, song (popular)

Это меща́нский фокстро́т.
That's a tasteless popular song.

популя́рный
popular

Это меща́нский фокстро́т, кото́рый бы́л популя́рен в тридца́тых года́х.
That's a tasteless song that was popular in the thirties.

меща́нство
Philistinism; petty bourgeoisie; Philistines

Пожа́луйста, объясни́те мне, что тако́е «меща́нство».
Please, explain to me what "meshchanstvo" means.

выраже́ние
expression

Я ча́сто слы́шу э́то выраже́ние, но не совсе́м его́ понима́ю.
I often hear this expression, but [I] don't quite understand it.

поня́тие
notion, concept, idea

Это сло́жное поня́тие.
It's a complicated concept.

типи́чный
typical

Это сло́жное поня́тие и типи́чное ру́сское.
It's a complicated concept and a typically Russian one.

Ну́ не́т!
I disagree. (*Lit.* Why no!)

не́мец, не́мца; –ы, –ев
German, German man

среди́ (*plus* gen)
among, amidst

меща́нин, –а; меща́не, меща́н
Philistine; member of the petty bourgeoisie

Меща́не е́сть среди́ не́мцев.
Philistines are found among the Germans.

францу́з
Frenchman

Меща́не е́сть и среди́ не́мцев, и среди́ францу́зов.
Philistines exist both among the Germans and among the French.

национа́льность (f)
nationality

любо́й
any, every

Меща́не е́сть среди́ люде́й любо́й национа́льности.
Philistines can be found among people of any nationality.

Меща́не е́сть и среди́ не́мцев, и среди́ францу́зов, и вообще́ люде́й любо́й национа́льности.
Philistines can be found among the Germans, French, and, in general, among the people of any nationality.

Я согла́сна с А́ней.
I agree with Anya.

те́ма
theme, topic, subject

Но вы́ отошли́ от те́мы.
But you departed from the subject.

отве́тить на вопро́с
to answer a question

Но вы́ отошли́ от те́мы и не отве́тили Фили́ппу на его́ вопро́с.
But you departed from the subject and didn't answer Philip's question.

На него́ не та́к легко́ отве́тить.

It's not so easy to answer.

Почита́й Зо́щенко.

Read Zoshchenko.

Зна́ешь, Фили́пп, чтобы поня́ть, кто таки́е меща́не, почита́й Зо́щенко.

You know, Philip, if you want to understand just who the Philistines are, read Zoshchenko.

    изобрази́ть, изображу́, изобразя́т (pfv II)

    to portray, show, depict

    мастерски́

    artistically, artfully, masterfully

Зо́щенко и́х мастерски́ изобрази́л.

Zoshchenko portrayed them masterfully.

    писа́тель (m)

    writer, author

Да́, э́тот писа́тель и́х мастерски́ изобрази́л.

Yes, this author portrayed them masterfully.

    расска́з

    story, short story, tale

Да́, э́тот писа́тель и́х мастерски́ изобрази́л в свои́х расска́зах.

Yes, this writer portrayed them masterfully in his short stories.

    прочесть, прочту́т (pfv I)[1] (past прочёл, прочла́)

    to read (through to the end), to finish reading

Хорошо́, я прочту́.

All right, I'll read him.

SUPPLEMENT

    побесе́довать, побесе́дуют (pfv I)

    to have a talk, have a chat

Мы́ с ни́м хорошо́ побесе́довали.

We had a nice talk together.

    объясня́ть (I)

    to explain

Объясня́й ме́дленно, ина́че о́н не поймёт.

Explain slowly; otherwise he won't understand.

    изобража́ть (I)

    to portray, show, depict

Зо́щенко мастерски́ изобража́ет меща́н в свои́х расска́зах.

Zoshchenko masterfully portrays the Philistines in his stories.

    ва́льс

    waltz

О́н о́чень лю́бит танцева́ть ва́льс.

She really loves to waltz (*or* dance the waltz).

    орке́стр

    orchestra, band

Орке́стр игра́ет ва́ш люби́мый ва́льс.

The orchestra is playing your favorite waltz.

    европе́ец, –е́йца

    European (noun), European man

Европе́йцы ма́ло зна́ют о жи́зни в Аме́рике.

Europeans know very little about life in America.

    европе́йский

    European (adj)

Европе́йские поезда́ не похо́жи на америка́нские.

The European trains are different from American ones.

    не́мка

    German woman

О́н америка́нец, а его́ жена́ не́мка.

He's an American, but his wife is a German.

    неме́цкий

    German (adj)

Вы́ зна́ете неме́цкий язы́к?

Do you know German?

    испа́нец, –нца

    Spaniard

На парохо́де е́хало не́сколько испа́нцев.

There were several Spaniards traveling on the ship.

    испа́нка

    Spanish woman

Кака́я-то испа́нка прекра́сно пе́ла.

Some Spanish woman sang beautifully.

    испа́нский

    Spanish (adj)

О́н на́ш учи́тель испа́нского (языка́).

He's our Spanish teacher.

---

[1] The verb **прочесть** has the same meaning as **прочита́ть**. It is conjugated like **предпоче́сть** *to prefer*.

италья́нец, –нца	Italian (noun), Italian man
Он италья́нец, а его́ жена́ испа́нка.	He's Italian, and his wife is Spanish.
италья́нка	Italian woman
Он не́мец, а его́ жена́ италья́нка.	He's German, and his wife is Italian.
италья́нский	Italian (adj)
Он у́чится италья́нскому языку́.	He's studying the Italian language.
францу́женка	French woman
Он италья́нец, а его́ жена́ францу́женка.	He's Italian, but his wife is French.
францу́зский [francúsķij]	French (adj)
Я предпочита́ю францу́зское шампа́нское.	I prefer French champagne.
Япо́ния	Japan
Мы́ два́ го́да жи́ли в Япо́нии.	We lived in Japan for two years.
япо́нец, –нца	Japanese (noun), Japanese man
На вечери́нке мы́ познако́мились с интере́сным япо́нцем.	At the party we met an interesting Japanese man.
япо́нка	Japanese woman
Он жени́лся на япо́нке.	He married a Japanese woman.
япо́нский	Japanese (adj)
Мы́ ма́ло зна́ем о япо́нских обы́чаях.	We know very little about Japanese customs.
кита́ец, кита́йца	Chinese (noun), Chinese man
Сейча́с в Москве́ сто́лько кита́йцев!	There are so many Chinese in Moscow now!
китая́нка	Chinese woman
Он япо́нец, а его́ жена́ китая́нка.	He's Japanese, but his wife is Chinese.
англича́нин, –а; англича́не, англича́н	English (noun), Englishman
Он не англича́нин, а америка́нец.	He's not English; he's an American.
англича́нка	Englishwoman
Он францу́з, а его́ жена́ англича́нка.	He's French, but his wife is English.

Что́ тако́е меща́нство?

О. — Óля   М. — Ми́ша   А. — А́ня   Ф. — Фили́пп

О. 1 Фили́пп, ты́ пе́рвый ра́з в ру́сском до́ме?

Ф. 2 Не́т, я́ уже́ быва́л в ру́сских дома́х.

О. 3 И, наве́рно, тебя́ всю́ду угоща́ли ча́ем. Это на́ш ру́сский обы́чай.[1]

Ф. 4 Да́, но то́лько меня́ удивля́ет, что я́ нигде́ не ви́дел самова́ра.[2]

М. 5 С самова́ром мно́го возни́. И пото́м э́то немно́го старомо́дно.

О. 6 Да́, э́то ра́ньше люби́ли зи́мними вечера́ми бесе́довать, си́дя за самова́ром. Во́т ка́к у Че́хова в «Трёх сёстрах».[3]

А. 7 «У самова́ра я́ и моя́ Ма́ша, а на дворе́ совсе́м уже́ темно́...». Это пе́сня из «Трёх сестёр».

М. 8 Не обраща́й на неё внима́ния, она́ шу́тит. Это меща́нский фокстро́т, кото́рый бы́л популя́рен в тридца́тых года́х.

Ф. 9 Пожа́луйста, объясни́те мне́, что тако́е «меща́нство». Я ча́сто слы́шу э́то выраже́ние, но не совсе́м его́ понима́ю.[4]

М. 10 Это сло́жное поня́тие и типи́чно ру́сское.

A. 11 Ну́ не́т. Меща́не е́сть и среди́ не́мцев, и среди́ францу́зов, и вообще́ люде́й любо́й национа́льности.

О. 12 Я согла́сна с А́ней. Но вы́ отошли́ от те́мы и не отве́тили Фили́ппу на его́ вопро́с.

М. 13 На него́ не та́к легко́ отве́тить. Зна́ешь, Фили́пп, чтобы поня́ть, кто таки́е меща́не, почита́й Зо́щенко.[5]

А. 14 Да́, э́тот писа́тель и́х мастерски́ изобрази́л в свои́х расска́зах.

Ф. 15 Хорошо́, я прочту́.

NOTES

[1] Tea drinking was introduced in Russia as early as the middle of the seventeenth century but did not become really popular until the beginning of the nineteenth. Chinese tea is considered the best of the imported teas but prohibitive because of its cost. Of the domestic teas, Georgian is considered the best. Tea is served at every meal, but especially with breakfast and supper. Traditionally, men drink their tea from glasses, with special metal holders which also keep the glass from breaking when the hot tea is poured in.

Russians usually take their tea with sugar and some even consider it *uncultivated* **некульту́рно** if a foreigner drinks it unsweetened. In some areas it is also considered uncultivated to drink tea during one's dinner. It is not uncommon for Russians to drink tea Scandinavian style, with a lump of sugar held between the teeth, or **вприку́ску** as it is called. Many Russians put milk, preserves, or wine in their tea, and in Siberia, butter is often added to tea.

A tourist ordering tea in a restaurant or snack bar is advised to specify if he wants **пусто́й ча́й** *unsweetened tea*, **просто́й ча́й** *tea with one teaspoon of sugar*, or **двойно́й ча́й** *with two*. Otherwise, he is apt to get overly sweetened tea.

[2] The samovar is a typically Russian device for boiling water for tea. It is usually made of copper and consists of a large rounded container shaped like an urn with a hollow pipe running down the center. A small charcoal fire is built inside the pipe to heat the water contained in the surrounding area. The tea is made in concentrated form in a separate small teapot, and guests are served a small amount of the tea concentrate to which hot water from the samovar is added. The small teapot is often placed on top the samovar to keep it warm. Samovars come in various sizes, often holding several gallons of water.

[3] Chekhov's famous play **Три́ сестры́** *The Three Sisters* portrays life in a provincial town in late nineteenth-century Russia, and specifically deals with the dreams of returning to Moscow of the three protagonists. They frequently entertain neighbors and officers from the nearby garrison, and a typical scene has them all sitting around the samovar, talking and philosophizing.

[4] The term **меща́нство** originally referred to the petty bourgeoisie or lower middle class. It is now taken to mean all that was considered typical of this class—narrow-mindedness and lack of taste or cultivation. The current official use of the adjective **меща́нский** is to describe someone who puts "selfish" individualism ahead of what is good for the state.

[5] One of the few truly popular writer-humorists of Soviet literature is the late Mikhail Zoshchenko. In his short stories he points up the discrepancies between bureaucratic ideals and the actual realities of the system in its application by the average citizen. He achieves much of his comic effect through a mixture of highbrow and lowbrow language as spoken by the characters in his stories.

Basic sentence patterns

1. Óн типи́чный америка́нец.
_____ европе́ец.
_____ францу́з.
_____ не́мец.
_____ англича́нин.

He's a typical American.
_____ European.
_____ Frenchman.
_____ German.
_____ Englishman.

2. На́ша сосе́дка — францу́женка.
_____ не́мка.
_____ италья́нка.
_____ испа́нка.
_____ япо́нка.
_____ китая́нка.
_____ англича́нка.

Our neighbor (f) is French.
_____ German.
_____ Italian.
_____ Spanish.
_____ Japanese.
_____ Chinese.
_____ English.

3. Мо́й това́рищ по ко́мнате — францу́з.
_____ не́мец.
_____ япо́нец.
_____ кита́ец.

My roommate is French.
_____ German.
_____ Japanese.
_____ Chinese.

4. Италья́нцы на́с не понима́ют.
Испа́нцы _____.
Англича́не _____.
Кита́йцы _____.

The Italians don't understand us.
The Spanish _____.
The English _____.
The Chinese _____.

5. Вы́ говори́те по-неме́цки?
_____ по-францу́зски?
_____ по-италья́нски?
_____ по-испа́нски?
_____ по-япо́нски?
_____ по-кита́йски?

Do you speak German?
_____ French?
_____ Italian?
_____ Spanish?
_____ Japanese?
_____ Chinese?

6. Óн преподаёт францу́зский.
_____ неме́цкий.
_____ англи́йский.

He teaches French.
_____ German.
_____ English.

7. Из Ита́лии мы́ привезли́ италья́нские ту́фли.
Из Испа́нии мы́ привезли́ испа́нское вино́.
Из Герма́нии мы́ привезли́ неме́цкое пи́во.
Из Фра́нции мы́ привезли́ францу́зское шампа́нское.

We brought Italian shoes from Italy.

We brought Spanish wine from Spain.

We brought German beer from Germany.

We brought French champagne from France.

8. Всё бу́дет объяснено́.
_____ испечено́.
_____ принесено́.
_____ изменено́.
_____ прочтено́.
_____ привезено́.

Everything will be explained.
_____ baked.
_____ brought.
_____ changed.
_____ read through.
_____ delivered.

9. Всё ужé офóрмлено.

_____ провéрено.

_____ заплáчено.

_____ полýчено.

_____ устрóено.

_____ заполнено.

_____ осмóтрено.

_____ почúщено.

Everything's already been made official.

_____ checked.

_____ paid.

_____ received.

_____ arranged.

_____ filled out.

_____ examined.

_____ cleaned.

10. Óн бы́л остановлен милиционéром.

_____ встрéчен _____.

_____ увезён _____.

_____ привезён _____.

_____ замéчен _____.

He was stopped by a policeman.

_____ met _____.

_____ taken away _____.

_____ brought _____.

_____ noticed _____.

11. Устрóить вечерúнку?

— Нéт, не нáдо устрáивать.

Перешúть тебé плáтье?

— Нéт, не нáдо перешивáть.

Переде́лать плáн?

— Нéт, не нáдо переде́лывать.

Распаковáть чемодáн?

— Нéт, не нáдо распакóвывать.

Shall I throw a party?

No, you don't need to.

Shall I resew the dress for you?

No, you don't need to.

Shall I redo the plan?

No, you don't need to.

Shall I unpack the suitcase?

No, you don't need to.

12. Не задéрживайся!

— останáвливайся!

— задýмывайся!

— зарабáтывайся!

Don't stay too long!

_____ stop!

_____ daydream!

_____ work too hard!

13. Умывáйся!

Закýривай!

Допивáй!

Wash up!

Light up a cigarette!

Finish your drink!

14. Э́то бы́ло при Петрé.

_____ Екатерúне.

_____ Николáе.

That was during Peter's reign.

_____ Catherine's reign.

_____ Nicholas' reign.

15. Вахтёр живёт при посóльстве.

_____ общежúтии.

The custodian lives right at the embassy.

_____ dormitory.

16. При нём онá бойтся откры́ть рóт.

При нúх _____.

При нáс _____.

She's afraid to open her mouth in his presence.

_____ in their presence.

_____ in our presence.

17. Приходú, побесéдуем о нáших делáх.

_____ о нáшей жúзни.

_____ о нáшем бýдущем.

Come and we'll talk about our affairs.

_____ our life.

_____ our future.

18. Кáк ты́ с нúм разговáриваешь?

— По-францýзски.

На какóм языкé ты́ с нúм разговáривал?

— На францýзском.

How do you talk to him?

In French.

In what language did you talk to him?

In French.

19. Óн говори́т на трёх европе́йских языка́х.   He speaks three European languages.
    _____ на четырёх _____.   _____ four _____.

20. Мы́ пое́дем на метро́.   We'll go by subway.
    _____ на трамва́е.   _____ by streetcar.
    _____ на тролле́йбусе.   _____ by trolley.
    _____ на по́езде.   _____ by train.
    _____ на авто́бусе.   _____ by bus.

21. Ты́ уже́ бы́л на у́лице?   Have you already been outside?
    _____ на дворе́?   _____ outdoors?

22. Э́тот сни́мок сде́лан на мосту́.   This snapshot was taken on the bridge.
    _____ на берегу́.   _____ at the shore.

23. О́черк называ́ется «На ста́нции».   The sketch is called "At the Station."
    _____ «На Кавка́зе».   _____ "In the Caucasus."
    _____·«На О́строве звере́й». _____ "On the Island of
                                                Animals."

24. Я́ ду́маю о вчера́шнем дне́.   I'm thinking about yesterday.
    _____ о сего́дняшнем ве́чере. _____ this evening.
    _____ о за́втрашнем дне́.   _____ tomorrow.
    _____ о за́втрашнем у́тре.   _____ tomorrow morning.

25. Я́ люблю́ весе́ннюю пого́ду.   I love spring weather.
    _____ осе́ннюю _____.   _____ fall _____.
    _____ зи́мнюю _____.   _____ winter _____.
    _____ ле́тнюю _____.   _____ summer _____.

Pronunciation practice: part III—initial consonants with no parallel in the English sound system

A. **гн** pronounced [gn] or [gn̡].

[gnóm] гно́м
gnome

[gnój] гно́й
pus

[gnáṭ] гна́ть
be chasing

[gnúṭ] гну́ть
to bend

[gṇilój] гнило́й
rotten

[gṇéf] гне́в
anger

[gṇizdó] гнездо́
nest

B. **дн** pronounced [dn] or [dn̡].

[dnó] дно́
bottom

[dná] дна́
of the bottom

[dṇépr] Дне́пр
Dnieper (river)

[dṇí] дни́
days

[dṇóm] днём
during the day

[dṇivnój] дневно́й
daily

[dṇivṇík] дневни́к
diary

[dṇófkə] днёвка
day's rest

C. **жг** pronounced [žg] or [žg].

[žgút] жгу́т	[žgúčij] жгу́чий	[žgí] жги!
they burn	burning	burn!
[žgú] жгу́	[žgúč] жгуч	[žgíṭi] жги́те!
I burn	plait	burn!

D. **кн** pronounced [kn] or [kṇ].

[knópkə] кно́пка	[kṇígə] кни́га	[kṇáṣ] кня́зь
push-button	book	prince
[knút] кну́т	[kṇíškə] кни́жка	[kṇížnij] кни́жный
whip	booklet	book (adj)

STRUCTURE AND DRILLS

Past passive participles: part II—short forms ending in -ен (or -ён)

MODELS

Бла́нк уже́ запо́лнен.	The form is already filled out.
Анке́та _____ запо́лнена.	The questionnaire _____.
Здесь бу́дет постро́ена но́вая по́чта.	A new post office will be built here.
_____ бу́дут постро́ены но́вые дома́.	New houses _____.
Наконе́ц о́черк око́нчен.	The essay is finished at last.
_____ рабо́та око́нчена.	The job _____.
Э́то кре́сло бы́ло оста́влено ва́шим сы́ном.	This chair was left by your son.
Э́ти ве́щи бы́ли оста́влены _____.	These things were left _____.
Э́тот вопро́с уже́ решён.	This question has already been decided (*or* settled).
Э́то де́ло _____ решено́.	This matter _____.
Его́ после́днее сочине́ние ещё не переведено́.	His last work hasn't been translated yet.
_____ после́дние стихи́ ещё не переведены́.	_____ verses haven't been translated yet.
Прои́грыватель испо́рчен.	The record player is broken.
Зажига́лка испо́рчена.	The cigarette lighter is broken.
В ко́мнате был зажжён свет.	There was a light turned on in the room.
_____ была́ зажжена́ ла́мпа.	_____ a lamp _____.

■ REPETITION DRILL

Repeat the given models illustrating the use of short-form past passive participles ending in **-ен**.

■ RESPONSE DRILLS

1. *It's necessary to bring some boards.*
   The boards will be delivered.
   Ну́жно привезти́ до́ски.
   До́ски бу́дут привезены́.
   Ну́жно привезти́ вино́.

   Вино́ бу́дет привезено́.
   (самова́р, мате́рию, шампа́нское, матра́сы, сту́лья, холоди́льник, скаме́йки)

2. *Translate these verses into French.*
   They've already been translated.
   Переведи́те э́ти стихи́ на францу́зский.
   Они́ уже́ переведены́.
   Переведи́те э́тот расска́з на францу́зский.

Он уже́ переведён.
(исто́рию, очерк, объявле́ние, кни́гу,
рома́н, сло́во, выраже́ние, вопро́с,
пье́су, отве́т)

■ STRUCTURE REPLACEMENT DRILLS

1. *My money has been stolen.*
   The money is stolen.
   У меня́ укра́ли де́ньги.
   Де́ньги укра́дены.
   У меня́ укра́ли кошелёк.
   Кошелёк укра́ден.
   (ве́щи, чемода́н, су́мку, чулки́, пальто́,
   кало́ши, кашне́, ту́фли)

2. *The work fascinated me.*
   I was fascinated by the work.
   Рабо́та меня́ увлекла́.
   Я́ бы́л увлечён рабо́той.
   Рабо́та её увлекла́.
   Она́ была́ увлечена́ рабо́той.
   (нас, его́, их, тебя́, её, вас, меня́)

3. *The Germans destroyed the bridge.*
   The bridge had been destroyed by the Germans.
   Не́мцы уничто́жили мо́ст.
   Мо́ст бы́л уничто́жен не́мцами.
   Не́мцы уничто́жили дере́вню.
   Дере́вня была́ уничто́жена не́мцами.
   (село́, ста́нцию, го́род, вокза́л,
   фа́брику, заво́д, аэродро́м, э́ти дома́)

4. *When did they build this palace?*
   When was this palace built?
   Когда́ постро́или э́тот дворе́ц?
   Когда́ постро́ен э́тот дворе́ц?
   Когда́ постро́или э́ту це́рковь?
   Когда́ постро́ена э́та це́рковь?
   (э́тот дворе́ц, э́ту ба́шню, э́тот собо́р,
   э́ти дома́, э́ту сте́ну, Кремль, метро́)

5. *Who detected the mistake?*
   By whom was the mistake detected?
   Кто́ заме́тил оши́бку?
   Ке́м заме́чена оши́бка?
   Кто́ заме́тил движе́ние?
   Ке́м заме́чено движе́ние?
   (э́тих люде́й, шпио́на, шум, э́ту связь,
   э́ту ра́зницу, э́то положе́ние)

6. *The painter portrayed a girl.*
   A girl is portrayed in the picture.
   Худо́жник изобрази́л де́вушку.
   На карти́не изображена́ де́вушка.
   Худо́жник изобрази́л Какваз.
   На карти́не изображён Кавка́з.
   (сад, о́зеро, го́ры, самова́р, за́йцев,
   медве́дя, у́тро, зи́му)

■ QUESTION-ANSWER DRILLS

1. *Have you put out the light?*
   Yes, the light's been put out.
   Вы́ потуши́ли све́т?
   Да́, све́т поту́шен.
   Вы́ потуши́ли папиро́су?
   Да́, папиро́са поту́шена.
   (ла́мпу, сигаре́ту, огонёк, папиро́сы,
   электри́чество, свет)

2. *Have you checked his documents?*
   Yes, the documents have been checked.
   Ты́ прове́рил его́ докуме́нты?
   Да́, докуме́нты прове́рены.
   Ты́ прове́рил его́ рабо́ту?
   Да́, рабо́та прове́рена.
   (заявле́ние, бума́ги, про́пуск,
   разреше́ние, биле́т, ви́зу,
   национа́льность, па́спорт)

DISCUSSION

Short-form past passive participles ending in **–ен** differ in their formation from those ending in **–т** or **–н**, which were discussed earlier; they are based not on the infinitive stem, but on the present-future stem. Most of them are from perfective verbs of the second conjugation. It is typical of such past passive participles to reflect the same change in the stem as occurs in the first person singular present-future:

PAST PASSIVE PARTICIPLE		PRESENT–FUTURE	INFINITIVE
офо́рмлен, –а, –о, –ы	registered	офо́рмлю, офо́рмят	офо́рмить
почи́щен, –а, –о, –ы	cleaned	почи́щу, почи́стят	почи́стить
запла́чен, –а, –о, –ы	paid	заплачу́, запла́тят	заплати́ть
нако́рмлен, –а, –о, –ы	fed	накормлю́, нако́рмят	накорми́ть
приглашён, –а́, –о́, –ы́	invited	приглашу́, приглася́т	пригласи́ть
отпу́щен, –а, –о, –ы	released	отпущу́, отпу́стят	отпусти́ть
пригото́влен, –а, –о, –ы	prepared	пригото́влю, пригото́вят	пригото́вить
предъя́влен, –а, –о, –ы	presented	предъявлю́, предъя́вят	предъяви́ть
изображён, –а́, –о́, –ы́	depicted	изображу́, изобразя́т	изобрази́ть

The so-called "closed-stem" verbs of the first conjugation also have their past passive participles ending in –ен. Those from verbs with infinitives ending in –чь undergo the same stem change that occurs in all but the first person singular and the third person plural of their present-future:

испечён, –а́, –о́, –ы́	baked	испеку́, испечёшь, испеку́т	испе́чь
зажжён, –а́, –о́, –ы́	lit	зажгу́, зажжёшь, зажгу́т	заже́чь
увлечён, –а́, –о́, –ы́	fascinated	увлеку́, увлечёшь, увлеку́т	увле́чь
прочтён, –а́, –о́, –ы́	read	прочту́, прочту́т	проче́сть
переведён, –а́, –о́, –ы́	translated; led, transferred	переведу́, переведу́т	перевести́
перевезён, –а́, –о́, –ы́	taken, hauled	перевезу́, перевезу́т	перевезти́
принесён, –а́, –о́, –ы́	brought	принесу́, принесу́т	принести́

The stress of the short-form past passive participle tends to follow that of the basic verb. If the verb stress is on the root or shifts back to the root in any of the forms, the past passive participle will also have its stress on the root:

PAST PASSIVE PARTICIPLE	PRESENT–FUTURE	PAST	INFINITIVE
заме́чен, –а, –о, –ы	заме́чу, заме́тишь, заме́тят	заме́тил	заме́тить
укра́ден, –а, –о, –ы	украду́, –ёшь, –у́т	укра́л	укра́сть
осмо́трен, –а, –о, –ы	осмотрю́, осмо́тришь, осмо́трят	осмотре́л	осмотре́ть
полу́чен, –а, –о, –ы	получу́, полу́чишь, полу́чат	получи́л	получи́ть

In most other verbs the masculine form ends in stressed –ён, with the stress shifting to the endings in all the other forms (–а́, –о́, –ы́):

привезён, привезена́, –о́, –ы́	привезу́, –ёшь, –у́т	привёз, привезла́	привезти́
решён, решена́, –о́, –ы́	решу́, –и́шь, –а́т	реши́л	реши́ть
изображён, –а́, –о́, –ы́	изображу́, изобрази́шь, –я́т	изобрази́л	изобрази́ть

Remember that past passive participles can be formed only from *transitive* verbs, that is, verbs which take a direct accusative object.

Nouns, adjectives, and adverbs referring to countries, their inhabitants, and languages

MODELS

Отку́да они́, из А́нглии?
— Да́, они́ англича́не.

Where are they from—England?
Yes, they're English.

Откуда они, из Италии? | Where are they from—Italy?
— Да, они итальянцы. | Yes, they're Italians.

Откуда они, из Испании? | Where are they from—Spain?
— Да, они испанцы. | Yes, they're Spaniards.

Откуда они, из Китая? | Where are they from—China?
— Да, они китайцы. | Yes, they're Chinese.

Откуда они, из Японии? | Where are they from—Japan?
— Да, они японцы. | Yes, they're Japanese.

Óн ру́сский, а его́ жена́ англича́нка.	He's Russian, but his wife is English.
Óн англича́нин, а его́ жена́ ру́сская.	He's English, but his wife is Russian.
Óн америка́нец, а его́ жена́ францу́женка.	He's American, but his wife is French.
Óн францу́з, а его́ жена́ америка́нка.	He's French, but his wife is American.
Óн не́мец, а его́ жена́ итальа́нка.	He's German, but his wife is Italian.
Óн италья́нец, а его́ жена́ не́мка.	He's Italian, but his wife is German.
Óн испа́нец, а его́ жена́ францу́женка.	He's Spanish, but his wife is French.
Óн францу́з, а его́ жена́ испа́нка.	He's French, but his wife is Spanish.
Óн кита́ец, а его́ жена́ япо́нка.	He's Chinese, but his wife is Japanese.
Óн япо́нец, а его́ жена́ китая́нка.	He's Japanese, but his wife is Chinese.

Она́ хорошо́ зна́ет францу́зский язы́к? | Does she know French well?
— Да, она́ свобо́дно говори́т по-францу́зски. | Yes, she speaks French fluently.

Она́ хорошо́ зна́ет неме́цкий язы́к? | Does she know German well?
— Да, она́ свобо́дно говори́т по-неме́цки. | Yes, she speaks German fluently.
Она́ хорошо́ зна́ет италья́нский язы́к? | Does she know Italian well?
— Да, она́ свобо́дно говори́т по-италья́нски. | Yes, she speaks Italian fluently.

■ REPETITION DRILL

Repeat the given models illustrating names of countries, male and female inhabitants, and related adjectives and adverbs. Note that ру́сский (f ру́сская) is the only inhabitant name that is adjectival in form, and that only the names of countries are capitalized in Russian.

■ QUESTION-ANSWER DRILLS

1. *Is he French?*
   Yes, and his wife is also French.
   Óн францу́з?
   Да, и его́ жена́ то́же францу́женка.
   Óн англича́нин?
   Да, и его́ жена́ то́же англича́нка.
   (китаец, итальянец, испанец, японец, американец, немец)

2. *Is she French?*
   Yes, and her husband is also French.
   Она́ францу́женка?
   Да, и её му́ж то́же францу́з.
   Она́ китая́нка?
   Да, и её му́ж то́же кита́ец.
   (испанка, немка, японка, англичанка, американка, итальянка)

3. *He's American, but what about his wife?*
   They're both Americans.
   Óн америка́нец, а его́ жена́?
   Они́ о́ба америка́нцы.
   Óн испа́нец, а его́ жена́?
   Они́ о́ба испа́нцы.
   (немец, англичанин, француз, японец, итальянец, китаец)

4. *Do people read Tolstoy in France?*
   Yes, but in French translation, of course.
   У ва́с во Фра́нции чита́ют Толсто́го?
   Да, но во францу́зском перево́де, коне́чно.
   У ва́с в Япо́нии чита́ют Толсто́го?
   Да, но в япо́нском перево́де, коне́чно.
   (в Германии, в Италии, во Франции, в Испании, в Англии)

1. *I'm studying Japanese.*
   I'll soon go to Japan.
   Я учу́ япо́нский язы́к.
   Я ско́ро пое́ду в Япо́нию.
   Я учу́ францу́зский язы́к.
   Я ско́ро пое́ду во Фра́нцию.
   (немецкий, итальянский, китайский,
   испанский, японский, французский)

2. *These workers are Germans.*
   They understand only German.
   Э́ти рабо́чие — не́мцы.
   Они́ понима́ют то́лько по-неме́цки.
   Э́ти рабо́чие — италья́нцы.
   Они́ понима́ют то́лько по-италья́нски.
   (японцы, русские, французы, англичане,
   испанцы, украинцы, грузины)

■ STRUCTURE REPLACEMENT DRILLS

1. *This book is written in Russian.*
   This book is written in the Russian language.
   Э́та кни́га напи́сана по-ру́сски.
   Э́та кни́га напи́сана на ру́сском языке́.
   Э́та кни́га напи́сана по-кита́йски.
   Э́та кни́га напи́сана на кита́йском языке́.
   (по-японски, по-немецки,
   по-итальянски, по-французски,
   по-испански, по-английски)

2. *This writer is a Frenchman.*
   We're translating him from French into
   Russian.
   Э́тот писа́тель францу́з.
   Мы́ его́ перево́дим с францу́зского на
   ру́сский.
   Э́тот писа́тель америка́нец.
   Мы́ его́ перево́дим с англи́йского на
   ру́сский.
   (немец, японец, грузин, итальянец,
   англичанин, китаец, испанец)

3. *He lived in France for many years.*
   He speaks beautiful French.
   О́н мно́го ле́т жи́л во Фра́нции.
   О́н прекра́сно говори́т по-францу́зски.
   О́н мно́го ле́т жи́л в Росси́и.
   О́н прекра́сно говори́т по-ру́сски.
   (в Англии, в Японии, в Испании,
   в Италии, во Франции, в Молдавии,
   в Китае)

4. *This car is made in Europe.*
   This is a European car.
   Э́тот автомоби́ль сде́лан в Евро́пе.
   Э́то европе́йский автомоби́ль.
   Э́тот автомоби́ль сде́лан в Япо́нии.
   Э́то япо́нский автомоби́ль.
   (в Америке, во Франции, в Италии,
   в Китае, в Испании, в Советском
   Союзе)

DISCUSSION

Ру́сский is the only name for the inhabitant of a country which is adjectival in form. Most names of inhabitants take the suffix –ец for the male and –ка for the female. A few differ from the usual pattern: китая́нка has a longer suffix (compare кита́ец); and францу́з and францу́женка follow still another pattern. Англича́нин (plural англича́не, feminine англича́нка) follows the same pattern as мещани́н and граждани́н (plural меща́не, гра́ждане; feminine меща́нка, гражда́нка).

Note that although both the adjective францу́зский and the adverb по-францу́зски are spelled with the combination зс, only a single [s] is pronounced: [francúsķij, pəfrancúsķi]. Compare the adjective неме́цкий and its adverb по-неме́цки, which are written without the с. These forms are unique in that they retain the suffix –ец, ordinarily dropped in the adjective and adverb.

Although English often uses nouns and adjectives interchangeably for reference to national residents, Russian uses only the noun:

У него́ жена́ францу́женка.	He has a French wife.
О́н испа́нец.	He's Spanish *or* He's a Spaniard.

Furthermore, Russian is stricter than English in its use of adjectives which refer to nationalities. For example, ру́сский учи́тель means a teacher who *is* Russian, not one who teaches Russian. The latter would be expressed by the phrase учи́тель ру́сского языка́.

Secondary imperfectives

Secondary imperfectives are verbs formed from prefixed perfectives largely by means of the stem suffixes –ва–, –ыва–, and –ива–. They are called secondary imperfectives because they are formed on the basis of perfective verbs which, in their turn, have been formed by the addition of a prefix to a simple, primary imperfective verb.

MODELS

Мо́жно прикури́ть?	May I light a cigarette from yours?
— Пожа́луйста, прику́ривайте.	Please do.
Мо́жно э́то осмотре́ть?	May I examine this?
— Пожа́луйста, осма́тривайте.	Please do.
Мо́жно, я э́то пересмотрю́?	May I look this over?
— Пожа́луйста, пересма́тривайте.	Please do.
Мо́жно, я э́то переде́лаю?	May I do this over?
— Пожа́луйста, переде́лывайте.	Please do.
Мо́жно, я э́то ещё ра́з прослу́шаю?	May I listen to this once more?
— Пожа́луйста, прослу́шивайте.	Please do.
О́н опя́ть проигра́л в ка́рты?	Has he lost at cards again?
— Да́, о́н тепе́рь ча́сто проигрывает.	Yes, he often loses nowadays.
Ты́ уже́ допила́ молоко́?	Have you already finished [up] your milk?
— Как ра́з допива́ю.	I'm just finishing it now.
Ты́ уже́ приши́ла пу́говицу?	Have you already sewed on the button?
— Как ра́з пришива́ю.	I'm just sewing it on now.
Ты́ уже́ переписа́ла её а́дрес?	Have you already copied her address?
— Как ра́з перепи́сываю.	I'm just copying it now.
Мо́жет бы́ть, устро́ить вечери́нку?	Maybe I should throw a party?
— Не́т, не на́до устра́ивать.	No, don't.
Мо́жет бы́ть, откры́ть фо́рточку?	Maybe I should open the window vent?
— Не́т, не на́до открыва́ть.	No, don't.
Мо́жет бы́ть, закры́ть фо́рточку?	Maybe I should close the window vent?
— Не́т, не на́до закрыва́ть.	No, don't.
Мо́жет бы́ть, переде́лать пла́н?	Maybe I should redo the plan.
— Не́т, не на́до переде́лывать.	No, don't.
Распаку́й чемода́н!	Unpack the suitcase!
Не распако́вывай чемода́на!	Don't unpack the suitcase!
Перепиши́ э́то!	Write that over!
Не перепи́сывай э́того!	Don't write that over!
Сле́й сли́вки с молока́!	Pour the cream off the milk!
Не слива́й сли́вок с молока́!	Don't pour the cream off the milk!
Сбе́й я́блоко с де́рева!	Knock an apple [down] off the tree!
Не сбива́й я́блок с де́рева!	Don't knock apples [down] off the tree!
Спроси́ его́!	Ask him!
Не спра́шивай его́!	Don't ask him!
Останови́сь!	Stop!
Не остана́вливайся!	Don't stop!

Repeat the given models illustrating the formation of secondary imperfectives from prefixed perfective verbs. All such derived imperfectives are "j-stem" verbs of the first conjugation.

■ RESPONSE DRILLS

1. *Don't stop!*
   We aren't (stopping).
   Не останáвливайтесь!
   Мы́ не останáвливаемся.
   Не размáхивайте рукáми!
   Мы́ не размáхиваем.
   (не перепи́сывайтесь, не задéр-
   живайтесь, не распакóвывайте, не задý-
   мывайтесь, не перепакóвывайте,
   не останáвливайтесь, не размáхивайте
   пáлками)

2. *This ought to be rebuilt.*
   We have no time to rebuild it.
   Э́то нýжно бы перестрóить.
   Нáм нéкогда э́то перестрáивать.
   Э́то нýжно бы переши́ть.
   Нáм нéкогда э́то перешивáть.
   (запаковáть, приготóвить, передéлать,
   осмотрéть, проработáть)

3. *This has to be rewritten.*
   I don't want to rewrite it.
   Э́то нýжно переписáть.
   Я́ не хочý э́того перепи́сывать.
   Э́то нýжно пересмотрéть.
   Я́ не хочý э́того пересмáтривать.
   (вы́писать, перепаковáть, замы́ть,
   перевари́ть, передéлать, проработáть)

4. *Ask him.*
   Why should I be the one to ask?
   Спроси́ у негó.
   Почемý я́ дóлжен спрáшивать?
   Приготóвь емý зáвтрак.
   Почемý я́ дóлжен приготáвливать?
   (Задержи́ егó. Останови́ егó. Устрóй
   егó на тёплое местéчко.)

■ STRUCTURE REPLACEMENT DRILLS

1. *He spent everything on drink.*
   He always spends everything on drink.
   Óн всё прóпил.
   Óн всегдá всё пропивáет.
   Óн всё проигрáл.
   Óн всегдá всё прои́грывает.
   (разли́л, разби́л, передéлал, устрóил,
   переши́л, перепаковáл, осмотрéл)

2. *How many magazines did you subscribe to?*
   How many magazines do you usually subscribe to?
   Скóлько журнáлов вы́ вы́писали?
   **Скóлько журнáлов вы́ обы́чно
   вы́писываете?**
   Скóлько папирóс вы́ вы́курили?
   Скóлько папирóс вы́ обы́чно выкýриваете?
   Скóлько лéкций вы́ прослýшали?
   Скóлько пласти́нок вы́ проигрáли?
   Скóлько посы́лок вы́ запаковáли?
   Скóлько заявлéний вы́ рассмотрéли?
   Скóлько рецéптов вы́ вы́писали?
   Скóлько сигарéт вы́ вы́курили?

■ QUESTION-ANSWER DRILLS

1. *May I light up (and smoke)?*
   Go ahead.
   Мóжно закури́ть?
   Закýривайте.
   Мóжно э́то переписáть?
   Перепи́сывайте.
   (это перели́ть, это сби́ть,
   это передéлать, это пересмотрéть)

2. *Has he been detained again?*
   Yes, he's often detained nowadays.
   Óн опя́ть задержáлся?
   Дá, óн тепéрь чáсто задéрживается.
   Óн опя́ть проигрáл?
   Дá, óн тепéрь чáсто прои́грывает.
   (недорабóтал, проигрáл, задýмался,
   останови́лся, закури́л)

Secondary imperfectives are those imperfective verbs formed from perfective verbs, most of which in turn have been formed by the addition of a prefix to a simple imperfective verb. The secondary imperfective is formed by means of expanding the stem through the addition of an imperfectivizing stem suffix, usually **–ыва–** (or **–ива–**), less often, **–ва–**. All such secondary imperfectives are verbs of the first conjugation of the "j-stem" type, that is, they are conjugated like **рабо́тать**, **ду́мать**, and **чита́ть**. Note from the following chart that whereas the prefixed perfective is conjugated like the basic simple imperfective, its meaning is the same as that of the secondary imperfective:

BASIC SIMPLE IMPERFECTIVE	PREFIXED PERFECTIVE	SECONDARY IMPERFECTIVE
писа́ть *to write* пишу́, пи́шут	**прописа́ть** *to prescribe* пропишу́, пропи́шут	**пропи́сывать** пропи́сываю, –ют
пакова́ть *to pack* паку́ю, –ют	**распакова́ть** *to unpack* распаку́ю, –ют	**распако́вывать** распако́вываю, –ют
пи́ть *to drink* пью, пьёт	**допи́ть** *to finish drinking* допью, допьют	**допива́ть** допива́ю, –ют
ши́ть *to sew* шью, шьют	**приши́ть** *to sew on* пришью, пришьют	**пришива́ть** пришива́ю, –ют

There are two modifications which may take place in the stem of the secondary imperfective:

1. Stressed **á** frequently replaces **o** of the basic stem:

Compare   **перерабо́тать** (perfective)
with   **перераба́тывать** (imperfective)

Compare   **устро́ить** (perfective)
with   **устра́ивать** (imperfective)

2. The same consonant changes that take place in the first person singular of second conjugation verbs are found in *all* forms of the secondary imperfective:

Compare   **просиде́ть, просижу́, просидя́т** (perfective)
with   **проси́живать, проси́живаю, проси́живают** (imperfective)

Compare   **останови́ться, остановлю́сь, остано́вятся** (perfective)
with   **остана́вливаться, остана́вливаюсь, остана́вливаются** (imperfective)

Uses of the prepositional case: prepositions в, на, о, and при

The prepositional case is used only with prepositions, four of which are in common use. The prepositions **в**, **на**, and **о** have been treated extensively in earlier lessons. The preposition **при** may be translated variously (*in the presence of*; *at, on*; *under*; *in front of*; *during the time of*), but its basic meaning involves attachment, immediate proximity, or close association either in space or in time.

MODELS

При иностра́нцах нельзя́ свобо́дно говори́ть.   You can't talk freely in front of strangers.

Ты́ не забы́л докуме́нты?	You didn't forget your documents, did you?
— Не́т, они́ всегда́ при мне́.	No, I always have them on me.
Ты́ до́лжен всегда́ име́ть при себе́ де́ньги.	You should always have some cash on you.
У меня́ при себе́ не́т его́ а́дреса.	I don't have his address on me.
Э́то бы́ло при Петре́ Пе́рвом.	It was during the reign of Peter the First (or under Peter the First).
Э́то бы́ло при Екатери́не.	It was during Catherine's time (or reign).
Э́то случи́лось ещё при жи́зни Ле́нина.	It happened while Lenin was still alive.
Вахтёр живёт при клу́бе.	The custodian lives right at the club.
При тако́м здоро́вье ва́м нельзя́ кури́ть.	You can't smoke with your health the way it is.
Не говори́ таки́х глу́постей при де́тях.	Don't say such silly things when the children are around.
Э́то на́до сде́лать при дире́кторе.	This must be done in the director's presence.

■ QUESTION-ANSWER DRILLS

1. *You didn't forget your documents, did you?*
No, I always have them on me.
Ты́ не забы́л докуме́нты?
Не́т, они́ всегда́ при мне́.
Вы́ не забы́ли докуме́нты?
Не́т, они́ всегда́ при на́с.
(она, ты, он, вы, они, она, ты)

2. *Will you wear your brown dress?*
No, I don't want to wear it.
Ты́ пойдёшь в кори́чневом пла́тье?
Не́т, я́ не хочу́ в нём идти́.
Ты́ пойдёшь в кори́чневой шля́пе?
Не́т, я́ не хочу́ в не́й идти́.
(в коричневых ботинках, в коричневом плаще, в коричневых туфлях, в коричневом пальто, в коричневых перчатках, в коричневой блузке, в коричневой юбке)

■ RESPONSE DRILLS

1. *Someone asked just what happiness was.*
Everybody began arguing about happiness.
Кто́-то спроси́л, что́ тако́е сча́стье.
Все́ заспо́рили о сча́стье.
Кто́-то спроси́л, что́ тако́е пра́вда.
Все́ заспо́рили о пра́вде.
(мещанство, слава, душа, ум, война, характер, наука, вероятность)

2. *Let's go to the park for a walk.*
It's wet in the park.
Пойдём в па́рк погуля́ть.
В па́рке мо́кро.
Пойдём в ле́с погуля́ть.
В лесу́ мо́кро.
(в сад, на двор, в сквер, на берег, в лес, в парк)

■ STRUCTURE REPLACEMENT DRILLS

1. *She can't sing when he's listening.*
She can't sing when he's around.
Она́ не мо́жет пе́ть, когда́ о́н слу́шает.
Она́ не мо́жет пе́ть при нём.

Она́ не мо́жет пе́ть, когда́ ты́ слу́шаешь.
Она́ не мо́жет пе́ть при тебе́.
(вы, они, ты, он, все, Миша, Аня)

2. *That was the time of Catherine.*
   It was in Catherine's time.
   Это бы́ло вре́мя Екатери́ны.
   Это бы́ло при Екатери́не.

Это бы́ло вре́мя Петра́.
Это бы́ло при Петре́.
(Ста́лина, Ле́нина, Никола́я Пе́рвого, Ива́на Четвёртого, Михаи́ла, Алексе́я, Алекса́ндра Второ́го, Па́вла)

ПОВТОРЕ́НИЕ

— Смотри́, Ва́ля, во́н та́м знамени́тый па́мятник Пу́шкину.

— Подойдём побли́же. Я ма́ссу ра́з ви́дела э́тот па́мятник на фотогра́фиях и о́чень люблю́ его́.

— Я то́же, и, зна́ешь, когда́ смотрю́ на него́, то́ всегда́ ду́маю о францу́зском выраже́нии: «Для его́ сла́вы ничего́ не ну́жно, но для на́шей сла́вы ну́жен о́н». По́мнишь?

— Должна́ призна́ться, Алёша, что я не по́мню, о ко́м э́то ска́зано.

— Ка́к тебе́ не сты́дно, Ва́ля! Э́то ска́зано о вели́ком францу́зском писа́теле, а́вторе мно́гих остроу́мных пьес и сати́р.

— А́х, о Молье́ре!

— Ну коне́чно же! Францу́зы уме́ют сказа́ть ко́ротко, си́льно и краси́во.

— Да́. И ты́ пра́в, Алёша: э́ти слова́ о́чень подхо́дят к на́шему ге́нию.

— Что́ вы́ чита́ете, Никола́й Па́влович?

— «Трёх сестёр». Люблю́ э́ту пье́су. Ско́лько ра́з чита́л и опя́ть могу́ чита́ть.

— Я зна́ю, что Че́хов ва́ш люби́мый писа́тель. Его́, действи́тельно, мо́жно чита́ть без конца́. Но пье́сы всё-таки лу́чше смотре́ть, че́м чита́ть.

— Возмо́жно, но у Че́хова и в пье́сах и в расска́зах лю́ди таки́е живы́е, что забыва́ешь, что э́то литерату́ра, а не настоя́щая жи́знь.

— Да́, Че́хов большо́й худо́жник, и по-мо́ему, типи́чно ру́сский.

— Я ду́маю, что вы́ не пра́вы. Сочине́ния Че́хова име́ют не ме́ньший, е́сли не бо́льший успе́х заграни́цей. Он бли́зок и поня́тен лю́дям любо́й национа́льности.

— Да́, действи́тельно, он популя́рен и во Фра́нции, и в Герма́нии, и в А́нглии.

— И в Аме́рике то́же. Везде́.

Во́т, послу́шайте оди́н расска́з Зо́щенко.

Бы́ло весе́ннее у́тро и по у́лице шла́ молода́я краси́вая же́нщина, наря́дно оде́тая, в мо́дном шёлковом пла́тье и в ту́флях на высо́ких каблука́х. На неё все́ смотре́ли, мужчи́ны заде́рживались и провожа́ли её глаза́ми. Во́т э́та же́нщина дошла́ до угла́, и ту́т ей на́до бы́ло перейти́ у́лицу. Бы́ло большо́е движе́ние, по у́лице е́хали оди́н за други́м авто́бусы и трамва́и. Же́нщина останови́лась, посмотре́ла напра́во, нале́во и ста́ла бы́стро переходи́ть у́лицу. Она́ о́чень спеши́ла, почти́ бежа́ла, но когда́ пробежа́ла полови́ну у́лицы, она́ вдру́г останови́лась. Оказа́лось, что каблу́к её ту́фли бы́л ме́жду дву́х камне́й, и она́ не могла́ идти́ да́льше, а ту́т уже́ подходи́л трамва́й. Круго́м стоя́ли лю́ди, удивля́лись и не понима́ли, что с ней случи́лось. Наконе́ц подошёл милиционе́р. — «Не заде́рживайтесь», — сказа́л о́н, — «смотри́те, из-за ва́с останови́лся трамва́й. Бро́сьте ва́шу ту́флю! Сними́те её!» Тогда́ же́нщина запла́кала и сняла́ ту́флю. И ту́т все́ по́няли, в чём бы́ло де́ло: у неё на чулке́ была́ больша́я ды́рка и, кро́ме того́, нога́ оказа́лась совсе́м гря́зной! Лю́ди вокру́г засмея́лись, и её наря́дное шёлковое пла́тье уже́ никому́ не нра́вилось и вы́глядело смешны́м.

PREPARATION FOR CONVERSATION

Во́лков бы́л в Сре́дней А́зии

сре́дний, –яя, –ее	middle, central, average
Во́лков бы́л в Сре́дней А́зии.	Volkov was in Central Asia.
Алексе́й, приве́т!	Hi, Alexis!
Ка́к живёшь?	How are you?
А́, Григо́рий!	Oh, Grigory!
пропада́ть, –а́ют (I)	to disappear, be missing, be lost
Где́ ты́ пропада́л?	Where have you been keeping yourself?
Я́ — ничего́, а где́ ты́ пропада́л?	I'm all right, but where have you been keeping yourself?
Я́ е́здил в Сре́днюю А́зию, в командиро́вку.	I've been to Central Asia, on official business.
поко́й	peace, rest
Ва́м никогда́ не́т поко́я.	There's never any rest for you.
рабо́тник	worker
отве́тственный	responsible
отве́тственный рабо́тник	executive
Ва́м, отве́тственным рабо́тникам, никогда́ не́т поко́я.	There's never any rest for you executives.
целина́	frontier, virgin land
На целину́ посыла́ли?	Did they send you to the frontier?
Да́.	Yes.
вы́полнить, –ят (pfv II)	to fulfill, carry out, perform, implement
райо́н	district, region, area
Та́м в одно́м райо́не не вы́полнили пла́на.	In one area there they didn't fulfill the plan.
подтяну́ть, подтя́нут (pfv I)	to pull up, tighten, pull together, shape up
Та́м в одно́м райо́не не вы́полнили пла́на, ну́жно бы́ло подтяну́ть.	In one area there they didn't fulfill the plan, and it was necessary to shape things up.
пополне́ть, –е́ют (pfv I)	to put on weight, fill out
А ты́ пополне́л.	But you've put on weight.

◀ Ры́нок в Самарка́нде.

выража́ться, –а́ются (I)
мя́гко выража́ясь

А ты́, мя́гко выража́ясь, пополне́л.

to express oneself; to put it
putting it mildly, to put it mildly

And you, putting it mildly, have gained some weight.

Эх, бра́т, и не говори́!

Oh brother, are you telling me!

бара́нина
Всё вре́мя е́л бара́нину.
жи́рный
Всё вре́мя е́л бара́нину, а она́ ведь стра́шно жи́рная.

mutton, lamb
I ate mutton all the time.
fat, fatty, rich
I ate mutton all the time, and it is, after all, terribly rich.

санато́рий
Поезжа́й в санато́рий.
похуде́ть, –е́ют (pfv I)
Хо́чешь похуде́ть — поезжа́й в санато́рий.

sanatorium
Go to a sanatorium.
to become thin, lose weight
If you want to lose weight, go to a sanatorium.

дие́та
строжа́йший
посади́ть, посажу́, поса́дят (pfv II)
Та́м тебя́ поса́дят на строжа́йшую дие́ту.
ве́с (pl весы́)
ли́шний, –яя, –ее
сбро́сить, –ят (pfv II)
Та́м тебя́ поса́дят на строжа́йшую дие́ту, пока́ не сбро́сишь ли́шний ве́с.

diet, reducing plan
strictest
to place; to plant; to seat
There they'll put you on the strictest diet.
weight (pl scales)
excess, extra; unnecessary
to drop, throw off, shed
There they'll put you on the strictest diet until you shed your excess weight.

спо́соб
ве́рный
наибо́лее
Да́, э́то, пожа́луй, наибо́лее ве́рный спо́соб.

method, device, way
true, correct; sure, reliable, faithful
the most
Yes, perhaps that's the surest way.

Кры́м
в Крыму́
Я́ пое́ду в Кры́м.
путёвка
Я́ возьму́ путёвку в Кры́м.

the Crimea
in the Crimea
I'll go to the Crimea.
permit, pass
I'll get a permit to go to the Crimea.

о́тдых
до́м о́тдыха
Во́т, во́т. Я́ са́м собира́юсь куда́-нибудь в до́м о́тдыха.

rest, relaxation
rest home
That's the idea. I myself am planning to go to a rest home somewhere.

надое́сть, надоедя́т (irreg pfv) (like е́сть)

Надое́ло ту́т сиде́ть.
говоря́
открове́нный
Открове́нно говоря́, надое́ло ту́т сиде́ть.

to be bored; to have enough; to be tired, be sick and tired, be fed up
I'm tired of staying here.
speaking, while speaking
frank, outspoken, blunt
Frankly speaking, I'm tired of staying here.

Коне́чно.

Of course.

вечеро́к (var. of ве́чер)
Послу́шай, заходи́ сего́дня вечерко́м.

evening
Listen, why don't you drop in this evening?

здёшний, –яя, –ее   local; here

рассказа́ть, расска́жут (pfv I)   to tell

Расска́жешь мне́ здёшние но́вости.   You can tell me the local news.

Хорошо́, приду́.   All right, I'll come.

набра́ться, наберу́тся (pfv I)   to accumulate, pile up

Новостéй набрало́сь мно́го, пока́ тебя́ не́ бы́ло.   Lots of news has accumulated while you were away.

SUPPLEMENT

вёсить, –ят (II)   to weigh

Ско́лько вéсит э́тот кусо́к мя́са?   How much does this piece of meat weigh?

выполня́ть, –я́ют (I)   to fulfill, carry out, perform

Они́ всегда́ выполня́ют ва́ши распоряже́ния.   They always carry out your orders.

подтя́гивать, –ают (I)   to pull up, hitch up, tighten, pull together

Переста́нь подтя́гивать брю́ки!   Stop hitching up your trousers!

подтя́гиваться (pfv подтяну́ться)   to pull oneself up; to pull oneself together, brace oneself; to catch up to; to improve

Плохи́е студéнты на́чали подтя́гиваться.   The poor students began to improve.

О́н подтяну́лся к окну́.   He pulled himself up to the window.

нача́льник   chief, administrator, head, boss

О́н хоро́ший нача́льник.   He's a good administrator.

пусты́ня   desert; wilderness

Э́то настоя́щая пусты́ня.   It's a real desert.

песо́к, песка́   sand

Та́м не́т дере́вьев, то́лько песо́к.   There are no trees there, only sand.

отдыха́ющий   guest, vacationer (*lit.* one who is resting)

В Крыму́ тепе́рь мно́го отдыха́ющих.   There are many vacationers in the Crimea now.

пля́ж   beach

Пойдём на пля́ж.   Let's go to the beach.

загора́ть, –а́ют (pfv загоре́ть)   to tan, become sunburned

Я́ всё у́тро лежа́л на со́лнце и загора́л.   I lay in the sun all morning getting a tan.

Ка́к вы́ хорошо́ загоре́ли!   What a nice tan you've got!

свини́на   pork

Вы́ лю́бите свини́ну?   Do you like pork?

ветчина́   ham

Я́ предпочита́ю ветчину́.   I prefer ham.

говя́дина   beef

Америка́нцы лю́бят говя́дину.   Americans like beef.

ку́рица   chicken

Купи́те ку́рицу к обе́ду.   Buy a chicken for dinner.

весы́, весо́в (pl only)   scales, balance

Э́ти весы́ нето́чные.   These scales are not accurate.

стро́гий   strict, severe, stern

Ты́ с ни́м сли́шком стро́г.   You're too strict with him.

стро́же   stricter, more strictly

С ни́м ну́жно бы́ть стро́же.   You have to be stricter with him.

оста́вить в поко́е   to leave alone

Оста́вь меня́ в поко́е!   Let me alone!

в сре́днем	on the average
Я выку́риваю в сре́днем две́ па́чки в де́нь.	I smoke on the average two packs a day.
наиме́нее	the least
Óн наиме́нее спосо́бный студе́нт среди́ ни́х.	He's the least capable student among them.

Во́лков бы́л в Сре́дней А́зии

В. — Во́лков   Х. — Хитро́в

В. 1 Алексе́й, приве́т! Ка́к живёшь?

Х. 2 А́, Григо́рий! Я́ — ничего́, а где́ ты́ пропада́л?

В. 3 Éздил в Сре́днюю А́зию, в командиро́вку.[1]

Х. 4 Ва́м, отве́тственным рабо́тникам, никогда́ не́т поко́я.[2] На целину́ посыла́ли?[3]

В. 5 Да́. Та́м в одно́м райо́не не вы́полнили пла́на, ну́жно бы́ло подтяну́ть.[4]

Х. 6 А ты́, мя́гко выража́ясь, пополне́л.

В. 7 Э́х, бра́т, и не говори́. Всё вре́мя е́л бара́нину, а она́ ведь стра́шно жи́рная.[5]

Х. 8 Хо́чешь похуде́ть — поезжа́й в санато́рий. Та́м тебя́ поса́дят на строжа́йшую дие́ту, пока́ не сбро́сишь ли́шний ве́с.[6]

В. 9 Да́, э́то, пожа́луй, наибо́лее ве́рный спо́соб. Возьму́ путёвку в Кры́м.

Х. 10 Во́т, во́т. Я́ са́м собира́юсь куда́-нибудь в до́м о́тдыха.[7] Открове́нно говоря́, надое́ло ту́т сиде́ть.

В. 11 Коне́чно. Послу́шай, заходи́ сего́дня вечерко́м. Расска́жешь мне́ зде́шние но́вости.

Х. 12 Хорошо́, приду́. Новосте́й набрало́сь мно́го, пока́ тебя́ не́ было.

NOTES

[1] Soviet Central Asia comprises the area lying to the east of the Caspian Sea and south of the Ural Mountains, much of which is arid desert land.

[2] The term **отве́тственный рабо́тник** refers to a worker at the executive level, and one who can usually be assumed to be a party member. Both **рабо́чий** and **рабо́тник** mean *worker*, but the former refers to an ordinary or unskilled worker, whereas **рабо́тник** is comparable to what we term a "white-collar" worker. **Рабо́тник** may refer to a woman as well as a man: **Она́ прекра́сный рабо́тник** *She's an excellent worker.*

[3] Land which has not been previously cultivated is termed **целина́** (see Mikhail Sholokhov's novel «**По́днятая целина́**» *Virgin Soil Upturned*). More recently the term has been applied specifically to the vast stretches of pasture land in Kazakhstan and other Central Asiatic republics, which Khrushchev decreed are to be turned into corn- and grain-producing fields.

[4] The term **подтяну́ть** (imperfective **подтя́гивать**) literally means *to pull up* or *tighten*, and is used here in the sense *to whip into line* or *shape, to straighten out the situation.*

5 Central Asia is a sheep-raising area and consequently lamb or mutton is the meat most widely eaten there. The native population is predominantly nomadic or semi-nomadic.

6 Although the word **диета** is used here in the popular American sense *reducing diet*, it is much more often used in the medical sense, that is, a special diet for diabetics and people with ulcers or other illnesses.

7 A **санаторий** *sanatorium* may be either a health and vacation resort or a medical rehabilitation center, for example, for tuberculosis patients. **Дома́ о́тдыха** *rest homes* are not as elegant as sanatoriums. Often a rest home consists simply of a large house, somewhere on the outskirts of town, where people go to relax, play chess or checkers, dance, listen to the radio, or just stroll in the garden. The Crimean peninsula on the Black Sea is one of the famous vacation areas of the U.S.S.R., and several former czarist palaces there have been converted into sanatoriums. In order to go to a sanatorium, rest home, or resort, one must obtain a special **путёвка** *travel permit* from the local committee of one's labor union which entitles the bearer to accommodation at one of these facilities. It is much easier for the average citizen to get to a rest home than to a sanatorium.

PREPARATION FOR CONVERSATION   **В Ми́ргороде тепе́рь куро́рт**

куро́рт	health resort, resort area
В Ми́ргороде тепе́рь куро́рт.	There's a health resort in Mirgorod now.
превосхо́дный	excellent, superb, perfect, magnificent
пельме́ни, –ей (pl only)	dumplings, pelmeni
Пельме́ни бы́ли превосхо́дные.	The dumplings were excellent.
превосхо́днейший	most excellent, absolutely perfect
Пельме́ни бы́ли превосхо́днейшие.	The dumplings were absolutely perfect.
рабо́тница	maid, woman worker; servant
Ва́ша рабо́тница прекра́сно гото́вит.	Your maid is an excellent cook.
блю́до	dish, course
у́тка	duck
жа́реный	roasted; broiled; fried
Жа́реная у́тка с я́блоками — моё люби́мое блю́до.	Roast duck stuffed with apples is my favorite dish.
Жа́реная у́тка с я́блоками — моё люби́мое блю́до, и ва́ша рабо́тница его́ прекра́сно гото́вит.	Roast duck stuffed with apples is my favorite dish, and your maid cooks it excellently.
вку́с	taste, flavor
угада́ть –а́ют (I)	to guess
Ра́д, что угада́л твой вку́с.	I'm glad I guessed what you like (*lit.* your taste).
гости́ная	living room; parlor
Но дава́й перейдём в гости́ную.	But let's move into the living room.
убира́ть, –а́ют (I)	to take away, remove; to tidy up
убира́ть со стола́	to clear the table
Пу́сть рабо́тница убира́ет со стола́.	Let the maid clear off the table.

Но дава́й перейдём в гости́ную, пу́сть
  рабо́тница убира́ет со стола́.

    расска́зывать, –ают (I)
Так продолжа́й расска́зывать.

    гости́ть, гощу́, гостя́т (II)
    Со́ня (var. of Со́фья)
Ты́ говори́л, что Со́ня гости́т у родны́х.

Да́, она́ пое́хала к ни́м по́сле того́, как
  побыва́ла в Ми́ргороде, на куро́рте.

Ра́зве в Ми́ргороде е́сть куро́рт?

Да́, коне́чно.

    лу́жа
    описа́ть, опи́шут (pfv I)
    опи́санный (ppp описа́ть)
По́мнишь знамени́тую лу́жу, опи́санную
  Го́голем?

    широ́кий; широ́к, –а́, –о́, –и́
    ши́ре
А ка́к же: «...широ́кая ка́к мо́ре».

    утону́ть, уто́нут (pfv I)
    гря́зь (f)
    в грязи́
«В грязи́ утону́ть мо́жно».

    при чём ту́т
Но при чём ту́т лу́жа?

    исто́чник
    минера́льный
Э́то оказа́лся минера́льный исто́чник.
Э́то оказа́лся минера́льный исто́чник, и та́м
  тепе́рь устро́ен куро́рт.

    чу́до, –а (irreg pl чудеса́, чуде́с)
    во́т так чудеса́!

Во́т так чудеса́!

    вы́сохнуть, –ут (pfv I) (past вы́сох, –ла)
Но подожди́, у Го́голя ска́зано, что лу́жа
  вы́сохла.

    цензу́ра
    ра́ди (plus gen)
Э́то ра́ди цензу́ры.

    револю́ция
    до са́мой револю́ции
Наско́лько я́ зна́ю, лу́жа была́ до са́мой
  револю́ции.

But let's move into the living room and let the
  maid clear off the table.

  to tell
Go on with what you were telling me.

  to stay, spend time (as a guest), visit
  Sonya
You were saying that Sonya is visiting her folks.

Yes, she went to see them after she was at the
  health resort in Mirgorod.

You mean there's a health resort in Mirgorod?

Yes, of course.

  puddle, pool
  to describe; to write about
  described
Remember the famous puddle described by
  Gogol?

  wide, broad; large, vast
  wider, broader
Why of course: "... wide as the sea."

  to drown, sink, be swallowed up
  mud, dirt
  in the mud (or dirt)
"One can drown in the mud."

  what has ... got to do with it
But what's the puddle got to do with it?

  spring; source
  mineral
It turned out to be a mineral spring.
It turned out to be a mineral spring, and there's
  a health resort built there now.

  miracle, wonder
  well, I'll be darned! will wonders never
    cease! amazing!
Well, I'll be darned!

  to dry up, wither
But wait, it's said in Gogol that the puddle dried
  up.

  censorship
  for the sake of
That's for the sake of censorship.

  revolution
  right up to the Revolution
As far as I know, the puddle existed right up to
  the Revolution.

власть (f)
   при сове́тской вла́сти
То́лько при сове́тской вла́сти та́м откры́ли куро́рт.

Интере́сная исто́рия!

power, authority, rule
   during the Soviet regime
It was only during the Soviet regime [that] they opened a health resort there.

An interesting story!

опи́сывать, –ают (I)
Писа́тель опи́сывает жи́знь дере́вни до револю́ции.

to describe
The author describes village life before the Revolution.

   убра́ть, уберу́т (pfv I)
Рабо́тница уже́ убрала́ со стола́.

   to clear off, take away, remove; to tidy up
The maid has already cleared off the table.

   спа́льня, –и; –и, спа́лен
Неуже́ли в но́вых кварти́рах не́т спа́лен?

   bedroom
You mean there aren't any bedrooms in the new apartments?

Я́ ва́м покажу́ спа́льню.

I'll show you the bedroom.

   перед те́м как
Перед те́м как уе́хать, я́ поговори́л с ни́ми.
Я́ говори́л с ни́ми перед те́м, как они́ уе́хали.

   before (conjunction)
I had a talk with them before I went away.
I talked with them before they went away.

   у́зкий
   у́же
Они́ живу́т в у́зком переу́лке, недалеко́ от гла́вной по́чты.
На́ша у́лица у́же ва́шей.

   narrow, tight
   narrower, tighter
They live in a narrow alley not far from the main post office.
Our street is narrower than yours.

   бито́к, –тка́

На второ́е у на́с битки́ в тома́те.

   meatball, hamburger steak (usually cooked in sauce); cube steak
For the second course we have meatballs in tomato sauce.

   котле́та
Котле́ты о́чень вку́сные.

   meat patty, hamburger; chop
The meat patties are delicious.

   бифште́кс [þifštéks]
Зака́жем бифште́кс.

   steak, beefsteak
Let's order steak.

   капу́ста
Хоти́те пирога́ с капу́стой?

   cabbage
Would you like cabbage pirog?

   гарни́р (sg only)
Како́го гарни́ра ва́м принести́?

   vegetable (side dish)
What kind of vegetable[s] shall I bring you?

   со́ус
Э́тот со́ус сли́шком жи́рный.

   sauce, gravy
This sauce is too rich.

   о́вощи, –е́й (pl)
Купи́ на база́ре овоще́й.

   vegetables
Buy some vegetables at the market.

   сала́т
Я́ сде́лаю сала́т из све́жих овоще́й.

   salad; lettuce
I'll make a fresh vegetable salad.

   варёный
Я́ обы́чно е́м на за́втрак варёное яйцо́.

   boiled; cooked
I usually eat a boiled egg for breakfast.

   тушёный
Хоти́те тушёные о́вощи?

   stewed
Do you want some stewed vegetables?

   тушёное мя́со
Я́ о́чень люблю́ тушёное мя́со.

   beef stew
I really like beef stew.

В Ми́ргороде тепе́рь куро́рт

Х. — Хитро́в   В. — Во́лков

Х. 1 Пельме́ни бы́ли превосхо́днейшие.[1] А жа́реная у́тка с я́блоками — моё люби́мое блю́до,[2] и ва́ша рабо́тница его́ прекра́сно гото́вит.[3]

В. 2 Ра́д, что угада́л твой вкус. Но дава́й перейдём в гости́ную, пу́сть рабо́тница убира́ет со стола́.[4]

Х. 3 Так продолжа́й расска́зывать. Ты́ говори́л, что Со́ня гости́т у родны́х.

В. 4 Да́, она́ пое́хала к ни́м по́сле того́, как побыва́ла в Ми́ргороде, на куро́рте.[5]

Х. 5 Ра́зве в Ми́ргороде е́сть куро́рт?

В. 6 Да́, коне́чно. По́мнишь знамени́тую лу́жу, опи́санную Го́голем?[6]

Х. 7 А ка́к же: «...широ́кая ка́к мо́ре, в грязи́ утону́ть мо́жно». Но при чём тут лу́жа?

В. 8 Это оказа́лся минера́льный исто́чник, и та́м тепе́рь устро́ен куро́рт.

Х. 9 Во́т так чудеса́! Но подожди́, у Го́голя ска́зано, что лу́жа вы́сохла.

В. 10 Это ра́ди цензу́ры. Наско́лько я́ зна́ю, лу́жа была́ до са́мой револю́ции. То́лько при сове́тской вла́сти та́м откры́ли куро́рт.

Х. 11 Интере́сная исто́рия!

NOTES

[1] **Пельме́ни** are small dumplings filled with raw meat and boiled. They are typical fare in Siberia, where they are prepared in great quantities at the beginning of winter and are partially cooked, then stored outside in large barrels. They are taken as needed through the winter from this "natural freezer," reheated, and served.

[2] The word **люби́мый** *favorite, beloved* is now used as an ordinary adjective but is structurally a present passive participle (literally *being loved*). Present passive participles are seldom used other than for written technical and scientific Russian. They are derived from transitive imperfective verbs and usually have the endings **–мый, –мая, –мое,** and **–мые** (long-forms) and **–м, –ма, –мо,** and **–мы** (short-forms).

понима́емый	*being understood*	**снима́емый**	*being taken off*
оформля́емый	*being made official*	**переноси́мый**	*being carried over*
поднима́емый	*being lifted*	**приводи́мый**	*being brought in*

Since the present passive participles are so very limited in use, they will not be drilled.

[3] The word **рабо́тница**, while structurally the feminine counterpart of **рабо́тник**, is closer in meaning to **рабо́чий**, which refers to an unskilled worker.

На э́том заво́де мно́го рабо́тниц.   There are lots of women workers at this plant.

In this conversation, however, **рабо́тница** is used in the special sense *domestic worker* or *maid* and is actually short for **дома́шняя рабо́тница** (or **домрабо́тница**).

[4] Apartments with separate dining and living rooms are not typical of the Soviet Union, and only important people, for example, party officials, executives, famous artists, writers, and performers, can obtain or afford such accommodations.

⁵ The term **куро́рт** refers not only to the health resort proper, but is also the whole resort area. Some of the widely known resorts are Sochi on the eastern Black Sea coast and Gagra in the Caucasus. In order to be sent to such a health resort, one must have not only the proper amount of influence, but a medical certificate recommending a resort as well.

⁶ The work by Gogol referred to is called «**По́весть о то́м, как поссо́рились Ива́н Ива́нович с Ива́ном Ники́форовичем**» *Tale of How the Two Ivans Quarreled*, whose opening passages describe the large, muddy pool in the middle of the town of Mirgorod in the Ukraine. Nikolai Gogol (1809–1852) is considered the father of modern Russian literature and the founder of the so-called "natural" school. His best-known works are «**Мёртвые ду́ши**» *Dead Souls*, «**Ревизо́р**» *The Inspector General*, «**Тара́с Бу́льба**» *Taras Bulba*, and the short story, «**Шине́ль**» *The Overcoat*.

Basic sentence patterns

1. Я не слы́шал, когда́ она́ звони́ла.   I didn't hear her ring.
   _____ стуча́ла.   _____ knock.
   _____ пе́ла.   _____ sing.
   _____ пла́кала.   _____ cry.

2. Я ви́дел, как о́н подтяну́л ло́дку.   I saw him pull the boat in.
   _____ урони́л де́ньги.   _____ drop the money.
   _____ упа́л с де́рева.   _____ fall from the tree.
   _____ танцева́л.   _____ dance.

3. Я не заме́тил, что о́н упа́л.   I didn't notice him fall.
   _____ пры́гнул.   _____ jump.
   _____ спря́тался.   _____ hide.

4. Э́то вкусне́йшее блю́до.   This is the (*or* a) most delicious dish.
   ___ вкусне́йшая ветчина́.   _____ ham.
   ___ вкусне́йшая ку́рица.   _____ chicken.

5. Э́то старе́йший спо́соб.   That's the oldest method.
   ___ наибо́лее ста́рый __.   That's _____.
   ___ верне́йший спо́соб.   That's the most reliable __.
   ___ наибо́лее ве́рный __.   That's _____.
   Э́то наиме́нее ве́рный __.   That's the least reliable __.

6. У ва́с стро́гий нача́льник?   Do you have a strict boss?
   — Строжа́йший.   The very strictest.
   У ва́с до́брый нача́льник?   Do you have a nice boss?
   — Добре́йший.   The very nicest.

7. Я отдохну́ по́сле того́, как ко́нчу э́ту   I'll relax after I finish this job.
   рабо́ту.
   _____ как напишу́ э́то   _____ I write this letter.
   письмо́.
   _____ как прове́рю э́ти   _____ I check these compositions.
   сочине́ния.

8. Бу́дешь на дие́те, пока́ не сбро́сишь
               ли́шний вес.
_____ пока́ не ста́нешь
               здоро́вым.
_____ пока́ не пополне́ешь.

You'll be on a diet until you shed your excess
               weight.
_____ until you get well.

_____ until you put on some
               weight.

9. Пока́ я был в до́ме о́тдыха, жена́
            гости́ла у родны́х.
_____ на целине́ _____.

While I was at the rest home my wife visited
            her folks.
_____ at the frontier _____.

10. Э́то ну́жно сде́лать, пока́ ещё есть
               вре́мя.
_____ де́ньги.

This must be done while there's still time.

_____ money.

11. Он игра́л, пока́ бы́ли де́ньги.
_____ пока́ не проигра́л всех де́нег.
Весели́тесь, пока́ вы ещё мо́лоды.
Все весели́лись, пока́ не пришёл
               дире́ктор клу́ба.

He played as long as there was money.
_____ until he lost all his money.
Have fun while you're still young.
Everyone had fun until the director of the
               club arrived.

12. Пе́ред тем как писа́ть, поду́май.
_____ говори́ть _____.
_____ спо́рить _____.

Think before you write.
_____ speak.
_____ argue.

13. Мы око́нчим э́то до того́, как нача́ль-
            ник уе́дет на куро́рт.
_____ пое́дет в дом о́тдыха.

_____ прие́дет из Москвы́.

We'll finish it before the boss leaves for the
               health resort.
_____ goes to a rest
               home.
_____ arrives from
               Moscow.

14. Грибы́, со́бранные Ва́лей, оказа́лись
               плохи́ми.
Грибы́, ку́пленные Ва́лей _____.
Грибы́, на́йденные Ва́лей _____.

The mushrooms Valya picked turned out to
               be bad.
The mushrooms Valya bought _____.
The mushrooms Valya found _____.

15. Неда́вно полу́ченная им кни́га пропа́ла.
_____ при́сланная _____.

The book he recently received disappeared.
_____ recently sent by him _____.

16. Ты не ви́дел ку́пленных мной овоще́й?
_____ ку́пленного _____ сала́та?
_____ ку́пленной _____ говя́дины?

You haven't seen the vegetables I bought?
_____ the lettuce _____?
_____ the beef _____?

17. Ско́лько ве́сит э́тот кусо́к ветчины́?
_____ говя́дины?
_____ свини́ны?
_____ бара́нины?

How much does this piece of ham weigh?
_____ of beef _____?
_____ of pork _____?
_____ of lamb _____?

18. Они́ пое́хали на пляж купа́ться.
_____ на куро́рт отдохну́ть.
_____ в санато́рий _____.
_____ в дом о́тдыха _____.

They've gone to the beach to swim.
_____ to a health resort to rest.
_____ to a sanatorium _____.
_____ to a rest home _____.

19. Здесь широко́, здесь нельзя́ перейти́.
_____ ши́ре _____.
Здесь у́зко, здесь мо́жно перейти́.
_____ у́же _____.

It's wide here; you can't cross here.
_____ wider _____.
It's narrow here; you can cross here.
_____ narrower _____.

20. Полежи́м на пля́же, пока́ не вы́сохнем.   Let's lie on the beach until we dry.

Полежи́ _____ не вы́сохнешь.   Lie _____ you dry.

Полежи́те _____ не вы́сохнете.   Lie _____ you dry.

Я полежу́ _____ не вы́сохну.   I'll lie _____ I dry.

21. Она́ была́ дома́шней хозя́йкой.   She was a housewife.

_____ дома́шней рабо́тницей.   _____ a housemaid.

_____ домрабо́тницей.   _____ a housemaid.

_____ го́рничной.   _____ a chambermaid.

22. Во́т на́ша столо́вая.   Here's our dining room.

_____ гости́ная.   _____ living room.

_____ спа́льня.   _____ bedroom.

_____ ку́хня.   _____ kitchen.

23. Како́й гарни́р вы́ предло́жите?   What (side) vegetable would you suggest?

— Возьми́те сала́т из све́жих овоще́й.   Try the fresh vegetable salad.

_____ ки́слой капу́сты.   _____ sauerkraut.

_____ сла́дкого карто́феля.   _____ sweet potatoes.

_____ сала́т из огурцо́в.   _____ cucumber salad.

_____ тушёные помидо́ры.   _____ stewed tomatoes.

_____ варёного карто́феля.   _____ boiled potatoes.

_____ жа́реного карто́феля.   _____ fried potatoes.

24. Отдыха́ющие лежа́ли на со́лнце.   The vacationers lay in the sun.

_____ на со́лнце и   _____ in the sun getting a tan.

загора́ли.

_____ на песке́ _____.   _____ in the sand _____.

Pronunciation practice : part IV—initial consonants
with no parallel in the English sound system

A. **мр** pronounced [mr]

[mrámər] мра́мор
marble

[mrák] мра́к
gloom

[mrámərnij] мра́морный
of marble

[mráčnə] мра́чно
gloomy

[mráş] мра́зь
mean wretches

[mráčnəsṭ] мра́чность
gloominess

[mrakəḅés] мракобе́с
obscurantist

B. **нр** pronounced [nr]

[nráf] нра́в
disposition

[nráγitcə] нра́виться
to like

[nrávɨ] нра́вы
customs

[nráfstγinósṭ] нра́вственность
morals

C. **сц** pronounced [sc]

[scináṛij] сцена́рий
scenario

[scépkə] сце́пка
coupling

[scinaṛíst] сценарист
script writer
[scénə] сцена
stage
[scịpḷáṭ] сцеплять
to couple

[scápəṭ] сцапать
to lay hold of
[scarápəṭ] сцарапать
to scratch away

D. чт pronounced [čt] or [čṭ]

[čtú] чту
I honor
[čṭéṇijə] чтение
reading
[čṭéc] чтец
elocutionist

[čṭícə] чтица
elocutionist (f)
[čṭíṭ] чтить
to honor

STRUCTURE AND DRILLS

Subordinate clauses introduced by как, когда, and что

MODELS

Я люблю смотреть, как они играют.
———————————— как они танцуют.
———————————— как они плавают.
———————————— как они тренируются.

I love to watch them play.
———————————— them dance.
———————————— them swim.
———————————— them train.

Óн не любит слушать, когда она читает.
———————————— когда она поёт.
———————————— когда она говорит.

He doesn't like to listen to her read.
———————————— to her sing.
———————————— to her talk.

Ты не видел, как он сбил меня с ног?
———————————— как он бросил письмо?

You didn't see him knock me down?
———————————— him mail the letter?

Я не заметил, как он ушёл.
———————————— как он вышел из дому.
———————————— как он вошёл в дом.

I didn't notice him leave.
———————————— him step out of the house.
———————————— him enter the house.

Я жду, когда он напишет.
——— когда он позвонит.
——— когда он придёт.

I'm waiting for him to write.
——— for him to phone.
——— for him to come.

Я не ожидал, что она приедет так скоро.
———————————— что она уедет ——————.

I didn't expect her to arrive so soon.
———————————— her to leave ———————.

■ REPETITION DRILL

Repeat the given models, noticing the use of **как, когда,** and **что** to introduce subordinate clauses in which the action is performed by a subject different from the one in the main clause. Contrast the English, which does not require the use of a subordinate clause in comparable situations.

1. *Does Anya know how to skate?*
   Yes, I've often watched her skate.
   А́ня уме́ет ката́ться на конька́х?
   Да́, я ча́сто смотре́л, как она́ ката́ется.
   А́ня уме́ет танцева́ть?
   Да́, я ча́сто смотре́л, как она́ танцу́ет.
   (гото́вить, печь, шить, игра́ть в
   те́ннис, запако́вывать посы́лки,
   пла́вать)

2. *Have they already left?*
   Yes, I didn't expect them to leave so soon.
   Они́ уже́ ушли́?
   **Да́, я не ожида́л, что они́ уйду́т та́к
   ско́ро.**
   Они́ уже́ верну́лись?
   **Да́, я не ожида́л, что они́ верну́тся та́к
   ско́ро.**
   (договори́лись, прие́хали, умы́лись,
   побри́лись, позавтракали, оде́лись)

■ RESPONSE DRILLS

1. *They play chess well.*
   Did you see them play yesterday?
   Они́ хорошо́ игра́ют в ша́хматы.
   Ты́ ви́дел, как они́ вчера́ игра́ли?
   Они́ хорошо́ рабо́тают.
   Ты́ ви́дел, как они́ вчера́ рабо́тали?
   (пры́гают, ката́ются на конька́х,
   танцу́ют, ката́ются на лы́жах, пла́вают,
   игра́ют в те́ннис, игра́ют в ша́хматы,
   е́здят на велосипе́де)

2. *When did he leave?*
   You mean you didn't notice him leave?
   Когда́ о́н ушёл?
   Ра́зве ты́ не заме́тил, когда́ о́н ушёл?
   Когда́ о́н уе́хал?
   Ра́зве ты́ не заме́тил, когда́ о́н уе́хал?
   (вы́шел, вошёл, верну́лся, пришёл,
   упа́л, пры́гнул)

3. *I came in very quietly.*
   No one heard me come in.
   Я вошёл о́чень ти́хо.
   Никто́ не услы́шал, что я́ вошёл.
   Я вы́шел о́чень ти́хо.
   Никто́ не услы́шал, что я́ вы́шел.
   (закры́л окно́, положи́л кни́ги,
   поста́вил самова́р, взял ту́фли,
   откры́л две́рь)

4. *She promised to write.*
   I'm waiting for her to write.
   Она́ обеща́ла написа́ть.
   Я жду́, когда́ она́ напи́шет.
   Она́ обеща́ла прийти́.
   Я жду́, когда́ она́ придёт.
   (позвони́ть, прие́хать, отве́тить,
   верну́ться, прилете́ть, спеть, зайти́)

■ STRUCTURE REPLACEMENT DRILLS

1. *I can't wait for spring.*
   I can't wait for spring to come.
   Я не могу́ дожда́ться весны́.
   **Я не могу́ дожда́ться, когда́ придёт
   весна́.**
   Я не могу́ дожда́ться отве́та.
   **Я не могу́ дожда́ться, когда́ придёт
   отве́т.**
   (зимы́, ле́та, о́сени, посы́лки, перево́да,
   результа́тов, разреше́ния, ви́зы)

2. *He fell.*
   No one noticed him fall.
   О́н упа́л.
   Никто́ не заме́тил, что о́н упа́л.
   О́н пры́гнул с моста́.
   Никто́ не заме́тил, что о́н пры́гнул.
   (убежа́л, уплы́л, спря́тался, нас догна́л,
   нас перегна́л, от нас отошёл, к нам
   подошёл)

DISCUSSION

Unlike English, which freely uses constructions consisting of an infinitive phrase with an accusative subject (for example, *I didn't expect him to come*), Russian usually requires that actions which involve a second subject be expressed by a subordinate clause containing the subject and the verb and be introduced by a conjunction. The conjunctions most often used for this purpose are **как**, **когда**, and **что**:

Я не заме́тил, как о́н пришёл.	I didn't notice him come.
Я жду́, когда́ о́н напи́шет.	I'm waiting for him to write.
Я не ожида́л, что о́н прие́дет та́к ско́ро.	I didn't expect him to arrive so soon.

Such constructions are particularly common where the verb of the main clause is a verb of *seeing*, *noticing*, *expecting*, or *waiting* as, for example, **смотре́ть**, **ви́деть**, **слы́шать**, **замеча́ть**, **жда́ть**, **ожида́ть**, **дожида́ться**, and their perfective counterparts.

The conjunction пока́ versus пока́ не

MODELS

1. **Пока́** *while, as long as* plus the imperfective verb:

Я помо́ю посу́ду, **пока́** ты́ конча́ешь за́втракать.	I'll wash the dishes *while* you finish eating breakfast.
Посиди́м зде́сь в спа́льне, **пока́** рабо́тница убира́ет со стола́.	Let's sit here *while* the maid clears off the table.
Пока́ ты́ спа́л, до́ждь переста́л.	*While* you were sleeping, it stopped raining.
Постара́йся побо́льше отдыха́ть, **пока́** ты́ бу́дешь на куро́рте.	Try to get as much rest as you can *while* you're at the health resort.
Пока́ о́н пи́л пи́во, по́езд отошёл.	*While* he was drinking beer, the train left.
О́н игра́л, **пока́** бы́ли де́ньги.	He played *as long as* there was money.

2. **Пока́ не** *until* plus the perfective verb:

О́н игра́л, **пока́ не** проигра́л все́ де́ньги.	He played *until* he lost all his money.
Я не бу́ду мы́ть посу́ды, **пока́** ты́ **не** ко́нчишь за́втракать.	I won't wash the dishes *until* you finish eating breakfast.
Не ходи́ туда́, **пока́** рабо́тница **не** уберёт со стола́.	Don't go in *until* the maid clears off the table.
Сиди́, **пока́ не** ко́нчишь э́ту рабо́ту.	Stay *until* you finish the job.
Мы́ рабо́тали до те́х по́р, **пока́ не** ста́ло темно́.	We worked *until* it got dark.
Придётся жда́ть, **пока́** руба́шка **не** вы́сохнет.	You'll have to wait *until* the shirt has dried.

■ REPETITION DRILL

Repeat the given models, noting that **пока́** *while, as long as* is accompanied by imperfective verbs, whereas **пока́ не** *until* is used with perfective verbs.

1. *You must finish it.*
   Stay until you've finished.
   Ты́ до́лжен э́то ко́нчить.
   Сиди́, пока́ не ко́нчишь.
   Ты́ до́лжен э́то написа́ть.
   Сиди́, пока́ не напи́шешь.
   (съесть, вы́пить, реши́ть, заши́ть, проче́сть, переписа́ть)

2. *The shirt hasn't dried yet.*
   Wait till it dries.
   Руба́шка ещё не вы́сохла.
   Подожди́, пока́ не вы́сохнет.
   Пельме́ни ещё не свари́лись.
   Подожди́, пока́ не сва́рятся.
   Пиро́г ещё не испёкся.
   Магази́н ещё не откры́лся.
   Уро́к ещё не ко́нчился.
   Све́т ещё не зажёгся.
   Конце́рт ещё не начался́.
   Трамва́й ещё не останови́лся.

■ STRUCTURE REPLACEMENT DRILLS

1. *I ran out to drink some beer, and in the meantime the train left.*
   While I was drinking beer, the train left.
   Я́ вы́бежал вы́пить пи́ва, а по́езд те́м вре́менем отошёл.
   Пока́ я́ пи́л пи́во, по́езд отошёл.
   Я́ вы́бежал купи́ть газе́ту, а по́езд те́м вре́менем отошёл.
   Пока́ я́ покупа́л газе́ту, по́езд отошёл.
   (прове́рить расписа́ние, позвони́ть дру́гу, купи́ть буты́лку минера́льной воды́, посла́ть письмо́, закуси́ть)

2. *I worked fast.*
   As long as I worked I didn't feel the cold.
   Я́ рабо́тал бы́стро.
   Пока́ я́ рабо́тал, я́ не чу́вствовал моро́за.
   Я́ шёл бы́стро.
   Пока́ я́ шёл, я́ не чу́вствовал моро́за.
   (бежа́л, убира́л, е́хал, ката́лся, поднима́лся, спуска́лся)

3. *We stopped working when it grew dark.*
   We worked till it grew dark.
   Мы́ переста́ли рабо́тать, когда́ ста́ло темно́.
   Мы́ рабо́тали до те́х по́р, пока́ не ста́ло темно́.
   Мы́ переста́ли рабо́тать, когда́ пошёл до́ждь.

   Мы́ рабо́тали до те́х по́р, пока́ не пошёл до́ждь.
   (прие́хал грузови́к, зашло́ со́лнце, испо́ртилась маши́на, привезли́ обе́д, услы́шали гро́м, уста́ли)

■ EXPANSION DRILLS

1. *I make all the decisions.*
   As long as I'm the chief here, I make all the decisions.
   Я́ всё реша́ю.
   Я́ всё реша́ю, пока́ я́ зде́сь нача́льник.
   Я́ за всё отвеча́ю.
   Я́ за всё отвеча́ю, пока́ я́ зде́сь нача́льник.
   (всё подпи́сываю, все́х посыла́ю в до́м о́тдыха, всё оформля́ю, даю́ путёвки, даю́ командиро́вки)

2. *Try to get as much rest as you can.*
   Try to get as much rest as you can while you're there.
   Постара́йся побо́льше отдыха́ть.
   Постара́йся побо́льше отдыха́ть, пока́ ты́ та́м бу́дешь.
   Постара́йся побо́льше гуля́ть.
   Постара́йся побо́льше гуля́ть, пока́ ты́ та́м бу́дешь.
   (пла́вать, узна́ть, ходи́ть, спа́ть, лежа́ть)

1. *I'll sit here while you finish eating breakfast.*
   I'll sit here till you finish eating breakfast.
   Я здесь посижу, пока ты кончаешь
   завтракать.
   Я здесь посижу, пока ты не кончишь
   завтракать.
   Я здесь посижу, пока ты кончаешь
   писать.
   Я здесь посижу, пока ты не кончишь
   писать.
   (кончаешь обедать, кончаешь купаться,
   кончаешь мыть посуду, кончаешь
   убирать)

2. *I'm waiting for the children to finish eating.*
   I'll wait until they finish eating.
   Я жду, когда дети кончат есть.
   Я подожду, пока они не кончат есть.
   Я жду, когда он позвонит.
   Я подожду, пока он не позвонит.
   (станет темно, пойдёт снег, придёт
   весна, перестанет дождь, он
   научится плавать, он признается, они
   уйдут)

■ QUESTION-ANSWER DRILLS

1. *How long will you be working?*
   I'll work until I get everything finished.
   До каких пор ты будешь работать?
   Я буду работать, пока не кончу всего.
   До каких пор вы будете работать?
   Мы будем работать, пока не кончим
   всего.
   (они, ты, они, вы, она, мы, служащие,
   рабочие)

2. *Did you sing for a long time?*
   Yes, we sang until we got tired.
   Вы долго пели?
   Да, мы пели, пока не устали.
   Она долго пела?
   Да, она пела, пока не устала.
   (они, ты, он, вы, она, испанка,
   итальянцы)

DISCUSSION

The word **пока** has several meanings. As an adverb it is used in the sense *meanwhile, for the time being* or even as the expression *so long*:

> Это можно пока оставить так.
> Пока всё.
> Пока *or* Пока до свидания.

> In the meantime this can be left as is.
> That's all for the time being.
> So long.

As a conjunction it is used in two distinct senses: with imperfective verbs it means *while*; with perfective verbs and together with the negative particle **не** it means *until*.

Compare Он сидел в гостиной, пока мы кончали
завтракать.

He sat in the living room while we were
finishing breakfast.

with Он сидел в гостиной, пока мы не
кончили завтракать *or* Он сидел в
гостиной до тех пор, пока мы не
кончили завтракать.

He sat in the living room until we had
finished breakfast.

Note that the combination **пока не** may be preceded in the main clause by **до тех пор** with no essential difference in meaning.

It should be pointed out that Russian often uses the future where English uses the present. This is particularly the case after **пока не**, **если**, **когда**, and **как только** in subordinate clauses:

Я подожду здесь, пока магазин не
откроется.

I'll wait here till the store *opens*.

Завтра мы́ пое́дем на́ мо́ре, е́сли пого́да **бу́дет** хоро́шая.

Как то́лько мы́ **прилети́м**, спроси́те в спра́вочном бюро́.

Мы́ опя́ть уви́димся, когда́ вы́ **прие́дете** в ма́е.

We'll go to the seashore tomorrow if the weather *is* nice.

As soon as we *arrive*, ask at the information desk.

We'll see each other again when you *come* in May.

Long-form past passive participles

MODELS

Вы́ чита́ли переведённый и́м расска́з?

_____ напи́санный _____?

_____ то́лько что ко́нченный —?

Have you read the story translated by him?

_____ written _____?

_____ he just finished?

Во́т забы́тая ке́м-то кни́га.

— поте́рянная _____.

— оста́вленная _____.

— принесённая _____.

— незаме́ченная _____.

Here's a book someone forgot.

_____ lost.

_____ left.

_____ brought.

_____ didn't notice.

Попро́буйте пельме́ней, пригото́вленных Аней.

_____ виногра́да, ку́пленного Аней.

_____ пирожко́в, испечённых Аней.

Try some of the dumplings Anya prepared.

— some of the grapes Anya bought.

— some of the pirogs Anya baked.

Не сто́ит пла́кать из-за разби́того блю́да.

_____ разли́того ча́я.

It's not worthwhile crying over a broken dish.

_____ a little spilled tea.

Где́ полу́ченное и́м письмо́?

— распако́ванная и́м посы́лка?

— запако́ванная и́м посы́лка?

— испо́рченный и́м прои́грыватель?

— на́йденные и́м де́ньги?

— полу́ченная и́м посы́лка?

Where's the letter he received?

_____ the package he unwrapped?

_____ the package he wrapped?

_____ the record player he broke?

_____ the money he found?

_____ the parcel he received?

■ REPETITION DRILL

Repeat the given models illustrating the use of the long-form past passive participles. The long-form past passive participle may either precede the noun it modifies or follow in a subordinate clause set off by commas. Note particularly that participles preceding nouns are not so closely tied to the noun they modify as are regular adjectives in that other elements of the phrase may fall between the participle and noun. For example:

На столе́ вы́ уви́дите оста́вленные и́ми для ва́с докуме́нты.

■ QUESTION-ANSWER DRILLS

1. *Who said the tickets have been ordered?*
   No one was talking about tickets [which were]
   ordered.

   Кто́ сказа́л, что биле́ты зака́заны?

   Никто́ не говори́л о зака́занных биле́тах.

   Кто́ сказа́л, что рабо́та сде́лана?

   Никто́ не говори́л о сде́ланной рабо́те.

   (де́ньги на́йдены, план вы́полнен,
   рабо́та начата́, куро́рт закры́т,
   це́рковь уничто́жена, де́ньги поте́ряны)

2. *Has the deadline been postponed again?*
   Yes, I'm sick of these postponed deadlines.

   Сро́к опя́ть отодви́нут?

   Да́, надое́ли мне́ э́ти отодви́нутые сро́ки.

   Рабо́та опя́ть переде́лана?

   Да́, надое́ла мне́ э́та переде́ланная
   рабо́та.

   Реше́ние опя́ть пересмо́трено?

   Ли́фт опя́ть испо́рчен?

   Каранда́ши опя́ть поло́маны?

   Пла́ны опя́ть попра́влены?

   Сту́лья опя́ть сло́маны?

■ RESPONSE DRILLS

1. *The record player was broken.*
   Did you see the broken record player?

   Прои́грыватель бы́л испо́рчен.

   Вы́ ви́дели испо́рченный прои́грыватель?

   Папиро́са была́ поту́шена.

   Вы́ ви́дели поту́шенную папиро́су?

   Посы́лка была́ распако́вана.

   Докуме́нты бы́ли офо́рмлены.

   Програ́мма была́ соста́влена.

   Самова́р бы́л почи́щен.

   Ла́мпа была́ зажжена́.

   Зве́рь бы́л по́йман.

   Сту́л бы́л сло́ман.

2. *Did you gamble away all the money?*
   Why talk about money gambled away?

   Вы́ проигра́ли всё де́ньги?

   Заче́м говори́ть о прои́гранных деньга́х?

   Вы́ потеря́ли всё де́ньги?

   Заче́м говори́ть о поте́рянных деньга́х?

   (посла́ли, отда́ли, отнесли́, забы́ли,
   оста́вили, перевели́)

■ STRUCTURE REPLACEMENT DRILLS

1. *Someone brought records.*
   Here are some records brought by somebody.

   Кто́-то принёс пласти́нки.

   Во́т принесённые ке́м-то пласти́нки.

   Кто́-то изобрази́л го́ры.

   Во́т изображённые ке́м-то го́ры.

   (получи́л извеще́ние, пригото́вил
   материа́л, попра́вил рабо́ты, написа́л
   о́черк, купи́л весы́, нашёл грибы́,
   пойма́л пти́цу)

2. *Here are the dumplings which she prepared.*
   Here are the dumplings prepared by her.

   Во́т пельме́ни, кото́рые она́ пригото́вила.

   Во́т пельме́ни, пригото́вленные е́ю.

   Во́т блу́зка, кото́рую она́ купи́ла.

   Во́т блу́зка, ку́пленная е́ю.

   Во́т пода́рки, кото́рые она́ получи́ла.

   Во́т анке́та, кото́рую она́ запо́лнила.

   Во́т заявле́ние, кото́рое она́ подала́.

   Во́т расска́з, кото́рый она́ перевела́.

   Во́т грибы́, кото́рые она́ собрала́.

   Во́т да́ча, кото́рую она́ описа́ла.

DISCUSSION

Long-form past passive participles decline like hard-stem adjectives. Those with short forms ending in –т have nominatives ending in –тый, –тая, –тое, and –тые. Those with short forms ending in –н and –ен add a second н and have nominatives ending in –нный, –нная, –нное, and –нные. It should be pointed out, however, that a single [n] is often heard in rapid speech.

The long forms are used both in subordinate clauses and as adjective-like modifiers preceding the noun. However, unlike adjectives, they may be separated from the noun they modify by elements of their own phrase. Note that the participle phrase is set off by a comma from the noun it modifies only when it follows the noun:

Я вам покажу́ ку́пленную е́ю руба́шку *or*
Я вам покажу́ руба́шку, ку́пленную е́ю.

I'll show you the shirt she bought (*lit.* bought by her).

The long-form participle must agree with its noun in gender, number, and case:

Где́ кни́ги, полу́ченные тобо́й из Москвы́?
Покажи́ мне́ кни́гу, полу́ченную тобо́й из Москвы́.
Я ещё не чита́л напи́санного и́м расска́за.

Where are the books you received from Moscow?
Show me the book you received from Moscow.
I still haven't read the story written by him.

In contrast with the stress of the short form, which may fall on the endings, stress in the long form is never on the endings. It is always on the same syllable as in the masculine short form:

отнесённый, –ая, –ое	отнесён, –а́, –о́	*from*	отнести́
за́пертый, –ая, –ое	за́перт, –а́, –о		запере́ть
увлечённый, –ая, –ое	увлечён, –а́, –о́		увле́чь
зажжённый, –ая, –ое	зажжён, –а́, –о́		заже́чь
на́чатый, –ая, –ое	на́чат, –а́, –о		нача́ть
вы́полненный, –ая, –ое	вы́полнен, –а, –о		вы́полнить
у́бранный, –ая, –ое	у́бран, –а, –о		убра́ть

Simple superlatives ending in -ейший and -айший; compound superlatives with наибо́лее and наиме́нее

MODELS

Она́ интере́снейшая же́нщина.
—— краси́вейшая ——————.
—— умне́йшая ——————.

She's an extremely interesting woman.
—————————— beautiful ————.
—————————— intelligent ————.

Его́ счита́ют важне́йшим челове́ком.
—————————— сильне́йшим ————.

He's considered a most important man.
—————————— a most powerful ————.

Это ближа́йшее отделе́ние по́чты.
—— высоча́йшая гора́.
—— сладча́йшая ды́ня.
—— крепча́йшая во́дка.
—— тонча́йшая тка́нь.
—— глубоча́йшее о́зеро.
—— мельча́йшая река́.
—— мягча́йший матра́ц.

It's the nearest post office branch.
—————— tallest mountain.
—————— sweetest melon.
—————— strongest vodka.
—————— thinnest fabric.
—————— deepest lake.
—————— shallowest river.
—————— softest mattress.

Это наибо́лее дешёвая гости́ница из все́х.
Это наибо́лее дорога́я гости́ница ———.

It's the most inexpensive hotel of all.
It's the most expensive hotel ————.

Из все́х его́ сынове́й о́н наиме́нее
                        спосо́бный.
—— его́ сочине́ний э́то наиме́нее
                        серьёзное.

Of all his sons he's the least gifted.

—— his compositions this is the least serious.

■ REPETITION DRILL

Repeat the given models illustrating the simple superlatives ending in **–ейший** and **–айшй** and the compound (**наиболее, наименее**) superlatives.

■ STRUCTURE REPLACEMENT DRILLS

1. *He considered himself a fortunate man.*
   He considered himself a most fortunate man.
   Он себя считал счастливым человеком.
   Он себя считал счастливейшим
   человеком.
   Он себя считал несчастным человеком.
   Он себя считал несчастнейшим
   человеком.
   (добрым, бедным, важным, умным,
   превосходным)

2. *She's a very nice woman.*
   She's the nicest woman.
   Она очень милая женщина.
   Она милейшая женщина.
   Она очень интересная женщина.
   Она интереснейшая женщина.
   (умная, глупая, красивая, добрая,
   пустая, богатая)

■ QUESTION-ANSWER DRILLS

1. *Are those mountains high?*
   The very highest.
   Эти горы высокие?
   Высочайшие.
   Это вино сладкое?
   Сладчайшее.
   Эта водка крепкая?
   Эта материя тонкая?
   Этот способ лёгкий?
   Это море глубокое?
   Это кресло мягкое?
   Эта птица редкая?

2. *Is this the widest river in the world?*
   Yes, the widest in the world.
   Эта река самая широкая в мире?
   Да, широчайшая в мире.
   Это озеро самое глубокое в мире?
   Да, глубочайшее в мире.
   Эти горы самые высокие в мире?
   Этот мост самый длинный в мире?
   Эта страна самая богатая в мире?
   Эти горы самые старые в мире?

■ STRUCTURE REPLACEMENT DRILLS

1. *You have the strictest rules.*
   У вас самые строгие правила.
   У вас строжайшие правила.
   У вас самые сложные правила.
   У вас сложнейшие правила.
   (самые длинные, самые простые,
   самые трудные, самые интересные,
   самые лёгкие, самые строгие)

2. *He's the most important person here.*
   Он самый важный человек здесь.
   Он наиболее важный человек здесь.
   Это самая широкая река здесь.
   Это наиболее широкая река здесь.
   Это самое мелкое место здесь.
   Это самые высокие горы здесь.
   Это самая дешёвая гостиница здесь.
   Это самые вкусные яблоки здесь.
   Это самый опасный зверь здесь.

■ RESPONSE DRILLS

1. *It's a very interesting concept.*
   Yes, a most interesting one.
   Это очень интересное понятие.
   Да, интереснейшее.
   Это очень глубокое понятие.
   Да, глубочайшее.
   (важное, верное, типичное, опасное,
   сложное, старое)

2. *This story is the dullest of (them) all.*
   Yes, it's an extremely dull story.
   Этот рассказ скучнее всех.
   Да, это скучнейший рассказ.
   Этот рассказ проще всех.
   Да, это простейший рассказ.
   (длиннее, веселее, глупее, интереснее)

In addition to the ordinary superlatives formed by a combination of **са́мый** plus the positive adjective (**са́мый интере́сный**), there also exist the slightly more bookish superlatives formed by adding **–ейший** or **–айший** to the adjective stem. As a general rule, **–ейший** is added to the stem of those adjectives which have a comparative ending in **–ee**, and **–айший** to the stem of those adjectives with the special comparative ending in **–e**.

Here is a reference list giving positive, simple comparative and simple superlative forms of some of these adjectives:

Group 1: adjectives with comparatives ending in –ee			Group 2: adjectives with comparatives ending in –e		
бе́дный	беднее	беднейший	высо́кий	вы́ше	высоча́йший
ва́жный	важнее	важнейший	глубо́кий	глу́бже	глубоча́йший
ве́рный	вернее	вернейший	кре́пкий	кре́пче	крепча́йший
вку́сный	вкуснее	вкуснейший	лёгкий	ле́гче	легча́йший
дли́нный	длиннее	длиннейший	ме́лкий	ме́льче	мельча́йший
до́брый	добрее	добрейший	мя́гкий	мя́гче	мягча́йший
интере́сный	интереснее	интереснейший	ни́зкий	ни́же	нижа́йший
кру́пный	крупнее	крупнейший	ре́дкий	ре́же	редча́йший
ми́лый	милее	милейший	сла́дкий	сла́ще	сладча́йший
несча́стный	несча́стнее	несча́стнейший	то́нкий	то́ньше	тонча́йший
но́вый	новее	новейший	ти́хий	ти́ше	тиша́йший
опа́сный	опаснее	опаснейший	широ́кий	ши́ре	широча́йший
прекра́сный	прекра́снее	прекра́снейший	стро́гий	стро́же	строжа́йший
си́льный	сильнее	сильнейший	дорого́й	доро́же	дорожа́йший
ску́чный	скучнее	скучнейший	бли́зкий	бли́же	ближа́йший
сло́жный	сложнее	сложнейший			
ста́рый	старее	старейший			
счастли́вый	счастли́вее	счастли́вейший			

There are a few exceptions to this basic pattern: **просто́й** has the superlative **просте́йший**, but the comparative **про́ще**; **бога́тый** has the superlative **богате́йший**, but the comparative **бога́че**; **дешёвый** has the superlative **дешеве́йший**, but the comparative **деше́вле**.

Compound superlatives may also be formed by substituting the unchanging adverb **наибо́лее** *the most* for the appropriate form of **са́мый**:

Э́то **наибо́лее высо́кая** гора́ на Кавка́зе.
Э́то са́мая **высо́кая** гора́ на Кавка́зе *or*   It's *the tallest* mountain in the Caucasus.
Э́то **высоча́йшая** гора́ на Кавка́зе.

Based on the same pattern, *the least* is expressed by a combination of **наиме́нее** plus the positive adjective:

Э́то **наиме́нее** удо́бная гости́ница в го́роде.   It's *the least* comfortable hotel in town.

Like the **–ейший** and **–айший** superlatives, those superlatives formed from **наибо́лее** and **наиме́нее** are more typical of literary than colloquial style Russian.

Unlike the compound superlatives, the simple **–ейший** and **–айший** superlatives are often used not as absolute superlatives, but to express a very high degree of the quality noted.

Она́ миле́йшая же́нщина.

She's *the nicest* woman *or* She's *an extremely nice* woman.

Э́то интере́снейший рома́н.

This is *a most interesting* novel *or* This is *an extremely interesting* novel.

The conjunctive phrases до того́ как, пе́ред те́м как, and по́сле того́ как versus the prepositions до, пе́ред, and по́сле

MODELS

Э́то бы́ло до нача́ла войны́.	It was before the beginning of the war.
Э́то бы́ло до того́, как начала́сь война́.	It was before the war began.
Вы́пей со́ка пе́ред едо́й.	Drink some juice before your meal.
Вы́пей со́ка пе́ред те́м, как е́сть.	Drink some juice before eating.
Он пришёл по́сле конце́рта.	He came after the concert.
Он пришёл по́сле того́, как ко́нчился конце́рт.	He came after the concert ended.
Я его́ ви́дел до собра́ния.	I saw him before the meeting.
Я его́ ви́дел до того́, как мы́ собрали́сь.	I saw him before we assembled.
Э́то случи́лось по́сле на́шей встре́чи.	That happened after our encounter.
Э́то случи́лось по́сле того́, как мы́ встре́тились.	That happened after we met.
Э́то бы́ло до его́ прие́зда.	That was before his arrival.
Э́то бы́ло до того́, как о́н прие́хал.	That was before he arrived.
Я ему́ позвоню́ пе́ред те́м, как уе́ду.	I'll phone him before I leave.
Я ему́ позвоню́ пе́ред те́м, как уезжа́ть.	I'll phone him before leaving.
Он мне́ позвони́т пе́ред те́м, как я бу́ду уезжа́ть.	He'll phone me before I leave.

■ REPETITION DRILL

Repeat the given models, noting that the prepositions до, пе́ред, and по́сле in combination with the appropriate form of то́т and как are used to introduce subordinate clauses. Note particularly that the infinitive can only be used in the subordinate clause if the subject is the same as in the main clause.

■ EXPANSION DRILLS

1. *I'll call him.*
   I'll call him before leaving.
   Я ему́ позвоню́.
   Я ему́ позвоню́ пе́ред те́м, как уезжа́ть.
   Она́ ему́ позвони́т.
   Она́ ему́ позвони́т пе́ред те́м, как уезжа́ть.
   (они ему позвонят, мы ему позвоним,
   Зина ему позвонит, ты ему позвонишь,
   вы ему позвоните)

2. *I had a talk with him.*
   I had a talk with him before he left.
   Я с ним поговорил.
   Я с ни́м поговори́л пе́ред те́м, как о́н уе́хал.
   Я с ним договорился.
   Я с ни́м договори́лся пе́ред те́м, как о́н уе́хал.
   (познакомился, поужинал, сыграл в
   шахматы, побеседовал, поспорил,
   переговорил)

3. *He became a professor.*
I knew him even before he became a professor.
Óн стáл профéссором.
Я́ егó знáл ещё до тогó, как óн стáл профéссором.
Óн стáл знамени́тым учёным.
Я́ егó знáл ещё до тогó, как óн стáл знамени́тым учёным.
(врачом, известным специалистом, вором, мастером спорта, богатым, ответственным работником, коммунистом)

4. *Don't forget to shave.*
Don't forget to shave before going to the doctor.
Не забýдь побри́ться.
Не забýдь побри́ться перед тéм, как пойдёшь к врачý.
Не забýдь приня́ть вáнну.
Не забýдь приня́ть вáнну перед тéм, как пойдёшь к врачý.
(позвонить, почистить зубы, переменить бельё, меня разбудить, померить температуру, пришить пуговицу)

■ QUESTION-ANSWER DRILLS

1. *When did he get sick—after (eating) these mushrooms?*
Yes, after he ate some mushrooms.
Пóсле чегó óн заболéл, пóсле э́тих грибóв?
Дá, пóсле тогó, как поéл грибóв.
Пóсле чегó óн заболéл, пóсле арбýза?
Дá, пóсле тогó, как поéл арбýза.
(дыни, огурцов, слив, яблок, помидоров, баранины, этого мяса)

2. *Did he call later and explain everything?*
Yes, but I had it all figured out before he called.
Óн потóм позвони́л и всё объясни́л?
Дá, но я́ всё угадáл до тогó, как óн позвони́л.
Óн потóм написáл и всё объясни́л?
Дá, но я́ всё угадáл до тогó, как óн написáл.
(с тобой поговорил, с тобой побеседовал, с тобой встретился, тебя пригласил, тебе позвонил, тебе написал)

■ RESPONSE DRILLS

1. *You must phone him.*
I'll phone him before I start cleaning up.
Ты́ дóлжен емý позвони́ть.
Я́ позвоню́ емý перед тéм, как начнý убирáть.
Ты́ дóлжен э́то кóнчить.
Я́ кóнчу перед тéм, как начнý убирáть.
(это запаковать, передвинуть мебель, поесть, написать заявление, принести воды, помыть посуду)

2. *You should get some rest.*
I will after I'm finished with this.
Тебé нýжно отдохнýть.
Я́ отдохнý пóсле тогó, как кóнчу э́то.
Тебé нýжно поéсть.
Я́ поéм пóсле тогó, как кóнчу э́то.
(оформиться, запаковать вещи, полежать, взять отпуск, переодеться, поужинать, поспать, посидеть)

■ STRUCTURE REPLACEMENT DRILLS

1. *That was even before the beginning of the concert.*
That was even before the concert started.
Э́то бы́ло ещё до начáла концéрта.
Э́то бы́ло ещё до тогó, как начался́ концéрт.

Э́то бы́ло ещё до начáла войны́.
Э́то бы́ло ещё до тогó, как началáсь войнá.
(собрания, моего отпуска, каникул, вечера, революции, разговора, экзаменов)

2. *I'll first have something to eat.*
I'll tell you after I've had something to eat.
Я снача́ла пое́м.
Я расскажу́ по́сле того́, как пое́м.
Я снача́ла разде́нусь.
Я расскажу́ по́сле того́, как разде́нусь.
(отдохну́, поу́жинаю, переоде́нусь,
пообе́даю, закурю́, побре́юсь,
вы́купаюсь)

3. *He called when you'd already left.*
He called after you left.
Óн позвони́л, когда́ вы́ уже́ ушли́.
Óн позвони́л по́сле того́, как вы́ ушли́.
Óн позвони́л, когда́ вы́ уже́ уе́хали.
Óн позвони́л по́сле того́, как вы́ уе́хали.
(ему́ написа́ли, посла́ли ему́ письмо́,
продли́ли ему́ ви́зу, почи́стили его́
костю́м, помы́ли его́ маши́ну,
получи́ли извеще́ние)

DISCUSSION

Unlike English, where *before* and *after* serve both as prepositions and conjunctions, Russian makes a distinction between preposition and conjunction. Thus the prepositions до *before*, *until*, перед *before* and по́сле *after* are used with nouns, but in verbal constructions the corresponding conjunctive phrase (до того́, как *before*, перед тем, как *before*, or по́сле того́, как *after*) must be used:

Compare with	Приходи́ по́сле у́жина.	Come after supper.
	Приходи́ по́сле того́, как поу́жинаешь.	Come after you've had supper.
Compare with	Прове́рь бу́тсы перед игро́й.	Check your soccer shoes before the game.
	Прове́рь бу́тсы перед тем, как игра́ть *or* Прове́рь бу́тсы перед тем, как бу́дешь игра́ть.	Check your soccer shoes before playing.

The conjunctive phrases may be followed by the active verb (in the past or future) or, if the subject is the same as that of the main clause, by the infinitive, usually imperfective.

ПОВТОРЕ́НИЕ

— Пожа́луйста, А́ня, пока́ я́ бу́ду бри́ться, позвони́ Орло́ву и спроси́, не мо́жет ли о́н зае́хать у́тром ко мне́ на рабо́ту. Мне́ ну́жно с ни́м поговори́ть.

— Хорошо́, но почему́ Ивано́в не сговори́лся с ни́м вчера́? О́н тво́й секрета́рь, и он до́лжен бы́л позабо́титься обо всём.

— А́х, А́ня, ты́ же зна́ешь э́того Ивано́ва — пока́ ему́ не ска́жешь, ничего́ са́м не сде́лает. А я́ вчера́ бы́л за́нят и не сказа́л ему́.

— Не понима́ю, Фе́дя. Ты́ до́лжен подтяну́ть его́. О́н тепе́рь совсе́м ничего́ не де́лает. За что́ о́н де́ньги получа́ет?

— Открове́нно говоря́, я и са́м не зна́ю за что́. Ты́ права́, ему́ на́до подтяну́ться.

— Коне́чно. О́н мо́жет, е́сли захо́чет, бы́ть превосхо́днейшим рабо́тником. Ты́ са́м э́то ещё та́к неда́вно говори́л.

— Да́, я са́м понима́ю, что до́лжен бы́ть стро́же.

— Скажи́, пожа́луйста, Никола́й, почему́ Во́лкова посла́ли на целину́? Ра́зве о́н бы́л плохи́м дире́ктором?

— Совсе́м не́т. Я́ бы да́же сказа́л, что о́н бы́л наибо́лее спосо́бным из все́х, кото́рые у на́с бы́ли за после́дние де́сять ле́т. Не напра́сно о́н име́ет о́рден Трудово́го Кра́сного Зна́мени.

— Тогда́ в чём же де́ло?

— А во́т и́менно потому́, что о́н превосхо́дный администра́тор, его́ и посла́ли на целину́, чтобы подтяну́ть те́х, кто отстаёт и не выполня́ет пла́на.

— Жа́ль. С но́вым нача́льником тебе́, пожа́луй, бу́дет ху́же рабо́тать.

— Наде́юсь, что не́т. У на́с ведь дире́ктором бу́дет Хитро́в. Я его́ зна́ю, когда́-то вме́сте отдыха́ли на куро́рте.

— Ну́, зна́ешь, на куро́рте челове́ка тру́дно узна́ть. Та́м о́н не тако́й, как на рабо́те.

— Но о́н мне́ понра́вился, и я́ уве́рен, что мы́ с ни́м срабо́таемся.

— Ты́ ви́дел, Ми́ша, каки́е ужа́сные карти́ны вися́т в кварти́ре Берёзовых?

— Ви́дел. То́лько, по-мо́ему, они́ совсе́м не ужа́сные. Э́то и́х сы́н Вади́м присла́л и́м из Ленингра́да.

— Неуже́ли? Так э́то его́ вку́с?

— Э́то не то́лько его́ вку́с, но и его́ рабо́та. О́н ведь студе́нт Худо́жественной акаде́мии.

— Во́т не зна́ла. Зна́чит, и́х та́м та́к у́чат? Бе́дные!

— Я́ не люблю́, О́ля, когда́ ты́ говори́шь о веща́х, кото́рых не зна́ешь и не понима́ешь.

— Что́ зна́чит не зна́ю и не понима́ю? Карти́ны должны́ бы́ть таки́ми, чтобы́ и́х все́ понима́ли и чтобы они́ все́м нра́вились.

— Таки́х карти́н бы́ть не мо́жет. У вся́кого сво́й вку́с, и ка́ждый по-сво́ему понима́ет иску́сство. Худо́жник до́лжен писа́ть та́к, как о́н счита́ет ну́жным.

— Ты́ та́к говори́шь, потому́ что тво́й бра́т худо́жник. А призна́йся открове́нно, ра́зве тебе́ самому́ нра́вятся, наприме́р, рабо́ты э́того Вади́ма?

— Нра́вятся, хотя́ я́ не ду́маю, что о́н ста́нет больши́м худо́жником. Впро́чем, пока́ о́н не ко́нчит Акаде́мию, тру́дно что́-нибудь сказа́ть определённое.

LESSON **35**

PREPARATION FOR CONVERSATION	**Письмо́ от Зи́ны из Сиби́ри**

Оле́г, ту́т тебе́ пришло́ письмо́.

Oleg, there's a letter for you here.

твёрдый
Внутри́ что́-то твёрдое, наве́рно сни́мки.

   hard, solid
There's something hard inside, probably snapshots.

Да́й сюда́.

Hand it over *or* Give it to me.

Сиби́рь (f)
Это от Зи́ны, из Сиби́ри.

   Siberia
It's from Zina, from Siberia.

Та́к и е́сть — во́т сни́мок.

You were right—it's a snapshot.

Покажи́. Кото́рая же она́?

Let's see it. Which one is she?

посереди́не
Во́т э́та посереди́не?

   in the middle, in the center
The one in the middle?

Да́же не узна́ть.

You can't even recognize her.

Да́й и мне́ посмотре́ть.

Let me have a look.

шу́ба
Да́, тру́дно узна́ть в тако́й шу́бе и зи́мней ша́пке.

   fur coat
Yes, she's hard to recognize in that fur coat and winter cap.

Ну́, что́ ж она́ пи́шет?

Well, what does she write?

жи́ться (I)
Ка́к ей та́м живётся?
тайга́
Ка́к ей та́м живётся в тайге́?

   to get along
How's she getting along there?
   taiga (dense northern forest region)
How's she getting along there in the taiga?

мёрзнуть, мёрзнут (I) (past мёрз *or* мёрзнул)
в о́бщем
В о́бщем ничего́, жа́луется то́лько, что мёрзнет.

   to freeze, be freezing cold

   on the whole, all in all
All right on the whole, only she complains that she's freezing.

◀ **Правле́ние и клу́б колхо́за «Ту́ндра» в се́верной Сиби́ри.**   859 доходи́ть, –ят (II)

to reach; to go as far as

Температу́ра дохо́дит до сорока́ пяти́ гра́дусов.

The temperature reaches forty-five degrees.

нуль, –я́ (also но́ль, –я́)

zero

ни́же

lower, below

Говори́т, что температу́ра дохо́дит до сорока́ пяти́ гра́дусов ни́же нуля́.

She says the temperature gets down to forty-five degrees below zero.

заморо́зить, –ят (pfv II)

to freeze

Та́м зимо́й молоко́ заморо́женным продаю́т.

In winter there they sell milk that's been frozen.

ры́нок, ры́нка

market

Мой оте́ц быва́л в Сиби́ри, расска́зывал, как зимо́й на ры́нке молоко́ заморо́женным продаю́т.

My father was in Siberia. He used to tell us how at the market, in winter, they sell milk frozen.

куска́ми

in pieces, in chunks

Заморо́женное молоко́ про́сто лежи́т куска́ми на стола́х.

The frozen milk just lies in chunks on the tables.

Не понима́ю, ка́к та́м лю́ди живу́т.

I can't understand how people can live there.

кли́мат

climate

Я́ бы не вы́держал тако́го кли́мата.

I wouldn't survive such a climate.

хо́лод, –а; –а́, –о́в

the cold, cold weather

ненави́деть, –ят (II)

to hate

Я́ ненави́жу хо́лод.

I hate cold weather.

суро́вый

harsh, severe; stern, strict

Кли́мат, коне́чно, суро́вый.

The climate is harsh, of course.

ве́тер, ве́тра

wind

зато́

then, on the other hand, however; to make up for it

Кли́мат, коне́чно, суро́вый, но зато́ зимо́й почти́ не быва́ет ве́тра.

The climate is harsh, of course, but on the other hand there's almost no wind in the winter.

А како́е та́м ле́то? То́же холо́дное?

But what's summer like there? Also cold?

центра́льный

central

Не́т, в центра́льной ча́сти ле́то жа́ркое.

No, in the central part the summer is hot.

ду́ть, ду́ют (I)

to blow

Та́м ле́том ча́сто ду́ют си́льные ве́тры.

Strong winds often blow there during the summer.

здоро́вый

healthy

Кли́мат дово́льно здоро́вый.

The climate is a rather healthy one.

су́щность (f)

essence

в су́щности говоря́

as a matter of fact, actually; basically

В су́щности говоря́, кли́мат дово́льно здоро́вый.

As a matter of fact, the climate is a rather healthy one.

желе́зный

iron

желе́зное здоро́вье

robust health, iron constitution

Да́, здоро́вый для те́х, у кого́ желе́зное здоро́вье.

Yes, healthy for those who have an iron constitution.

поживать (I)
Как поживает ваш брат?
   светить, –ят (II)
Солнце светит.
   огонь, огня; –й, –ей
Не играй с огнём.
Зажги огонь.
   дым
Нет дыма без огня.
   туман
Здесь по утрам часто бывают туманы.
   середина
Я поеду в Крым в середине августа.
   минус
Пять минус два будет три.
   плюс
Пять плюс пять будет десять.
Два плюс два будет четыре.
   сила
Это ей не по силам.
   сибирский
Как вам нравится наш сибирский климат?
   влажный
В районе озёр климат влажный.
   морской
Морской воздух очень здоровый.
   ветреный
Я ненавижу ветреную погоду.
   пасмурный
Завтра будет пасмурный день.
   дождливый [daʐʐ̟l̟ívij]
После дождливой погоды всегда много
   грибов.
   снежный
Я предпочитаю снежную погоду такой
   сумасшедшей жаре.
   ясный
День сегодня ясный и холодный.
   туманный
По утрам на берегу моря погода всегда
   туманная.
   Дальний Восток.
Мы два года жили на Дальнем Востоке.
   высший
Вот материал высшего качества.
   выше (compar. of высокий)
Летом температура доходит до тридцати
   пяти градусов выше нуля.

to get along; to be
How's your brother getting along?
   to shine
The sun is shining.
   fire; light
Don't play with fire.
Turn on the light.
   smoke
Where there's smoke, there's fire.
   fog, mist
There are often mists here in the mornings.
   middle
I'll go to the Crimea in the middle of August.
   minus
Five minus two is three.
   plus, and
Five plus five is ten.
Two and two is four.
   strength, power; ability
It's beyond her abilities.
   Siberian
How do you like our Siberian climate?
   damp, humid, moist
The climate is damp in the lake region.
   sea (adj), naval, marine
The sea air is very healthy.
   windy; flighty, frivolous
I hate windy weather.
   cloudy, overcast
Tomorrow will be cloudy.
   rainy, wet
After rainy weather there are always lots of
   mushrooms.
   snowy
I prefer snowy weather to this crazy heat.

   clear
Today is clear and cold.
   misty, foggy, hazy
In the mornings the weather is always foggy by
   the seashore.
   the Far East
We lived in the Far East for two years.
   higher, superior; highest
Here's material of superior quality.
   higher, above
In summer the temperature gets to 35° above
   zero.[1]

---

[1] About 95° Fahrenheit.

Письмо́ от Зи́ны из Сиби́ри

И. — Ива́н   О. — Оле́г   Б. — Бори́с

И. 1 Оле́г, тут тебе́ пришло́ письмо́. Внутри́ что́-то твёрдое, наве́рно сни́мки.

О. 2 Дай сюда́. Э́то от Зи́ны, из Сиби́ри.[1] Так и есть — вот сни́мок.

И. 3 Покажи́. Кото́рая же она́? Вот э́та посереди́не? Да́же не узна́ть.

Б. 4 Дай и мне́ посмотре́ть. Да, тру́дно узна́ть в тако́й шу́бе и зи́мней ша́пке.

И. 5 Ну, что ж она́ пи́шет? Как ей там живётся в тайге́?[2]

О. 6 В о́бщем ничего́, жа́луется то́лько, что мёрзнет. Говори́т, что температу́ра дохо́дит до 45° ни́же нуля́.

И. 7 Мой оте́ц быва́л в Сиби́ри, расска́зывал, как зимо́й на ры́нке молоко́ заморо́женным продаю́т.[3] Про́сто лежи́т куска́ми на стола́х.

Б. 8 Не понима́ю, как там лю́ди живу́т. Я бы не вы́держал тако́го кли́мата, ненави́жу хо́лод.

О. 9 Кли́мат, коне́чно, суро́вый, но зато́ зимо́й почти́ не быва́ет ве́тра.

Б. 10 А како́е там ле́то? То́же холо́дное?

О. 11 Нет, в центра́льной ча́сти жа́ркое, но ча́сто ду́ют си́льные ве́тры. В су́щности говоря́, кли́мат дово́льно здоро́вый.

Б. 12 Да, здоро́вый для тех, у кого́ желе́зное здоро́вье.

NOTES

[1] **Сиби́рь** *Siberia* comprises the vast area east of the Ural Mountains extending to the Bering Sea and bounded on the north by the Arctic Ocean.

[2] The **тайга́** *taiga* is a zone of dense coniferous forests stretching in a wide belt across the northern part of the U.S.S.R. To most Russians the term is practically synonymous with Siberia.

[3] Both **база́р** and **ры́нок** mean *market*, but the latter term is more commonly used for a smaller market, specializing in such items as dairy products, vegetables, and poultry. When it is indoors, it is called **кры́тый ры́нок** (literally *covered market*). Goods are usually sold at tables or counters at the **ры́нок**, while those at the **база́р** are more often simply placed on the ground or sold from carts.

PREPARATION FOR CONVERSATION **Зи́на опи́сывает пое́здку в Ирку́тск**

Ирку́тск	Irkutsk
пое́здка	trip, journey, outing
Зи́на опи́сывает пое́здку в Ирку́тск.	Zina describes a trip to Irkutsk.
Заходи́, Фили́пп, сади́сь! Тут Оле́г расска́зывает, что́ пи́шет Зи́на из Сиби́ри.	Come in and sit down, Philip. Oleg here is telling us what Zina writes from Siberia.

сосла́ть, сошлю́т (pfv I)

to banish, exile; to deport

ша́хта

mine

соляно́й

salt (adj)

Из Сиби́ри? Её сосла́ли в соляны́е ша́хты?

From Siberia? Did they deport her to the salt mines?

ссыла́ть, –а́ют (I)

to exile, banish, deport

Да что́ ты! Никуда́ её не ссыла́ли.

What are you talking about! They didn't deport her anywhere.

что́ за (*plus* nom)

what, what a, what's that, what's this, what the

И что́ за соляны́е ша́хты?

And what's all this about salt mines?

зо́лото

gold

добыва́ть (I)

to mine, dig up

Та́м добыва́ют зо́лото.

They mine gold there.

ры́ть, ро́ют (I)

to dig

В гора́х ро́ют зо́лото.

They dig gold in the mountains.

Забайка́лье

Trans-Baikal (region beyond Lake Baikal)

сте́пь (f)

steppe (Russian plains), prairie

«По ди́ким степя́м Забайка́лья, где́ зо́лото ро́ют в гора́х...»

"Through the wild steppes of Trans-Baikal where they dig gold in the mountains . . .".

Ты́ слыха́л ста́рую пе́сню: «По ди́ким степя́м Забайка́лья, где́ зо́лото ро́ют в гора́х»?

Have you heard the old song "Through the wild steppes of Trans-Baikal where they dig gold in the mountains"?

Не́т, не слыха́л.

No, I haven't heard it.

А насчёт соляны́х ша́хт я́ пошути́л.

And I was joking about the salt mines.

Э́то у на́с в Аме́рике та́к говоря́т.

That's what we say in America.

Так что́ же Зи́на пи́шет?

So what does Zina write?

встреча́ть Но́вый го́д

to celebrate the New Year

Пи́шет, что они́ е́здили в Ирку́тск встреча́ть Но́вый го́д.

She writes that they went to Irkutsk to celebrate the New Year.

су́тки, су́ток (pl only)

twenty-four hours, a whole day (and night)

Из-за мете́лей е́хали дво́е су́ток.

It took them two whole days because of snowstorms.

са́ни, –е́й (pl only)

sleigh

тро́йка

troika (team of three horses)

Наве́рно на саня́х, на тро́йках?

In sleighs, probably, [or] in troikas?

Да не́т, на грузовика́х.

Why no, in trucks.

Кто́ ж тепе́рь е́здит на тро́йках?

Who rides in troikas now?

полтора́ста, полу́тораста

one hundred and fifty

И пото́м э́то в полу́тораста киломе́трах отту́да.

And then, too, it's one hundred and fifty kilometers from there.

уда́ться (pfv) (*like* да́ть)

to succeed, be lucky enough, manage

мне́ удало́сь (*plus* inf)

I succeeded, I managed

Академгородо́к, –дка́

Science City (*lit.* Academytown)

А в Акаде́мгородке́ Зи́не удало́сь побыва́ть, ка́к она́ мечта́ла?

And did Zina manage to visit Science City, as she dreamed of doing?

Очеви́дно не́т.

Apparently not.

В Ирку́тске она́ побыва́ла в университе́те.

In Irkutsk she visited the university.

декабри́ст

Decembrist (member of early nineteenth-century revolutionary group)

основа́ть (pfv I)

to found, establish

Она́ ви́дела библиоте́ку, осно́ванную декабри́стами.

She saw the library founded by the Decembrists.

Ты́, Фили́пп, зна́ешь что́-нибудь о декабри́стах?

Do you know anything about the Decembrists, Philip?

культу́ра
изуча́ть, –а́ют (I)

culture
to study, master

Да́. Мы́ изуча́ли ру́сскую культу́ру и исто́рию в университе́те.

Yes. We studied Russian culture and history at the university.

Во́т бы́ли лю́ди!

Those were real men!

поэ́т
Их поэ́т бы́л пра́в.
сказа́вший (past active participle)
ско́рбный

poet
Their poet was right.
one who said, he who said
sorrowful, mournful

Пра́в бы́л и́х поэ́т, сказа́вший: «На́ш ско́рбный тру́д не пропадёт...»

Their poet was right, who said: "Our sorrowful work will not be wasted . . ."

пла́мя, пла́мени (sg only)
возгоре́ться, –я́тся (pfv II)
и́скра

flame
to be kindled, flare up
spark

«Из и́скры возгори́тся пла́мя...»

"A flame will be kindled from [a] spark . . . ."

SUPPLEMENT

горе́ть, –я́т (II)

to be burning, be on fire

Что́-то гори́т.

Something's burning.

сгоре́ть, –я́т (pfv II)

to burn up, burn down, burn out

До́м сгоре́л.

The house burned down.

греме́ть, –я́т (II)

to thunder

Послу́шай, ка́жется греми́т гро́м.

Listen—it sounds like thunder.

поздравля́ть, –я́ют (I)

to congratulate, wish one well

(Поздравля́ю ва́с) с днём рожде́ния.

Happy Birthday!

(Поздравля́ю ва́с) с Но́вым го́дом.

Happy New Year!

бу́ря

storm, tempest

Э́то бу́ря в стака́не воды́.

It's a tempest in a teapot.

гроза́

thunderstorm

Я́ бою́сь, что бу́дет гроза́.

I'm afraid there'll be a thunderstorm.

мо́лния

lightning; zipper; fast telegram

Мы́ ви́дели мо́лнию, но не слы́шали гро́ма.

We saw lightning but didn't hear any thunder.

расстоя́ние

distance

Како́е расстоя́ние между Ки́евом и Москво́й?

What's the distance between Kiev and Moscow?

ширина́	width, breadth
Како́й ширины́ э́та река́?	How wide is this river?
длина́	length
Како́й длины́ э́та река́?	How long is this river?
глубина́	depth
Како́й глубины́ э́та река́?	How deep is this river?
высота́	height
Како́й высоты́ э́та гора́?	How high is this mountain?
деся́ток, –тка	ten (set of ten)
Да́йте мне́ деся́ток яи́ц.	Give me ten eggs.*
со́тня, –и; –и, со́тен	hundred, group of a hundred
На пло́щади собрали́сь со́тни люде́й.	Hundreds of people gathered in the square.
труди́ться, тружу́сь, тру́дятся (п)	to work (hard), labor, toil; to go to some trouble, make some effort
Мы́ тяжело́ труди́лись.	We really worked hard.
Не труди́тесь!	Don't go to any trouble!
трудя́щийся	worker, working man
У на́с е́сть дома́ о́тдыха для трудя́щихся.	We have rest homes for workers.
поле́зный	useful, good
Две́ неде́ли на куро́рте ва́м бу́дут о́чень поле́зны.	Two weeks at a health resort will do you a lot of good.
культу́рный	cultured, cultivated
Она́ высоко́ культу́рный челове́к.	She's a highly cultured person.
некульту́рный	uncultured, crude
Не снима́ть шля́пы в теа́тре — э́то некульту́рно.	Keeping your hat on in the theater is bad manners.
надо́лго	for long, for a long time
Вы́ надо́лго прие́хали?	Will you be here long?
— На две неде́ли.	Two weeks.
желе́зная доро́га	railroad
Вы́ е́дете по желе́зной доро́ге?	Are you going by railroad?

Зи́на опи́сывает пое́здку в Ирку́тск

И. — Ива́н   Ф. — Фили́пп   Б. — Бори́с   О. — Оле́г

И.   1 Заходи́, Фили́пп, сади́сь. Ту́т Оле́г расска́зывает, что́ пи́шет Зи́на из Сиби́ри.

Ф.   2 Из Сиби́ри? Её сосла́ли в соляны́е ша́хты?

Б.   3 Да что́ ты́! Никуда́ её не ссыла́ли. И что́ за соляны́е ша́хты? Та́м добыва́ют зо́-лото.

И.   4 Слыха́л ста́рую пе́сню: «По ди́ким степя́м Забайка́лья, где́ зо́лото ро́ют в гора́х...»?[1,2]

Ф.   5 Не́т, не слыха́л. А насчёт ша́хт я́ пошути́л. Э́то у на́с в Аме́рике та́к говоря́т. Так что́ же Зи́на пи́шет?

---

* Such commodities as eggs and apples are usually sold by tens in the Soviet Union rather than by dozens.

О. 6 Пи́шет, что они́ е́здили в Ирку́тск встреча́ть Но́вый го́д.³ Из-за мете́лей е́хали дво́е су́ток.

Ф. 7 Наве́рно на саня́х, на тро́йках?⁴

О. 8 Да не́т, на грузовика́х. Кто́ ж тепе́рь е́здит на тро́йках? И пото́м э́то в полу́тораста киломе́трах отту́да.

Б. 9 А в Академгородке́ Зи́не удало́сь побыва́ть, ка́к она́ мечта́ла?⁵

О. 10 Очеви́дно не́т. В Ирку́тске она́ побыва́ла в университе́те, ви́дела библиоте́ку, осно́ванную декабри́стами.⁶

И. 11 Ты́, Фили́пп, зна́ешь что́-нибудь о декабри́стах?

Ф. 12 Да́, мы́ изуча́ли ру́сскую культу́ру и исто́рию в университе́те.

Б. 13 Во́т бы́ли лю́ди! Пра́в бы́л и́х поэ́т, сказа́вший:

«На́ш ско́рбный тру́д не пропадёт,
Из и́скры возгори́тся пла́мя...»⁷

NOTES

¹ The area known as **Забайка́лье** *Trans-Baikal* is a large region including not only that adjacent to Lake Baikal, but a large territory to the north and east which borders on the far eastern coastal region known as **Да́льний Восто́к**. To the south of Trans-Baikal lie Mongolia and Manchuria.

² The song Ivan refers to is a ballad that tells the story of a runaway convict who crosses Lake Baikal and meets the only survivor of his family, his mother. The first stanza goes:

«По ди́ким степя́м Забайка́лья,

"Through the wild steppes of Trans-Baikal,

Где́ зо́лото ро́ют в гора́х,
Бродя́га, судьбу́ проклина́я,
Тащи́лся с сумо́й на плеча́х».

Where they dig gold in the mountains,
A vagabond, cursing his fate,
Trailed along with a sack on his shoulders."

³ Irkutsk is a city of some three hundred thousand people, located just west of Lake Baikal on the Trans-Siberian railway. Traditionally it is the cultural, economic, and administrative center of all Siberia. There are eight institutions of higher learning in Irkutsk, including a major university.

⁴ As a means of transportation, the troika, or team of three horses pulling a sleigh, belongs mainly to the past. Today, troika races are special state-sponsored winter sports events.

⁵ The Soviet **Академгородо́к** *Science City* was built in an attempt to concentrate scientific research efforts in an area distant from the European part of the U.S.S.R. Located a few miles from Novosibirsk, on the Ob river, it already contains at least twenty research institutes. Outstanding scientists are paid high commissions to move there and the most gifted high-school students are selected from all over Siberia and brought there to be trained as future scientists.

⁶ The **декабри́сты** *Decembrists* were a small group of young Russian aristocrats who, on the fourteenth of December 1825, tried unsuccessfully to arouse the army to revolt and force the czar to yield to their demands for establishing a constitutional monarchy in Russia. Several of the leaders were hanged, and the rest were exiled to

Siberia. While in exile, they managed to exercise considerable cultural influence on those with whom they came in contact. Many of them had their private libraries shipped to Siberia, which is how such libraries as the one mentioned in Irkutsk were formed. To this day they are particularly remembered and revered by the descendants of the local population of the area they helped to enlighten.

[7] The author of these lines was Alexander Odoevsky (1802–39), a member of the Decembrist group. The quotation was so famous that Lenin used it as a motto for the first Communist newspaper, which took its name, **Йскра** *The Spark*, from the poem.

Basic sentence patterns

1. Ве́тер, ду́ющий с мо́ря, всегда́ вла́жный.
   _____ с ю́га, всегда́ тёплый.

   The wind blowing from the sea is always humid.
   _____ from the south is always warm.

2. Достое́вский бы́л со́слан в Сиби́рь на де́сять ле́т.
   Йх сосе́дка была́ со́слана _____.
   Йх роди́тели бы́ли со́сланы _____.

   Dostoevsky was exiled to Siberia for ten years.
   Their neighbor (f) was exiled _____.
   Their parents were exiled _____.

3. Двои́х из ни́х посла́ли изуча́ть Да́льний Восто́к.
   Трои́х _____.
   Четверы́х _____.

   Two of them were sent to study the Far East.
   Three _____.
   Four _____.

4. Пое́здка продли́тся дво́е су́ток.
   _____ тро́е _____.
   _____ че́тверо ___.

   The trip will last two days and nights.
   _____ three _____.
   _____ four _____.

5. Температу́ра упа́ла на полтора́ гра́дуса.
   _____ подняла́сь _____.
   _____ упа́ла ни́же нуля́.

   The temperature dropped a degree and a half.
   _____ rose _____.
   _____ dropped below zero.

6. Я́ ненави́жу дождли́вую пого́ду.
   _____ тума́нные дни́.
   _____ снѐжные бу́ри.

   I hate rainy weather.
   _____ foggy days.
   _____ snowstorms.

7. Она́ ненави́дит Сиби́рь.
   _____ хо́лод.
   _____ ве́тер.

   She hates Siberia.
   _____ the cold.
   _____ the wind.

8. Стро́го говоря́, о́н не подхо́дит для э́той рабо́ты.

   Ме́жду на́ми говоря́, _____.

   Strictly speaking, he isn't suitable for this job.

   Speaking *entre nous* (*or* Just between us) _____.

9. О́н испо́ртит себе́ глаза́, чита́я в крова́ти.
   О́н по́ртит себе́ глаза́, _____.

   He'll ruin his eyes reading in bed.

   He's ruining his eyes _____.

10. Мы́ ходи́ли по тайге́, ища́ зо́лото.

    _____ не находя́ зо́лота.

    _____ наде́ясь найти́
                                зо́лото.

We roamed the taiga looking for gold.

    _____ without finding any gold.

    _____ hoping to find gold.

11. Они́ рабо́тали, не обраща́я внима́ния
                                на хо́лод.

    Они́ рабо́тают _____.

    Они́ бу́дут рабо́тать _____.

They worked without paying attention to
                                the cold.

    They work _____.

    They'll work _____.

12. Тепе́рь здесь отдыха́ют на́ши
                                трудя́щиеся.

    _____ слу́жащие.

Now our workers vacation here.

    _____ employees _____.

13. Обрати́ внима́ние на люде́й,
                                купа́ющихся в реке́.

    _____ игра́ющих в футбо́л.

    _____ трениру́ющихся на катке́.

Notice the people bathing in the river.

    _____ playing soccer.

    _____ practicing in the rink.

14. Где по́езд, иду́щий в Москву́?

    _____ пассажи́р, е́дущий в Москву́?

    _____ пассажи́ры, летя́щие в Москву́?

Where is the train going to Moscow?

    _____ the passenger _____?

    _____ are the passengers flying to Moscow?

15. Я уви́дел ме́дленно ползу́щую черепа́ху.

    _____ плыву́щую ло́дку.

    _____ летя́щих у́ток.

I saw a tortoise crawling slowly.

    _____ a boat drifting _____.

    _____ some ducks flying _____.

16. Все отдыха́ющие на э́том куро́рте — от-
                                ве́тственные рабо́тники.

    Все живу́щие в э́том до́ме — от-
                                ве́тственные рабо́тники.

    Все уча́щиеся в э́той шко́ле — де́ти от-
                                ве́тственных рабо́тников.

All those vacationing at this resort are
                                executives.

    All those living in this house are executives.

    All those studying at this school are the
                                children of executives.

17. Не хвата́ет полу́тораста рубле́й.

    _____ пар боти́нок.

    _____ ме́тров
                                мате́рии.

    _____ килогра́ммов
                                со́ли.

One hundred and fifty rubles are missing.

    _____ pairs of shoes _____.

    _____ meters of material _____.

    _____ kilograms of salt _____.

18. Отсю́да до грани́цы полтора́ киломе́тра.

    _____ полторы́ ми́ли.

    _____ нет полу́тора
                                киломе́тров.

    _____ нет полу́тора ми́ль.

It's a kilometer and a half from here to the
                                border.

    It's a mile and a half _____.

    It's less than a kilometer and a half _____.

    It's less than a mile and a half _____.

19. Он прошёл расстоя́ние в полтора́ста
                                киломе́тров.

    _____ ми́ль.

He walked a distance of one hundred and fifty
                                kilometers.

    _____ miles.

20. Это озеро шириной в полтора
км киломе́тра.

_____ шириной в полторы ми́ли.

_____ длино́й о́коло полу́тора
киломе́тров.

_____ длино́й о́коло полу́тора
ми́ль.

21. Эта скаме́йка полтора́ ме́тра высоты́.

_____ не бо́льше полу́тора
ме́тров высоты́.

22. На Но́вый го́д я получи́л откры́тку из
Ирку́тска.

_____ от
сестры́ с Кавка́за.

23. Что́ э́то за шу́м?

_____ за возня́?

_____ за му́зыка?

24. Что́ за сви́нство!

_____ за вопро́с!

_____ за жара́!

25. Что́ о́н за челове́к?

_____ она́ за же́нщина?

_____ они́ за лю́ди?

This lake is one and a half kilometers in width.

_____ is one and a half miles in width.

_____ is about one and a half kilometers in
length.

_____ is about one and a half miles in
length.

This bench is one and a half meters high.

_____ is not over one and a half meters
high.

At New Year's time I received a post card from
Irkutsk.

_____ from
my sister in the Caucasus.

What's that noise?

_____ commotion?

_____ music?

What a dirty trick!

_____ a question!

_____ heat!

What kind of person is he?

_____ woman is she?

_____ people are they?

STRUCTURE AND DRILLS

Verbal adverbs: part I—imperfective verbal adverbs ending in -я (or -a) and -ясь (or -ась)

Verbal adverbs (sometimes called gerunds) are unchanging forms which are derived from verbs and used to describe an activity secondary to the action of the main verb but always performed by the same subject.

In this section are treated only those verbal adverbs formed from imperfective verbs by means of the suffix –я (spelled –a after ч, ж, ш, and щ), to which the particle –сь is added for the reflexive form. The suffix is added to the present stem for all classes of verbs except those ending in –ава́ть, where it is added to the infinitive stem: compare говор-я́, сове́ту-я, пла́ч-a with дава́-я, встава́-я. The stress is that of the first person singular.

The examples given below are paired to illustrate both the use of the verbal adverb and an alternate way of expressing the same notion by using a purely verbal form.

Открове́нно **говоря́**, э́то мне́ не нра́вится.
Е́сли говори́ть открове́нно, то́ э́то мне́ не
нра́вится.

Frankly *speaking*, I don't like it.
If I were to speak frankly, why I don't like it.

Убира́я ко́мнату, она́ нашла́ под дива́ном
пя́ть рубле́й.
Когда́ она́ убира́ла ко́мнату, она́ нашла́
под дива́ном пя́ть рубле́й.

While *cleaning* the room, she found five rubles
under the sofa.
While she was cleaning the room, she found five
rubles under the sofa.

Гуля́я в па́рке, я встре́тил профе́ссора Орло́ва.	While *strolling* in the park, I met Professor Orlov.
Когда́ я гуля́л в па́рке, я встре́тил профе́ссора Орло́ва.	While I was strolling in the park, I met Professor Orlov.
Смея́сь, он расска́зывал о то́м, как упа́л в лу́жу.	*Laughing*, he told how he had fallen in a puddle.
О́н смея́лся и расска́зывал о то́м, как упа́л в лу́жу.	He laughed and told how he had fallen in a puddle.
Я́ могу́ доста́ть с буфе́та ча́шку не **встава́я**.	I can get a cup from the sideboard without *getting up*.
Мне́ не ну́жно встава́ть для того́, чтобы доста́ть с буфе́та ча́шку.	I don't need to get up in order to get a cup from the sideboard.
Подъезжа́я к го́роду, вы́ уви́дите но́вый до́м о́тдыха.	As you *approach* the city, you'll see a new rest home.
Когда́ вы́ бу́дете подъезжа́ть к го́роду, вы́ уви́дите но́вый до́м о́тдыха.	When you approach the city, you'll see a new rest home.
Уча́ но́вый язы́к, легко́ забы́ть ста́рый.	In *learning* a new language, it's easy to forget the old one.
Пока́ у́чишь но́вый язы́к, легко́ забы́ть ста́рый.	While you're learning a new language, it's easy to forget the old one.
Идя́ по ле́стнице, он упа́л и чу́ть не слома́л себе́ ру́ку.	*Going* downstairs, he fell and almost broke his arm.
Когда́ он шёл по ле́стнице, он упа́л и чу́ть не слома́л себе́ ру́ку.	While he was going downstairs, he fell and almost broke his arm.
Она́ э́то расска́зывала, чу́ть не **пла́ча**.	She was telling it, almost *crying*.
Она́ э́то расска́зывала и чу́ть не пла́кала.	She was telling it and almost cried.
Мы́ разгова́ривали, не **замеча́я** вре́мени.	We talked, not *noticing* the time.
Мы́ разгова́ривали и не замеча́ли вре́мени.	We talked and didn't notice the time.
Ка́к ты́ мо́жешь занима́ться, **слу́шая** ра́дио?	How can you study, *listening* to the radio?
Ка́к ты́ мо́жешь занима́ться и в то́ же вре́мя слу́шать ра́дио?	How can you study and listen to the radio at the same time?

■ REPETITION DRILL

Repeat the paired examples illustrating the use of the imperfective verbal adverbs and compare each with the alternate way of expressing the same notion.

■ EXPANSION DRILLS

1. *Don't forget about us.*
   When ordering tickets, don't forget about us.
   Не забу́дьте о на́с.
   Зака́зывая биле́ты, не забу́дьте о на́с.
   Не забу́дьте о Зи́не.
   Зака́зывая биле́ты, не забу́дьте о Зи́не.
   (об Олеге, об Иване, о Вале, о Боре, о соседях, о соседке)

2. *Tell about the bears.*
   In describing Siberia, tell about the bears.
   Расскажи́те о медве́дях.
   Опи́сывая Сиби́рь, расскажи́те о медве́дях.
   Расскажи́те о холода́х.
   Опи́сывая Сиби́рь, расскажи́те о холода́х.
   (о тайге, о Забайкалье, о климате, о степях, о золоте, о шахтах, о декабристах, об Академгородке, о Дальнем Востоке)

1. *When did you meet him?*
   I met him on returning from the movies.
   Когда́ ты́ его́ встре́тил?
   Я́ его́ встре́тил, возвраща́ясь из кино́.
   Когда́ вы́ его́ встре́тили?
   Мы́ его́ встре́тили, возвраща́ясь из кино́.
   (Зина, девушки, сосед, хозяева, соседка, Филипп, ты, вы)

2. *How can you read and listen to music?*
   I always read while listening to music.
   Ка́к ты́ мо́жешь чита́ть и слу́шать му́зыку?
   Я́ всегда́ чита́ю, слу́шая му́зыку.
   Ка́к ты́ мо́жешь рабо́тать и слу́шать му́зыку?
   Я́ всегда́ рабо́таю, слу́шая му́зыку.
   (заниматься, считать, поправлять работы, проверять счета́, учить уроки, писать очерк)

■ STRUCTURE REPLACEMENT DRILLS

1. *He listened and didn't understand a thing.*
   He listened without understanding a thing.
   О́н слу́шал и ничего́ не понима́л.
   О́н слу́шал, ничего́ не понима́я.
   О́н слу́шал и ничего́ не замеча́л.
   О́н слу́шал, ничего́ не замеча́я.
   (говорил, отвечал, чувствовал, подозревал, думал, спрашивал)

2. *They were walking and didn't notice the cold.*
   They were walking, not noticing the cold.
   Они́ шли́ и не замеча́ли моро́за.
   Они́ шли́, не замеча́я моро́за.
   Они́ шли́ и не счита́ли киломе́тров.
   Они́ шли́, не счита́я киломе́тров.
   (и не находили источника, и не отставали от нас, и не чувствовали мороза, и не разговаривали, и не отдыхали, и не смотрели вниз, и не задерживались, и не жаловались)

3. *Before retiring, close the windows.*
   On retiring, close the windows.
   Перед те́м как ложи́ться спа́ть, закро́й о́кна.
   Ложа́сь спа́ть, закро́й о́кна.
   Перед те́м как уезжа́ть, закро́й о́кна.
   Уезжа́я, закро́й о́кна.
   (уходить, садиться работать, выходить из дому, ложиться, уезжать)

4. *When she was cleaning the room, she found some money.*
   While cleaning the room, she found some money.
   Когда́ она́ убира́ла ко́мнату, она́ нашла́ де́ньги.
   Убира́я ко́мнату, она́ нашла́ де́ньги.
   Когда́ она́ передвига́ла шка́ф, она́ нашла́ де́ньги.
   Передвига́я шка́ф, она́ нашла́ де́ньги.
   (подходила к дому, собирала вещи, гуляла по парку, переходила переулок, выходила из лавки)

■ RESPONSE DRILLS

1. *We don't have time to eat breakfast.*
   Yes, we'll have to go without eating breakfast.
   У на́с не́т вре́мени за́втракать.
   Да́, придётся е́хать не за́втракая.

   У на́с не́т вре́мени бри́ться.
   Да́, придётся е́хать не бре́ясь.
   (умываться, переодеваться, отдыхать, убирать, обедать, ужинать, завтракать)

2. *He has no money.*

How will he live, not having any money?

Óн не имéет дéнег.

Кáк óн бýдет жи́ть, не имéя дéнег?

Óн ничéм не интересýется.

Кáк óн бýдет жи́ть, ничéм не интересýясь?

Он никого не любит.

Он ни на что не надеется.

Он ни о чём не заботится.

Он ничего не умеет.

Он ни с кем не считается.

Он ничему не радуется.

DISCUSSION

Verbal adverbs ending in –я (or –a) from imperfective verbs describe an activity which is secondary to the main activity and always performed by the same subject:

Идя́ по коридóру, óн уви́дел Зи́ну.

[While] walking down the hall, he noticed Zina (that is, as *he* was walking).

Идя́ по коридóру, Зи́на уви́дела егó.

[While] walking down the hall, Zina noticed him (that is, as *she* was walking).

The time of the action described by these verbal adverbs is simultaneous with that of the main verb and may be past, present, or future:

Óн рабóтал, слýшая мýзыку.

He worked while listening to music.

Óн рабóтает, слýшая мýзыку.

He works while listening to music.

Óн бýдет рабóтать, слýшая мýзыку.

He'll work while listening to music.

Verbal adverbs usually provide an alternate way of expressing what may also be said by using a subordinate clause introduced by such words as **когдá** *when, while,* **покá** *while,* and **тáк как** *because, since:*

Гуля́я в пáрке, я встрéтил профéссора Орлóва *or* Когдá я гуля́л в пáрке, я встрéтил профéссора Орлóва.

While strolling in the park, I met Professor Orlov *or* While I was strolling in the park, I met Professor Orlov.

The stress of the verbal adverbs is ordinarily that of the first person singular, present tense. Some, however, have two possible stresses, for example: **сидя́, си́дя** *sitting;* **стоя́, стóя** *standing;* **лежá, лёжа** *lying.* Of these, the forms where the stress has shifted back to the root vowel are now considered to be pure adverbs.

Collective numerals: двóе, трóе, чéтверо, пя́теро, шéстеро, сéмеро[1]

	two	*three*	*four*	*five*	*six*	*seven*
NOM	двóе	трóе	чéтверо	пя́теро	шéстеро	сéмеро
ACC			(*like* nominative *or* genitive)			
GEN PREP	двои́х	трои́х	четверы́х	пятеры́х	шестеры́х	семеры́х
DAT	двои́м	трои́м	четверы́м	пятеры́м	шестеры́м	семеры́м
INSTR	двои́ми	трои́ми	четверы́ми	пятеры́ми	шестеры́ми	семеры́ми

---

[1] The collective numerals **вóсьмеро** *eight,* **дéвятеро** *nine,* and **дéсятеро** *ten* follow the same declension pattern, but because they are so rarely used they will not be drilled here.

Кáк дóлго вы́ бы́ли в Москвé?	How long were you in Moscow?
— Двóе сýток.	Two days and nights.
— Трóе ——.	Three ——————.
— Чéтверо —.	Four ——————.
Скóлько вáс? *Or* Вáс скóлько?	How many of you are there?
— Нáс пя́теро.	There are five of us.
—— шéстеро.	———— six ——.
—— сéмеро.	———— seven —.
Скóлько у ни́х часóв?	How many clocks (*or* watches) do they have?
— Двóе.	Two.
— Трóе.	Three.
— Чéтверо.	Four.
Нáс, америкáнцев, бы́ло шéстеро.	There were six of us Americans.
——————————— сéмеро.	———— seven ——————.
У ни́х двóе детéй.	They have two children.
—— пя́теро —.	———— five ——.
—— трóе ——.	———— three ——.
Нáм нýжен нóмер на двои́х.	We need a room for two.
——————————— на трои́х.	——————————— three.
——————————— на четверы́х.	——————————— four.
Нáм двои́м нужны́ пропускá.	Two of us need passes.
—— трои́м ———————.	Three ——————.
—— четверы́м ———————.	Four ——————.
—— пятеры́м ———————.	Five ——————.
—— шестеры́м ———————.	Six ——————.
—— семеры́м ———————.	Seven ——————.

■ REPETITION DRILL

Repeat the given models illustrating the use of the collective numbers. Note particularly that the collective numbers must be used with nouns which have only plural forms, such as **сýтки** and **сáни**.

■ STRUCTURE REPLACEMENT DRILLS

1. *Two graduate students came.*
   Пришлó двá аспирáнта.
   Пришлó двóе аспирáнтов.
   Пришлó три́ аспирáнта.
   Пришлó трóе аспирáнтов.
   (четыре, пять, шесть, семь, два, три)

2. *She has four sons.*
   У неё четы́ре сы́на.
   У неё чéтверо сыновéй.
   У неё три́ сы́на.
   У неё трóе сыновéй.
   (два, пять, семь, шесть, три, четыре)

■ RESPONSE DRILLS

1. *There's only the one sleigh here.*
   Well then, we'll have to go in the one sleigh.
   Ту́т всего́ одни́ са́ни.
   Ну́ что́ ж, придётся е́хать на одни́х
   саня́х.
   Ту́т всего́ дво́е сане́й.
   Ну́ что́ ж, придётся е́хать на двои́х
   саня́х.
   (трое саней, четверо саней, пятеро
   саней, шестеро саней, семеро саней,
   двое саней)

2. *There were seven of us, but one left.*
   So there are six of you now.
   На́с бы́ло се́меро, но оди́н уе́хал.
   Зна́чит, ва́с тепе́рь ше́стеро.
   На́с бы́ло ше́стеро, но оди́н уе́хал.
   Зна́чит, ва́с тепе́рь пя́теро.
   (нас было пятеро, нас было четверо,
   нас было трое, нас было семеро, нас
   было шестеро)

DISCUSSION

The collective numerals follow a declension pattern similar to that of **о́ба, о́бе** *both*, with adjectival endings in all but the nominative and inanimate accusative cases. Note that the stress shifts from the first syllable of the stem in the nominative and inanimate accusative to the ending in all the rest of the cases: compare **тро́е** with **трои́х, че́тверо** with **четверы́х**. The nominative and accusative forms require the genitive plural of the accompanying pronoun and noun; in all the other cases, the appropriate plural case form is used:

На́с бы́ло тро́е бра́тьев.   There were three of us brothers.
Придётся е́хать на трои́х саня́х.   We'll have to go in three sleighs.

As subject of the sentence, the collectives are treated as neuter singular nouns in terms of verb agreement:

Пришло́ пя́теро аспира́нтов.   Five graduate students came.

The collective numerals are used in place of the ordinary cardinal numbers with nouns having only plural forms: **дво́е су́ток** *two days and nights*, **дво́е часо́в** *two watches*, **дво́е сане́й** *two sleighs*.

When used with nouns denoting people, they point up the group as a collective unit. They are not used, however, with nouns specifying female persons. Thus both **два́ бра́та** and **дво́е бра́тьев** are possible, but only **две́ сестры́**. The collective numerals can, however, refer to a mixed group:

На́с бы́ло тро́е: два́ ма́льчика и   There were three of us: two boys and a girl.
одна́ де́вочка.

Present active participles

Present active participles are formed by replacing the final –т of the third person plural imperfective verb with –щий, –щая, –щее (non-reflexive) or –щийся, –щаяся, –щееся (reflexive). Present active participles have no short forms and are used in all cases, singular and plural, following an adjectival declension pattern.

MODELS

На́м ну́жен челове́к, **говоря́щий** по-неме́цки.   We need a person *speaking* German.
На́м нужна́ же́нщина, **говоря́щая**
по-неме́цки.   We need a woman *who speaks* German.
На́м нужны́ лю́ди, **говоря́щие** по-неме́цки.   We need people *who speak* German.

Посмотри́ на э́того ма́льчика, **игра́ющего** на у́лице.	Look at that little boy *playing* in the street.
_____ на э́ту де́вочку, **игра́ющую** на у́лице.	_____ that little girl *playing* in the street.
_____ на э́тих дете́й, **игра́ющих** на у́лице.	_____ those children *playing* in the street.
Мы́ незнако́мы с **живу́щей** та́м же́нщиной.	We're not acquainted with the woman *living* there.
_____ с **живу́щим** та́м студе́нтом.	_____ with the student *living* there.
_____ с **живу́щими** та́м людьми́.	_____ with the people *living* there.
Где́ по́езд, **иду́щий** на Да́льний Восто́к?	Where's the train *going* to the Far East?
— самолёт, **летя́щий** на Да́льний Восто́к?	_____ the plane *flying* to the Far East?
Где́ пассажи́ры, **е́дущие** в Москву́?	Where are the passengers *going* to Moscow?
— пассажи́р, **е́дущий** в Москву́?	_____ is the passenger *going* to Moscow?
— де́вушка, **е́дущая** в Москву́?	_____ is the girl *going* to Moscow?
Я́ уви́дел его́ **сидя́щим** за столо́м.[1]	I saw him *sitting* at the table.
_____ **стоя́щим** у окна́.	_____ *standing* at the window.
_____ **лежа́щим** на крова́ти.	_____ *lying* on the bed.
_____ **бегу́щим** по у́лице.	_____ *running* down the street.
_____ **купа́ющимся** в о́зере.	_____ *swimming* in the lake.

■ REPETITION DRILL

Repeat the models illustrating the use of present active participles. Note particularly that the reflexive forms always end in –ся (never –сь).

■ EXPANSION DRILLS

1. *Look at that girl.*
Look at that girl playing in the sand.
Посмотри́те на э́ту де́вочку.
Посмотри́те на э́ту де́вочку, игра́ющую в песке́.
Посмотри́те на э́тих дете́й.
Посмотри́те на э́тих дете́й, игра́ющих в песке́.
(на этого мальчика, на этих ребят, на эту группу, на этого ребёнка, на их дочь, на этих мальчи́шек)

2. *The room was full of people.*
The room was full of people celebrating the New Year.
За́л бы́л по́лон люде́й.
За́л бы́л по́лон люде́й, встреча́ющих Но́вый го́д.
За́л бы́л по́лон студе́нтов.
За́л бы́л по́лон студе́нтов, встреча́ющих Но́вый го́д.
(граждан, пьяных, служащих, туристов, иностранцев, писателей, поэтов, художников)

■ STRUCTURE REPLACEMENT DRILLS

1. *Do you know the people who live there?*
Do you know the people living there?
Вы́ зна́ете люде́й, кото́рые ту́т живу́т?
Вы́ зна́ете живу́щих ту́т люде́й?

Вы́ зна́ете же́нщину, кото́рая ту́т живёт?
Вы́ зна́ете живу́щую ту́т же́нщину?
(студентов, квартиранта, девушку, паренька́, иностранцев, квартирантку, инженера, семью)

---

[1] Note that after a direct object pronoun, the participle is placed in the instrumental case and is not separated from the pronoun by a comma in writing:

Compare Я́ уви́дел его́ отдыха́ющим на пля́же. — I saw him relaxing on the beach.
with Я́ уви́дел Оле́га, отдыха́ющего на пля́же. — I saw Oleg relaxing on the beach.

2. *He stood by the window.*
I saw him standing by the window.
О́н стоя́л у окна́.
Я́ уви́дел его́ стоя́щим у окна́.
О́н сиде́л за столо́м.
Я́ уви́дел его́ сидя́щим за столо́м.
О́н лежа́л на дива́не.

О́н бежа́л по у́лице.
О́н выходи́л из теа́тра.
О́н входи́л в до́м.
О́н купа́лся в о́зере.
О́н плы́л к бе́регу.
О́н переходи́л пло́щадь.

■ QUESTION-ANSWER DRILLS

1. *Is this train going to Siberia?*
No, the train going to Siberia is over there.
Э́тот по́езд идёт в Сиби́рь?
Не́т, по́езд, иду́щий в Сиби́рь, во́н та́м.
Э́тот автобус идёт в Сиби́рь?
Не́т, автобус, иду́щий в Сиби́рь, во́н та́м.
(маши́на, грузови́к, бага́ж, посы́лка, я́щики, пи́сьма)

2. *Who are these people?*
They're people going to the frontier.
Что́ э́то за лю́ди?
Э́то лю́ди, е́дущие на целину́.
Что́ э́то за гру́ппа?
Э́то гру́ппа, е́дущая на целину́.
(де́вушки, семья́, рабо́чие, рабо́тницы, па́рни, пассажи́р, па́рень)

■ STRUCTURE REPLACEMENT DRILLS[1]

1. *Did you see the way he laughs?*
Did you see him laughing?
Ты́ ви́дел, как о́н смеётся?
Ты́ ви́дел его́ смею́щимся?
Ты́ ви́дел, как о́н пла́чет?
Ты́ ви́дел его́ пла́чущим?
(игра́ет, танцу́ет, гуля́ет, ку́рит, пи́шет, чита́ет стихи́, рабо́тает, пьёт)

2. *I saw Orlov strolling in the park.*
Я́ ви́дел, как Орло́в гуля́л в па́рке.
Я́ ви́дел Орло́ва, гуля́ющего в па́рке.
Я́ ви́дел, как Орло́в ходи́л по па́рку.
Я́ ви́дел Орло́ва, ходя́щего по па́рку.
(е́хал на тройке, осма́тривал ша́хту, убира́л со стола́, звони́л по телефо́ну, надева́л шу́бу, изуча́л ка́рту, гото́вил э́то блю́до)

3. *We didn't notice that the kids were swimming.*
We didn't notice the kids who were swimming.
Мы́ не заме́тили, что ребя́та купа́ются.
Мы́ не заме́тили купа́ющихся ребя́т.
Мы́ не заме́тили, что ребя́та трениру́ются.
Мы́ не заме́тили трениру́ющихся ребя́т.
(ката́ются, занима́ются, одева́ются, поднима́ются, собира́ются)

4. *This car is for people who smoke.*
This is the car for smokers.
Э́тот ваго́н для те́х, кто́ ку́рит.
Э́то ваго́н для куря́щих.
Э́тот пля́ж для те́х, кто́ отдыха́ет.
Э́то пля́ж для отдыха́ющих.
Э́ти кни́ги для те́х, кто́ у́чится.
Э́тот за́л для те́х, кто́ ожида́ет.
Э́та гости́ница для те́х, кто́ приезжа́ет.
Э́та ча́сть бе́рега для те́х, кто́ купа́ется.
Э́тот санато́рий для те́х, кто́ тру́дится.
Э́тот ваго́н для те́х, кто́ не ку́рит.

DISCUSSION

Present active participles are formed only from imperfective verbs. Unlike the past passive participles, they have only long forms, which are fully declined. They are formed by replacing the –т of the

---
[1] The following drills are recommended as best suited for written homework.

third person plural ending with the suffix **–щ–** and adding the adjectival endings **–ий**, **–ая**, and **–ее**. Those formed from reflexive verbs further add the reflexive particle **–ся** (never **сь**):

INFINITIVE	THIRD PERSON PLURAL	PRESENT ACTIVE PARTICIPLE
чита́–ть	чита́ю–т	чита́ю–щий, –щая, –щее *who is reading*
говори́–ть	говоря́–т	говоря́–щий, –щая, –щее *who is speaking*
интересова́–ться	интересу́ю–тся	интересу́ю–щийся, –щаяся, –щееся *who is interested*
боя́–ться	боя́–тся	боя́–щийся, –щаяся, –щееся *who is afraid*

The stress of the present active participle usually falls on the same syllable as that of the third person plural. In second conjugation verbs with shifting stress, however, the stress of the participle tends to follow the stress position of the first person singular and infinitive:

INFINITIVE	FIRST PERSON SINGULAR	THIRD PERSON PLURAL	PRESENT ACTIVE PARTICIPLE
держа́ть	держу́	де́ржат	держа́щий
ходи́ть	хожу́	хо́дят	ходя́щий
кури́ть	курю́	ку́рят	куря́щий
учи́ться	учу́сь	у́чатся	уча́щийся

Despite their name, the present active participles are not so rigidly bound to present time as the name would imply. For example, they may be used in constructions which, from the English standpoint, would appear to involve past time as well as present:

На углу́ мы́ уви́дели челове́ка, продаю́щего моро́женое.

On the corner we saw a man selling ice cream.

Бы́л ве́тер, ду́ющий с мо́ря.

There was a wind blowing from the sea.

Мы́ смотре́ли на облака́, плыву́щие по́ небу.

We watched the clouds floating across the sky.

As a rule, the participles are avoided in spoken Russian but are frequently encountered in literature. Some function as nouns or adjectives:

Nouns

отдыха́ющие	vacationers	ожида́ющие	people waiting
слу́жащий	employee	купа́ющиеся	bathers
уча́щийся	student	куря́щие	smokers
трудя́щийся	worker, laborer	некуря́щие	non-smokers
бу́дущее	the future	приезжа́ющие	people arriving
встреча́ющие	people meeting someone	проезжа́ющие	people passing through
провожа́ющие	people seeing other people off	пью́щий	drinker
ве́рующий	believer	непью́щий	non-drinker

Adjectives

бу́дущий	future	выдаю́щийся	prominent, outstanding
подходя́щий	appropriate, fitting	вызыва́ющий	provocative; aggressive
сто́ящий	worthwhile	лета́ющий	flying
волну́ющий	disturbing; exciting	зна́ющий	knowing

Notice also the compounds **скоропо́ртящийся** *perishable* as in **скоропо́ртящиеся проду́кты** *perishables, perishable goods* and **многообеща́ющий** *promising* as in **многообеща́ющий молодо́й вра́ч** *promising young doctor.*

The special numbers полтора́ (m, n), полторы́ (f) *one and a half* and полтора́ста *one hundred and fifty*

	one and a half	*one hundred and fifty*
NOM-ACC	полтора́ (m,n) полторы́ (f)	полтора́ста
GEN-PREP-DAT-INSTR	полу́тора	полу́тораста

Notes

1. The nominative-accusative forms **полтора́, полторы́**, like **два́, две́** and **о́ба, о́бе**, are followed by the *genitive singular*. The other cases all share a single form, **полу́тора**, which is followed by the appropriate *plural* case form of the noun.

2. The nominative-accusative form **полтора́ста** is followed by the *genitive plural*. The genitive, prepositional, dative, and instrumental cases all share the single form **полу́тораста**, followed by the appropriate *plural* case form of the noun.

MODELS

Я́ уже́ вы́пил полтора́ стака́на молока́.
—————————— полторы́ ча́шки ча́я.

I've already drunk a glass and a half of milk.
—————————— a cup and a half of tea.

Прочти́те ещё полторы́ страни́цы.
— Я́ прочёл полтора́ста страни́ц.
— Я́ прочёл не ме́ньше полу́тораста
страни́ц.

Read a page and a half more.
I've read a hundred and fifty pages.
I've read at least a hundred and fifty pages.

На́м оста́лось то́лько полтора́ ме́сяца.
—————————— полторы́ неде́ли.

We have only a month and a half left.
—————————— a week and a half left.

На́м оста́лось о́коло полу́тора ме́сяцев.
—————————— полу́тора неде́ль.

We have about a month and a half left.
—————————— a week and a half left.

Она́ уе́хала полтора́ часа́ наза́д.
—————— полторы́ неде́ли ——.
—————— полтора́ ме́сяца ——.
—————— полтора́ го́да ——.

She left an hour and a half ago.
—————— a week and a half ——.
—————— a month and a half ——.
—————— a year and a half ——.

Этой церкви полтора́ста ле́т.   This church is a hundred and fifty years old.

_____ о́коло полу́тораста ле́т.   _____ about a hundred and fifty years old.

О́н зараба́тывает полтора́ста рубле́й в неде́лю.   He earns a hundred and fifty rubles a week.

_____ о́коло полу́тораста рубле́й в неде́лю.   _____ about a hundred and fifty rubles a week.

У меня́ полтора́ста рубле́й.   I have a hundred and fifty rubles.

_____ о́коло полу́тораста рубле́й.   _____ about a hundred and fifty rubles.

_____ полторы́ со́тни рубле́й.   _____ a hundred and fifty rubles.

■ REPETITION DRILL

Repeat the given models illustrating the use of **полтора́**, **полторы́**, and **полтора́ста**.

■ STRUCTURE REPLACEMENT DRILLS

1. *There'll be more than a kilogram here.*
   There'll be more than one and a half kilograms here.
   Здесь бу́дет бо́льше килогра́мма.
   Здесь бу́дет бо́льше полу́тора килогра́мм.
   Здесь бу́дет бо́льше ме́тра.
   Зде́сь бу́дет бо́льше полу́тора ме́тров.
   (ведра, рубля, тысячи, километра, ящика, коробки, ложки, чашки, стакана)

2. *This will last an hour and a half.*
   This will last about an hour and a half.
   Э́то продли́тся полтора́ часа́.
   Э́то продли́тся о́коло полу́тора часо́в.
   Э́то продли́тся полторы́ неде́ли.
   Э́то продли́тся о́коло полу́тора неде́ль.
   (полтора года, полторы минуты, полтора дня, полтора месяца, полторы недели, полтора часа)

■ RESPONSE DRILLS

1. *There are about two hundred people here.*
   No, not more than a hundred and fifty.
   Здесь о́коло двухсо́т челове́к.
   Не́т, не бо́льше полу́тораста.
   Здесь о́коло двухсо́т кни́г.
   Не́т, не бо́льше полу́тораста.
   (магазинов, киосков, холодильников, изб, велосипедов, яиц, умывальников)

2. *There are a hundred and fifty rubles here. Get going!*
   With a hundred and fifty rubles?
   Ту́т полтора́ста рубле́й. Поезжа́й!
   С полу́тораста рубля́ми?
   Ту́т полтора́ста студе́нтов. Поезжа́й!
   С полу́тораста студе́нтами?
   (студенток, туристов, мальчиков, девушек, детей, иностранцев)

■ QUESTION-ANSWER DRILLS

1. *How many shovels did they deliver?*
   They delivered a hundred and fifty shovels.
   Ско́лько лопа́т привезли́?
   Привезли́ полтора́ста лопа́т.
   Ско́лько шкафо́в привезли́?
   Привезли́ полтора́ста шкафо́в.
   (диванов, ковров, гардеробов, кроватей, ламп, комодов, кресел, письменных столов)

2. *How many potatoes should I put in?*
   One and a half.
   Ско́лько карто́шек положи́ть?
   Полторы́ карто́шки.
   Ско́лько куско́в са́хара положи́ть?
   Полтора́ куска́.
   (апельсинов, ложек масла, чашек сахара, помидоров, лимонов, стаканов соли, таблеток аспирина)

Like **со́рок** *forty*, **девяно́сто** *ninety*, and **сто́** *one hundred*, the special fractional numbers **полтора́**, **полторы́** *one and a half* and **полтора́ста** *one hundred and fifty* have a very simple declension pattern, with **полу́тора** and **полу́тораста** respectively used for all cases except the nominative and the accusative.

Paralleling the special feminine forms, **две́** and **о́бе**, is the special form, **полторы́**, used only with feminine nouns in the nominative and the accusative. Note particularly that while the nominative-accusative forms **полтора́**, **полторы́** require the genitive *singular* of the noun, **полу́тора** is always used with the appropriate *plural* case form of the noun.

In addition to **полтора́ста** it is also possible to use **полторы́ со́тни** for *one hundred and fifty*.

У меня́ полторы́ со́тни рубле́й *or* У меня́ полтора́ста рубле́й.	I have a hundred and fifty rubles.

ПОВТОРЕ́НИЕ

— Во́т не ожида́л встре́тить тебя́ зде́сь, в Москве́, Алексе́й. Мне́ говори́ли, что ты́ отдыха́ешь где́-то в Крыму́.

— Да́, я́ бы́л в санато́рии, то́лько вчера́ верну́лся. Кста́ти, зна́ешь, кого́ я́ та́м встре́тил — Хитро́ва.

— Что́ ты́ говори́шь? Я́ его́ не ви́дел уже́ о́коло полуго́да, с те́х по́р как о́н получи́л ме́сто в Сиби́ри. Где́ ж о́н тепе́рь?

— Всё та́м же, в Забайка́лье. Рабо́тает на большо́м комбина́те.

— А ка́к о́н выде́рживает сиби́рский кли́мат? Пра́вда, здоро́вье у него́ желе́зное, но всё-таки, я́ ду́маю, тру́дно. Не жа́ловался на моро́зы?

— О́н жа́ловался не сто́лько на моро́зы, ско́лько на своего́ нача́льника. Говори́т, что то́т большо́й специали́ст, хоро́ший администра́тор, но челове́к ужа́сный.

— А почему́ ж Хитро́в тогда́ не уйдёт? Его́ взя́л бы к себе́ дире́ктор любо́й фа́брики. Таки́е специали́сты, ка́к о́н, всегда́ нужны́.

— Да говори́т, что у него́ хоро́шие това́рищи по рабо́те, о́н срабо́тался с ни́ми, жа́лко расстава́ться.

— Да́, коне́чно, я́ э́то понима́ю.

— Не представля́ю себе́, ка́к ты́ пое́дешь в Москву́, Алёша. Уже́ ведь тре́тьи су́тки мете́ль и, наве́рно, поезда́ не хо́дят.

— Тогда́ я́ полечу́ самолётом.

— Но така́я бу́ря, что, наве́рно, и самолёты не лета́ют. Смотри́, что́ де́лается!

— Да́, действи́тельно. Пожа́луй, и лета́ть опа́сно в таку́ю пого́ду.

— К тому́ же и хо́лод ужа́сный. Сего́дня два́дцать четы́ре гра́дуса ни́же нуля́, а но́чью, говоря́т, упадёт до тридцати́.

— В су́щности говоря́, я́ могу́ пое́хать через не́сколько дне́й. Ничего́ стра́шного не случи́тся.

— А кста́ти, где́ Пе́тя? Неуже́ли до си́х по́р в шко́ле?

— Не́т, кака́я же шко́ла в тако́й моро́з, да ещё и в мете́ль. Все́ шко́лы сего́дня закры́ты. Пе́тя у това́рища в сосе́дней кварти́ре.

— Наве́рно, в ша́хматы игра́ют?

— Не́т, они́ стро́ят како́й-то самолёт.

— Садитесь, Фёдор Васильевич. Рассказывайте, где вы побывали этим летом.

— На этот раз моя поездка была особенно интересной: я провёл лето в Арктике.

— Вот как? Там, должно быть, скучно: без конца снег и лёд и никакой жизни.

— Ну что вы! Там везде жизнь: и в воде, и на льду, и в воздухе. Жизнь, очень меня интересующая, совсем не похожая на здешнюю, к которой мы привыкли.

— Да, вам, как учёному, это должно быть, действительно, интересно. А что же вы изучали, живя там?

— Главным образом птиц. Это ведь моя специальность, как вы знаете. Некоторые из живущих там птиц мало изучены.

— А теперь вы возвращаетесь в ваш Академгородок?

— Да, через полтора месяца.

PREPARATION FOR CONVERSATION **Пиши́ поча́ще**

поча́ще	as often as possible, a little more often
Пиши́ поча́ще.	Write as often as you can.
Како́е сего́дня число́?	What's the date today?
Сего́дня трина́дцатое ма́я.	It's the thirteenth of May today.
Нью-Йо́рк [ṇujórk]	New York
Ско́ро тебе́ уезжа́ть наза́д в тво́й Нью-Йо́рк.	Soon you'll have to be going back to your New York.
Уе́дешь, забу́дешь на́с.	You'll leave and forget us.
се́рдце [şércə]	heart
ми́лый (m), ми́лая (f)	sweetheart, darling
«До свида́нья, ми́лый ска́жет, а на се́рдце тя́жесть ля́жет...».	"Your sweetheart will say good-bye, and your heart will be heavy . . ."
Ко́лька (var. of Ко́ля)	Kolya
Переста́нь, Ко́лька!	Stop it, Kolya!
Мне́ гру́стно, а ты́ дурака́ валя́ешь.	I feel sad, and you're acting like a fool.
прости́! прости́те!	forgive me! excuse me!
Прости́! Мне́ самому́ жа́ль, что Фили́пп уезжа́ет.	Forgive me! I'm sorry myself that Philip is going away.
молча́ть, –а́т (II)	to be silent, be quiet
Ты́ что́ же, Фили́пп, молчи́шь?	What are you so quiet about, Philip?
проща́ться, –а́ются (I)	to say good-bye, part
Тру́дно проща́ться.	It's hard to say good-bye.
сдружи́ться, –а́тся (pfv II)	to become friends
Мы́ та́к сдружи́лись.	We've become such friends.
подде́рживать, –ают (I)	to keep up, maintain; to support
А ты́ пиши́, подде́рживай с на́ми свя́зь, хоть в пи́сьмах.	Well, you write and keep in touch with us even if only through letters.

◀ Успе́нский собо́р, постро́енный в 1475–1479 гг. Ви́д с ю́жной стороны́.

всё (*here* всё вре́мя)
не та́к
«В пи́сьмах всё на́м ка́жется, что не та́к напи́шется».

Та́к, ка́жется, Си́монов сказа́л?

от слу́чая до друго́го слу́чая

сле́довать, сле́дуют (I)
Ты́ не сле́дуй его́ сове́ту писа́ть «от слу́чая до друго́го слу́чая».

Пиши́ поча́ще.

как мо́жно (*plus* comparative)
Хорошо́, обеща́ю писа́ть, как мо́жно ча́ще.

Начну́ сра́зу же на парохо́де.

разду́мать, –ают (pfv I)
Ты́ ра́зве разду́мал лете́ть?

Да́, парохо́дом деше́вле, и мне́ спеши́ть не́куда.

always, all the time
wrong, not the right way, not that way
"When we write letters it always seems to us that it will come out the wrong way."

Isn't that what Simonov said?

from time to time, only now and then (*lit.* from occasion to another occasion)
to follow
Don't you follow his advice to write "only now and then."

Write as often as you can.

as . . . as possible
All right, I promise to write as often as possible.

I'll start right on the ship.

to change one's mind; to give up the idea
Oh, have you given up the idea of flying?

Yes, it's cheaper by boat and I'm in no hurry to get anywhere.

SUPPLEMENT

связа́ться, свя́жутся (pfv I)
Я́ с ва́ми свяжу́сь по телефо́ну.
здоро́ваться, здоро́ваются (I) (pfv поздоро́ваться)
Посети́тель поздоро́вался и сёл на ла́вку.
Но́вый го́сть здоро́вался со все́ми по о́череди.
ря́д, –а; –ы́, –о́в
Мы́ сиде́ли в пе́рвом ряду́.
не́кого, не́кому (no nom)
Мне́ не́кого бы́ло спроси́ть.
Ва́м не́кого боя́ться.
Ему́ не́ с кем игра́ть.
не́чего, не́чему (no nom)
Тебе́ зде́сь не́чего де́лать.
Ва́м не́чего боя́ться.
Мне́ не́чем бри́ться.
наоборо́т

Я́ ду́мал, что о́н рассе́рдится, а о́н, наоборо́т, обра́довался.
Рабо́тница на́с не поняла́ и сде́лала всё наоборо́т.
мне́ жа́ль (*plus* acc)
Мне́ та́к жа́ль Га́лю: она́ не вы́держала экза́мена.

to get in touch, contact; to communicate
I'll get in touch with you by phone.
to say hello, greet

The visitor said hello and sat down on a bench.
The new guest greeted everyone in turn.

row, series, rank, file
We were sitting in the first row.
there isn't anyone
There wasn't anyone for me to ask.
There's no one for you to be afraid of.
There's nobody for him to play with.
there's nothing
There's nothing for you to do here.
There's nothing for you to fear here.
There's nothing for me to shave with.
on the contrary, vice versa; backwards, the wrong way, the opposite
I thought he'd be angry, but just the opposite—he was glad.
The maid didn't understand us and did everything backwards.
I'm sorry for, I pity
I'm so sorry for Galya; she failed the examination.

The ordinal numbers from one-hundredth to one-millionth

сотый	one-hundredth	шестисотый	six-hundredth
сто́ пе́рвый	one-hundred-and-first	шестьсо́т пе́рвый	six-hundred-and-first
сто́ второ́й	one-hundred-and-second	семисо́тый	seven-hundredth
двухсо́тый	two-hundredth	семьсо́т пе́рвый	seven-hundred-and-first
две́сти пе́рвый	two-hundred-and-first	восьмисо́тый	eight-hundredth
трёхсо́тый	three-hundredth	восемьсо́т пе́рвый	eight-hundred-and-first
три́ста пе́рвый	three hundred-and-first	девятисо́тый	nine-hundredth
четырёхсо́тый	four-hundredth	девятьсо́т пе́рвый	nine-hundred-and-first
четы́реста пе́рвый	four-hundred-and-first	ты́сячный	one-thousandth
пятисо́тый	five-hundredth	ты́сяча пе́рвый	one-thousand-and-first
пятьсо́т пе́рвый	five-hundred-and-first	миллио́нный	one-millionth

Пиши́ поча́ще

Н. — Никола́й   Г. — Га́ля   Ф. — Фили́пп

Ф. 1 Како́е сего́дня число́, 13-ое ма́я?

Н. 2 Да́. Ско́ро тебе́ уезжа́ть наза́д в тво́й Нью-Йо́рк.

Г. 3 Уе́дешь, забу́дешь на́с.

Н. 4 «До свида́нья, ми́лый ска́жет, а на се́рдце тя́жесть ля́жет...».[1]

Г. 5 Переста́нь, Ко́лька! Мне́ гру́стно, а ты́ дурака́ валя́ешь.

Н. 6 Прости́! Мне́ самому́ жа́ль, что Фили́пп уезжа́ет. Ты́ что́ же, Фили́пп, молчи́шь?

Ф. 7 Тру́дно проща́ться. Мы́ та́к сдружи́лись.

Г. 8 А ты́ пиши́, подде́рживай с на́ми свя́зь, хоть в пи́сьмах.

Ф. 9 «В пи́сьмах всё на́м ка́жется, что не та́к напи́шется». Та́к, ка́жется, Си́монов сказа́л?[2]

Г. 10 Да́. Но ты́ не сле́дуй его́ сове́ту писа́ть «от слу́чая до друго́го слу́чая». Пиши́ поча́ще.

Ф. 11 Хорошо́, обеща́ю писа́ть, как мо́жно ча́ще. Начну́ сра́зу же на парохо́де.

Н. 12 А ты́ ра́зве разду́мал лете́ть?

Ф. 13 Да́, парохо́дом деше́вле, и мне́ спеши́ть не́куда.

NOTES

[1] This is a line from a Russian "blues" song about unrequited love. In the song, the girl stands on the bank of the Volga River and sings about her lover who has left her.

[2] The Russian poet Konstantin Simonov wrote this poem while he was at the front during World War II. The poem's opening line is «**Не серди́тесь, к лу́чшему**» *Don't be angry; it's for the best*. It is addressed to his love and tells of his decision not to write to her too often, so that she wouldn't need to use "*a wheelbarrow*

to haul his letters." Furthermore, in case she got married, she could hide them more conveniently from a jealous husband if there were only a few. The poem ends: «Ска́жете, что к лу́чшему... о́н писа́л от слу́чая до друго́го слу́чая» *You'll say it was for the best . . . [that] he wrote only now and then.*

PREPARATION FOR CONVERSATION | **Письмо́ от Фили́ппа**

Га́ля, на́м от Фили́ппа письмо́.	Galya, there's a letter for us from Philip.
кни́жка (var. of кни́га)	book, booklet
благода́рный	grateful
Я́ ва́м благода́рен за то́, что вы́ да́ли мне́ кни́жку расска́зов.	I'm grateful to you for giving me the little book of short stories.
«Дороги́е друзья́! Ка́к я́ ва́м благода́рен за то́, что вы́ да́ли мне́ на доро́гу кни́жку расска́зов Зо́щенко».	"Dear friends: How grateful I am to you for giving me the little book of Zoschenko's short stories for the trip."
скуча́ть, –а́ют (I)	to be bored; to be lonely
благодаря́ (*plus* dat)	thanks to
«Благодаря́ е́й я́ не скуча́л».	"Thanks to it I didn't get bored."
Ви́дишь, э́то была́ моя́ иде́я.	See, that was my idea.
изда́ние	edition
ра́нний, –яя, –ее	early
це́нный	valuable
Э́то це́нное ра́ннее изда́ние.	It's a valuable early edition.
К тому́ же, э́то це́нное ра́ннее изда́ние, кото́рого тепе́рь не доста́нешь.	Besides, it's a valuable early edition that you can't get now.
Фили́ппу пригоди́тся в рабо́те.	It'll be useful to Philip in his work.
настрое́ние	mood
тоскли́вый	sad, melancholy, dreary
У меня́ бы́ло тоскли́вое настрое́ние.	I felt blue.
развесели́ться, –я́тся (pfv II)	to cheer up
ма́ло-пома́лу	little by little, gradually
У меня́ бы́ло тоскли́вое настрое́ние, но чита́я Зо́щенко, я́ ма́ло-пома́лу развесели́лся.	I felt blue, but reading Zoshchenko, I gradually cheered up.
проща́ние	farewell, saying good-bye, parting
внача́ле	at first, in the beginning
«Признаю́сь, что внача́ле, по́сле на́шего проща́ния, у меня́ бы́ло тоскли́вое настрое́ние, но, чита́я Зо́щенко, я́ ма́ло-пома́лу развесели́лся».	"I confess that at first after our farewell I felt quite blue, but reading Zoshchenko, I gradually cheered up."
и та́к	anyway, anyhow
О́н и та́к бы не до́лго скуча́л на парохо́де.	Anyway, he wouldn't be bored for long on shipboard.
Та́м всегда́ устра́ивают та́нцы.	They always have dances there.
Та́м всегда́ устра́ивают та́нцы и конце́рты.	They always arrange dances and concerts there.

Да, Фили́пп как ра́з пи́шет: «Ве́чером бы́л конц́ерт».

That's just what Philip writes: "There was a concert in the evening."

роя́ль (m)
игра́ть на роя́ле
«Кака́я-то госпожа́ Бра́ун игра́ла на роя́ле».

piano
to play the piano
"Some woman by the name of Brown played the piano."

выступа́ть, –а́ют (I)
выступа́ть с шу́тками
арти́ст
«Пото́м оди́н арти́ст выступа́л с шу́тками».

to appear, come forward, advance, step out
to appear and tell jokes
actor, performer
"Then a performer appeared and told jokes."

«А когда́ начали́сь та́нцы, орке́стр заигра́л — угада́йте что́»?

"And when the dance began, guess what the orchestra began to play?"

подмоско́вный
«Орке́стр заигра́л «Подмоско́вные вечера́» ».

situated near Moscow, Moscow (adj)
"The orchestra began to play *Moscow Nights*."

Хорошо́ ещё, что не «О́чи чёрные».

Good thing it wasn't *Dark Eyes*.

терпе́ть, те́рпят (II)
Фили́пп тепе́рь, наве́рно, терпе́ть не мо́жет «чёрных оче́й», кро́ме, коне́чно, твои́х.
пожи́в (verbal adverb)
Пожи́в у на́с, Фили́пп тепе́рь, наве́рно, терпе́ть не мо́жет «чёрных оче́й», кро́ме, коне́чно, твои́х.

to stand, endure, bear, suffer
Philip probably can't stand "dark eyes" now—except yours, of course.
having lived, after having lived
After having lived in our country, Philip probably can't stand "dark eyes" now—except yours, of course.

Ты́ опя́ть со свои́ми глу́постями.

You and your silly remarks again.

Э́то совсе́м не остроу́мно.

That's not at all clever.

предме́т
делика́тный
каса́ться, –а́ются (I) (*plus* gen)
Даю́ сло́во бо́льше не каса́ться э́того делика́тного предме́та.
та́к как
Даю́ сло́во бо́льше не каса́ться э́того делика́тного предме́та, та́к как ви́жу, что тебе́ э́то неприя́тно.

topic, subject, object, thing
delicate, sensitive; tactful
to touch, touch on, mention, bring up
I promise not to bring up that delicate topic any more.
inasmuch as, since, because
I promise not to bring up that delicate subject any more since I see it's unpleasant for you.

Ну́, ла́дно.

Well, all right.

Слу́шай да́льше.

Listen to what else he says.

океа́н
пла́вать по океа́ну
«Не зна́ю, пла́вали ли вы́ когда́-нибудь по океа́ну».

ocean
to sail the ocean
"I don't know if you've ever sailed the ocean."

путеше́ствие
переноси́ть, –ят (II)
ли́чный
«Я́ ли́чно с трудо́м переношу́ тако́е путеше́ствие».

journey, voyage, trip
to stand, endure, bear; to take across
personal, private
"I personally am finding it hard to take such a voyage."

морско́й
Зна́чит, у него́ морска́я боле́знь.

сочу́вствовать (*plus* dat)
Я ему́ сочу́вствую.

кача́ть, –а́ют (I)
на́с кача́ло
По́мнишь, как на́с кача́ло в Чёрном мо́ре?

каю́та
потанцева́в (verbal adverb)
«Поэ́тому, потанцева́в немно́го, я пошёл к себе́ в каю́ту».

почу́вствовать, –твуют (pfv I)
освежи́ться, –а́тся (pfv II)
освежи́вшись (verbal adverb)

«Освежи́вшись под ду́шем, я почу́вствовал себя́ лу́чше и во́т сижу́ и пишу́ ва́м э́то письмо́».

по (*plus* prep)
прие́зд
Очеви́дно, о́н его́ бро́сил сра́зу по прие́зде в Нью-Йо́рк.
сойдя́ (verbal adverb)
Очеви́дно, о́н его́ бро́сил сра́зу по прие́зде в Нью-Йо́рк, сойдя́ с парохо́да.

О́н мо́г бро́сить его́ и не сходя́ с парохо́да, та́м ведь е́сть почто́вые я́щики.

Отве́тим ему́ сего́дня же и пошлём по а́виа, чтобы о́н скоре́е получи́л.

нала́дить, –ят (pfv II)
свя́зь нала́жена
Во́т свя́зь и нала́жена.

обме́н
Лу́чше скажи́ «культу́рный обме́н».
совреме́нный
звуча́ть, –а́т (II)
Лу́чше скажи́ «культу́рный обме́н», э́то звучи́т бо́лее совреме́нно и бо́лее безопа́сно.

переспо́рить, –ят (pfv II)
бу́дь по-тво́ему
Ну́, бу́дь по-тво́ему, тебя́ не переспо́ришь!

sea (adj), marine, naval
That means he's been seasick.

sympathize
I sympathize with him.

to rock, swing, roll, pitch
the boat rocked (*lit.* it rocked us)
Do you remember how the boat rocked on the Black Sea?

cabin, state room
having danced a bit, after dancing awhile
"That's why, after I'd danced a bit, I went to my cabin."

to feel, begin to feel
to refresh oneself, freshen up
having refreshed oneself, after refreshing oneself
"After refreshing myself in the shower, I began to feel better and here I am sitting and writing you this letter."

upon, after
arrival, coming
Evidently he mailed it immediately upon arriving in New York.
on getting off, after having gotten off
Evidently he mailed it immediately on arriving in New York, after getting off the ship.

He could have mailed it without even getting off the ship; after all, they do have mailboxes there.

Let's answer him right away, today, and send it (the letter) via airmail so that he gets it sooner.

to put right, adjust, mend; to set up
communication is established
So now communication is established.

exchange
Better say "cultural exchange."
contemporary, modern
to sound
Better say "cultural exchange." It sounds more modern and safer.

to win an argument, outargue
have it your way
Well, have it your way; one can't win an argument with you!

телеви́зор	television set
У на́с в общежи́тии е́сть телеви́зор.	We have a TV set in our dormitory.
Что́ идёт по телеви́зору?	What's on TV?
телеви́дение	television, TV
Он не интересу́ется телеви́дением.	He's not interested in TV.
скри́пка	violin
Она́ у́чится игра́ть на скри́пке.	She's learning to play the violin.
отъе́зд	departure, leaving
Я обеща́л зайти́ к ни́м перед отъе́здом.	I promised to visit them before leaving.
телегра́мма	telegram, wire
Ва́м пришла́ телегра́мма.	A telegram has come for you.
телегра́ф	telegraph office
Я до́лжен зайти́ на телегра́ф отпра́вить телегра́мму.	I have to go to the telegraph office to send a wire.

Письмо́ от Фили́ппа

Н. — Никола́й   Г. — Гали́на (Га́ля)

Н.   1 Га́ля, на́м от Фили́ппа письмо́.

Г.   2 «Дороги́е друзья́! Ка́к я ва́м благода́рен за то́, что вы́ да́ли мне́ на доро́гу кни́жку расска́зов Зо́щенко. Благодаря́ ей я не скуча́л».[1]

Н.   3 Ви́дишь, это была́ моя́ иде́я. К тому́ же это це́нное ра́ннее изда́ние, кото́рого тепе́рь не доста́нешь. Фили́ппу пригоди́тся в рабо́те.

Г.   4 Да. «Признаю́сь, что внача́ле, по́сле на́шего проща́ния, у меня́ бы́ло тоскли́вое настрое́ние, но, чита́я Зо́щенко, я ма́ло-пома́лу развесели́лся».

Н.   5 Он и та́к бы не до́лго скуча́л на парохо́де: та́м всегда́ устра́ивают та́нцы и конце́рты.

Г.   6 Да́, Фили́пп как ра́з пи́шет: «Ве́чером бы́л конце́рт. Кака́я-то госпожа́ Бра́ун игра́ла на роя́ле, пото́м оди́н арти́ст выступа́л с шу́тками.[2,3] А когда́ начали́сь та́нцы, орке́стр заигра́л — угада́йте что? — «Подмоско́вные вечера́»!»[4]

Н.   7 Хорошо́ ещё, что не «О́чи чёрные». Пожи́в у на́с, Фили́пп тепе́рь, наве́рно, терпе́ть не мо́жет «чёрных оче́й», кро́ме, коне́чно, твои́х.

Г.   8 Ты́ опя́ть со свои́ми глу́постями. Это совсе́м не остроу́мно.

Н.   9 Даю́ сло́во бо́льше не каса́ться этого делика́тного предме́та, та́к как ви́жу, что тебе́ это неприя́тно.[5]

Г.   10 Ну́, ла́дно. Слу́шай да́льше: «Не зна́ю, пла́вали ли вы́ когда́-нибудь по океа́ну. Я ли́чно с трудо́м переношу́ тако́е путеше́ствие».

Н.   11 Зна́чит, у него́ морска́я боле́знь. Я ему́ сочу́вствую. По́мнишь, как на́с кача́ло в Чёрном мо́ре?[6]

Г.   12 Да. «Поэ́тому, потанцева́в немно́го, я пошёл к себе́ в каю́ту. Освежи́вшись под ду́шем, я почу́вствовал себя́ лу́чше и во́т сижу́ и пишу́ ва́м это письмо́».

Н. 13 Очеви́дно, о́н его́ бро́сил сра́зу по прие́зде в Нью-Йо́рк, сойдя́ с парохо́да.

Г. 14 О́н мо́г бро́сить его́ и не сходя́ с парохо́да, та́м ведь е́сть почто́вые я́щики. Отве́тим ему́ сего́дня же и пошлём по а́виа, чтобы о́н скоре́е получи́л.[7] Во́т свя́зь и нала́жена.

Н. 15 Лу́чше скажи́ «культу́рный обме́н», это звучи́т бо́лее совреме́нно и бо́лее безопа́сно.[8]

Г. 16 Ну́, бу́дь по-тво́ему, тебя́ не переспо́ришь!

NOTES

[1] Notice that **благодаря́** is followed by the dative case, while the verb from which it is derived, **благодари́ть**, is followed by the accusative:

Compare	Благодаря́ ему́ мы́ не скуча́ли.	Thanks to him we didn't get bored.
with	Благодарю́ ва́с.	Thank you.

[2] Foreign names ending in a consonant are declined only in the masculine singular and in the plural. If they refer to a woman they are not declined. In the plural they are usually not declined if preceded by a noun in the same case:

Compare	Я́ встре́тил до́ктора Бра́уна.	I met Dr. Brown.
	Я́ встре́тил Бра́унов.	I met the Browns.
with	Я́ встре́тил Ли́дию Бра́ун.	I met Lydia Brown.
	Я́ встре́тил бра́тьев Бра́ун.	I met the Brown brothers.

[3] The word **арти́ст** in Russian designates a *public performer*, most often an actor but also a concert artist, a singer, a comedian, or other performer. The word is not used in the sense of *painter*. The latter is expressed by the word **худо́жник**:

На ве́чере бы́ло мно́го писа́телей, арти́стов и худо́жников.	There were a lot of writers, performers, and artists at the party.

[4] «**Подмоско́вные вечера́**» *Moscow Nights*, or, more exactly, *Suburban Moscow Evenings*, is a Russian song which became extremely popular in the Soviet Union in the late 1950's. It was adapted and brought to America as "Midnight in Moscow" and became popular here in the early 1960's.

[5] The word **делика́тный** means *delicate* or *sensitive* only in relation to things; it means *tactful* or *considerate* when applied to people:

Compare	О́н о́чень делика́тный челове́к.	He's a very tactful person.
with	Это дово́льно делика́тный вопро́с.	That's a rather delicate question.

[6] Notice the impersonal construction using a neuter verb form in the sentence **На́с кача́ло в Чёрном мо́ре.** Russians often use a subjectless construction with a neuter verb to describe certain natural or accidental phenomena:

Ло́дку вы́бросило на́ берег.	The boat was thrown onto the shore.
Его́ уби́ло мо́лнией.	He was killed by lightning.
Соба́ку перее́хало грузовико́м.	The dog got run over by a truck.

The instrumental is used to specify the agent.

[7] There are various ways of expressing the notion *as . . . as possible* in Russian, all of which employ a comparative form of the adverb. For example: *as often as possible* can be said in three ways: **ка́к мо́жно ча́ще, возмо́жно ча́ще,** or **поча́ще.**

[8] It was considered dangerous for the ordinary citizen to have any correspondence with foreigners during the Stalin period. The comment about "cultural exchange" refers to the official program of exchanges inaugurated under Khrushchev.

Basic sentence patterns

1. Откры́в буты́лку вина́, они́ вы́пили за
его́ прие́зд.
Купи́в буты́лку вина́ _____.
Нали́в вина́ _____.
Заказа́в вина́ _____.

Opening a bottle of wine, they toasted his
arrival.
Having bought a bottle of wine _____.
Pouring some wine _____.
Ordering some wine _____.

2. Раскры́в кни́ги, мы́ на́чали чита́ть.
Получи́в _____.
Купи́в газе́ты _____.
Доста́в _____.

Opening our books, we began to read.
Having received _____.
Having bought newspapers _____.
Having obtained _____.

3. Освежи́вшись, о́н почу́вствовал себя́
лу́чше.
Вы́купавшись _____.
Разде́вшись _____.
Потрениро́вавшись _____.

After freshening up he felt better.

After bathing _____.
After undressing _____.
After exercising _____.

4. Мы́ должны́ ко́нчить э́то
к тре́тьему ию́ля.
_____ к двена́дцатому—.
_____ к двадца́тому —.
_____ к тридца́тому —.

We have to finish it by July third.

_____ twelfth.
_____ twentieth.
_____ thirtieth.

5. Э́тот дворе́ц постро́ен в ты́сяча
трёхсо́том году́.
_____ в ты́сяча
четырёхсо́том году́.
_____ в ты́сяча
пятисо́том году́.

This palace was built in 1300.

_____ in 1400.

_____ in 1500.

6. Э́ти иде́и бы́ли популя́рны в шести-
деся́тых года́х про́шлого ве́ка.
_____ в семи-
деся́тых года́х про́шлого ве́ка.
_____ в восьми-
деся́тых года́х про́шлого ве́ка.
_____ в девя-
но́стых года́х про́шлого ве́ка.

These ideas were popular in the 60's of the last
century.
_____ in the 70's of the last
century.
_____ in the 80's of the last
century.
_____ in the 90's of the last
century.

7. Мне́ тогда́ шёл пятна́дцатый го́д.
_____ шестна́дцатый —.
_____ двадца́тый —.
_____ два́дцать пе́рвый —.

I was then between fourteen and fifteen.
_____ fifteen and sixteen.
_____ nineteen and twenty.
_____ twenty and twenty-one.

8. Мы́ верну́лись в пе́рвом часу́ но́чи.
_____ во второ́м часу́ но́чи.
_____ в тре́тьем часу́ утра́.
_____ в четвёртом часу́ утра́.
_____ в пя́том часу́ утра́.
_____ в восьмо́м часу́ ве́чера.
_____ в девя́том часу́ ве́чера.
_____ в деся́том часу́ ве́чера.

We returned between 12:00 and 1:00 A.M.
_____ 1:00 and 2:00 A.M.
_____ 2:00 and 3:00 A.M.
_____ 3:00 and 4:00 A.M.
_____ 4:00 and 5:00 A.M.
_____ 7:00 and 8:00 P.M.
_____ 8:00 and 9:00 P.M.
_____ 9:00 and 10:00 P.M.

9. Осталось óколо однóй пя́той студéнтов.
_____ óколо однóй шестóй студéнтов.
_____ óколо двýх пя́тых студéнтов.
_____ óколо трёх пя́тых студéнтов.

About one fifth of the students remained.
About one sixth _____.
About two fifths _____.
About three fifths _____.

10. У неё температýра упáла на однý деся́тую.
_____ на двé деся́тых.
_____ на три деся́тых.
_____ на четы́ре деся́тых.

Her temperature dropped one tenth of a point.
_____ two tenths _____.
_____ three tenths _____.
_____ four tenths _____.

11. Мы́ остановúлись в сóтом нóмере.
_____ в двухсóтом __.
_____ в трёхсóтом __.
_____ в четырёхсóтом ____.
_____ в пятисóтом _____.

We stayed in room 100.
_____ 200.
_____ 300.
_____ 400.
_____ 500.

12. Вы́ сóтый человéк, получúвший э́тот óрден.
Вы́ двухсóтый человéк _____.
Вы́ шестисóтый человéк _____.
Вы́ ты́сячный человéк _____.

You're the hundredth person who's received this medal.
You're the two-hundredth person _____.
You're the six-hundredth person _____.
You're the thousandth person _____.

13. Придя́ в бюрó, онú стáли вóзле дверéй.

Войдя́ в бюрó _____.
Вы́йдя из бюрó _____.
Прочтя́ объявлéние _____.
Не найдя́ свобóдных мéст _____.

Having come to the office, they stood near the door.
Entering the office _____.
Leaving the office _____.
Having read the announcement _____.
Not finding any vacant seats _____.

14. Вóт идёт артúст, познакóмивший нáс с Алексéевым.
_____ рассказáвший нáм об Алексéеве.

Here comes the actor who introduced us to Alexeev.
_____ who told us about Alexeev.

15. Мы́ с удовóльствием смотрéли на тренировáвшихся ребя́т.
_____ на загорáвших ребя́т.
_____ на пры́гавших ребя́т.

We enjoyed watching the kids training (or exercising).
_____ the kids getting a sun tan.
_____ the kids jumping.

16. Мы́сль, пришéдшая емý в гóлову, былá остроýмной.
Плáн, пришéдший _____ бы́л остроýмным.
Решéние, пришéдшее _____ бы́ло остроýмным.

The idea that occurred to him was an ingenious one.
The plan _____ was an ingenious one.
The decision _____ was an ingenious one.

17. Мнé нé с кем посовéтоваться.
____ нé к кому пойтú.
____ нé у кого спросúть.
____ нéкого провожáть.
____ нéкому писáть.

I have no one to seek advice from.
_____ to go see.
_____ to ask.
_____ to see off.
_____ to write.

18. Ва́м не́ на что жа́ловаться.
    ____ не́чего боя́ться.
    ____ не́ о чем беспоко́иться.
    ____ не́ за что меня́ благодари́ть.

You have nothing to complain about.
_____ to fear.
_____ to worry about.
_____ to thank me for.

19. Прие́хало такси́ за господи́ном Бра́уном.
    _____ за госпожо́й Бра́ун.
    _____ за Бра́унами.

A cab arrived for Mr. Brown.
_____ for Mrs. Brown.
_____ for the Browns.

20. Я́ знако́м с Фили́ппом Гра́нтом.
    ____ с Ли́дией Гра́нт.
    ____ с Фили́ппом и Ли́дией Гра́нт.

I'm acquainted with Philip Grant.
_____ with Lydia Grant.
_____ with Philip and Lydia Grant.

STRUCTURE AND DRILLS

Verbal adverbs: part II—perfective verbal adverbs ending in -в (non-reflexive) and -вшись (reflexive)

In this section are treated verbal adverbs formed from perfective verbs by adding the suffix **–в** for non-reflexive verbs, and **–вшись** for reflexive verbs. Note that the forms are based on the past tense-infinitive stem.

MODELS

Пожи́в на ю́ге, ты́ не захо́чешь возвраща́ться на се́вер.

Having lived in the south awhile, you won't want to return to the north.

Е́сли поживёшь на ю́ге, ты́ не захо́чешь возвраща́ться на се́вер.

If you live in the south awhile, you won't want to return to the north.

Сказа́в э́то, о́н по́нял, что сде́лал оши́бку.

Having said it, he realized that he'd made a mistake.

Ка́к то́лько о́н э́то сказа́л, о́н по́нял, что сде́лал оши́бку.

As soon as he said it, he realized that he'd made a mistake.

Осмотре́в музе́й, мы́ верну́лись домо́й.

Having looked through the museum, we returned home.

По́сле того́ как мы́ осмотре́ли музе́й, мы́ верну́лись домо́й.

After we looked through the museum, we returned home.

Переплы́в на друго́й бе́рег, мы́ легли́ на песо́к загора́ть.

Having swum across to the other shore, we lay down in the sand to get a tan.

Когда́ мы́ переплы́ли на друго́й бе́рег, мы́ легли́ на песо́к загора́ть.

When we had swum across to the other shore, we lay down in the sand to get a tan.

Опозда́в на сво́й по́езд, о́н до́лжен бы́л жда́ть двухчасово́го.

Having missed his train, he had to wait for the two-o'clock (train).

Та́к как о́н опозда́л на сво́й по́езд, о́н до́лжен бы́л жда́ть двухчасово́го.

Because he missed his train he had to wait for the two-o'clock (train).

Бы́стро **переоде́вшись**, де́вушки пошли́ на конце́рт.

Having quickly *changed clothes*, the girls set out for the concert.

По́сле того́ как они́ бы́стро переоде́лись, де́вушки пошли́ на конце́рт.

After they had quickly changed clothes, the girls set out for the concert.

Жени́вшись, о́н переста́л пи́ть.	*Having married*, he stopped drinking.
Когда́ о́н жени́лся, о́н переста́л пи́ть.	When he got married he stopped drinking.
О́н уе́хал, ни с ке́м не **попроща́вшись**.	He left without *saying good-bye* to anybody.
О́н уе́хал и да́же ни с ке́м не попроща́лся.	He left and didn't even say good-bye to anybody.
Поздоро́вавшись со все́ми, о́н се́л за на́ш сто́л.	*Having said hello* to everybody, he sat down at our table.
О́н снача́ла поздоро́вался со все́ми, а пото́м се́л за на́ш сто́л.	First he said hello to everybody and then he sat down at our table.

■ REPETITION DRILL

Repeat the sets of models illustrating the use of the perfective verbal adverb along with an alternate way of expressing essentially the same idea.

■ RESPONSE DRILLS

1. *The kids are asking for permission to go swimming.*
   All right, but after swimming they have to finish the job.
   Ребя́та спра́шивают разреше́ния вы́купаться.
   Хорошо́, но вы́купавшись, они́ должны́ ко́нчить рабо́ту.
   Ребя́та про́сят разреше́ния отдохну́ть.
   Хорошо́, но отдохну́в, они́ должны́ ко́нчить рабо́ту.
   (посиде́ть, погуля́ть, покури́ть, сходи́ть на о́зеро, поката́ться на ло́дке, попла́вать, освежи́ться)

2. *Again you didn't eat your breakfast!*
   How can you work without eating breakfast?
   Вы́ опя́ть не поза́втракали!
   Ка́к вы́ мо́жете рабо́тать не поза́втракав?
   Вы́ опя́ть не получи́ли материа́ла!
   Ка́к вы́ мо́жете рабо́тать не получи́в материа́ла?
   (не соста́вили пла́на, не доста́ли сту́льев, не прове́рили результа́тов, не позабо́тились о еде́, не убра́ли со стола́, не передви́нули стола́)

■ QUESTION-ANSWER DRILLS

1. *Has the boss returned?*
   Yes, but after returning he immediately disappeared somewhere.
   Нача́льник верну́лся?
   Да́, но верну́вшись, сра́зу куда́-то исче́з.
   Нача́льник прие́хал?
   Да́, но прие́хав, сра́зу куда́-то исче́з.
   (прове́рил ка́ссу, осмотре́л помеще́ние, поговори́л с рабо́чими, поблагодари́л служа́щих)

2. *Why did you buy the tickets so early?*
   Once I've bought the tickets I feel better (lit. calmer).
   Заче́м ты́ та́к ра́но купи́л биле́ты?
   Купи́в биле́ты, я́ чу́вствую себя́ споко́йнее.
   Заче́м ты́ та́к ра́но за́нял места́?
   Заня́в места́, я́ чу́вствую себя́ споко́йнее.
   (оде́лся, запакова́л ве́щи, вы́звал такси́, заказа́л обе́д, вста́л)

1. *What did he say after he checked the new edition?*

   What did he say after having checked the new edition?

   Что́ о́н сказа́л, по́сле того́ как прове́рил но́вое изда́ние?

   Что́ о́н сказа́л, прове́рив но́вое изда́ние?

   Что́ о́н сказа́л, по́сле того́ как просмотре́л но́вое изда́ние?

   Что́ о́н сказа́л, просмотре́в но́вое изда́ние?

   (увидел, получил, купил, достал, заказал, приготовил)

2. *He changed his mind about coming to see us when he learned about the climate here.*

   He changed his mind about coming to see us on learning about the climate here.

   О́н разду́мал к на́м е́хать, когда́ узна́л о зде́шнем кли́мате.

   О́н разду́мал к на́м е́хать, узна́в о зде́шнем кли́мате.

   О́н разду́мал к на́м е́хать, когда́ получи́л рабо́ту в це́нтре.

   О́н разду́мал к на́м е́хать, получи́в рабо́ту в це́нтре.

   (стал главным врачом, поступил в вуз, устроился на мясокомбинат, заинтересовался театром, увидел нашу шахту, познакомился с начальником)

3. *When you cook dinner, don't forget to open the window vent.*

   When you've cooked dinner, don't forget to open the window vent.

   Приготовля́я обе́д, не забу́дь откры́ть фо́рточку.

   Пригото́вив обе́д, не забу́дь откры́ть фо́рточку.

   Убира́я в ко́мнатах, не забу́дь откры́ть фо́рточку.

   Убра́в в ко́мнатах, не забу́дь откры́ть фо́рточку.

   (запаковывая вещи, чистя ковры, купаясь в ванне, принимая ванну, стирая бельё, убирая квартиру)

4. *When you move to the new apartment, don't forget about a rug.*

   When you've moved to the new apartment, don't forget about a rug.

   Переезжа́я на но́вую кварти́ру, не забу́дь о ковре́.

   Пере́хав на но́вую кварти́ру, не забу́дь о ковре́.

   Передвига́я ме́бель, не забу́дь о ковре́.

   Передви́нув ме́бель, не забу́дь о ковре́.

   (заказывая обстановку, покупая мебель, посылая вещи, запаковывая вещи, ставя мебель)

DISCUSSION

Most perfective verbal adverbs are derived from the masculine past tense verb form, but without the suffix –л. For non-reflexive verbs, the suffix –л of the masculine past tense is replaced by –в; reflexive verbs replace –лся with –вшись: осмотре́–л, осмотре́–в; сказа́–л, сказа́–в; верну́–лся, верну́–вшись; освежи́–лся, освежи́–вшись. Verbs with infinitives ending in –чь and –чься take the variants –ши and –шись: зажёг (*from* заже́чь), зажёгши; увлёкся (*from* увле́чься), увлёкшись.[1]

The perfective verbal adverbs differ in their use from the imperfective ones; instead of a simultaneous activity, they describe an activity completed before the action of the main verb:

Compare **Говоря́** (imperfective) со мно́й, о́н ча́сто смотре́л на часы́.

While talking to me, he often looked at his watch.

with **Сказа́в** (perfective) э́то, о́н наде́л шля́пу и вы́шел.

Having said it, he put on his hat and left.

---

[1] In literary Russian of an earlier period, one may also encounter –вши as a variant of –в: уе́ха–вши *or* уе́ха–в.

The perfective verbal adverbs usually provide an alternate way of expressing what may also be said using a subordinate clause introduced by **после того́ как** *after*, **когда́** *when*, **та́к как** *because*, *since*, and sometimes, **е́сли** *if*:

Compare Прие́хав в Ки́ев, позвони́те Во́лкову.   On arriving in Kiev, phone Volkov.

with   По́сле того́ как прие́дете в Ки́ев,   After you arrive in Kiev, phone Volkov.
позвони́те Во́лкову.

The uses of ordinal numbers

MODELS

Како́е сего́дня число́?   What's today's date?
— Пе́рвое ию́ня.   The first of June.
— Тре́тье ию́ня.   —— third ——.
— Шесто́е ию́ня.   —— sixth ——.

Девятна́дцатого ию́ля я́ уе́ду в Ки́ев.   On the nineteenth of July I'll leave for Kiev.
Двадца́того ———————————.   On the twentieth ———————————.
Два́дцать четвёртого —————.   On the twenty-fourth ———————.
Два́дцать восьмо́го —————.   On the twenty-eighth ———————.

Э́то случи́лось в ты́сяча девятьсо́т   It happened in 1962.
шестьдеся́т второ́м году́.

О́н роди́лся в ты́сяча девятьсо́т шестьдеся́т   He was born in 1963.
тре́тьем году́.

Э́то случи́лось в ию́не ты́сяча девятьсо́т   It happened in June (of) 1962.
шестьдеся́т второ́го го́да.

О́н роди́лся в ию́не ты́сяча девятьсо́т   He was born in June (of) 1963.
шестьдеся́т тре́тьего го́да.

Э́то бы́ло в ты́сяча шестисо́том году́.   That was in the year 1600.
———————————— семисо́том ——.   ———————————— 1700.
———————————— восьмисо́том ——.   ———————————— 1800.
———————————— девятисо́том ——.   ———————————— 1900.

Я́ тебе́ э́то в со́тый ра́з говорю́.   I'm telling you for the hundredth time.
———————— в ты́сячный ———.   ———————————— thousandth ——.
———————— в миллио́нный ——.   ———————————— millionth ——.

Ско́лько бу́дет две́ тре́тьих и две́ седьмы́х?   How much are two thirds and two sevenths?
———————— одна́ восьма́я и се́мь   ———————— one eighth and seven ninths?
деся́тых?

———————— де́вять деся́тых и три́   ———————— nine tenths and three eighths?
восьмы́х?

Како́й э́то трамва́й?   What streetcar is that?
— Двадца́тый.   Number 20 (*lit.* the twentieth).
— Тридца́тый.   Number 30.
— Сороково́й.   Number 40.
— Пятидеся́тый.   Number 50.

Она́ у́чится в восьмо́м кла́ссе.   She's in the eighth grade.
———————— в девя́том ——.   ———————— ninth ——.
———————— в деся́том ——.   ———————— tenth ——.
———————— в оди́ннадцатом ——.   ———————— eleventh ——.

Óн на пе́рвом ку́рсе.

_____ на второ́м _____.

_____ на тре́тьем _____.

_____ на четвёртом _.

_____ на пя́том _____.

He's in his first year.

_____ second _.

_____ third _____.

_____ fourth _.

_____ fifth _____.

Кака́я у него́ температу́ра?

— Три́дцать се́мь с деся́тыми.

— Три́дцать во́семь _____.

— Три́дцать де́вять _____.

What's his temperature?

Over thirty-seven (*lit.* thirty-seven with tenths).

_____ thirty-eight.

_____ thirty-nine.

■ REPETITION DRILL

Repeat the models illustrating the various uses of ordinal numbers.

■ QUESTION-ANSWER DRILLS

1. *Is this his first year of college?*
   Yes, he's in his freshman (lit. *first*) *year.*
   Э́то о́н пе́рвый го́д у́чится в ву́зе?
   Да́, о́н на пе́рвом ку́рсе.
   Э́то о́н второ́й го́д у́чится в ву́зе?
   Да́, о́н на второ́м ку́рсе.
   (тре́тий год, четвёртый год,
   пя́тый год, пе́рвый год, второ́й год)

2. *What grade is their son in—the first?*
   No, he's already in the second.
   В како́м кла́ссе и́х сы́н, в пе́рвом?
   Не́т, уже́ во второ́м.
   В како́м кла́ссе и́х сы́н, во второ́м?
   Не́т, уже́ в тре́тьем.
   (в тре́тьем, в четвёртом, в пя́том,
   в шесто́м, в седьмо́м,
   в восьмо́м, в девя́том)

■ QUESTION-ANSWER DRILLS

1. *Which streetcar is this—number 19* (lit. *the
   nineteenth*)?
   No, number 20 (lit. *the twentieth*).
   Кото́рый э́то трамва́й, девятна́дцатый?
   Не́т, двадца́тый.
   Кото́рый э́то трамва́й, два́дцать
   девя́тый?
   Не́т, тридца́тый.
   (39-ый, 49-ый, 59-ый, 69-ый, 79-ый,
   89-ый, 99-ый)

2. *Do you get off at the second stop?*
   No, at the third.
   Вы́ на второ́й остано́вке схо́дите?
   Не́т, на тре́тьей.
   Вы́ на тре́тьей остано́вке схо́дите?
   Не́т, на четвёртой.
   (на четвёртой, на пя́той, на шесто́й,
   на седьмо́й, на восьмо́й, на девя́той,
   на деся́той)

■ RESPONSE DRILL

1. *It's already a little after twelve.*
   Yes, you're right.
   Уже́ нача́ло пе́рвого.
   Да́, уже́ пе́рвый ча́с.
   Уже́ нача́ло второ́го.
   Да́, уже́ второ́й ча́с.
   (нача́ло восьмо́го, нача́ло девя́того,
   нача́ло деся́того, нача́ло
   одиннадцатого, нача́ло двена́дцатого,
   нача́ло тре́тьего, нача́ло пя́того)

2. *We arrived after six.*
   Yes, between six and seven.
   Мы́ пришли́ по́сле шести́.
   Да́, в седьмо́м часу́.
   Мы́ пришли́ по́сле трёх.
   Да́, в четвёртом часу́.
   (часа́, дву́х, семи́, десяти́,
   двена́дцати, восьми́, четырёх)

3. *The letter is dated the twenty-first of May.*
So it was written on the twenty-first of May.
На письме́ сто́ит два́дцать пе́рвое ма́я.
Зна́чит, оно́ напи́сано два́дцать пе́рвого ма́я.
На письме́ сто́ит два́дцать второ́е ма́я.
Зна́чит, оно́ напи́сано два́дцать второ́го ма́я.
(два́дцать тре́тье, два́дцать четвёртое, два́дцать пя́тое, два́дцать шесто́е, два́дцать седьмо́е, два́дцать восьмо́е, два́дцать девя́тое, тридца́тое)

4. *She's fourteen years old.*
Yes, [she's] already going on fifteen.
Ей четы́рнадцать ле́т.
Да́, ей уже́ идёт пятна́дцатый го́д.
Ей пятна́дцать ле́т.
Да́, ей уже́ идёт шестна́дцатый го́д.
(шестна́дцать лет, семна́дцать лет, восемна́дцать лет, девятна́дцать лет, два́дцать лет)

DISCUSSION

Besides the basic ordinal function of indicating the relative rank in a series, the ordinal numbers have the following important uses in Russian:

To indicate the date of the month, with the nominative used in stating the date, and the genitive in indicating *on* a certain date; note that only the last number of a compound uses the ordinal:

Сего́дня два́дцать пе́рвое а́вгуста.	Today's August twenty-first.
Два́дцать пе́рвого а́вгуста я уезжа́ю в Я́лту.	On August twenty-first I leave for Yalta.

To indicate the year date, with only the final number requiring the ordinal:

Э́то бы́ло в ты́сяча девятисо́том году́.	That was in 1900.
Э́то бы́ло в ма́е ты́сяча девятисо́того го́да.	It was in May 1900.
Он роди́лся в ты́сяча девятьсо́т три́дцать пя́том году́.	He was born in 1935.

To indicate that the time falls somewhere between the past hour and the approaching hour, usually early in the hour:

Они́ пришли́ в девя́том часу́.	They arrived between eight and nine.
Уже́ второ́й ча́с.	It's already after one (that is, some time between one and two).

To indicate the coming hour, but only during the first half hour in telling specific time:

Сейча́с два́дцать мину́т тре́тьего.	It's now twenty past two.
Он вернётся в че́тверть пя́того.	He'll be back at a quarter after four.

To indicate age between the past birthday and the next birthday, often with the third person of **идти́** plus the dative. (Compare the English *He's going on seven*):

Ему́ идёт седьмо́й го́д.	He's six, going on seven.
В то́ вре́мя мне́ шёл деся́тый го́д.	At that time I was going on ten.

To indicate the second element of a fraction with the noun **ча́сть** *part* usually understood:

Мы́ прошли́ одну́ шесту́ю пути́.	We've gone one sixth of the way.
Оста́лось о́коло одно́й пя́той студе́нтов.	About one fifth of the students remained.
Ско́лько бу́дет одна́ пя́тая и три́ пя́тых?	How much is one fifth and three fifths?

Note, however, that there are special nouns for the fractions **тре́ть** (f) *third* and **че́тверть** (f) *fourth*: **одна́ тре́ть** *one third*, **две́ тре́ти** *two thirds*, **одна́ че́тверть** *one fourth*, **три́ че́тверти** *three fourths*.

To indicate the courses of a meal, with the word **блю́до** *dish* understood:

На пе́рвое у на́с бы́л су́п с гриба́ми.	For the first course we had mushroom soup.
На второ́е бу́дет жа́реная у́тка.	There'll be roast duck for the main (*lit.* second) course.
А что́ бу́дет на тре́тье (*or* на сла́дкое)?	And what will there be for dessert (*lit.* for the third)?

Verbal adverbs: part III—special perfective verbal adverbs ending in -я (or -a)

A limited number of verbal adverbs are formed from perfective verbs by means of the suffix ordinarily used to form imperfective verbal adverbs. Thus, instead of the usual perfective suffix, –**в**, they add –**я** (or –**a**). These verbal adverbs are largely derived from verbs with infinitives ending in –**ти** or –**ть** directly preceded by a consonant, that is, the closed-stem verbs.

MODELS

Сойдя́ с парохо́да, о́н сра́зу позвони́л роди́телям.	*After getting off* the ship, he immediately called his parents.
Прочтя́ телегра́мму, о́н до́лго сиде́л и ду́мал.	*On reading* the telegram, he sat and thought for a long time.
Пройдя́ не́сколько кварта́лов, мы́ вспо́мнили, что забы́ли биле́ты.	*After we'd walked* several blocks, we remembered that we'd forgotten the tickets.
В СССР мо́жно посла́ть телегра́мму то́лько **сойдя́** с самолёта.	In the U.S.S.R. you can send a telegram only *after you get off* the plane.
Войдя́ в каю́ту, я́ на́чал распако́вывать чемода́нчик.	*Entering* the cabin, I began to unpack my suitcase.
Отойдя́ от на́с на не́сколько шаго́в, де́вочка останови́лась.	*Stepping* a few paces *away* from us, the little girl stopped.
Подойдя́ к на́м, о́н поздоро́вался и заговори́л о прие́хавших гостя́х.	*On approaching* us, he said hello and began talking about the arriving guests.
Неуже́ли вы́ не зна́ете э́того выраже́ния, **переведя́** сто́лько кни́г с ру́сского языка́?	You mean you don't know this expression *after having translated* so many books from Russian?
Вы́йдя из музе́я, мы́ се́ли на тролле́йбус.	*After leaving* the museum, we got on the trolley.
О́н полюби́л э́ти сте́пи, **проведя́** та́м ле́то.	He came to love the steppes *after spending* the summer there.
Найдя́, наконе́ц, свобо́дные места́, мы́ се́ли.	*After* finally *finding* vacant seats, we sat down.
Отвезя́ и́х на ста́нцию, мы́ верну́лись домо́й.	*After taking* them to the station, we returned home.
Войдя́ в галере́ю, вы́ сра́зу уви́дите его́ портре́т.	*On entering* the gallery, you'll see his portrait right away.

Repeat the models illustrating the use of the special –я (or –a) verbal adverbs formed from perfective verbs.

■ STRUCTURE REPLACEMENT DRILLS

1. *If you read this, you'll find out everything.*
   On reading this, you'll find out everything.
   Éсли ты́ э́то прочтёшь, то́ всё узна́ешь.
   Прочтя́ э́то, ты́ всё узна́ешь.
   Éсли ты́ э́то переведёшь, то́ всё узна́ешь.
   Переведя́ э́то, ты́ всё узна́ешь.
   (принесёшь, отвезёшь, найдёшь,
   отнесёшь, привезёшь, прочтёшь)

2. *When you get there, don't forget to ask about coupons.*
   On arriving there, don't forget to ask about coupons.
   Когда́ вы́ туда́ придёте, не забу́дьте спроси́ть о тало́нах.
   Придя́ туда́, не забу́дьте спроси́ть о тало́нах.
   Когда́ вы́ перевезёте ве́щи, не забу́дьте спроси́ть о тало́нах.
   Перевезя́ ве́щи, не забу́дьте спроси́ть о тало́нах.
   (вы́ туда́ войдёте, вы́ перенесёте ве́щи, вы́ их туда́ отведёте, вы́ их туда́ отвезёте, вы́ к ни́м подойдёте, вы́ их найдёте)

■ QUESTION-ANSWER DRILLS

1. *Did you find out about it when you came to work?*
   Yes, I found out about it on coming to work.
   Вы́ об э́том узна́ли, когда́ пришли́ на рабо́ту?
   Да́, я́ об э́том узна́л, придя́ на рабо́ту.
   Вы́ об э́том узна́ли, когда́ прочли́ газе́ту?
   Да́, я́ об э́том узна́л, прочтя́ газе́ту.
   (когда́ перенесли́ ве́щи, когда́ отвезли́ их на ста́нцию, когда́ зашли́ в бюро́, когда́ привезли́ их на аэропо́рт, когда́ отвели́ их в мили́цию, когда́ вошли́ в ко́мнату, когда́ вы́шли в коридо́р, когда́ прочли́ телегра́мму)

2. *Did he say that after he had found the violin?*
   Yes, he said it after finding the violin.
   О́н э́то сказа́л по́сле того́, как нашёл скри́пку?
   Да́, он э́то сказа́л, найдя́ скри́пку.
   О́н э́то сказа́л по́сле того́, как принёс скри́пку?
   Да́, он э́то сказа́л, принеся́ скри́пку.
   (отвёз скри́пку, принёс скри́пку, отнёс скри́пку, привёз скри́пку, увёз скри́пку, унёс скри́пку, нашёл скри́пку)

DISCUSSION

Verbal adverbs ending in –я (or –a), –ясь (or –ась), derived from perfective verbs, are ordinarily formed only from verbs with infinitives ending in –ти or –ть directly preceded by another consonant, that is, the closed-stem verbs. They are mainly the perfective verbs formed from the unidirectional verbs, идти́, нести́, вести́, and везти́ by prefixation, plus a small number of others, for example, про-че́сть, предпоче́сть, and so forth. Like those ending in –в and –вшись, they describe an action completed before the action of the main verb:

Прочтя́ телегра́мму, о́н до́лго сиде́л и ду́мал.
Найдя́ свои́ места́, мы́ се́ли.

After reading the telegram, he sat and thought for a long time.
Having found our seats, we sat down.

Most of these verbs, in addition to having verbal adverb forms ending in –я, –а, –ясь, and –ась, also have alternate verbal adverbs ending in –ши and –шись. For example: войдя́, вошёдши; принеся́, принёсши, and so forth. The forms ending in –ши and –шись are only found in literature now and are considered archaic by modern Russian standards.

Negative pronouns and adverbs: не́кого, не́чего, не́когда and не́где, не́куда

	DECLENSION OF не́кого *there's no one*	DECLENSION OF не́чего *there's nothing*
	(no nominative)	(no nominative)
ACC	не́кого (*or* не́... кого)	не́чего (*or* не́... что)
GEN	не́кого (*or* не́... кого)	не́чего (*or* не́... чего)
PREP	не́... ком	не́... чем
DAT	не́кому (*or* не́... кому)	не́чему (*or* не́... чему)
INSTR	не́кем (*or* не́... кем)	не́чем (*or* не́... чем)

It is particularly important to note that even when these forms are written as three words, that is, with a preposition falling between the two elements, they are pronounced as a single unit with a single stress on the first syllable: не́ у кого [ņéukəvə], не́ о чем [ņéəčim].

MODELS

Ту́т не́кого приглаша́ть. — There's no one here to invite.
—— не́ у кого спроси́ть. — _____ to ask.
—— не́кому зави́довать. — _____ to envy.
—— не́ с кем говори́ть. — _____ to talk to.
—— не́ о ком забо́титься. — _____ to take care of.

Не́чего боя́ться. — There's nothing to fear.
Не́ на что жа́ловаться. — _____ to get offended at.
Не́ о чем беспоко́иться. — _____ to worry about.

Ему́ не́чего бы́ло де́лать. — He had nothing to do.
—————— кури́ть. — _____ to smoke.
—————— пи́ть. — _____ to drink.
—————— продава́ть. — _____ to sell.
—————— теря́ть. — _____ to lose.

Мне́ не́куда бу́дет пойти́. — I'll have nowhere to go.
—— не́где бу́дет спа́ть. — ____ no place to sleep.
—— не́когда бу́дет чита́ть. — ____ no time to read.
—— не́чего бу́дет де́лать. — ____ nothing to do.

И́м не́ на что бы́ло наде́яться. — They had nothing to hope for.
—— не́ о ком бы́ло забо́титься. — ____ no one to take care of.
—— не́ о чем бы́ло писа́ть. — ____ nothing to write about.
—— не́ к кому бы́ло пойти́. — ____ no one to go see.

Ва́м не́ за что благодари́ть меня́.

There's nothing for you to thank me for.

—— не́чему удивля́ться.

———————————— to be surprised at.

—— не́ о чем спо́рить.

———————————— to argue about.

—— не́чего не́рвничать.

———————————— to be nervous about.

■ REPETITION DRILL

Repeat the given models illustrating the use of negative pronouns and adverbs with stressed **не–** as their first element. Note that they are generally used in dative-infinitive constructions, with **бы́ло** in the past and **бу́дет** in the future.

■ RESPONSE DRILLS

1. *Whom are you going to ask around here?*
   There's no one here to ask.
   Кого́ ты́ ту́т спро́сишь?
   Ту́т не́кого спроси́ть.
   Куда́ ты́ пойдёшь?
   Ту́т не́куда пойти́.
   Где ты бу́дешь спать?
   Что ты бу́дешь де́лать?
   Кому́ ты бу́дешь жа́ловаться?
   Куда́ ты ся́дешь?
   Где ты бу́дешь жить?
   Когда́ ты бу́дешь отдыха́ть?

2. *Someone should be told.*
   There's no one here to tell.
   На́до кому́-нибудь сказа́ть.
   Зде́сь не́кому сказа́ть.
   На́до с ке́м-нибудь посове́товаться.
   Зде́сь не́ с кем посове́товаться.
   На́до кого́-нибудь позва́ть.
   На́до к кому́-нибудь обрати́ться.
   На́до у кого́-нибудь спроси́ть.
   На́до с ке́м-нибудь поговори́ть.
   На́до на кого́-нибудь оста́вить дете́й.
   На́до у кого́-нибудь попроси́ть воды́.
   На́до кому́-нибудь позвони́ть.

■ QUESTION-ANSWER DRILLS

1. *Why is it you don't go anywhere?*
   There's just nowhere to go.
   Почему́ вы́ никуда́ не хо́дите?
   Да не́куда ходи́ть.
   Почему́ вы́ никогда́ не гуля́ете?
   Да не́когда гуля́ть.
   Почему́ вы ничего́ не пи́шете?
   Почему́ вы нигде́ не быва́ете?
   Почему́ вы никого́ не приглаша́ете?
   Почему́ вы никогда́ не е́здите?
   Почему́ вы ничего́ не чита́ете?
   Почему́ вы ниче́м не занима́етесь?
   Почему́ вы никому́ не пи́шете?
   Почему́ вы никогда́ не смо́трите
   телеви́зор?

2. *Is he waiting for something?*
   No, there's nothing for him to wait for.
   Он чего́-то ждёт?
   Не́т, ему́ не́чего жда́ть.
   Он о чём-то ду́мает?
   Не́т, ему́ не́ о чем ду́мать.
   Он чего́-то бои́тся?
   Он на что́-то наде́ется?
   Он что́-то пря́чет?
   Он о чём-то мечта́ет?
   Он о чём-то пи́шет?
   Он к чему́-то гото́вится?
   Он чему́-то ра́дуется?

1. *They're not talking about anything.*
   They have nothing to talk about.
   Они́ ни о чём не разгова́ривают.
   Им не́ о чем разгова́ривать.
   Они́ ни на что́ не се́рдятся.
   Им не́ на что серди́ться.
   Они ничего не боятся.
   Они ничего не отвечают.
   Они ни о чём не спорят.
   Они ниче́м не угоща́ют.
   Они ничего не сообщают.
   Они ни с че́м не счита́ются.
   Они ни в чём не сомневаются.

2. *I didn't make friends with anyone.*
   There was no one for me to make friends with.
   Я ни с ке́м не сдружи́лся.
   Мне не́ с кем бы́ло сдружи́ться.
   Я никуда́ не спеши́л.
   Мне не́куда бы́ло спеши́ть.
   Я нигде не работал.
   Я ничему не удивлялся.
   Я ни от кого не прятался.
   Я никому не жаловался.
   Я ничему не радовался.
   Я никогда не задумывался над этим.

DISCUSSION

The negative pronouns and adverbs with stressed **не–** as their first element are typically used in impersonal constructions, usually together with the dative and the infinitive:

Мне́ не́когда игра́ть.	I have no time to play (*Lit.* There's no time for me to play).
Мне́ не́кому бы́ло звони́ть.	There was no one for me to call.
Мне́ не́ с кем бу́дет говори́ть.	I'll have no one to talk to.

Like the negative pronouns with unstressed **ни–** as their first element (**никто́**, **ничего́**), those with **не–** are written as one word except where a preposition falls between their two parts. Notice, however, that unlike those with **ни–**, they do not require a second negative particle. Furthermore, the negative element **не–** always attracts the stress from the second part of the pronoun or adverb:

Compare	Я никуда́ не иду́.	I'm not going anywhere.
with	Мне́ не́куда идти́.	I've nowhere to go.
Compare	Óн ни о чём не говори́л.	He didn't talk about anything.
with	Мне́ не́ о чем писа́ть.	I've nothing to write about.

Past active participles

MODELS

Вóт студе́нт, **реши́вший** зада́чу *or* Вóт студе́нт, кото́рый реши́л зада́чу.	Here's the student *who solved* the problem.
Вы́ зна́ете де́вушку, **жи́вшую** внизу́? *Or* Вы́ зна́ете де́вушку, кото́рая жила́ внизу́?	Do you know the girl *who used to live* downstairs?
Она́ беспоко́илась о до́чери, **учи́вшейся** тогда́ в Ки́еве *or* Она́ беспоко́илась о до́чери, кото́рая учи́лась тогда́ в Ки́еве.	She was worried about her daughter *who was studying* in Kiev at the time.
Мы́ познако́мились со студе́нтом, **прие́хавшим** из А́нглии *or* Мы́ познако́мились со студе́нтом, кото́рый прие́хал из А́нглии.	We met a student *who had come* from England.

Де́вушка, **сказа́вшая** мне́ об э́том, уже́ ушла́
or Де́вушка, кото́рая мне́ сказа́ла об
э́том, уже́ ушла́.

The girl *who told* me about it has already left.

Во́т идёт **пожа́ловавшаяся** на меня́ же́нщина
or Во́т идёт же́нщина, кото́рая
пожа́ловалась на меня́.

Here comes the woman *who made* the complaint
against me.

Мы́ до́лго смотре́ли на **игра́вших** в те́ннис
люде́й *or* Мы́ до́лго смотре́ли на люде́й,
кото́рые игра́ли в те́ннис.

We spent a long time watching the people *who
were playing* tennis.

Инжене́р, **жени́вшийся** на Ве́ре, уе́хал на
Кавка́з *or* Инжене́р, кото́рый жени́лся на
Ве́ре, уе́хал на Кавка́з.

The engineer *who married* Vera left for the
Caucasus.

Челове́к, **нашёдший** тво́й кошелёк, вдру́г
исче́з *or* Челове́к, кото́рый нашёл тво́й
кошелёк, вдру́г исче́з.

The man *who found* your change purse suddenly
disappeared.

Го́рничная, **принёсшая** э́ти ве́щи, ничего́ не
сказа́ла *or* Го́рничная, кото́рая принесла́
э́ти ве́щи, ничего́ не сказа́ла.

The maid *who brought* these things said nothing.

■ REPETITION DRILL

Repeat the models illustrating the use of the past active participle, and compare each with the alternate
way of expressing the same sentence through a subordinate clause with **кото́рый** as subject.

■ STRUCTURE REPLACEMENT DRILLS

1. *The man who told us about it has already left.*
Челове́к, кото́рый сказа́л на́м об э́том,
уже́ ушёл.
**Челове́к, сказа́вший на́м об э́том, уже́
ушёл.**
Не́мка, кото́рая сказа́ла на́м об э́том,
уже́ ушла́.
**Не́мка, сказа́вшая на́м об э́том, уже́
ушла́.**
(лю́ди, студе́нт, де́вушка, ма́льчик,
де́ти, де́вочка)

2. *The workers who were reading the newspapers
didn't hear me.*
Рабо́чие, кото́рые чита́ли газе́ту, не
слы́шали меня́.
**Рабо́чие, чита́вшие газе́ту, не слы́шали
меня́.**
Студе́нтка, кото́рая чита́ла газе́ту, не
слы́шала меня́.
**Студе́нтка, чита́вшая газе́ту, не слы́шала
меня́.**
(ребя́та, па́рень, студе́нты, челове́к,
же́нщина, иностра́нец, носи́льщик)

3. *Here comes the actor who introduced us to
Alexeev.*
Во́т идёт арти́ст, кото́рый познако́мил
на́с с Алексе́евым.
**Во́т идёт арти́ст, познако́мивший на́с с
Алексе́евым.**
Во́т идёт певи́ца, кото́рая познако́мила
на́с с Алексе́евым.
**Во́т идёт певи́ца, познако́мившая на́с с
Алексе́евым.**
(во́т идёт писа́тель, во́т идёт же́нщина,
во́т иду́т лю́ди, во́т идёт челове́к,
во́т иду́т ребя́та, во́т идёт де́вушка)

4. *I know the girl who used to live here before.*
Я́ зна́ю де́вушку, кото́рая ра́ньше зде́сь
жила́.
Я́ зна́ю де́вушку, жи́вшую зде́сь ра́ньше.
Я́ зна́ю па́рня, кото́рый ра́ньше зде́сь
жи́л.
Я́ зна́ю па́рня, жи́вшего зде́сь ра́ньше.
(люде́й, же́нщину, челове́ка, студе́нтку,
студе́нтов, рабо́чего, иностра́нцев)

5. *At the party we met a man who had come from Kiev.*

На ве́чере мы́ познако́мились с челове́ком, кото́рый прие́хал из Ки́ева.

На ве́чере мы́ познако́мились с челове́ком, прие́хавшим из Ки́ева.

На ве́чере мы́ познако́мились с де́вушкой, кото́рая прие́хала из Ки́ева.

На ве́чере мы́ познако́мились с де́вушкой, прие́хавшей из Ки́ева.

(с тури́стами, со студе́нтом, с арти́стами, со студе́нткой, с до́ктором, с же́нщиной)

6. *There are the students who just returned from the exam.*

Во́т студе́нты, кото́рые то́лько что верну́лись с экза́мена.

Во́т студе́нты, то́лько что верну́вшиеся с экза́мена.

Во́т де́вушка, кото́рая то́лько что верну́лась с экза́мена.

Во́т де́вушка, то́лько что верну́вшаяся с экза́мена.

(студе́нт, студе́нтка, аспира́нты, аспира́нт, челове́к)

7. *Here comes the woman who made the complaint against you.*

Во́т идёт же́нщина, кото́рая пожа́ловалась на ва́с.

Во́т идёт же́нщина, пожа́ловавшаяся на ва́с.

Во́т идёт мужчи́на, кото́рый пожа́ловался на ва́с.

Во́т идёт мужчи́на, пожа́ловавшийся на ва́с.

(во́т иду́т иностра́нцы, во́т идёт америка́нка, во́т идёт челове́к, во́т иду́т тури́сты, во́т идёт де́вушка)

8. *We spoke of the students who studied in France.*

Мы́ говори́ли о студе́нтах, кото́рые учи́лись во Фра́нции.

Мы́ говори́ли о студе́нтах, учи́вшихся во Фра́нции.

Мы́ говори́ли о студе́нтах, кото́рые сиде́ли в углу́.

Мы́ говори́ли о студе́нтах, сиде́вших в углу́.

(кото́рые игра́ли в ка́рты, кото́рые смея́лись над на́ми, кото́рые писа́ли об Ирку́тске, кото́рые чита́ли «Огонёк», кото́рые стоя́ли у окна́)

9. *We watched the kids who were swimming there.*

Мы́ смотре́ли на ребя́т, кото́рые та́м купа́лись.

Мы́ смотре́ли на ребя́т, купа́вшихся та́м.

Мы́ смотре́ли на ребя́т, кото́рые та́м игра́ли.

Мы́ смотре́ли на ребя́т, игра́вших та́м.

(кото́рые бе́гали по бе́регу, кото́рые пры́гали в во́ду, кото́рые сиде́ли на берегу́, кото́рые ката́лись на ло́дке, кото́рые трениро́вались на берегу́)

DISCUSSION

Past active participles are formed from both imperfective and perfective verbs by means of the suffix –вш– to which are added the adjectival endings –ий, –ая, –ее, and –ие. Reflexive verbs further add the reflexive participle –ся (never –сь). They are built on the past tense-infinitive stem:

получи́–ть (pfv *to receive*) получи́–вший *who received*
                                –вшая
                                –вшее
                                –вшие

тренирова́–ться (ipfv *to exercise*) тренирова́–**вшийся** *who exercised*

                                     –вшаяся

                                     –вшееся

                                     –вшиеся

Those formed from closed-stem verbs take the suffix **–ш–** instead of **–вш–**. Note that the past active participles derived from the **идти́** family of verbs base the form on a special root variant, **–шед–**:

принес–ти́ (pfv *to bring*) принёс–**ший** *who brought*

                                       –шая

                                       –шее

                                       –шие

най–ти́ (past **нашёл**) (pfv *to find*) нашёд–**ший** *who found*

                                       –шая

                                       –шее

                                       –шие

Like the present active participles, the past active participles have no short forms. They too may be placed as phrase modifiers before their noun, in which case they are not set off by commas in writing:

Compare	Мы́ смотре́ли на купа́вшихся та́м ребя́т.	
with	Мы́ смотре́ли на ребя́т, купа́вшихся та́м.	We watched the kids who were swimming there.

ПОВТОРÉНИЕ

— А зна́ешь, Фили́пп, я́, по пра́вде говоря́, зави́дую тебе́.

— Что́ я́ уезжа́ю в Аме́рику?

— Не сто́лько тому́, что ты́ туда́ уезжа́ешь, ско́лько тому́, что ты́ вообще́ мо́жешь е́здить, куда́ хо́чешь.

— Ну́ э́то не совсе́м пра́вильно. Я́ не бога́тый челове́к, у меня́ не́т де́нег, чтобы е́здить куда́ хочу́.

— Де́ньги что́? Я́ не о ни́х ду́мал, и́х всегда́ зарабо́тать мо́жно. Ко́нчишь университе́т и смо́жешь е́здить, ско́лько захо́чешь. А я́ во́т, да́же е́сли и мно́го зарабо́таю, всё равно́ никогда́ никуда́ не пое́ду.

— Бро́сь, Ко́ля, не грусти́. Да и пото́м ты́ не пра́в. Ты́ то́же ско́ро ко́нчишь, наве́рно ста́нешь кру́пным специали́стом, и тебя́ пошлю́т за грани́цу.

— Ма́ло в э́том ра́дости для меня́ сейча́с.

— Да что́ э́то с тобо́й сего́дня, Ко́ля? Почему́ тако́е настрое́ние?

— Са́м не зна́ю. Мо́жет бы́ть потому́, что ты́ уезжа́ешь, гру́стно расстава́ться.

— Ничего́, ещё уви́димся. Я́ на бу́дущий го́д постара́юсь опя́ть прие́хать.

— Э́то бы́ло бы замеча́тельно. Непреме́нно постара́йся. И, смотри́, ру́сский не забыва́й.

— Не забу́ду. А ты́ к моему́ прие́зду вы́учи англи́йский.

— Алло́! Э́то кто́? Ты́, Вади́м? Ка́к я́ ра́да, что ты́ са́м подошёл к телефо́ну. А то́ всегда́ звони́шь, звони́шь, пока́ у ва́с та́м в общежи́тии кто́-нибудь подойдёт. И ещё позва́ть пото́м не хотя́т.

— Молодéц, Тамáра, что позвонúла, а тó я сидéл и грустúл — никогó тут не знáю, пойтú нéкуда, дéлать тóже нéчего. А кáк тáм у нáс? Чтó нóвого?

— Всё в порядке. Как рáз собралúсь тут всé твоú друзья и вóт решúли позвонúть тебé. У нáс нóвость: вчерá бúли соревновáния конькобéжцев, и Свéта занялá пéрвое мéсто. Тепéрь онá у нáс настоящий мáстер спóрта.

— Ну, поздравляю. Боюсь, тóлько, что тепéрь, стáв мáстером, онá ужé не захóчет со мнóй катáться.

— Захóчет, не бóйся. Но тú тáм не сидú по вечерáм дóма, а кóнчив рабóту, занимáйся чéм-нибудь полéзным, врóде спóрта.

— А я обúчно тáк и дéлаю: придя домóй и принúв душ, срáзу же иду в клуб. Я тепéрь не спóртом, а музыкой стáл увлекáться. У нáс в клубе стоúт отлúчный рояль.

— А крóме тебя тáм ктó-нибудь ещё игрáет?

— Дá, однá дéвушка из Москвú. Онá и тут продолжáет брáть урóки. Мú с нéй иногдá игрáем вмéсте.

— Ну, тú смотрú тáм с дéвушками поосторóжнее, а тó я Свéте скажу.

— Буду óчень рáд, éсли скáжешь. Мóжет, хоть писáть будет, а тó от неё письмá не дождёшься. Скажú éй, кстáти, что на Рождествó[1] я на недéлю в óтпуск приéду.

— Отлúчно. Тогдá соберём всéх нáших и устрóим вечерúнку. Мú и билéты в теáтр купим. Ну, порá ужé кончáть. До свидáния. Привéт тебé от всéх.

— А тú передáй всéм от меня.

---

[1] **Рождествó** *Christmas*.

APPENDIX

Noun declension

In the declension tables that follow, boldface type is used to indicate the elements of the word that undergo change. This includes both word endings and inserted vowels.

1. стол-nouns

		table	*city*	*knife*	*genius*	*student*	*teacher*	*day*
					SINGULAR			
N		стóл	гóрод	нóж	гéний	студéнт	учи́тель	дéнь
A		стóл	гóрод	нóж	гéния	студéнта	учи́теля	дéнь
G		столá	гóрода	ножá	гéния	студéнта	учи́теля	дня́
P		столé	гóроде	ножé	гéнии	студéнте	учи́теле	днé
D		столý	гóроду	ножý	гéнию	студéнту	учи́телю	дню́
I		столóм	гóродом	ножóм	гéнием	студéнтом	учи́телем	днём
					PLURAL			
N		столы́	городá	ножи́	гéнии	студéнты	учителя́	дни́
A		столы́	городá	ножи́	гéниев	студéнтов	учителéй	дни́
G		столóв	городóв	ножéй	гéниев	студéнтов	учителéй	днéй
P		столáх	городáх	ножáх	гéниях	студéнтах	учителя́х	дня́х
D		столáм	городáм	ножáм	гéниям	студéнтам	учителя́м	дня́м
I		столáми	городáми	ножáми	гéниями	студéнтами	учителя́ми	дня́ми

2. окнó-nouns

		window	*word*	*letter*	*meeting*	*dress*	*field*	*gun*
					SINGULAR			
N		окнó	слóво	письмó	собрáние	плáтье	пóле	ружьё
A		окнó	слóво	письмó	собрáние	плáтье	пóле	ружьё
G		окнá	слóва	письмá	собрáния	плáтья	пóля	ружья́
P		окнé	слóве	письмé	собрáнии	плáтье	пóле	ружьé
D		окнý	слóву	письмý	собрáнию	плáтью	пóлю	ружью́
I		окнóм	слóвом	письмóм	собрáнием	плáтьем	пóлем	ружьём
					PLURAL			
N		óкна	словá	пи́сьма	собрáния	плáтья	поля́	рýжья
A		óкна	словá	пи́сьма	собрáния	плáтья	поля́	рýжья
G		óкон	слóв	пи́сем	собрáний	плáтьев	полéй	рýжей
P		óкнах	словáх	пи́сьмах	собрáниях	плáтьях	поля́х	рýжьях
D		óкнам	словáм	пи́сьмам	собрáниям	плáтьям	поля́м	рýжьям
I		óкнами	словáми	пи́сьмами	собрáниями	плáтьями	поля́ми	рýжьями

Note: The nouns я́блоко *apple* and плечó *shoulder* have irregular nominative-accusative plurals ending in и: я́блоки, плéчи. The noun óблако *cloud* has an irregular genitive plural: облакóв.

3. жена́-nouns

				SINGULAR			
	wife	*girl*	*sister*	*family*	*earth, land*	*lecture*	*uncle*
N	жена́	де́вушка	сестра́	семья́	земля́	ле́кция	дя́дя
A	жену́	де́вушку	сестру́	семью́	зе́млю	ле́кцию	дя́дю
G	жены́	де́вушки	сестры́	семьи́	земли́	ле́кции	дя́ди
P } D }	жене́	де́вушке	сестре́	семье́	земле́	ле́кции	дя́де
I	жено́й	де́вушкой	сестро́й	семьёй	землёй	ле́кцией	дя́дей

				PLURAL			
N	жёны	де́вушки	сёстры	се́мьи	зе́мли	ле́кции	дя́ди
A	жён	де́вушек	сестёр	се́мьи	зе́мли	ле́кции	дя́дей
G	жён	де́вушек	сестёр	семе́й	земе́ль	ле́кций	дя́дей
P	жёнах	де́вушках	сёстрах	се́мьях	зе́млях	ле́кциях	дя́дях
D	жёнам	де́вушкам	сёстрам	се́мьям	зе́млям	ле́кциям	дя́дям
I	жёнами	де́вушками	сёстрами	се́мьями	зе́млями	ле́кциями	дя́дями

4. две́рь-nouns

			SINGULAR			
	door	*notebook*	*mouse*	*thing*	*horse*	*daughter*
N } A }	дверь	тетра́дь	мышь	вещь	ло́шадь	до́чь
G } P } D }	две́ри	тетра́ди	мы́ши	ве́щи	ло́шади	до́чери
I	две́рью	тетра́дью	мы́шью	ве́щью	ло́шадью	до́черью

			PLURAL			
N	две́ри	тетра́ди	мы́ши	ве́щи	ло́шади	до́чери
A	две́ри	тетра́ди	мыше́й	ве́щи	лошаде́й	дочере́й
G	двере́й	тетра́дей	мыше́й	веще́й	лошаде́й	дочере́й
P	дверя́х	тетра́дях	мыша́х	веща́х	лошадя́х	дочеря́х
D	дверя́м	тетра́дям	мыша́м	веща́м	лошадя́м	дочеря́м
I	{ дверя́ми { дверьми́	тетра́дями	мыша́ми	веща́ми	{ лошадьми́ { лошадя́ми	{ дочерьми́ { дочеря́ми

Note 1: ма́ть is declined like до́чь. Both differ from other две́рь nouns in that they have an alternate shorter stem used in the nominative and accusative singular only.

Note 2: Three две́рь-nouns have alternate instrumental plurals: дверя́ми *or* дверьми́, лошадьми́ *or* лошадя́ми, and дочерьми́ *or* дочеря́ми.

5. и́мя-nouns (neuter)

		SINGULAR					PLURAL	
	name	*time*	*banner*			*names*	*times*	*banners*
N } A }	и́мя	вре́мя	зна́мя		N } A }	имена́	времена́	знамёна
G } P } D }	и́мени	вре́мени	зна́мени		G	имён	времён	знамён
					P	имена́х	времена́х	знамёнах
					D	имена́м	времена́м	знамёнам
I	и́мени	вре́мени	зна́мени		I	имена́ми	времена́ми	знамёнами

Note: пла́мя *flame*, бре́мя *burden*, пле́мя *tribe*, се́мя *seed*, and стре́мя *stirrup* are declined like и́мя, except for the genitive plurals семя́н and стремя́н. All nouns of this class have an alternate shorter stem used only in the nominative and accusative singular.

6. Nouns with declension irregularities

		church	neighbor	brother	chair	leaf	pen	tree
					SINGULAR			
N		це́рковь (*f*)	сосе́д	бра́т	сту́л	ли́ст	перо́	де́рево
A		це́рковь	сосе́да	бра́та	сту́л	ли́ст	перо́	де́рево
G		це́ркви	сосе́да	бра́та	сту́ла	листа́	пера́	де́рева
P		це́ркви	сосе́де	бра́те	сту́ле	листе́	пере́	де́реве
D		це́ркви	сосе́ду	бра́ту	сту́лу	листу́	перу́	де́реву
I		це́рковью	сосе́дом	бра́том	сту́лом	листо́м	перо́м	де́ревом
					PLURAL			
N		це́ркви	сосе́ди	бра́тья	сту́лья	ли́стья	пе́рья	дере́вья
A		це́ркви	сосе́дей	бра́тьев	сту́лья	ли́стья	пе́рья	дере́вья
G		церкве́й	сосе́дей	бра́тьев	сту́льев	ли́стьев	пе́рьев	дере́вьев
P		церква́х	сосе́дях	бра́тьях	сту́льях	ли́стьях	пе́рьях	дере́вьях
D		церква́м	сосе́дям	бра́тьям	сту́льям	ли́стьям	пе́рьям	дере́вьям
I		церква́ми	сосе́дями	бра́тьями	сту́льями	ли́стьями	пе́рьями	дере́вьями

Note 1: The noun **це́рковь** *church* has a soft [y] everywhere in its declension except for prepositional, dative, and instrumental plural, where [v] is hard. The noun **любо́вь** *love*, used in the singular only, is declined like **це́рковь**, with the inserted vowel **о** in the nominative, accusative, and instrumental singular only. The name **Любо́вь** retains the vowel **о** in all the cases. Compare **о любви́** *about love* with **о Любо́ви** *about Lyubov.*

Note 2: The noun **сосе́д** *neighbor* has a hard [d] throughout the singular but a soft [d] throughout the plural.

Note 3: The nouns **бра́т**, **сту́л**, **ли́ст**, **перо́**, and **де́рево** all have expanded soft stems in the plural, where they follow a soft declension pattern; in the singular they follow a hard declension pattern.

		husband	son	friend	citizen	landlord, boss	Mr., gentleman	Georgian
					SINGULAR			
N		му́ж	сы́н	дру́г	граждани́н	хозя́ин	господи́н	грузи́н
A G		му́жа	сы́на	дру́га	граждани́на	хозя́ина	господи́на	грузи́на
P		му́же	сы́не	дру́ге	граждани́не	хозя́ине	господи́не	грузи́не
D		му́жу	сы́ну	дру́гу	граждани́ну	хозя́ину	господи́ну	грузи́ну
I		му́жем	сы́ном	дру́гом	граждани́ном	хозя́ином	господи́ном	грузи́ном
					PLURAL			
N		мужья́	сыновья́	друзья́	гра́ждане	хозя́ева	господа́	грузи́ны
A G		муже́й	сынове́й	друзе́й	гра́ждан	хозя́ев	госпо́д	грузи́н
P		мужья́х	сыновья́х	друзья́х	гра́жданах	хозя́евах	господа́х	грузи́нах
D		мужья́м	сыновья́м	друзья́м	гра́жданам	хозя́евам	господа́м	грузи́нам
I		мужья́ми	сыновья́ми	друзья́ми	гра́жданами	хозя́евами	господа́ми	грузи́нами

		ear	knee	sky, heaven	person, man	child, baby	way, route	flower
					SINGULAR			
N		у́хо	коле́но	не́бо	челове́к	ребёнок	пу́ть (*m*)	цвето́к
A		у́хо	коле́но	не́бо	челове́ка	ребёнка	пу́ть	цвето́к
G		у́ха	коле́на	не́ба	челове́ка	ребёнка	пути́	цветка́
P		у́хе	коле́не	не́бе	челове́ке	ребёнке	пути́	цветке́
D		у́ху	коле́ну	не́бу	челове́ку	ребёнку	пути́	цветку́
I		у́хом	коле́ном	не́бом	челове́ком	ребёнком	путём	цветко́м
					PLURAL			
N		у́ши	коле́ни	небеса́	лю́ди	ребя́та	пути́	цветы́
A		у́ши	коле́ни	небеса́	люде́й	ребя́т	пути́	цветы́
G		уше́й	коле́ней	небе́с	люде́й	ребя́т	путе́й	цвето́в
P		уша́х	коле́нях	небеса́х	лю́дях	ребя́тах	путя́х	цвета́х
D		уша́м	коле́ням	небеса́м	лю́дям	ребя́там	путя́м	цвета́м
I		уша́ми	коле́нями	небеса́ми	людьми́	ребя́тами	путя́ми	цвета́ми

Note 1: The noun **ребёнок** *child, baby* also has a plural, **де́ти**, based on another stem (see table following).

Note 2: The noun **челове́к** *person, man* uses the zero-ending genitive plural form **челове́к** with certain adverbs of quantity and numbers, for example: **ско́лько челове́к, два́дцать челове́к.**

7. Nouns used in the plural

	children	clock, watch	scale(s)	sleigh	schi	trousers
N	де́ти	часы́	весы́	са́ни	щи́	брю́ки
A	дете́й	часы́	весы́	са́ни	щи́	брю́ки
G	дете́й	часо́в	весо́в	сане́й	ще́й	брюк
P	де́тях	часа́х	веса́х	саня́х	ща́х	брю́ках
D	де́тям	часа́м	веса́м	саня́м	ща́м	брю́кам
I	детьми́	часа́ми	веса́ми	саня́ми	ща́ми	брю́ками

	chess, chessboard	vacation	money	cream	day (24 hours)
N	ша́хматы	кани́кулы	де́ньги	сли́вки	су́тки
A	ша́хматы	кани́кулы	де́ньги	сли́вки	су́тки
G	ша́хмат	кани́кул	де́нег	сли́вок	су́ток
P	ша́хматах	кани́кулах	деньга́х	сли́вках	су́тках
D	ша́хматам	кани́кулам	деньга́м	сли́вкам	су́ткам
I	ша́хматами	кани́кулами	деньга́ми	сли́вками	су́тками

Note 1: The singular of де́ти *children* is ребёнок, which is based on a different stem. In the literature of an early period, particularly in poetry, one may encounter the word дитя́ *child*.

Note 2: The nouns часы́ and весы́ are used only in the plural in the meanings *clock, watch,* and *scale(s).* The singular nouns from which they are derived are ча́с *hour* and ве́с *weight.*

8. Indeclinable nouns

A few nouns are never declined. They use a single form in all the cases, singular and plural. All are borrowed from foreign languages and most are treated as neuter nouns unless they refer to a male or a female, for example: атташе́ (*m*) *attaché*, ми́сс (*f*) *miss*. Some of the most common of these nouns are listed below:

бюро́	*office*	кило́	*kilogram*	ра́дио	*radio*
депо́	*depot*	кино́	*movies*	резюме́	*résumé*
желе́	*gelatin*	ко́фе (*m*)	*coffee*	такси́	*taxi*
интервью́	*interview*	купе́	*compartment*	фойе́	*foyer*
кака́о	*cocoa*	меню́	*menu*	шоссе́	*highway*
кафе́	*café*	метро́	*subway*	Баку́	*Baku (city)*
кашне́	*scarf*	пальто́	*overcoat*	Тбили́си	*Tbilisi (city)*

Declension of surnames ending in -ов, -ёв, -ев, and -ин

The surnames follow a mixed declension pattern, with some endings like those of nouns and some like those of adjectives. In the table below, the heavy line in the box demarcates nominal endings from adjectival endings.

	SINGULAR		PLURAL	
	Masculine	*Feminine*		
NOM	Соловьёв	Соловьёва	Соловьёвы	NOM
ACC	Соловьёва	Соловьёву	Соловьёвых	ACC
GEN		Соловьёвой		GEN
PREP	Соловьёве			PREP
DAT	Соловьёву		Соловьёвым	DAT
INSTR	Соловьёвым		Соловьёвыми	INSTR

Note: Surnames with adjectival endings are declined exactly like adjectives: Достое́вский, Достое́вского; Толсто́й, Толсто́го; and so forth.

Declension of possessive adjectives ending in the suffix -ин

Possessive adjectives ending in the suffix –ин, like the surnames ending in –ов, –ёв, and –ин, follow a mixed declension pattern, with some endings like those of nouns and some like those of adjectives. They differ from the surnames principally in the genitive, prepositional, and dative endings of the masculine forms, which are adjectival rather than nominal.

	SINGULAR			PLURAL
	Masculine	*Neuter*	*Feminine*	
NOM	Ко́лин *Kolya's*	Ко́лино	Ко́лина	Ко́лины
ACC	(*like* nom *or* gen)	Ко́лино	Ко́лину	(*like* nom *or* gen)
GEN	Ко́линого			Ко́линых
PREP	Ко́лином		Ко́линой	
DAT	Ко́линому			Ко́линым
INSTR	Ко́линым			Ко́лиными

Adjective declension (long-form adjectives)

Masculine and Neuter   SINGULAR

	(*m*)	но́вый	молодо́й	си́ний	друго́й	ру́сский	большо́й	хоро́ший
N	(*n*)	но́вое	молодо́е	си́нее	друго́е	ру́сское	большо́е	хоро́шее
A		(animate = genitive; inanimate = nominative)						
G		но́вого	молодо́го	си́него	друго́го	ру́сского	большо́го	хоро́шего
P		но́вом	молодо́м	си́нем	друго́м	ру́сском	большо́м	хоро́шем
D		но́вому	молодо́му	си́нему	друго́му	ру́сскому	большо́му	хоро́шему
I		но́вым	молоды́м	си́ним	други́м	ру́сским	больши́м	хоро́шим

Feminine

	но́вая	молода́я	си́няя	друга́я	ру́сская	больша́я	хоро́шая
N	но́вую	молоду́ю	си́нюю	другу́ю	ру́сскую	большу́ю	хоро́шую
A	но́вой	молодо́й	си́ней	друго́й	ру́сской	большо́й	хоро́шей
G P D I							

(G, P, D, I share: но́вой, молодо́й, си́ней, друго́й, ру́сской, большо́й, хоро́шей)

PLURAL

	но́вые	молоды́е	си́ние	други́е	ру́сские	больши́е	хоро́шие
N							
A	(animate = genitive; inanimate = nominative)						
G P	но́вых	молоды́х	си́них	други́х	ру́сских	больши́х	хоро́ших
D	но́вым	молоды́м	си́ним	други́м	ру́сским	больши́м	хоро́шим
I	но́выми	молоды́ми	си́ними	други́ми	ру́сскими	больши́ми	хоро́шими

Note: The demonstrative pronoun **тако́й** *such, so* and the interrogative pronoun **како́й** *what, which* are declined exactly like **друго́й**. The same declension is followed by the indefinite pronouns **како́й-то** *some sort of, a certain* and **како́й-нибудь** *any sort of, any*, which are formed by adding the unstressed particles –то and –нибудь to the various forms of **како́й**.

Short-form adjectives

The short-form adjectives are limited to use in the predicate and have only nominative case forms. Masculines have zero-ending (often with an inserted vowel between the last two consonants of the stem); feminines have the ending –a; neuters have the ending –o; plurals ordinarily have the ending –ы, but if the stem ends in к, г, х, ш, ж, ч, or щ the plural ending is spelled –и. The stress of the short-form adjective frequently differs from that of the long-form adjective, and may vary within the short forms themselves. Often more than one position of stress is acceptable for the short-form adjectives.

Below are listed some of the short forms for the more commonly used adjectives:

безду́шный	безду́шен, –а, –о, –ы
бли́зкий	бли́зок, близка́, –о, –и
больно́й	бо́лен, больна́, –о, –ы́
ва́жный	ва́жен, важна́, –о, –ы
весёлый	ве́сел, –а́, –о, –ы
голо́дный	го́лоден, –дна́, –о, –ы (–ы́)
глу́пый	глуп, –а́, –о, –ы
гото́вый	гото́в, –а, –о, –ы
до́брый	добр, –а́, –о, –ы (–ы́)
дорого́й	до́рог, –а́, –о, –и
здоро́вый	здоро́в, –а, –о, –ы
коро́ткий	ко́роток, –тка́, –о, (–о́), –и (–и́)
краси́вый	краси́в, –а, –о, –ы
ми́лый	мил, –а́, –о, –ы
молодо́й	мо́лод, –а́, –о, –ы
несимпати́чный	несимпати́чен, –чна, –о, –ы
осторо́жный	осторо́жен, –жна, –о, –ы
по́лный	по́лон, полна́, –о (–о́), –ы (–ы́)
просто́й	прост, –а́, –о, –ы
пусто́й	пуст, –а́, –о–, –ы
свобо́дный	свобо́ден, свобо́дна, –о, –ы
серьёзный	серьёзен, –зна, –о, –ы
споко́йный	споко́ен, споко́йна, –о, –ы
ста́рый	стар, –а́, –о, –ы
у́мный	умён, умна́, –о (–о́), –ы (–ы́)
холо́дный	хо́лоден, –дна́, –о, –ы (–ы́)
це́лый	це́л, –а́, –о, –ы

Comparison of adjectives and adverbs

1. Regular comparatives ending in -ee

Regular comparatives are formed by adding –ee to the adjective-adverb stem. In colloquial Russian this may be shortened to –ей. The stress of the comparative usually corresponds to that of the feminine short-form adjective.

COMPARATIVE	LONG-FORM ADJECTIVE AND ADVERB	SHORT-FORM FEMININE ADJECTIVE
интере́снее	интере́сный, интере́сно	интере́сна
краси́вее	краси́вый, краси́во	краси́ва
осторо́жнее	осторо́жный, осторо́жно	осторо́жна
прия́тнее	прия́тный, прия́тно	прия́тна
миле́е	ми́лый, ми́ло	мила́
веселе́е	весёлый, ве́село	весела́
длинне́е	дли́нный, дли́нно	длинна́
умне́е	у́мный, умно́	умна́
глупе́е	глу́пый, глу́по	глупа́
трудне́е	тру́дный, тру́дно	трудна́

2. Special comparatives ending in -e

Most of the special –e comparatives come from adjectives with stems ending in к, г, х, or ст. The change in stem is sometimes predictable: к is replaced by ч, г by ж, х by ш, and ст by щ. A few are based on completely different stems.

COMPARATIVE	LONG-FORM ADJECTIVE AND ADVERB
бли́же	бли́зкий, бли́зко
бо́льше	большо́й, мно́го
гро́мче	гро́мкий, гро́мко
да́льше	далёкий, далеко́
доро́же	дорого́й, до́рого
коро́че	коро́ткий, ко́ротко
кре́пче	кре́пкий, кре́пко
ле́гче	лёгкий, легко́
лу́чше	хоро́ший, хорошо́
ме́ньше	ма́ленький, ма́ло
моло́же	молодо́й, мо́лодо
мя́гче	мя́гкий, мя́гко
про́ще	просто́й, про́сто
ре́же	ре́дкий, ре́дко
ста́рше	ста́рый, ста́ро
то́лще	то́лстый, то́лсто
то́ньше	то́нкий, то́нко
ху́же	плохо́й, пло́хо
ча́ще	ча́стый, ча́сто

3. Simple superlatives ending in -ейший, -айший

Simple superlatives are formed by adding –ейший to the stem of those adjectives that have a comparative ending in –ее and –айший to the stem of those adjectives with the special comparative ending in –e.

Group 1: from adjectives with comparatives ending in –ee			Group 2: from adjectives with comparatives ending in –e		
SUPERLATIVE	LONG-FORM ADJECTIVE	COMPARATIVE	SUPERLATIVE	LONG-FORM ADJECTIVE	COMPARATIVE
бедне́йший	бе́дный	бедне́е	высоча́йший	высо́кий	вы́ше
важне́йший	ва́жный	важне́е	глубоча́йший	глубо́кий	глу́бже
верне́йший	ве́рный	верне́е	крепча́йший	кре́пкий	кре́пче
вкусне́йший	вку́сный	вкусне́е	легча́йший	лёгкий	ле́гче
длинне́йший	дли́нный	длинне́е	мельча́йший	ме́лкий	ме́льче
добре́йший	до́брый	добре́е	мягча́йший	мя́гкий	мя́гче
интере́снейший	интере́сный	интере́снее	нижа́йший	ни́зкий	ни́же
крупне́йший	кру́пный	крупне́е	редча́йший	ре́дкий	ре́же
миле́йший	ми́лый	миле́е	сладча́йший	сла́дкий	сла́ще
несча́стнейший	несча́стный	несча́стнее	тонча́йший	то́нкий	то́ньше
нове́йший	но́вый	нове́е	тиша́йший	ти́хий	ти́ше
опа́снейший	опа́сный	опа́снее	широча́йший	широ́кий	ши́ре
прекра́снейший	прекра́сный	прекра́снее	строжа́йший	стро́гий	стро́же
сильне́йший	си́льный	сильне́е	дорожа́йший	дорого́й	доро́же
скучне́йший	ску́чный	скучне́е	ближа́йший	бли́зкий	бли́же
сложне́йший	сло́жный	сложне́е			
старе́йший	ста́рый	старе́е			
счастли́вейший	счастли́вый	счастли́вее			

Note: Simple –ee and –e comparatives have the meaning of a superlative when followed by the pronouns **всего́** or **всех**. **Всего́** refers to things, **всех** to people. This is the only way of forming the superlative of adverbs:

Он говори́т по-ру́сски **лу́чше** нас всех.	He speaks Russian *the best* of us all.
Лу́чше всего́ он говори́т по-ру́сски.	He speaks Russian *best* of all (that is, better than any other language).
Он **моло́же** всех.	He's the *youngest* of all.

4. Compound comparatives

Compound comparatives are formed by means of the unchanging word **бо́лее** plus the positive adjective, for example:

Бо́лее дороги́е магази́ны нахо́дятся в це́нтре го́рода.	The *more expensive* stores are located in the center of town.
Э́то оди́н из **бо́лее дороги́х** рестора́нов.	This is one of the *more expensive* restaurants.
Она́ **бо́лее краси́ва**, чéм её подру́га.	She's *prettier* than her friend.

Note: Both long- and short-form adjectives may be used with **бо́лее**.

5. Compound superlatives

Compound superlatives are formed by a combination of **са́мый** plus the long-form positive adjective. Both parts are declined:

Вы слы́шали **са́мую после́днюю** но́вость?	Have you heard *the latest* news?
Они́ живу́т в **са́мой большо́й** кварти́ре в э́том до́ме.	They live in *the largest* apartment in this building.
Он **са́мый изве́стный** из них всех.	He's the *most famous* of them all.
Э́то оди́н из **са́мых краси́вых** городо́в Сове́тского Сою́за.	It's one of the *most beautiful* cities in the Soviet Union.

Compound superlatives may also be formed by means of the unchanging word **наибо́лее** and the long-form adjective, for example:

Э́то **наибо́лее высо́кая** гора́ на Кавка́зе.	It's *the tallest* mountain in the Caucasus.

Pronoun declension

1. Personal pronouns and interrogatives кто́ and что́

N	я	ты́	он (*m*), оно́ (*n*)	она́	мы́	вы́	они́	кто́	что́
A	меня́	тебя́	его́, него́	её, неё	нас	вас	их, них	кого́	что́
G	меня́	тебя́	его́, него́	её, неё	нас	вас	их, них	кого́	чего́
P	мне́	тебе́	нём	ней	нас	вас	их, них	ко́м	чём
D	мне́	тебе́	ему́, нему́	ей, ней	нам	вам	им, ним	кому́	чему́
I	{мно́й / мно́ю}	{тобо́й / тобо́ю}	им, ним	{ей, ней / ею, не́ю}	на́ми	ва́ми	и́ми, ни́ми	ке́м	чём

Note: The reflexive personal pronoun **себя́** has no nominative form; it declines like **ты́: себя́, себé, собо́й.**

2. Possessive pronoun modifiers and interrogative чей *whose*

Masculine and Neuter			**SINGULAR**			
N (*m*)	чей	мóй	твóй	свóй	нáш	вáш
N (*n*)	чьё	моё	твоё	своё	нáше	вáше
A	(animate = genitive; inanimate = nominative)					
G	чьегó	моегó	твоегó	своегó	нáшего	вáшего
P	чьём	моём	твоём	своём	нáшем	вáшем
D	чьемý	моемý	твоемý	своемý	нáшему	вáшему
I	чьи́м	мои́м	твои́м	свои́м	нáшим	вáшим
Feminine						
N	чья́	моя́	твоя́	своя́	нáша	вáша
A	чью	мою́	твою́	свою́	нáшу	вáшу
G P D I	чьéй	моéй	твоéй	своéй	нáшей	вáшей

			PLURAL			
N	чьи́	мои́	твои́	свои́	нáши	вáши
A	(animate = genitive; inanimate = nominative)					
G P	чьи́х	мои́х	твои́х	свои́х	нáших	вáших
D	чьи́м	мои́м	твои́м	свои́м	нáшим	вáшим
I	чьи́ми	мои́ми	твои́ми	свои́ми	нáшими	вáшими

Note 1: The third person possessives егó, её, and и́х do not decline.

Note 2: The indefinite pronouns чéй-то *someone's* and чéй-нибудь *anyone's* are formed by adding the unstressed particles -то and -нибудь to the various forms of чéй.

3. Declension of оди́н, сáм, э́тот, тóт, and вéсь

Masculine and Neuter			**SINGULAR**		
N (*m*)	оди́н	сáм	э́тот	тóт	вéсь
N (*n*)	однó	самó	э́то	тó	всё
A	(animate = genitive; inanimate = nominative)				
G	одногó	самогó	э́того	тогó	всегó
P	однóм	самóм	э́том	тóм	всём
D	одномý	самомý	э́тому	томý	всемý
I	одни́м	сами́м	э́тим	тéм	всéм
Feminine					
N	однá	самá	э́та	тá	вся́
A	однý	самý[1]	э́ту	тý	всю́
G P D I	однóй	самóй	э́той	тóй	всéй

			PLURAL		
N	одни́	сáми	э́ти	тé	всé
A	(animate = genitive; inanimate = nominative)				
G P	одни́х	сами́х	э́тих	тéх	всéх
D	одни́м	сами́м	э́тим	тéм	всéм
I	одни́ми	сами́ми	э́тими	тéми	всéми

[1] An alternate accusative form, самоё, also exists as a literary variant of самý.

4. Indefinite pronouns

	someone, somebody anybody	someone, somebody			something, anything	something
N	кто́-нибудь	кто́-то	N		что́-нибудь	что́-то
A			A			
G	кого́-нибудь	кого́-то	G		чего́-нибудь	чего́-то
P	о ко́м-нибудь	о ко́м-то	P		о чём-нибудь	о чём-то
D	кому́-нибудь	кому́-то	D		чему́-нибудь	чему́-то
I	ке́м-нибудь	ке́м-то	I		чём-нибудь	чём-то

5. Negative pronouns никто́ and ничто́

	no one, nobody	nothing, not anything
N	никто́	ничто́
A		
G	никого́	ничего́
P	ни о ко́м	ни о чём
D	никому́	ничему́
I	нике́м	ниче́м

Note: The negative pronouns are written as single words except when used with prepositions. Compare **нике́м** with **ни с ке́м**.

6. Negative pronouns не́кого *there's no one* and не́чего *there's nothing*

	(no nominative)	(no nominative)
A	не́кого (*or* не́... кого)	не́чего (*or* не́... что)
G	не́кого (*or* не́... кого)	не́чего (*or* не́... чего)
P	не́... ком	не́... чем
D	не́кому (*or* не́... кому)	не́чему (*or* не́... чему)
I	не́кем (*or* не́... кем)	не́чем (*or* не́... чем)

Note: It is particularly important to note that even when these forms are written as three words, that is, with a preposition falling between the two elements, they are pronounced as a single unit with a single stress on the first syllable: **не́ у кого** [ņéukəvə], **не́ о чем** [ņéəčim].

7. Reciprocal compound pronoun дру́г дру́га *one another, each other*

	Used without preposition	Used with preposition
A	дру́г дру́га	дру́г на дру́га
G	дру́г дру́га	дру́г у дру́га
P		дру́г о дру́ге
D	дру́г дру́гу	дру́г к дру́гу
I	дру́г дру́гом	дру́г с дру́гом

Note: Like the reflexive personal pronoun **себя́**, the reciprocal compound pronoun **дру́г дру́га** has no nominative form. When a preposition is used it falls between the two parts.

Cardinal and ordinal numbers

оди́н, одна́, одно́	one	пе́рвый	first
два́, две́	two	второ́й	second
три́	three	тре́тий, тре́тья, тре́тье	third
четы́ре	four	четвёртый	fourth
пя́ть	five	пя́тый	fifth
ше́сть	six	шесто́й	sixth
се́мь	seven	седьмо́й	seventh
во́семь	eight	восьмо́й	eighth
де́вять	nine	девя́тый	ninth
де́сять	ten	деся́тый	tenth
оди́ннадцать	eleven	оди́ннадцатый	eleventh
двена́дцать	twelve	двена́дцатый	twelfth
трина́дцать	thirteen	трина́дцатый	thirteenth
четы́рнадцать	fourteen	четы́рнадцатый	fourteenth
пятна́дцать	fifteen	пятна́дцатый	fifteenth
шестна́дцать	sixteen	шестна́дцатый	sixteenth
семна́дцать	seventeen	семна́дцатый	seventeenth
восемна́дцать	eighteen	восемна́дцатый	eighteenth
девятна́дцать	nineteen	девятна́дцатый	nineteenth
два́дцать	twenty	двадца́тый	twentieth
два́дцать оди́н	twenty one	два́дцать пе́рвый	twenty-first
три́дцать	thirty	тридца́тый	thirtieth
со́рок	forty	сороково́й	fortieth
пятьдеся́т	fifty	пятидеся́тый	fiftieth
шестьдеся́т	sixty	шестидеся́тый	sixtieth
се́мьдесят	seventy	семидеся́тый	seventieth
во́семьдесят	eighty	восьмидеся́тый	eightieth
девяно́сто	ninety	девяно́стый	ninetieth
сто́	one hundred	со́тый	one-hundredth
сто́ оди́н	one hundred one	сто́ пе́рвый	one-hundred-first
две́сти	two hundred	двухсо́тый	two-hundredth
три́ста	three hundred	трёхсо́тый	three-hundredth
четы́реста	four hundred	четырёхсо́тый	four-hundredth
пятьсо́т	five hundred	пятисо́тый	five-hundredth
шестьсо́т	six hundred	шестисо́тый	six-hundredth
семьсо́т	seven hundred	семисо́тый	seven-hundredth
восемьсо́т	eight hundred	восьмисо́тый	eight-hundredth
девятьсо́т	nine hundred	девятисо́тый	nine-hundredth
ты́сяча	thousand	ты́сячный	thousandth
миллио́н	million	миллио́нный	millionth

Declension of cardinal numbers 2–900

Note: The number one is declined as a pronoun (see page 526).

	2	3	4
NOM	двá двé (f)	трѝ	четы́ре
ACC	*(like* nom *or* gen)		
GEN PREP	двýх	трёх	четырёх
DAT	двýм	трём	четырём
INSTR	двумя́	тремя́	четырьмя́

	5	6	7	8	9	10
NOM ACC	пя́ть	ше́сть	се́мь	во́семь	де́вять	де́сять
GEN PREP DAT	пяти́	шести́	семи́	восьми́	девяти́	десяти́
INSTR	пятью́	шестью́	семью́	восемью́ (*or* восьмью́)	девятью́	десятью́

	11	12	13	14	15	16
NOM ACC	оди́ннадцать	двена́дцать	трина́дцать	четы́рнадцать	пятна́дцать	шестна́дцать
GEN PREP DAT	оди́ннадцати	двена́дцати	трина́дцати	четы́рнадцати	пятна́дцати	шестна́дцати
INSTR	оди́ннадцатью	двена́дцатью	трина́дцатью	четы́рнадцатью	пятна́дцатью	шестна́дцатью

	17	18	19	20	30	40
NOM ACC	семна́дцать	восемна́дцать	девятна́дцать	два́дцать	три́дцать	со́рок
GEN PREP DAT	семна́дцати	восемна́дцати	девятна́дцати	двадцати́	тридцати́	сорока́
INSTR	семна́дцатью	восемна́дцатью	девятна́дцатью	двадцатью́	тридцатью́	сорока́

	50	60	70	80	90	100
NOM ACC	пятьдеся́т	шестьдеся́т	се́мьдесят	во́семьдесят	девяно́сто	сто́
GEN PREP DAT	пяти́десяти	шести́десяти	семи́десяти	восьми́десяти	девяно́ста	ста́
INSTR	пятью́десятью	шестью́десятью	семью́десятью	восьмью́десятью (*or* восемью́десятью)	девяно́ста	ста́

	200	300	400
NOM ACC	двести	триста	четыреста
GEN	двухсот	трёхсот	четырёхсот
PREP	двухстах	трёхстах	четырёхстах
DAT	двумстам	трёмстам	четырёмстам
INSTR	двумястами	тремястами	четырьмястами

	500	600	700	800	900
NOM ACC	пятьсот	шестьсот	семьсот	восемьсот	девятьсот
GEN	пятисот	шестисот	семисот	восьмисот	девятисот
PREP	пятистах	шестистах	семистах	восьмистах	девятистах
DAT	пятистам	шестистам	семистам	восьмистам	девятистам
INSTR	пятьюстами	шестьюстами	семьюстами	восьмьюстами	девятьюстами

Note: **тысяча** *thousand* and **миллион** *million* are treated as nouns and decline like regular **жена-** and **стол-** nouns.

Declension of collective or "set" numerals

	2	3	4	5	6	7
NOM	двое	трое	четверо	пятеро	шестеро	семеро
ACC	*(like* nom *or* gen*)*					
GEN	двоих	троих	четверых	пятерых	шестерых	семерых
PREP	двоих	троих	четверых	пятерых	шестерых	семерых
DAT	двоим	троим	четверым	пятерым	шестерым	семерым
INSTR	двоими	троими	четверыми	пятерыми	шестерыми	семерыми

Declension of оба, обе *both*

	Masculine and Neuter	*Feminine*
NOM	оба (*plus* gen sg)	обе (*plus* gen sg)
ACC	*(like* nom *or* gen*)*	
GEN	обоих (*plus* gen pl)	обеих (*plus* gen pl)
PREP	обоих (*plus* prep pl)	обеих (*plus* prep pl)
DAT	обоим (*plus* dat pl)	обеим (*plus* dat pl)
INSTR	обоими (*plus* instr pl)	обеими (*plus* instr pl)

Declension of the special numbers полторá (m, n), полторы́ (f) *one and a half* and полторáста *one hundred and fifty*

	Masculine Neuter	Feminine	
NOM-ACC	полторá	полторы́	полторáста
GEN-PREP-DAT-INSTR	полу́тора		полу́тораста

Declension of ordinal numbers

Ordinal numbers, with the exception of **трéтий** *third*, are declined like the hard-stem adjectives. **Трéтий** declines like **чéй** *whose* except for the stress.

	SINGULAR			PLURAL
	Masculine	Neuter	Feminine	
NOM	трéтий	трéтье	трéтья	трéтьи
ACC	(*like* nom *or* gen)	трéтье	трéтью	(*like* nom *or* gen)
GEN	трéтьего		трéтьей	трéтьих
PREP	трéтьем			
DAT	трéтьему			трéтьим
INSTR	трéтьим			трéтьими

Nouns, adjectives, and adverbs referring to countries, their inhabitants, and languages

country	native (*m*)	native (*f*)	adjective	language
Амéрика	американéц	американка	американский	
Áнглия	англичáнин	англичáнка	англúйский	по-англúйски
Áфрика	африкáнец	африкáнка	африкáнский	
Áвстрия	австрúец	австрúйка	австрúйский	
Болгáрия	болгáрин	болгáрка	болгáрский	по-болгáрски
Вéнгрия	венгéрец	венгéрка	венгéрский	по-венгéрски
Гермáния	нéмец	нéмка	немéцкий	по-немéцки
Грéция	грéк	гречáнка	грéческий	по-грéчески
Испáния	испáнец	испáнка	испáнский	по-испáнски
Итáлия	итальянéц	итальянка	итальянский	по-итальянски
Канáда	канáдец	канáдка	канáдский	
Китáй	китáец	китаянка	китáйский	по-китáйски
Мéксика	мексикáнец	мексикáнка	мексикáнский	
Пóльша	поляк	пóлька	пóльский	по-пóльски
Россúя (СССР)	рýсский	рýсская	рýсский	по-рýсски
Фрáнция	францýз	францýженка	францýзский	по-францýзски
Швейцáрия	швейцáрец	швейцáрка	швейцáрский	
Швéция	швéд	швéдка	швéдский	по-швéдски
Япóния	япóнец	япóнка	япóнский	по-япóнски

Indefinite adverbs

Indefinite adverbs are formed by adding the unstressed particles –то and –нибудь to such interrogative question-words as где, куда, когда, как, and почему.

где	where	где-то	somewhere	где-нибудь	anywhere, somewhere
куда	where (to)	куда-то	(to) somewhere	куда-нибудь	(to) anywhere, somewhere
когда	when	когда-то	at one time, once	когда-нибудь	at any time, ever
как	how	как-то	in some way, somehow	как-нибудь	in any way, somehow
почему	why	почему-то	for some reason	почему-нибудь	for any reason

Note: In place of –нибудь, the unstressed particle –либо may also be used.

Declension of много, немного, сколько, несколько, and столько

The so-called adverbs of quantity follow an adjectival declension pattern in the oblique cases.

NOM-ACC	много	немного	сколько	несколько	столько
GEN-PREP	многих	немногих	скольких	нескольких	стольких
DAT	многим	немногим	скольким	нескольким	стольким
INSTR	многими	немногими	сколькими	несколькими	столькмии

Table of prepositions and the cases they govern[1]

GENITIVE		PREPOSITIONAL	ACCUSATIVE	INSTRUMENTAL	DATIVE
без, безо	мимо	**в, во** *in, at*	**в, во** *into, to*	между	благодаря
вместо	около	**на** *on, at*	**за** *for, behind*	**за** *after, behind*	**к, ко**
внутри	от, ото	о, об, обо	**на** *onto, to*	перед, передо	**по** *along, via; according to*
возле	позади	**по** *after, upon*	**под, подо** *under; toward*	**под, подо** *under; near*	
вокруг	после	при	про	над, надо	
впереди	против		через	**с, со** *with*	
для	ради				
до	сверх				
из, изо	**с, со** *from, off*				
из-за	среди				
из-под	у				
кроме					

[1] Prepositions governing more than one case are printed in boldface type and are accompanied by their meanings.

Verb conjugation

1. First conjugation verbs

INFINITIVE	IMPERFECTIVE ASPECT						
	читáть *read*	крáсьт *steal*	везти́ *take*	пéчь *bake*	совéтовать *advise*	просыпáться *wake up*	давáть *give*
PAST	читáл читáла читáло читáли	крáл крáла крáло крáли	вёз везлá везлó везли́	пёк пеклá пеклó пекли́	совéтовал совéтовала совéтовало совéтовали	просыпáлся просыпáлась просыпáлось просыпáлись	давáл давáла давáло давáли
PRESENT	читáю читáешь читáет читáем читáете читáют	краду́ крадёшь крадёт крадём крадёте краду́т	везу́ везёшь везёт везём везёте везу́т	пеку́ печёшь печёт печём печёте пеку́т	совéтую совéтуешь совéтует совéтуем совéтуете совéтуют	просыпáюсь просыпáешься просыпáется просыпáемся просыпáетесь просыпáются	даю́ даёшь даёт даём даёте даю́т
IMPERATIVE	читáй читáйте	кради́ кради́те	вези́ вези́те	пеки́ пеки́те	совéтуй совéтуйте	просыпáйся просыпáйтесь	давáй давáйте

Note 1: The imperfective future is formed by combining the future forms of **бы́ть** with the imperfective infinitive: **бу́ду читáть, бу́дешь читáть,** etc.

Note 2: All verbs with infinitives ending in –**авать** or –**авáться** follow the conjugation pattern of **давáть,** for example: **продавáть** *to sell,* **узнавáть** *to recognize,* **вставáть** *to get up,* **оставáться** *to remain,* and so forth.

INFINITIVE	PERFECTIVE ASPECT						
	прочитáть *read*	украсть *steal*	повезти́ *take*	испéчь *bake*	посовéтовать *advise*	просну́ться *wake up*	умерéть *die*
PAST	прочитáл прочитáла прочитáло прочитáли	украл украла украло украли	повёз повезлá повезлó повезли́	испёк испеклá испеклó испекли́	посовéтовал посовéтовала посовéтовало посовéтовали	просну́лся просну́лась просну́лось просну́лись	у́мер умерлá у́мерло у́мерли
FUTURE	прочитáю прочитáешь прочитáет прочитáем прочитáете прочитáют	украду́ украдёшь украдёт украдём украдёте украду́т	повезу́ повезёшь повезёт повезём повезёте повезу́т	испеку́ испечёшь испечёт испечём испечёте испеку́т	посовéтую посовéтуешь посовéтует посовéтуем посовéтуете посовéтуют	просну́сь проснёшься проснётся проснёмся проснётесь просну́тся	умру́ умрёшь умрёт умрём умрёте умру́т
IMPERATIVE	прочитáй прочитáйте	укради́ укради́те	повези́ повези́те	испеки́ испеки́те	посовéтуй посовéтуйте	просни́сь просни́тесь	умри́ умри́те

Note 1: Perfective verbs are not used in the present tense.

Note 2: Some perfective verbs with infinitives ending in –**нуть** lose the suffix –**ну**– in the past tense, for example:

INFINITIVE	PAST TENSE
исчéзнуть *to disappear*	исчéз, исчéзла, исчéзли
привы́кнуть *to get used to*	привы́к, привы́кла, привы́кли

2. Second conjugation verbs

INFINITIVE	вéрить believe	учи́ть study, teach	смотрéть look	стоя́ть stand	спать sleep	люби́ть love	проси́ть ask	серди́ться be angry
			IMPERFECTIVE ASPECT					
PAST	вéрил	учи́л	смотрéл	стоя́л	спал	люби́л	проси́л	серди́лся
	вéрила	учи́ла	смотрéла	стоя́ла	спала́	люби́ла	проси́ла	серди́лась
	вéрило	учи́ло	смотрéло	стоя́ло	спало	люби́ло	проси́ло	серди́лось
	вéрили	учи́ли	смотрéли	стоя́ли	спали	люби́ли	проси́ли	серди́лись
PRESENT	вéрю	учу́	смотрю́	стою́	сплю	люблю́	прошу́	сержу́сь
	вéришь	у́чишь	смóтришь	стои́шь	спишь	лю́бишь	прóсишь	сéрдишься
	вéрит	у́чит	смóтрит	стои́т	спит	лю́бит	прóсит	сéрдится
	вéрим	у́чим	смóтрим	стои́м	спим	лю́бим	прóсим	сéрдимся
	вéрите	у́чите	смóтрите	стои́те	спите	лю́бите	прóсите	сéрдитесь
	вéрят	у́чат	смóтрят	стоя́т	спят	лю́бят	прóсят	сéрдятся
IMPERATIVE	верь	учи́	смотри́	стой	спи	люби́	проси́	серди́сь
	вéрьте	учи́те	смотри́те	стóйте	спите	люби́те	проси́те	серди́тесь

Note: The imperfective future is formed by combining the future forms of быть with the infinitive: бýду вéрить, бýдешь вéрить, etc.

INFINITIVE	повéрить believe	научи́ть teach	посмотрéть look	постоя́ть stand	остáвить leave	попроси́ть ask	рассерди́ться get mad
			PERFECTIVE ASPECT				
PAST	повéрил	научи́л	посмотрéл	постоя́л	остáвил	попроси́л	рассерди́лся
	повéрила	научи́ла	посмотрéла	постоя́ла	остáвила	попроси́ла	рассерди́лась
	повéрило	научи́ло	посмотрéло	постоя́ло	остáвило	попроси́ло	рассерди́лось
	повéрили	научи́ли	посмотрéли	постоя́ли	остáвили	попроси́ли	рассерди́лись
FUTURE	повéрю	научу́	посмотрю́	постою́	остáвлю	попрошу́	рассержу́сь
	повéришь	научи́шь	посмóтришь	постои́шь	остáвишь	попрóсишь	рассéрдишься
	повéрит	научи́т	посмóтрит	постои́т	остáвит	попрóсит	рассéрдится
	повéрим	научи́м	посмóтрим	постои́м	остáвим	попрóсим	рассéрдимся
	повéрите	научи́те	посмóтрите	постои́те	остáвите	попрóсите	рассéрдитесь
	повéрят	научáт	посмóтрят	постоя́т	остáвят	попрóсят	рассéрдятся
IMPERATIVE	повéрь	научи́	посмотри́	постой	остáвь	попроси́	рассерди́сь
	повéрьте	научи́те	посмотри́те	постóйте	остáвьте	попроси́те	рассерди́тесь

Note: Perfective verbs are not used in the present tense.

3. Irregular verbs

INFINITIVE	хотéть (ipfv) want	бежáть to be running	есть (ipfv) eat	дать (pfv) give
PAST	хотéл	бежáл	ел	дал
	хотéла	бежáла	éла	дала́
	хотéло	бежáло	éло	дáло
	хотéли	бежáли	éли	дáли
PRESENT-FUTURE	хочу́	бегу́	ем	дам
	хóчешь	бежи́шь	ешь	дашь
	хóчет	бежи́т	ест	даст
	хоти́м	бежи́м	еди́м	дади́м
	хоти́те	бежи́те	еди́те	дади́те
	хотя́т	бегу́т	едя́т	даду́т
IMPERATIVE	(none)	беги́	ешь	дай
		беги́те	éшьте	дáйте

Similarly conjugated are the following perfective verbs: захотéть, побежáть, поéсть, съесть, продáть *to sell*, подáть, передáть, and all other perfective verbs formed by adding prefixes to the above basic verbs.

Present active participles

Present active participles are formed by replacing the final –т of the third person plural imperfective verb with –щий, –щая, –щее (non-reflexive) or –щийся, –щаяся, –щееся (reflexive). Present active participles have no short forms and are used in all cases, singular and plural, following an adjectival declension pattern.

INFINITIVE	THIRD PERSON PLURAL	PRESENT ACTIVE PARTICIPLE
чита́–ть	чита́ю–т	чита́ю–щий, –щая, –щее *(who is) reading*
ид–ти́	иду́–т	иду́–щий, –щая, –щее *(who is) going*
жи́–ть	живу́–т	живу́–щий, –щая, –щее *(who is) living*
говори́–ть	говоря́–т	говоря́–щий, –щая, –щее *(who is) speaking*
кури́–ть	ку́ря–т	куря́–щий, –щая, –щее *(who is) smoking*
держа́–ть	де́ржа–т	держа́–щий, –щая, –щее *(who is) holding*
интересова́–ться	интересу́ю–тся	интересу́ю–щийся, –щаяся, –щееся *(who is) interested*
боя́–ться	боя́–тся	боя́–щийся, –щаяся, –щееся *(who is) afraid*

Examples of usage:

На́м ну́жен челове́к, **говоря́щий** по-неме́цки.
We need a person *speaking* German.

Где́ пассажи́ры, **е́дущие** в Москву́?
Where are the passengers (*who are*) *going* to Moscow?

Мы́ не знако́мы с **живу́щей** та́м же́нщиной.
We're not acquainted with the woman *living* there.

Мы́ не заме́тили **купа́ющихся** та́м ребя́т.
We didn't notice the kids *swimming* there.

Past active participles

Past active participles are formed from both imperfective and perfective verbs by means of the suffix –вш– or –в–, to which are added the adjectival endings –ий, –ая, and –ее. Reflexive verbs further add the reflexive participle –ся (never –сь). They are built on the past tense-infinitive stem.

INFINITIVE	PAST TENSE	PAST ACTIVE PARTICIPLE
получи́–ть	получи́–л	получи́–вший, –вшая, –вшее *who received*
тренирова́–ться	тренирова́–лся	тренирова́–вшийся, –вшаяся, –вшееся *who exercised*
принес–ти́	принёс	принёс–ший, –шая, –шее *who brought*

Note that those formed from closed-stem verbs take the suffix –ш– instead of –вш–. Past active participles derived from the **идти́** family of verbs base the form on a special root variant, –шед–.

| най–ти́ | нашёл | нашёд–ший, –шая, –шее *who found* |

Examples of usage:

Де́вушка, **сказа́вшая** мне́ об э́том, уже́ ушла́.
The girl *who told* me about it has already left.

Во́т идёт **пожа́ловавшаяся** на меня́ же́нщина.
Here comes the woman *who made* the complaint against me.

Мы́ до́лго смотре́ли на **игра́вших** в те́ннис люде́й.
We spent a long time watching the people *who were playing* tennis.

Инжене́р, **жени́вшийся** на Ве́ре, уе́хал на Кавка́з.
The engineer *who married* Vera left for the Caucasus.

Челове́к, **нашёдший** тво́й кошелёк, вдру́г исче́з.
The man *who found* your change purse suddenly disappeared.

Го́рничная, **принёсшая** э́ти ве́щи, ничего́ не сказа́ла.
The maid *who brought* these things said nothing.

Present passive participles

The present passive participles are rarely encountered in the spoken language but occur frequently in technical and scientific writings. They are formed from transitive imperfective verbs by means of the suffix –ем (for first conjugation verbs) or –им (for second conjugation verbs), to which are added the regular hard-stem adjectival endings. They are formed from the imperative stem of transitive imperfective verbs.

INFINITIVE	IMPERATIVE	PRESENT PASSIVE PARTICIPLE short forms	long forms
дава́–ть	дава́–й!	дава́–ем, –ема, –емо, –емы	дава́–емый, –емая, –емое, –емые *being given*
оформля́–ть	оформля́–й!	оформля́–ем, –ема, –емо, –емы	оформля́–емый, –емая, –емое, –емые *being registered*
переноси́–ть	перенос–и́!	перенос–и́м, –и́ма, –и́мо, –и́мы	перенос–и́мый, –и́мая, –и́мое, –и́мые *being carried over*
приводи́–ть	привод–и́!	привод–и́м, –и́ма, –и́мо, –и́мы	привод–и́мый, –и́мая, –и́мое, –и́мые *being brought in*
атакова́–ть	атаку́–й!	атаку́–ем, –ема, –емо, –емы	атаку́–емый, –емая, –емое, –емые *being attacked*

Examples of usage:

Ве́щи, **посыла́емые** по по́чте, должны́ доставля́ться по вто́рникам и по пя́тницам.

Things *being sent* by mail must be delivered on Tuesdays and Fridays.

Го́род, **атаку́емый** кита́йцами, упо́рно защища́лся.

The city *being attacked* by the Chinese defended itself stubbornly.

Она́ все́ми **люби́ма**.

She is *(be)loved* by all.

Past passive participles

Past passive participles are formed from transitive verbs, usually perfective. There are three structural types, two of which are based on the infinitive-past tense stem, one on the present-future stem. The past passive participles are identified by the suffixes –т, –н, and –ен in the short-forms, and by –т, –нн, and –енн in the long-forms, to which are added the regular hard-stem adjective endings.

1. Past passive participles with the suffix –т are derived mainly from verbs whose stem (not including the prefix) consists of a single syllable and from verbs with infinitives ending in –уть.

PAST PASSIVE PARTICIPLE long form	short forms	INFINITIVE	PAST TENSE
передви́нутый	передви́нут, –а, –о, –ы *shifted*	передви́нуть	передви́нул
откры́тый	откры́т, –а, –о, –ы *open, opened*	откры́ть	откры́л
наде́тый	наде́т, –а, –о, –ы *dressed*	наде́ть	наде́л
забы́тый	забы́т, –а, –о, –ы *forgotten*	забы́ть	забы́л
перемы́тый	перемы́т, –а, –о, –ы *rewashed*	перемы́ть	перемы́л
на́чатый	на́чат, –а́, –о, –ы *begun*	нача́ть	на́чал

Note: The stress of this type of past passive participle is usually like the stress of the past tense.

2. Past passive participles with the suffix –н (or –нн) are derived mainly from verbs whose infinitives end in –ть preceded by the linking vowel –а– or –я–.

PAST PASSIVE PARTICIPLE		INFINITIVE	PAST TENSE
long form	*short forms*		
прочи́танный	прочи́тан, –а, –о, –ы *read*	прочита́ть	прочита́л
ска́занный	ска́зан, –а, –о, –ы *said*	сказа́ть	сказа́л
запако́ванный	запако́ван, –а, –о, –ы *packed*	запакова́ть	запакова́л
напи́санный	напи́сан, –а, –о, –ы *written*	написа́ть	написа́л
распро́данный	распро́дан, –а, –о, –ы *sold out*	распрода́ть	распро́дал
да́нный	да́н, –а́, –о́, –ы́ *given*	да́ть	да́л
сде́ланный	сде́лан, –а, –о, –ы *done, made*	сде́лать	сде́лал

Note: In those verbs that stress the **a** (or **я**) in the infinitive, the stress of the past passive participle usually shifts one syllable toward the beginning of the word.

3. Most past passive participles with the suffix –ен (or –енн) are derived from second conjugation verbs whose infinitives end in –ить. Some are derived from first conjugation verbs of the closed-stem varieties, that is, those verbs with infinitives ending in –чь, –сть, –зть, and –ти. Notice that the changes of the stem consonant that occur in the present-future are regularly reflected in the past passive participle.

PAST PASSIVE PARTICIPLE		PRESENT–FUTURE	INFINITIVE
long form	*short forms*		
офо́рмленный	офо́рмлен, –а, –о, –ы *registered*	офо́рмлю, офо́рмят	офо́рмить
почи́щенный	почи́щен, –а, –о, –ы *cleaned*	почи́щу, почи́стят	почи́стить
запла́ченный	запла́чен, –а, –о, –ы *paid*	заплачу́, запла́тят	заплати́ть
нако́рмленный	нако́рмлен, –а, –о, –ы *fed*	накормлю́, нако́рмят	накорми́ть
приглашённый	приглашён, –а́, –о́, –ы́ *invited*	приглашу́, пригласи́т	пригласи́ть
отпу́щенный	отпу́щен, –а, о–, –ы *released*	отпущу́, отпу́стят	отпусти́ть
пригото́вленный	пригото́влен, –а, –о, –ы *prepared*	пригото́влю, пригото́вят	пригото́вить
предъя́вленный	предъя́влен, –а, –о, –ы *presented*	предъявлю́, предъя́вят	предъяви́ть
изображённый	изображён, –а́, –о́, –ы́ *depicted*	изображу́, изобразя́т	изобрази́ть
испечённый	испечён, –а́, –о́, –ы́ *baked*	испеку́, испечёшь, испеку́т	испе́чь
зажжённый	зажжён, –а́, –о́, –ы́ *lit*	зажгу́, зажжёшь, зажгу́т	заже́чь
увлечённый	увлечён, –а́, –о́, –ы́ *fascinated*	увлеку́, увлечёшь, увлеку́т	увле́чь
прочтённый	прочтён, –а́, –о́, –ы́ *read*	прочту́, прочту́т	проче́сть
переведённый	переведён, –а́, –о́, –ы́ *translated*	переведу́, переведу́т	перевести́
перевезённый	перевезён, –а́, –о́, –ы́ *taken, hauled*	перевезу́, перевезу́т	перевезти́
принесённый	принесён, –а́, –о́, –ы́ *brought*	принесу́, принесу́т	принести́

Examples of usage:

Зажига́лка **испо́рчена**.	The cigarette lighter is *broken.*
В ко́мнате бы́л **зажжён** све́т.	A light was *lit* in the room.
Э́ти ко́мнаты **за́няты**?	Are these rooms *occupied?*
Ты́ уже́ **оде́т**?	Are you *dressed* yet (or already)?
Пода́рок ещё не **запако́ван**.	The gift isn't *wrapped* yet.
Я́ ещё не чита́л **напи́санного** и́м расска́за.	I still haven't read the story *written* by him.
Вы́ чита́ли **переведённый** и́м расска́з?	Have you read the story *translated* by him?
Я́ ва́м покажу́ **ку́пленную** е́ю руба́шку *or*	I'll show you the shirt she bought (*lit. bought* by her).
Я́ ва́м покажу́ руба́шку, **ку́пленную** е́ю.	

Verbal adverbs

1. Imperfective verbal adverbs

Imperfective verbal adverbs are formed by means of the suffix –я (written –a after ш, ж, ч, and щ). Reflexive verbs add the particle –сь. The suffix is added to the present stem for all classes of verbs except those ending in –авáть, where it is added to the infinitive stem. The stress is that of the first person singular. The imperfective verbal adverbs describe an activity secondary to the action of the main verb, which is performed at the same time and by the same subject.

INFINITIVE	FIRST PERSON SINGULAR	IPFV VERBAL ADVERB
говорúть	говорю́	**говоря́** (*while*) *speaking*
гуля́ть	гуля́ю	**гуля́я** (*while*) *strolling*
убирáть	убирáю	**убирáя** (*while*) *cleaning*
идти́	иду́	**идя́** (*while*) *going*
имéть	имéю	**имéя** (*while*) *having*
смея́ться	смею́сь	**смея́сь** (*while*) *laughing*
бри́ться	брéюсь	**брéясь** (*while*) *shaving*
интересовáться	интересу́юсь	**интересу́ясь** (*while*) *being interested*
вставáть	встаю́	**вставáя** (*while*) *getting up*
давáть	даю́	**давáя** (*while*) *giving*
плáкать	плáчу	**плáча** (*while*) *crying*
учи́ть	учу́	**уча́** (*while*) *learning* or *teaching*
ложи́ться	ложу́сь	**ложа́сь** (*while*) *going to bed*

Examples of usage:

Гуля́я в пáрке, я́ встрéтил профéссора Орлóва.
While *strolling* in the park, I met Professor Orlov.

Уча́ нóвый язы́к, легкó забы́ть стáрый.
In *learning* a new language it's easy to forget the old one.

Смея́сь, óн расскáзывал о тóм, как упáл в лу́жу.
Laughing, he told how he had fallen in a puddle.

Я́ могу́ достáть с буфéта чáшку не **вставáя**.
I can get a cup from the sideboard without *getting up*.

Подъезжáя к гóроду, вы́ уви́дите нóвый дóм óтдыха.
As you *approach* the city, you'll see a new rest home.

2. Perfective verbal adverbs with the suffixes -в, -ши, or -вши

Most perfective verbal adverbs are formed by means of the suffixes –в, –ши, or the combination –вши. Reflexive verbs add the particle –сь to –ши or –вши. The suffix is added to the past tense stem of the verb, which may be found by removing the –л of the masculine form. If there is no –л, the suffix variant –ши is used. The perfective verbal adverbs describe a secondary activity completed before the action of the main verb is completed, and which is performed by the same subject.

INFINITIVE	PAST TENSE	PFV VERBAL ADVERB
сказáть	сказá–л	**сказá–в** *having said*
осмотрéть	осмотрé–л	**осмотрé–в** *having inspected*
переплы́ть	переплы́–л	**переплы́–в** *having swum across*
опоздáть	опоздá–л	**опоздá–в** *having come late*
зажéчь	зажёг	**зажёг–ши** *having lit*
увлéчься	увлёк–ся	**увлёк–шись** *having been fascinated*
освежи́ться	освежи́–лся	**освежи́–вшись** *having refreshed oneself*
переодéться	переодé–лся	**переодé–вшись** *having changed clothes*

Note: In addition to the shorter forms with the suffix –в, there also exist longer variants in –вши formed from the same verbs: сказáвши (= сказáв), осмотрéвши (= осмотрéв), and so forth.

Examples of usage:

Пожи́в на ю́ге, ты́ не захо́чешь возвраща́ться на се́вер.

Сказа́в э́то, о́н по́нял, что сде́лал оши́бку.

Осмотре́в музе́й, мы́ верну́лись домо́й.

Жени́вшись, о́н переста́л пи́ть.

О́н уе́хал, ни с ке́м не **попроща́вшись**.

Поздоро́вавшись со все́ми, о́н се́л за на́ш сто́л.

Having lived in the south *awhile*, you won't want to return to the north.

Having said it, he realized that he'd made a mistake.

Having looked through the museum, we returned home.

Having married, he stopped drinking.

He left without *saying good-bye* to anybody.

Having said hello to everybody, he sat down at our table.

3. Perfective verbal adverbs with the suffix -я

A limited number of verbal adverbs formed from perfective verbs have the suffix –я, which is ordinarily used to form imperfective verbal adverbs. These are mostly from closed-stem verbs with infinitives in –ти or–сть.

INFINITIVE	FIRST PERSON SINGULAR	PFV VERBAL ADVERB
сойти́	сойду́	**сойдя́** *having got off*
пройти́	пройду́	**пройдя́** *having passed*
войти́	войду́	**войдя́** *having entered*
вы́йти	вы́йду	**вы́йдя** *having stepped out*
отойти́	отойду́	**отойдя́** *having stepped away*
провести́	проведу́	**проведя́** *having spent*
отвезти́	отвезу́	**отвезя́** *having taken*
найти́	найду́	**найдя́** *having found*
прочесть	прочту́	**прочтя́** *having read*
предпочесть	предпочту́	**предпочтя́** *having preferred*
перевести́	переведу́	**переведя́** *having translated*
принести́	принесу́	**принеся́** *having brought*

Examples of usage:

Подойдя́ к на́м, о́н поздоро́вался и заговори́л о прие́хавших гостя́х.

Неуже́ли вы́ не зна́ете э́того выраже́ния, **переведя́** сто́лько кни́г с ру́сского языка́?

Вы́йдя из музе́я, мы́ се́ли на тролле́йбус.

О́н полюби́л э́ти сте́пи, **проведя́** та́м ле́то.

Найдя́, наконе́ц, свобо́дные места́, мы́ се́ли.

Отвезя́ и́х на ста́нцию, мы́ верну́лись домо́й.

Войдя́ в галере́ю, вы́ сра́зу уви́дите его́ портре́т.

On approaching us, he said hello and began talking about the guests who had arrived.

You mean you don't know this expression *after having translated* so many books from Russian?

After leaving the museum, we got on the trolley.

He came to love the steppes *after spending* the summer there.

After finally *finding* vacant seats, we sat down.

After taking them to the station, we returned home.

On entering the gallery, you'll see his portrait right away.

Russian-English Vocabulary

This Vocabulary includes all the vocabulary items from Volume I.

Arabic numerals refer to the lesson in which the word was introduced or discussed. Words introduced in the grammar sections have the letter *g* after the number.

Nouns are given in their nominative singular form, or, if used only in the plural, in their nominative plural form. Where an inserted vowel occurs in the nominative singular, the genitive singular is also indicated.

Verbs are given in their infinitive form, with the third person plural present-future sometimes also provided. Perfective verbs are marked pfv; imperfective verbs are not marked. Roman numerals I and II refer to the first and second conjugations.

Long-form adjectives are ordinarily given only in the nominative singular masculine form.

Prepositions are accompanied by a parenthetical indication of the case they require.

Captions for photographs are entered as phrases, usually under their initial word.

А а

а   and, but, by the way, how about 1
а́   ah, oh 2
а то́   otherwise, or else, that way 19
а́вгуст   August 21
а́виа (indecl)   air mail, by air mail 30
авиапо́чта   air mail 30
аво́сь   perhaps 29
Австра́лия   Australia 30
авто́бус   bus 1
автомоби́ль (m)   automobile 29
авторучка   fountain pen 17
ага́ [ahá]   aha! ahhh! 7
а́дрес   address 23
А́зия   Asia 30
Акаде́мгородо́к   Science City 35
акаде́мия   academy 31
алле́я   path, walk 32
администра́тор   clerk, administrator 12
Алёша (var. of Алексе́й)   Alyosha (Alex) 17
алло́   hello (telephone only) 7
Аме́рика   America 6
америка́нец, –нца   American (m) 6
америка́нка   American (f) 6
америка́нский   American (adj) 6

Анато́лий   Anatoly (Anatole) 18
ангина   strep throat, sore throat 28
англича́нин (pl англича́не)   Englishman 33
англича́нка   English woman 33
А́нглия   England 30
анке́та   questionnaire, form 30
Анта́рктика   Antarctica 30
А́ня (var. of А́нна)   Anya (Annie) 33
апельси́н   orange 25
апельси́новый   orange (adj) 25
аппара́т   camera, apparatus 15
апре́ль (m)   April 21
апте́ка   pharmacy 28
арбу́з   watermelon 32
А́рктика   the Arctic 30
арти́ст   performer, actor 36
аспира́нт   graduate student (m) 26
аспира́нтка   graduate student (f) 26
аспиранту́ра   graduate work, graduate study 26
аспири́н   aspirin 28
а́тлас   atlas 8
аудито́рия   lecture room, auditorium, classroom 6
А́фрика   Africa 30
а́х   oh! 4
аэропо́рт   airport, airfield 19

Б б

ба́бушка grandmother 17

бага́ж luggage, baggage 12

   бага́жник baggage compartment, trunk 12

база́р market 21

Баку́ Baku 26

ба́ня bathhouse, public bath 25

бара́нина lamb, mutton 34

ба́шня tower 31

бе́гать (I) to run 22

бегемо́т hippopotamus 32

беги́, беги́те! (imper of бежа́ть) run! 21

бегу́, бежи́шь, бежи́т, etc. (see бежа́ть) 21

беда́ misfortune, trouble 29

бе́дность (f) poverty 33

бе́дный poor 21

бедро́ hip 22

бежа́ть (irreg pres: бегу́, бежи́шь, бежи́т, бежи́м, бежи́те, бегу́т) to be running 21

без, безо (plus gen) without 9

   без че́тверти (plus nom) a quarter of, a quarter to 19

безду́шный unfeeling, heartless 16

безопа́сный safe, safety (adj) 29

бейсбо́л baseball 11

бе́лый white 13

бельё wash, linen, underthings 25

бензи́н gas, fuel, lighter fluid 29

бе́рег bank, shore, coast 20

беру́, берёшь (pres of бра́ть) 13

бесе́довать (I) to converse, talk 33

беспла́тно free (of charge) 3

беспоко́ить (II) to disturb, worry 21

беспоко́иться (II) to worry, trouble oneself 19

библиоте́ка library 6

биле́т ticket 12

бито́к, битка́ meatball, cube steak 34

би́ть, бьют (I) to beat, hit, strike 17

бифште́кс steak, beefsteak 34

благодари́ть (II) to thank 19

благода́рный grateful 36

благодаря́ (plus dat) thanks to 36

бла́нк blank, form 30

бли́же (compar of бли́зкий) closer, nearer 23

бли́зкий close, near 15

блонди́н blond 26

блонди́нка blonde (f) 26

блу́зка blouse 53

блю́до dish, course 34

Бо́г God 15

бога́тый rich 33

бога́че (compar of бога́тый) richer 33

Бо́же мой! good heavens! my God! 16

бо́к side 22

   на́ бок to the side, to one side, aside 22

   на боку́ on the side, on one's side 22

бо́лее more 23

боле́знь (f) illness, sickness 28

бо́лен, больна́, больны́ sick, ill 2, 3

боле́ть, боля́т (II) to ache, hurt 16

боле́ть, боле́ют (I) to be sick 28

больни́ца hospital 28

бо́льно it's painful, it hurts 27

больно́й sick; sick person, patient 21

бо́льше more, bigger 5

   бо́льше не́т there isn't any more 5

бо́льший larger, bigger 27

   бо́льшей ча́стью mostly, for the most part 27

большинство́ majority 30

большо́й large, big 6

   большо́е спаси́бо thanks very much, many thanks 9

Бори́с Boris 7

бортпроводни́ца stewardess 19

бо́рщ borsch (beet soup) 5

Бо́ря (var. of Бори́с) Borya 18

боти́нок, –нка shoe 27

боя́ться, боя́тся (II) to be afraid 14

бра́т brother 6

бра́ть, беру́т (I) to take, get 13

бра́тья (pl of бра́т) brothers 7

бри́тва razor 29

   безопа́сная бри́тва safety razor 29

бри́ться, бре́ются (I) to shave (oneself) 24

бронхи́т bronchitis 28

бро́сить (pfv II) to throw; to drop, quit 22

брю́ки (pl only) trousers 27

буди́ть (II) to waken (someone) 24

бу́ду, бу́дешь (fut of бы́ть) 10

бу́дущее the future 18

бу́лка large roll, small loaf of French bread 17

бу́лочка roll, bun 17

бульо́н consommé, bouillon soup 17

бума́га paper 19

бума́жник wallet, billfold 19

бу́ря storm 35

бу́тсы (pl) soccer shoes 27

буты́лка bottle 28

буты́лочка (var. of буты́лка) bottle, small bottle 32

буфе́т snack bar, sideboard 14

бы, б (conditional particle) would 17

быва́ть (I) to happen, be the case; to visit 19

бы́л, была́, бы́ло, бы́ли (past tense of бы́ть) 1

быстре́е (compar of бы́стрый) faster, more quickly 20

бы́стрый fast, quick, rapid 18

бы́ть to be 4

   бы́ть к лицу́ to look good (on one), to be becoming 27

   бы́ть похо́ж(им) на (plus acc) to look like, resemble 21

бюллете́нь (m) medical release; bulletin 28

бюро́ (indecl) office, bureau 19

   спра́вочное бюро́ information desk 19

В в

в, во (plus prep or acc) in, into, at, to, per 1

   в де́нь per day 24

   в друго́й ра́з next time 19

   в о́бщем on the whole 35

   в разъе́зде out, on the road 24

   в са́мом де́ле indeed, really, as a matter of fact 19

   во ско́лько? at what time? 10

ваго́н railroad car 12

Ва́дя (var. of Вади́м) Vadya 22

ва́жный important 19

ва́льс waltz 33

Ва́ля (var. of Валенти́на) Valya 17

валя́ть дурака́ to play the fool 32

VOCABULARY 931

ва́м, ва́ми (dat, instr of вы) 9, 12
ва́нна   bathtub 25
ва́нная   bathroom 12
Ва́ня (var. of Ива́н)   Vanya (Johnny) 18
Варва́ра   Varvara (Barbara) 28
варёный   boiled, cooked (by boiling) 34
вари́ть (II)   to cook (by boiling) 17
Ва́ря (var. of Варва́ра)   Varya 28
ва́с (acc, gen of вы) 2
Васи́лий   Vasily (Basil) 23
вахтёр   custodian (m) 7
вахтёрша   custodian (f) 7
ва́ш, ва́ша, ва́ше, ва́ши   your, yours 6
вдали́   in the distance 15
вдвоём   two together 14
вдру́г   suddenly 16
ведро́   pail, bucket 15
ведь   after all, but, you know 9
везде́   everywhere 13
везти́ (I)   to be carrying, be taking (by vehicle) 19
   ему́ везёт   he's lucky 20
ве́к   century, lifetime 31
вели́к, –а́, –о́, –и́   big; too big 22
велосипе́д   bicycle 23
ве́ра   faith, confidence 15
Ве́ра   Vera 18
ве́рить (II)   to believe, trust 15
верну́ть (pfv I)   to return, give back 21
верну́ться (pfv I)   to return, come back 16
ве́рный   true, right; sure, reliable, faithful, loyal 24, 34
вероя́тно   probably, likely 19
вероя́тность (f)   probability 28
ве́рующий   believer, one who believes 15
ве́рхний, –яя, –ее   upper 12
ве́с   weight; (pl) scales 34
весёлый   merry, gay, jolly 18
   ве́село   [it's] fun 18
весе́нний, –яя, –ее   spring (adj) 33
ве́сить (II)   to weigh 34
весна́   spring (time) 11
   весно́й   in spring 11
вести́, веду́т (I)   to be taking, be leading 22
вестибю́ль (m)   entrance hall, lobby 3
   вестибю́ль гла́вного зда́ния МГУ   entrance hall of the main building of Moscow State University 3
весы́ (pl of ве́с)   scales 34
ве́сь, вся́, всё, все́   all, whole 2, 7
ве́тер, ве́тра   wind 35
ве́треный   windy 35
ветчина́   ham 34
ве́чер   evening, party (formal) 10, 18
   по вечера́м   in the evenings 16
вечери́нка   party (informal) 18
вече́рний, –яя, –ее   evening (adj) 13
   «Вече́рняя Москва́»   Evening Moscow (newspaper) 13
вечеро́к, –рка́ (var. of ве́чер)   evening 34
   сего́дня вечерко́м   this evening 34
ве́чером   in the evening 10
   сего́дня ве́чером   this evening 10
ве́чно   constantly, perpetually, forever 31
ве́чный   eternal, everlasting, perpetual, immortal 31
   ве́чная беда́   constant nuisance 31
ве́щь (f)   thing 12

взволно́ван   upset, excited, agitated 21
взгляну́ть (pfv I)   to glance, look 32
взро́слый   grown-up, adult 25, 30
взя́ть, возьму́т (pfv I)   to take, get 6, 12
ви́д   view, aspect 15
   ви́д на жи́тельство   internal passport 24
   ви́д на реку́ Москву́   view of the Moscow River 2
   ви́д на на́бережную Москвы́-реки́ и сте́ны Кремля́   view of the Moscow River embankment and the Kremlin Walls 32
ви́ден, видна́, –о, –ы́   visible, can be seen 15
ви́деть, ви́дят (II)   to see 6
ви́жу (first person sg of ви́деть) 5
ви́за   visa 24
Ви́ктор   Viktor (Victor) 18
ви́лка   fork 5
вино́   wine 18
винова́т(ый)   guilty, to blame, at fault 21
   всё я винова́т   it's all my fault, I was to blame all along 21
виногра́д   grapes 32
виноде́льческий   wine-producing, wine-making 32
висе́ть, вися́т (II)   to be hanging 15
витри́на   store window 33
   у витри́ны Всесою́зного До́ма моде́лей в Москве́   window-shopping at the All-Union House of Models in Moscow 33
Ви́тя (var. of Ви́ктор)   Vitya (Vic) 18
вку́с   taste 34
вку́сный   tasty, good, delicious 13
Владивосто́к   Vladivostok 12
Влади́мир   Vladimir 8
вла́жный   moist, humid 35
вла́сть (f)   power, rule 34
   при сове́тской вла́сти   under the Soviets, during the Soviet regime 34
вме́сте   together 10
   всё вме́сте   all together 1
вме́сто (plus gen)   instead of, in place of 14
внача́ле   at first, in the beginning 36
внести́, внесу́т (pfv I)   to bring, carry in 29g
вни́з   down, downstairs 16
   внизу́   downstairs, below 12
внима́ние   attention 33
   обраща́ть внима́ние на (plus acc)   to pay attention to 33
Вну́ково   Vnukovo (name of airport) 19
внутри́   inside 31
во́время (or во́-время)   in time, on time 22
во вре́мя (plus gen)   during, at the time of 27
во-вторы́х   secondly, in the second place 31
вода́   water 12
води́ть (II)   to take, lead, conduct 22
во́дка   vodka 19
водопрово́д   running water, plumbing 15
возвраща́ться (I)   to return, come back 16
возгоре́ться (pfv II)   to be kindled, flare up 35
во́здух   air 14
вози́ть (II)   to take, haul, carry (by vehicle) 22
во́зле (plus gen)   by, beside, next to, near 20
возмо́жный   possible 17
возня́   fuss, commotion, bother 33
во́зраст   age 22
возьму́, возьмёшь (fut of взя́ть) 6
война́   war 10
   «Война́ и ми́р»   War and Peace 10

войти́, войду́т (pfv I)   to enter, come (or go) in 4
вокза́л   station, terminal 12
вокру́г (plus gen)   around 18
во́лк   wolf 32
Во́лков   Volkov (last name) 9
Воло́дя (var. of Влади́мир)   Volodya 10
во́н   there, yonder 6
   во́н та́м   over there, over yonder 6
   во́н то́т   that person over there 6
вообще́   in general, at all 16
во-пе́рвых   in the first place, first 31
вопро́с   question 20
во́р   thief 21
восемна́дцатый   eighteenth 21
восемна́дцать   eighteen 19
во́семь   eight 10
во́семьдесят   eighty 21
восемьсо́т   eight hundred 32
воскресе́нье   Sunday 10
воспо́льзоваться (pfv I)   to take advantage of, make use of 24
восто́к   east 22
восто́чный   eastern 30
   Восто́чная Герма́ния   East Germany 30
восьмидеся́тый   eightieth 21
восьмисо́тый   eight-hundredth 36
восьмо́й   eighth 21
во́т   here('s), there('s) 1
   во́т, во́т!   that's right! yes, that's it! 26
   во́т ка́к!   is that so! 7
   во́т что́!   so that's it! 9
вошёл, вошла́, –о́, –и́ (past tense of войти́) 15
вперёд   ahead, forward
впереди́ (plus gen)   in front of, ahead of, up ahead 31
вполне́   completely, fully 2
впро́чем   however, but then again 14
врата́рь (m)   goal keeper 27
вра́ть, вру́т (I)   to lie, tell a lie 21
вра́ч   physician, doctor 16
вре́мени, вре́менем, etc. (see вре́мя) 10
вре́мя (n)   time 10
вро́де (plus gen)   like, somewhat like 29
вря́д ли   hardly, scarcely, it's unlikely 30
всё, всё, вся́, всю́, etc. (see ве́сь)   all, whole 2, 7
   всё ещё   still, yet 2
   всё же   still, anyway, nevertheless 30
   всё равно́   it doesn't matter, anyway 18
   всё-таки   nevertheless, still, just the same 8
всегда́   always 5
всего́ (with numbers)   only, in all, altogether, a total of 20
   всего́ хоро́шего   good-bye 2
встава́ть, встаю́т (I)   to get up, rise 20
вста́ть, вста́нут (pfv I)   to get up, rise 20
встре́тить (pfv II)   to encounter, meet 11
встре́титься (pfv II)   to meet (each other) 21
встре́ча   encounter, meeting; welcome 19
встреча́ть (I)   to encounter, meet, greet 19
   встреча́ть Но́вый го́д   to greet (or celebrate) the New Year 35
встреча́ться (I)   to meet (each other) 28
всю́, вся́, etc. (see ве́сь)   all, whole 2, 7
всю́ду   everywhere 21
вся́кий   any; anyone, anybody 16
   во вся́ком слу́чае   in any case 16

на вся́кий слу́чай   just in case 25
вто́рник   Tuesday 10
второ́й   second 21
ву́з   college 18
вхо́д   entrance, entry 30
входи́ть (II)   to enter, come in 29
вчера́   yesterday 1
вчера́шний, –яя, –ее   yesterday's 33
въезжа́ть (I)   to drive in, enter (by vehicle) 29g
въе́хать, въе́дут (pfv I)   to drive in, enter (by vehicle) 29g
вы́   you 1
вы́бросить (pfv II)   to throw out, discard 17
вы́веска   sign 30
вы́глядеть (II)   to look 25
вы́говорить (pfv II)   to pronounce, say 11
выдава́ть, выдаю́т (I)   to give out, hand out 30
вы́дача   issue; distribution; delivery 30
вы́держать (pfv II)   to bear, endure; to pass (exam) 32
вы́звать, вы́зовут (pfv I)   to call for, summon; to bring on, cause 28
вызыва́ть (I)   to call for, summon; to bring on, cause 28
вы́играть (pfv I)   to win (a game or bet) 20
вы́йти, вы́йдут (pfv I)   to go out; get off 14
   вы́йти за́муж   to get married (women only) 26
вы́купать (pfv I)   to bathe (someone) 21
вы́купаться (pfv I)   to bathe, take a bath; to go for a swim 20
выку́ривать (I)   to smoke, smoke up 33g
вы́курить (pfv II)   to smoke, finish smoking, smoke up 33
вы́писать, вы́пишут (pfv I)   to write out, copy out; to subscribe 28
   вы́писать бюллете́нь   to make out a medical release 28
вы́пить, вы́пьют (pfv I)   to drink, have a drink 13
вы́полнить (pfv II)   to fulfill, carry out, perform 34
выполня́ть (I)   to fulfill, carry out, perform 34
выража́ться (I)   to express oneself 34
   мя́гко выража́ясь   to put it mildly, to say the least 34
выраже́ние   expression 33
вы́расти, вы́растут (pfv I)   to grow up 22
вы́рос, вы́росла, –ли (past tense of вы́расти) 22
вы́ручить (pfv II)   to rescue, come to one's aid 31
высо́кий   high, tall 26
высота́   height 35
вы́сохнуть (pfv I)   to dry out 34
высоча́йший   highest, tallest, extremely high (or tall) 34g
вы́ставка   exhibition, exhibit, exposition, show 32
выступа́ть (I)   to appear, step out, advance 36
   выступа́ть с шу́тками   to appear and tell jokes 36
вы́сший   higher, superior; highest 35
вы́тереть, вы́трут (pfv I)   to wipe, wipe off, wipe dry 17
вы́учить (pfv II)   to learn 28
вы́ход   exit, way out 30
выходи́ть (II)   to go out, get off 14
   выходи́ть (вы́йти) за́муж   to get married (women only) 18
выходно́й (де́нь)   day off 20
вы́ше (compar of высо́кий)   higher, taller; above 35
вы́шел, вы́шла, etc. (past tense of вы́йти) 15

Г г

газе́та newspaper 13
галере́я gallery 31
гало́ша (*or* кало́ша) rubber, overshoe 25
га́лстук tie 27
Га́ля (var. of Гали́на) Galya 6
гардеро́б wardrobe; checkroom 26
гарни́р side vegetable 34
гастроно́м food store, grocery store, delicatessen 26
где́ where (at what place) 2
    где́ та́м! go on! far from it! 22
где́-нибудь anywhere 18
где́-то somewhere 18
гениа́льный ingenious, brilliant 32
ге́ний genius 32
геогра́фия geography 8
Ге́рцен Herzen (writer) 21
    у́лица Ге́рцена Herzen Street 21
ги́д guide 24
гла́вное the main thing 18
гла́вный main, chief 18
    гла́вный почта́мт main post office 30
    гла́вным о́бразом mainly, chiefly 30
гла́з eye 13
глу́бже (compar of глубо́кий) deeper, more profound 34g
глубина́ depth 35
глубо́кий deep, profound 31
глубоча́йший deepest, extremely deep, most profound 34g
глу́пость (f) foolishness, stupidity 16
глу́пый foolish, stupid 16
говори́ть (II) to speak, talk 1, 6
говори́ться (II) to be said 21g
говоря́ (while) speaking 34
    открове́нно говоря́ frankly, speaking frankly 34
говя́дина beef 34
Го́голь Gogol (name of writer) 34
го́д year 16
    в э́том году́ this year 16
годи́ться (II) to be suitable, do, be good enough 33
голова́ head 19
    у меня́ боли́т голова́ I have a headache 19
го́лод hunger, famine 20
го́лоден, голодна́, го́лодны hungry 5
голубо́й light blue 13
гоня́ться (I) to chase 32
гора́ mountain, hill 22
гора́здо by far, considerably, much 16
горе́ть (II) to burn 35
го́рло throat 28
го́рничная maid 24
го́род city, town 4
    в го́род, в го́роде downtown 4
госуда́рственный state (adj) 28
    Госуда́рственный истори́ческий музе́й в Москве́ State Historical Museum in Moscow 28
городско́й city, town (adj) 27
горсове́т gorsovet (city soviet *or* council) 2
Го́рький Gorky (name of city and writer) 10
горя́чий hot 12
господа́ (pl of господи́н) ladies and gentlemen, gentlemen, everybody 3
господи́н Mr., gentleman 3
госпожа́ Miss, Mrs. 3

гости́ная living room, parlor 34
гости́ница hotel 12
гости́ть (II) to visit, stay, spend time (as a guest) 34
го́сть (m) guest 25
    в го́сти, в гостя́х visiting, for a visit 25
гото́в ready 6
гото́вить (II) to prepare, fix; to cook 25
гра́дус degree 28
гра́дусник thermometer 28
гра́ждане (pl of граждани́н) 12
граждани́н citizen 12
грани́ца border, frontier 30
    из-за грани́цы from abroad, from overseas 30
греме́ть (II) to thunder 35
гри́б mushroom 17
гри́пп flu, grippe 28
гроза́ storm 35
гро́м thunder 25
    греми́т гро́м it's thundering 35
гро́мкий loud 26
гро́мче (compar of гро́мкий) louder 1
гру́дь (f) chest 27
грузи́н Georgian 7
грузи́нский Georgian (adj) 32
грузови́к truck 23
гру́ппа group 7
грусти́ть (II) to be sad 33
гру́стный sad 33
гру́ша pear 32
гря́зный dirty, muddy 25
гря́зь (f) dirt, mud 34
гуля́ть (I) to stroll 14
ГУ́М GUM (dept. store in Moscow) 4

Д д

да́ yes 2
да and 5
    да ну́! no kidding! 13
дава́ть, даю́т (I) to give, let 14
    дава́ть сло́во to promise 36
давно́ for a long time, a long time ago 2
дади́м, дади́те, даду́т (*see* да́ть) 13
да́же even 5
да́й, да́йте (imper of да́ть) 13
далёкий (далеко́) far, far away, distant 15
    Да́льний Восто́к the Far East 35
да́льше (compar of далёкий) farther; continue! go on! 4, 23
да́м, да́шь, да́ст (*see* да́ть) 13
дари́ть (II) to give, present 32
да́ром gratis, for nothing 18
да́ть (pfv with irreg fut: да́м, да́шь, да́ст, дади́м, дади́те, даду́т) to give 13
да́ча dacha, summer place 20
два́, две́ two 10
двадца́тый twentieth 21
два́дцать twenty 19
двена́дцатый twelfth 21
двена́дцать twelve 19
две́рь (f) door 4
две́сти two hundred 30
движе́ние motion, traffic 26
дво́е (group of) two 27
дво́р courtyard, yard
    на дворе́ outdoors, outside, in the yard 14

дворе́ц, дворца́ palace 31
двухсо́тый two-hundredth 36
двухчасово́й two-o'clock (adj) 17
де́вочка (young) girl 21
де́вушка girl, young lady 9
девяно́сто ninety 21
девяно́стый ninetieth 21
девятна́дцатый nineteenth 21
девятна́дцать nineteen 19
девя́тый ninth 21
де́вять nine 6
девятьсо́т nine hundred 21
де́душка grandfather 17
де́душкин grandfather's 27g
действи́тельно really, indeed 16
декабри́ст Decembrist 35
декабрь (m) December 21
де́лать (I) to do, make 3
де́латься (I) to be done; to become; to be going on 21g
делика́тный tactful; delicate, sensitive 36
де́ло thing, matter, business 2, 7
  в чём де́ло? what's the matter? 7
  ка́к дела́? how is everything, how are things? 2
де́нь, дня́ (m) day 4
  де́нь рожде́ния birthday 4
де́ньги (pl only) money 18
дереве́нский village, country (adj), rural 27
дере́вня village, country 27
де́рево (pl дере́вья) tree 17
деревя́нный wooden 15
держа́ть (II) to keep, hold 22
держа́ться (II) to hold on, hang on 22
деся́ток, –тка (set of) ten 35
деся́тый tenth 21
де́сять ten 10
де́ти (sg ребёнок) children 17
деше́вле (compar of дешёвый, дёшево) cheaper, more cheaply 25
дешёвый (дёшево) cheap, inexpensive 25
джа́з American-style popular music; jazz 13
дива́н sofa 26
дие́та diet 34
ди́кий wild 32
дире́ктор director 18
длина́ length 35
дли́нный long 17
для (plus gen) for 9
дни́ (pl of де́нь) days 7
  на дня́х the other day, one of these days 20
до (plus gen) before, until, up to, as far as 9
  до восьми́ until eight 23
  до девяти́ until nine 23
  до каки́х по́р up to when, how long 28
  до свида́ния good bye, I'll be seeing you 1
  до си́х по́р until now, up to now, hitherto 28
  до тех по́р until then, up to then, before that time 28
добежа́ть (pfv) (like бежа́ть) to reach by running, to run as far as 31g
добри́ться, добре́ются (pfv I) to finish shaving 31g
до́брый kind, good 11
  до́брый ве́чер good evening 11
добуди́ться (pfv II) to manage to rouse 31g
добыва́ть (I) to mine 35
довари́ть (pfv II) to finish cooking 31g

довезти́, довезу́т (pfv I) to bring, deliver, take to (by vehicle) 23
довести́, доведу́т (pfv I) to lead (or conduct) to 31g
дово́лен, –льна, etc. pleased, satisfied 7
дово́льно rather, quite, enough 14
догна́ть, дого́нят (pfv II) to catch up to, overtake 20
договори́ть (pfv II) to finish talking 31g
договори́ться (pfv II) to come to terms, reach an agreement; to talk to the point of absurdity 11, 31g
догоня́ть (I) to catch up to, overtake 20
доде́лать (pfv I) to finish doing, complete 31g
доезжа́ть (I) to reach (by vehicle) 31
  не доезжа́я до before reaching, before one gets to 31
дое́сть (pfv) (like е́сть, едя́т) to finish eating 25
дое́хать, дое́дут (pfv I) to reach (by vehicle) 31
дожда́ться (pfv I) to wait out, to get (by waiting long enough) 29
дождеви́к raincoat 23
дождли́вый rainy 35
до́ждь (m) rain 20
  идёт до́ждь it's raining, it rains 20
  шёл до́ждь it was raining, it rained 20
дозвони́ться (pfv II) to reach (by phone) 31g
доигра́ть (pfv I) to finish playing 31g
дойти́, дойду́т (pfv I) to reach, get to (on foot) 31g
до́ктор doctor 16
докуме́нт document, official paper 24
докури́ть (pfv II) to finish smoking 31g
до́лго long, a long time 4
долете́ть (pfv II) to reach (by flying) 31g
до́м house, building 9
  до́м но́мер number (of house or building) 21
  до́м о́тдыха rest home 34
дома́ (pl of до́м) houses 9
до́ма at home 10
дома́шний, –яя, –ее home- (adj), domestic 32
домо́й home(ward) 1
домы́ть, домо́ют (pfv I) to finish washing 31g
донести́, донесу́т (pfv I) to bring, take to, deliver (on foot) 23
допе́ть, допою́т (pfv I) to finish singing 31g
допива́ть (I) to finish drinking 25
допи́ть, допью́т (pfv I) to finish drinking 25
дописа́ть, допи́шут (pfv I) to finish writing 31g
доползти́ (pfv I) to reach (by crawling), crawl up to 31g
доро́га road, way, route 15
  на́м по доро́ге we're going the same way 15
дорого́й expensive, dear 8
доро́же (compar of дорого́й) more expensive, dearer 23g
доса́да annoyance 5
  во́т доса́да! how annoying! what a nuisance! 5
досиде́ть (pfv II) to sit through, stay (to the end); to stay up 31g
доска́ blackboard, board 4
дослу́шать (pfv I) to keep listening, listen (to the end) 31g
досмотре́ть (pfv II) to look through, examine 31g
достава́ть, достаю́т (I) to get (hold of) 13
доста́точно enough, sufficient, sufficiently 30
доста́ть, доста́нут (pfv I) to get (hold of) 4
достира́ть (pfv I) to finish a wash 31g

достучáться (pfv I)   to knock (until someone answers) 31g

доходи́ть (II)   to reach, get to, go as far as (on foot) 35

до́чери, до́черью, etc. (see до́чь) 17

дочи́стить (pfv II)   to finish cleaning 31g

дочита́ть (pfv I)   to finish reading 31g

до́чь   daughter 17

доши́ть, дошью́т (pfv I)   to finish sewing 31g

дру́г (pl друзья́)   friend 9

дру́г дру́га   one another, each other 32

дру́г за дру́гом   after each other, one after the other 32

друго́й   other, different, another 5

дружи́нник   druzhinnik (volunteer militiaman) 21

друзья́ (pl. of дру́г)   friends 9

ду́мать (I)   to think, plan, intend 6

дура́к   fool 32

валя́ть дурака́   to play the fool 32

ду́ть, ду́ют (I)   to blow 35

ду́ш   shower 25

принима́ть (приня́ть) ду́ш   to take a shower 25

душа́   soul, heart 16

душева́я   shower room 25

дю́жина   dozen 30

ды́м   smoke 35

нéт ды́ма без огня́   where there's smoke there's fire 35

ды́ня   melon, canteloupe 32

ды́рка   hole 21

дыша́ть (II)   to breathe 20

не́чем дыша́ть   it's impossible to breathe 20

дя́дя   uncle 17

Е е

Евге́ний   Evgeny (Eugene) 1

«Евге́ний Оне́гин»   *Eugene Onegin* 10

Евро́па   Europe 8

европе́ец, –е́йца   European (person from Europe) 33

европе́йский   European (adj) 33

его́   him, it; his 6, 10

еда́   food; meal(s); eating 24

еди́м, еди́те, едя́т (see éсть) 20

еди́нственный   only, sole 33

éду, éдешь, éдет, etc. (see éхать) 12

её   her, it; hers 6, 10

éй (dat of она́) 14

éм, éшь, éст (see éсть) 20

ему́ (dat of о́н) 17

éсли   if 16

éсли бы (or éсли б)   if (in conditional constructions) 23

есте́ственный   natural 28

éсть   there is, there are 5

éсть (irreg pres: éм, éшь, éст, еди́м, еди́те, едя́т)   to eat 20

éхать, éдут (I)   to be going (by vehicle) 12

éшь! éшьте!   eat! (imper of éсть) 20

ещё   yet, still, more, else 5

ещё бы!   of course! 21

ещё ка́к!   and how! 14

ещё ра́з   once again, once more 1

всё ещё   still 2

éю (instr of она́) 17

Ё ё

ёлка   fir tree, Christmas tree 17

Ж ж

жа́лко   too bad, it's a pity 23

жа́ловаться, жа́луются (I)   to complain 31

жа́ль   too bad, pity, sorry 15

мне́ жа́ль (*plus* acc)   I feel sorry for, I pity 36

жара́   heat, hot weather 20

ну́ и жара́!   boy it's hot! is it hot! 20

жа́реный   roasted, fried, broiled 34

жа́ркий   hot 14

жа́рко   (it's) hot 14

жда́ть, жду́т (I)   to wait 9

же (or ж) (unstressed emphatic particle)   but 5

жела́ть (I)   to wish 18

желе́ (indecl n)   gelatin, jello 29

желе́зный   iron (adj) 35

желе́зная доро́га   railroad 35

желе́зное здоро́вье   iron constitution 35

жёлтый   yellow 13

жена́   wife 2

жена́т   married 26

жени́ться (II)   to marry 26

жени́х   fiancé, bridegroom-to-be 18

же́нский   ladies', women's; female, feminine 25

же́нщина   woman 12

жёсткий   hard 12

жёсткий ваго́н   second-class coach 12

живо́й   alive, live, lively, living 32

живо́т   stomach 27

живо́тное   animal 32

жи́знь (f)   life 18

жи́рный   fatty, rich (food) 34

жи́тельство   stay, sojourn, residence 24

ви́д на жи́тельство   internal passport 24

жи́ть, живу́т (I)   to live 9

жи́ться (I)   to get along 35

журна́л   magazine, journal 13

З з

за (*plus* acc *or* instr)   for, at, behind, after 9

за́ город (or за́ городом)   out of town 17

за меня́   for me, in my behalf 9

за столо́м   at the table 14

Забайка́лье   Trans-Baikal 35

забежа́ть (pfv) (*like* бежа́ть)   to run in (and see someone); to run behind 30g

забеспоко́иться (pfv II)   to begin to worry 30g

заболе́ть (pfv I)   to fall sick 28

забо́р   fence 22

забо́титься (II)   to take care of, be concerned about 25

забыва́ть (I)   to forget 14

забы́ть, забу́дут (pfv I)   to forget 7

заверну́ть (pfv I)   to wrap up, turn 25

зави́довать, зави́дуют (I)   to envy, be jealous of 20

заво́д   plant, factory 1

завора́чивать (I)   to wrap up, turn 25

за́втра   tomorrow 4

за́втрак   breakfast, lunch 19

за́втракать (I)   to eat breakfast, eat lunch 19

за́втрашний, –яя, –ее   tomorrow's 33

заговори́ть (pfv II)   to begin to talk 30g

заговори́ться (pfv II) to talk too long and forget the time 30g

загора́ть (I) to bake in the sun, get a sun-tan 34

загоре́ть (pfv II) to get a sun-tan, become sun-tanned 34

заграни́ца foreign countries 30

заграни́чный foreign-made, foreign, imported 30

задержа́ть (pfv II) to detain, delay; to arrest 31

задержа́ться (pfv II) to be detained, be delayed 31

заде́рживать (I) to detain, delay; to arrest 31

заде́рживаться (I) to be detained, stay too long, linger 31

заду́маться (pfv I) to daydream 18

заду́мываться (I) to daydream, be lost in thought 33g

зае́хать, зае́дут (pfv I) to drop by (by vehicle); to drive behind 30g

заже́чь, зажгу́т (pfv I) to light, set on fire; to turn on (light) 29

зажечься, зажгу́тся (pfv I) to light up, begin to burn 29

зажига́лка lighter 29

зажига́ть (I) to light, set on fire; to turn on (light) 29

зажига́ться (I) to light up, begin to burn 29

заигра́ться (pfv I) to play too long 30g

заинтересова́ться, –су́ются (pfv I) to become interested in 30g

зайти́, зайду́т (pfv I) to drop in, stop by 13

заказа́ть, зака́жут (pfv I) to order 12

зака́шлять (pfv I) to begin to cough 30g

закрыва́ть (I) to close, shut 21g, 33g

закрыва́ться (I) to close, be closed 21g, 33g

закры́ть, закро́ют (pfv I) to close, shut 3, 12

заку́ривать (I) to light up, begin smoking 33g

закури́ть (pfv II) to light up, begin smoking 29

закуси́ть (pfv II) to have a bite, have a snack; bite 19

заку́ска snack, bite, appetizer, hors-d'oeuvre 19

заку́сочная grill, snack bar 24

за́л hall, room 6

замаха́ть, зама́шут (pfv I) to begin to wave 30g

замени́ть (pfv II) to substitute 4

заме́тить (pfv II) to notice 13

замеча́тельный remarkable, wonderful 32

замо́лвить слове́чко to put in a good word 9

заморо́женный frozen 35

заморо́зить (pfv II) to freeze 35

за́мужем married (women only) 26

замыва́ть (I) to wash off, mop up 33g

замы́ть, замо́ют (pfv II) to wash off, mop up 33g

занести́, занесу́т (pfv I) to drop by carrying something 30g

занима́ть (I) to occupy 21g

занима́ться (I) to occupy oneself, study 18

за́нят, занята́, за́няты busy, occupied 3

заня́тия studies, classes 8

заодно́ at the same time, while at it 28

зао́чница (*full form* студе́нтка-зао́чница) correspondence-school student (f) 9

за́пад west 22

за́падный western 30

За́падная Герма́ния West Germany 30

запако́ван packed, wrapped 23

запакова́ть, запаку́ют (pfv I) to pack up, wrap up, do up 23

запако́вывать (I) to wrap up, pack up 23

за́перт, заперта́, за́перто, за́перты locked 4

запе́ть, запо́ют (pfv I) to begin to sing 30g

запла́кать, запла́чут (pfv I) to begin to cry, burst into tears 33

заплати́ть (pfv II) to pay 12

запо́лнить (pfv II) to fill out 30

зараба́тывать (I) to earn, make (money) 18

засиде́ться (pfv II) to sit too long 30g

засмея́ться (pfv I) to begin to laugh, burst out laughing 32

заспеши́ть (pfv II) to begin to hurry 30g

застира́ть (pfv I) to wash out, launder (a spot) 30g

зато́ to make up for it, on the other hand 35

заторопи́ться (pfv II) to begin to rush 30g

затрудне́ние difficulty, trouble 29

затрудни́ть (pfv II) to cause trouble, inconvenience 24

затрудня́ть (I) to cause trouble, inconvenience 24

заходи́ть (II) to drop in, stop by 4

захоте́ть, захотя́т (irreg pfv) (*like* хоте́ть) to want, feel like 18

захочу́, захо́чешь, захо́чет, захоти́м, захоти́те, etc. (irreg fut of захоте́ть) 18

зачём why, what for 6

зачём тебе́ why do you need 6

зачита́ться (pfv I) to become engrossed in reading 30g

заши́ть, зашью́т (pfv I) to begin sewing 30g

заявле́ние application; declaration, statement 9

за́яц, за́йца hare, rabbit 32

зва́ть, зову́т (I) to call 11

ка́к тебя́ (*or* ва́с) **зову́т?** what's your name? 11

зве́рь (m) beast, animal 32

звони́ть (II) to ring, phone 7

звоно́к, –нка́ bell 7

звуча́ть (II) to sound, resound 36

зда́ние building 7

зде́сь here 7

зде́шний, –яя, –ее local, here 34

здоро́в healthy, well 2

здоро́ваться, –о́ваются (I) to greet, say hello 36

здоро́вый healthy, well 35

здоро́вье health 28

желе́зное здоро́вье iron constitution 35

здра́вствуй, здра́вствуйте! hello 3

зелёный green 13

земля́ earth, land 18

зима́ winter 2

зимо́й in winter 11

всю зи́му all winter 2

зи́мний, –яя, –ее winter (adj) 33

Зи́мний дворе́ц, в кото́ром нахо́дится музе́й — Госуда́рственный Эрмита́ж The Winter Palace in which the State Hermitage Museum is located 23

зи́мними вечера́ми on winter evenings 33

Зи́на (var. of Зинаи́да) Zina 10

змея́ snake 17

знако́м acquainted, familiar 10

знако́мить (II) to introduce 21g

знако́миться (II) to be introduced, meet 21g

знако́мство acquaintance, familiarity 18

по знако́мству through friends; by knowing the right people 18 знако́мый (m), знако́мая (f) [an] acquaintance, [a] friend 13

знако́мый (short form знако́м) acquainted, familiar 10

знамени́тый famous, celebrated 31

зна́мя, зна́мени (n) banner 32

зна́ть (I) to know 3

зна́чить (II) to mean 10

   зна́чит means, so, then 10

зноби́ть (II) to feel feverish, shiver 28

   меня́ зноби́т I feel feverish; I'm shivering 28

зо́лото gold 35

золото́й golden 32

зо́нтик umbrella 25

зоопа́рк zoo 32

Зо́щенко Zoshchenko (name of writer) 33

зре́лище spectacle, sight 32

зу́б tooth

И и

и and, also, too 1

   и... и... both . . . and . . . 20

Ива́н Ivan (John) 7

   Ива́нович (patronymic, son of Ива́н) 9

   Ива́новна (patronymic, daughter of Ива́н) 7

иго́лка needle 23

игра́ game, play 14

   игра́ в ша́хматы game of chess 14

игра́ть (I) to play 11

   игра́ть в ка́рты to play cards 11

   игра́ть в футбо́л to play soccer 11

   игра́ть в ша́хматы to play chess 14

идти́, иду́т (I) to be going 1

   идём! let's go! 5

   идёт O.K., it's a deal 29

   идёт до́ждь it's raining, it rains 20

   идёт сне́г it's snowing, it snows 20

иде́я idea 31

из, изо (plus gen) from, out of 9

   и́з дому from home, from one's house 25

изба́ hut, village house 15

изве́стия news, news report 13

   «Изве́стия» Izvestia (newspaper) 13

изве́стный renowned, noted, well-known 20

изве́стно it's known 20

   всём изве́стно everybody knows 20

извеще́ние notification, notice 30

извини́те excuse [me] 1

изда́ние edition 36

из-за (plus gen) because of; from behind 30

измени́ть (pfv II) to change 4

изме́рить (pfv II) to measure 28

   изме́рить (измеря́ть) температу́ру to take one's temperature 28

измеря́ть (I) to measure 28

изобража́ть (I) to depict, portray 33

изобрази́ть (pfv II) to depict, portray 33

изуча́ть (I) to study; to master 35

ико́на icon, holy picture 15

и́ли or 10

   и́ли... и́ли... either . . . or . . . 26

и́м (dat of они́, instr of о́н) 7, 14, 17

и́мени (plus gen) named after 32

и́мени, и́менем, имена́, etc. (see и́мя) 11

и́менно namely, exactly, just 28

   во́т и́менно that's just it 28

име́ть (I) to have, possess 27

   име́ть в виду́ to bear in mind 27

   име́ть про́тив to be against, have against 27

и́мя, и́мени (n) name, first name 11

ина́че (or и́наче) otherwise, differently 15

инжене́р engineer 18

иногда́ sometimes 3

иностра́нец, –нца foreigner 15

иностра́нный foreign 24

институ́т institute 18

интере́сно [that's] interesting, [I] wonder 3

интересова́ть, –су́ют (I) to interest 18

интересова́ться, –су́ются (I) to be interested in 18

Интури́ст Intourist (official travel agency) 24

И́ра (var. of Ири́на) Ira 26

Ири́на Irina (Irene) 9

Ирку́тск Irkutsk (city in Siberia) 35

иска́ть, и́щут (I) to look for, seek 12

и́скра spark 35

иску́сство art, skill 22

испа́нец, –нца Spaniard 33

Испа́ния Spain 30

испа́нка Spanish woman 33

испа́нский Spanish 33

испе́чь, испеку́т (pfv I) to bake 17

исполне́ние performance 13

   в исполне́нии performed by 13

испо́ртить (pfv II) to spoil, ruin 22

испо́ртиться (pfv II) to be spoiled, be ruined, be broken 25

исто́рик historian 18

истори́ческий historic, historical 31

исто́рия history, story 8, 29

исто́чник source, spring 34

исчеза́ть (I) to disappear, vanish 19

исче́з, исче́зла, etc. (past tense of исче́знуть) 19

исче́знуть (pfv I) to disappear, vanish 19

ита́к well then, so, thus 28

Ита́лия Italy 30

италья́нец, –я́нца Italian man 33

италья́нка Italian woman 33

италья́нский Italian (adj) 33

итти́ (var. of идти́) 1

и́х their; them 6, 10

ию́ль (m) July 21

ию́нь (m) June 21

К к

к, ко (plus dat) toward, to, to see 4, 7, 14, 16g

   к тому́ вре́мени by then, by that time 24

   к тому́ же moreover, what's more, besides 26

   к сожале́нию unfortunately 24

–ка (unstressed particle) just; what if

каби́на stall, booth, hut 24

каблу́к heel 33

   ту́фли на каблука́х high-heeled shoes 33

Кавка́з the Caucasus 26

ка́ждый each, every 11

ка́жется [it] seems, I guess 6

каза́ться, ка́жутся (I) to seem, appear 16

ка́к how, as, like 2

   ка́к дела́? how are things (going)? how is everything? 2

как и   like, just like 31
как мо́жно (*plus* comparative)   as . . . as possible 36
как ра́з   just, the very thing 5, 9
как сле́дует   properly, well 19
как то́лько   as soon as 17
ка́к-нибудь   somehow, in any way 19
ка́к-то   in some way, somehow; once 19, 27
како́й   what, which, how 9
каки́м о́бразом   how, in what way 30
како́го во́зраста   how old; what age 22
како́й-нибудь   some, some sort of, any 19
како́й-то   some sort of, a, an, kind of 8, 16
ка́менный   (made of) stone, (made of) brick 15
ка́мень, ка́мня (m)   stone, rock 17
кани́кулы (pl only)   vacation 15
капро́новый   type of nylon 33
капу́ста   cabbage 34
каранда́ш   pencil 6
ка́рий, –яя, –ее   brown, hazel 26
карма́н   pocket 19
не по карма́ну   beyond one's means 26
ка́рта   map, chart 8
карти́на   picture 11
карто́фель (m)   potatoes 20
карто́шка   potato, potatoes 20
каса́ться (I)   to touch, touch on, concern 36
ка́сса   ticket window, box office, cash register 12
ката́ться (I)   to ride (for pleasure), go for a ride 20
ката́ться на конька́х   to skate 22
ката́ться на лы́жах   to ski 22
като́к, катка́   skating rink 22
Ка́тя (var. of Екатери́на)   Katya (Kathy) 10
кафе́ (indecl n)   café, coffee house 24
кача́ть (I)   to rock, swing; to roll 36
ка́чество   quality 29
ка́ша   kasha, (mush, cooked cereal) 5
ка́шель, ка́шля (m)   cough 28
ка́шлять (I)   to cough 28
кашне́ (indecl n)   scarf, muffler 28
каю́та   cabin, stateroom 36
кварта́л   block 23
кварти́ра   apartment 9
квартира́нт   roomer, tenant 26
квартира́нтка   roomer, tenant (f) 26
квита́нция   receipt, claim check 12
Ки́ев   Kiev 12
ки́евский   Kievan 31
кило́ (indecl n)   kilogram 23
килогра́мм   kilogram 23
киломе́тр   kilometer (three fifths of a mile) 15
кино́ (indecl n)   movies, cinema 10
кио́ск   stand, newsstand 8
Кири́лл   Kirill (Cyril) 2
ки́слый   sour 29
кита́ец, кита́йца   Chinaman, Chinese man 33
Кита́й   China 8
кита́йский   Chinese (adj) 31
китая́нка   Chinese woman 33
класс   classroom, class, grade 21
класть, кладу́т (I)   to put, place, lay 19
кле́тка   cage 32
кли́мат   climate 35
кли́ника   clinic 28
клуб   club 1
ключ   key 7

кни́га   book 3
кни́жка (var. of кни́га)   book, booklet 36
ковёр, ковра́   rug, carpet 26
когда́   when, while 10
кого́ (gen, acc of кто́) 8
ко́е-что́   a thing or two, a couple of things 8
Козло́в   Kozlov (last name) 7
колбаса́   sausage 18
коле́но   knee 27
Ко́лин, –а, –о   Kolya's 27
коли́чество   quantity, amount 29
колле́кция   collection 30
коло́дец, –о́дца   well 15
ко́лос   ear (of grain) 32
колхо́з   kolkhoz, collective farm 15
колхо́зник   collective-farm worker 15
колхо́зница   collective-farm worker (f) 15
колхо́зный   collective-farm (adj) 15
Ко́лька (var. of Ко́ля) 36
Ко́ля (var. of Никола́й)   Kolya (Nick) 6
кома́нда   team 27
командиро́вка   official assignment, travel order, mission 19
комиссио́нный (магази́н)   secondhand store 13
ко́мната   room 9
комо́д   bureau, chest of drawers 26
компо́т   stewed fruit 29
конве́рт   envelope 30
коне́ц, конца́   end 16
в конце́ концо́в   finally, in the end 16
коне́чно   of course, sure, certainly 4
конфе́та   candy 25
конце́рт   concert 3
конча́ть (I)   to finish, end 14
конча́ться (I)   to be finished, end 21
ко́нчить (pfv II)   to finish, end 14
ко́нчиться (pfv II)   to be finished, end 29
коньки́ (sg конёк)   skates 22
ката́ться на конька́х   to skate 22
конькобе́жец, –е́жца   skater 22
копе́йка   kopeck 12
кора́бль (m)   ship 30
коридо́р   hall, corridor 24
кори́чневый   brown, tan 33
корми́ть (II)   to feed 32
коро́бка   box (cardboard) 4
коро́ва   cow 32
коро́ткий   short 17
коро́че (compar of коро́ткий)   shorter 23
косми́ческий   cosmic 30
косми́ческий кора́бль-спу́тник   space ship, space satellite 30
космона́вт   cosmonaut, astronaut 18
костю́м   suit, costume 4
материа́л на костю́м   suit material 4
ко́смос   cosmos, universe, space 30
котле́та   meat patty, chop 34
кото́рый   which, who, what, that 13
кото́рый ча́с?   what time is it? 19
ко́фе (indecl n)   coffee 5
кошелёк, кошелька́   change purse 21
ко́шка   cat 32
кра́й   edge, outskirts; region 24
на краю́ све́та   in the middle of nowhere 26
кра́йний, –яя, –ее   extreme 32
по кра́йней ме́ре   at least 32

кра́н   faucet, tap 26

под кра́ном   at the faucet, at the tap 26

краси́вый   lovely, pretty, handsome 4

кра́сный   red 13

кра́сный уголо́к   recreation room (*lit.* red corner) 13

красота́   beauty 32

кра́сть, краду́т (I)   to steal 19

Кре́мль (m)   the Kremlin 29

кре́пкий   strong, sound, robust 23

кре́пче (compar of кре́пкий)   stronger, more robust 23

кре́сло   easy chair, armchair 26

крова́ть (f)   bed 25

кро́ме (*plus gen*)   except, besides 26

кро́ме того́   besides (that), in addition (to that) 26

кру́пный   big, coarse, large-scale, important 31

Кры́м   the Crimea, the Crimean Peninsula 34

в Крыму́   in the Crimea 34

кста́ти   incidentally, apropos, by the way, opportune, well-timed 3, 26

кто́   who 4

кто́-нибудь   anybody, anyone, someone (or other) 19

кто́-то   someone, somebody 19

кто́-то из (*plus gen*)   one of, someone from 19

куда́   where (to) 1

куда́-нибудь   anywhere, somewhere (or other) 19

куда́-то   somewhere 19

культу́ра   culture 35

культу́рный   cultural; cultured, cultivated 35

купа́ть (I)   to bathe, give a bath 21g

купа́ться (I)   to bathe (oneself); to swim 20

купе́ (indecl n)   compartment (sleeping) 12

купи́ть (pfv II)   to buy 4

ку́пленный (ppp of купи́ть)   bought, purchased 34g

Ку́рочкин   Kurochkin (last name) 7

ку́рс   class (year), course 10

на одно́м ку́рсе   in the same year; in the same class 10

кури́ть (II)   to smoke 29

ку́рица   chicken, hen 34

куро́рт   health resort 34

кусо́к, куска́   piece, slice 8

кусо́к мы́ла   bar (*or* cake) of soap 25

куска́ми   in pieces, in chunks 35

ку́хня   kitchen 26

Л л

лаборато́рия   laboratory 3

ла́вка   (small) store, shop; bench 26

ла́дно   O.K., fine, all right 14

ла́мпа   lamp, light 26

ла́мпа для рабо́ты   light to work by, work lamp 26

ла́па   paw 27

лапта́   lapta (Russian game) 27

лапша́   noodles 17

су́п с лапшо́й   noodle soup 17

Ле́в, Льва́   Lev (Leo) 3

ле́в, льва́   lion 32

лёгкий (легко́)   light, easy 13

легкова́я маши́на   passenger car, automobile 29

лёгок, легка́, легко́ (short forms of лёгкий) 22

лёгок (легка́) на поми́не   speak of the devil 22

ле́гче (compar of лёгкий)   lighter, easier, more easily 23

лёд, льда́   ice 22

лежа́ть (II)   to be lying; to lie in bed; to be (situated) 18

ле́звие   razor blade, blade 29

лека́рство   medicine 28

ле́кция   lecture, class 6

ле́кция по хи́мии в МГУ   chemistry class at Moscow State University 6

Ленингра́д   Leningrad 12

ленингра́дский   Leningrad (adj) 31

ле́с   forest, woods 15

в лесу́   in the forest, in the woods 22g

ле́стница   stairway, stairs, ladder 16

ле́т (gen pl of го́д) 16

лета́ть (I)   to fly 22

лете́ть (II)   to be flying 19

ле́тний, –яя, –ее   summer (adj) 33

ле́то   summer 11

ле́том   in summer, during the summer 11

ле́чь, ля́гут (pfv I)   to lie down 24

ле́чь спа́ть   to go to bed 24

ли   whether, if (question particle) 7

лимо́н   lemon 17

лимона́д   lemonade, soft drink 14

лиси́ца   fox 32

ли́ст   leaf; sheet 17

листы́   sheets 17

ли́стья   leaves 17

литерату́ра   literature 8

литерату́рный   literary, literature (adj) 18

литфа́к   department of literature 18

ли́фт   elevator 12

лицо́   face; person 27

бы́ть к лицу́   to become one, look good on one 27

ли́чный   personal, private 36

ли́шний, –яя, –ее   excess, extra, superfluous 34

ло́б, лба́   forehead 27

лови́ть (II)   to catch; to hunt 20

лови́ть ры́бу   to fish 20

ло́дка   boat 20

ложи́ться (II)   to lie down 24

ложи́ться спа́ть   to go to bed 24

ло́жка   spoon 5

лома́ться (I)   to break, get broken 29

лопа́та   shovel, spade 27

ло́шадь (f)   horse 32

лу́жа   puddle, pool 34

лу́чше   better, rather 1, 3

лу́чший   better, best 7

лы́жи (sg лы́жа)   skis 22

ката́ться на лы́жах   to ski 22

Лю́ба (var. of Любо́вь)   Lyuba 17

люби́мый   favorite, beloved 25

люби́тельский   amateur 27

люби́ть (II)   to love, like; to be fond of 10

любо́вь, любви́ (f)   love 17

Любо́вь, Любо́ви (f)   Lyubov (Amy) 17

любо́й   any, every 33

лю́ди (pl of челове́к)   people 13

лю́кс   deluxe class 12

М м

мавзоле́й   tomb, mausoleum 31
магази́н   store 8
ма́зь (f)   ointment, salve 16
ма́й   May 21
ма́йка   t-shirt, sports shirt 27
ма́л, мала́, –о́; –ы́   small, too small 22
ма́ленький   small, little 9
ма́ло   little, few, too little 10, 25g
   ма́ло-пома́лу   little by little, gradually 36
ма́льчик   boy 21
мальчи́шка (var. of ма́льчик)   boy, urchin, brat 21
ма́ма   Mamma, Mom 17
Мари́я   Maria (Mary) 7
ма́рка   stamp; brand, trademark 30
Ма́рс   Mars 18
ма́рт   March 21
ма́сло   butter, oil 18
ма́сса   lots, mass, plenty 17
масса́ж   massage 16
   де́лать масса́ж   to massage 16
ма́стер   expert, master 22
   ма́стер спо́рта   sports expert, master sportsman 22
мастерски́   masterfully, expertly 33
ма́т   checkmate 14
   да́ть ма́т   to checkmate, beat at chess (or checkers) 14
матема́тика   mathematics 8
ма́тери, матере́й (pl of ма́ть) 15
материа́л   material 4
   материа́л на костю́м   suit material 4
   материа́л на пла́тье   dress material 4
мате́рия   material, cloth, fabric, stuff 33
матра́с (or матра́ц)   mattress 28
ма́ть, ма́тери, ма́терью, etc.   mother 15
маха́ть, ма́шут (I)   to wave 29
махну́ть (pfv I)   to wave 29
   махну́ть руко́й   to throw up one's hands, give up; to wave one's hand 29
Ма́ша (var. of Мари́я)   Masha 7
Ма́шин, –а, –о   Masha's 27g
маши́на   car, machine 18
ме́бель (f)   furniture 26
меблиро́ванный   furnished 26
медве́дь (m)   bear 32
   бе́лый медве́дь   polar bear 32
ме́жду (plus instr)   between, among 13, 26
   ме́жду про́чим   by the way 13
ме́л   chalk 17
ме́лкий   shallow; small, fine 31
мело́дия   melody, tune 13
ме́лочь (f)   small change; detail 29
ме́льче (compar of ме́лкий)   shallower, finer 34g
ме́ньше (compar of ма́ленький, ма́ло)   smaller, less, fewer 23
   не ме́ньше   at least, not less than 23
меня́ (gen, acc of я)   me 8
ме́ра   measure 32
   по кра́йней ме́ре   at least 32
мёрзнуть (I)   to freeze; to be freezing cold 35
месте́чко   spot, place, job, small town 18
   тёплое месте́чко   a soft spot, a nice cushy job 18
ме́сто   place, seat, berth, job 12
ме́сяц   month; moon 16
мете́ль (f)   blizzard, snowstorm 28

метро́ (indecl n)   subway 31
мечта́ть (I)   to dream 18
меша́ть (I)   to disturb, hinder; mix 17
мещани́н (pl меща́не)   philistine 33
меща́нский   narrowminded, vulgar, philistine (adj) 33
меща́нство   philistinism; petty bourgeoisie 33
ми́гом   in a jiffy 28
Ми́ла (var. of Людми́ла)   Mila 3
милиционе́р   policeman 21
мили́ция   police, militia 21
миллио́н   one million 29
миллио́нный   millionth 36
ми́лый   nice, kind, dear, darling 9, 17
ми́лый (m), ми́лая (f)   sweetheart, darling 36
ми́ля   mile 15
ми́мо (plus gen)   past, by 21
минера́льный   mineral 34
ми́нус   minus 35
мину́та   minute 19
мину́тка   minute, moment 7
   (одну́) мину́тку   just a minute, just a moment 7
ми́р   peace; world 10, 30
   «Война́ и ми́р»   War and Peace 10
Ми́тя (var. of Дми́трий)   Mitya 31
Михаи́л   Mikhail (Michael) 26
Миха́йлович (patronymic, son of Михаи́л) 7
Ми́ша (var. of Михаи́л)   Misha (Mike) 33
мла́дший   younger, youngest, junior 27
мне́ (prep, dat of я)   me 3
мно́го   a lot, lots, much, many 7
мно́гое   many things, lots of things 11
мно́й, мно́ю (instr of я)   me 17
могу́, мо́жешь, мо́жет, etc. (pres of мо́чь) 7
мо́дный   fashionable, stylish 33
мо́жет бы́ть (or мо́жет)   perhaps, maybe 6, 14
мо́жно   it's possible, one may 4
мо́й, моя́, моё, мои́   my, mine 1, 6
мо́крый   wet 26
мо́л   says he, to quote him; and I quote 28
молда́вский   Moldavian 32
мо́лния   lightning 35
молоде́ц, –одца́   one who does an outstanding job 7
молодо́й   young 13
моло́же (compar of молодо́й)   younger 24
молоко́   milk 5
молча́ть (II)   to keep silent, be silent, keep quiet 36
момента́льно   immediately, instantly, in no time 29
моне́та   coin 31
мо́ре   sea 22
моро́женое   ice cream 29
моро́женщик   ice cream vender 29
моро́женщица   ice cream vender (f) 29
моро́з   freezing weather, frost 22
морско́й   sea (adj), marine, naval 35
Москва́   Moscow 9
   Москва́, у́лица Го́рького — одна́ из центра́льных у́лиц столи́цы   Moscow, Gorky Street— one of the central streets of the capital 9
моско́вский   Moscow (adj), Muscovite 31
   Моско́вский Госуда́рственный Университе́т (МГУ)   Moscow State University 1
   Моско́вский Кре́мль   the Moscow Kremlin 2
мо́ст   bridge 20
мохна́тое полоте́нце   bath towel, Turkish towel 25
моча́лка   (fiber) sponge 25

мочи́ть (II) to wet, moisten, soak 23
мочь, мо́гут (I) to be able, can 7
му́ж husband 2
мужско́й men's; masculine 25
мужчи́на man 12
мужья́ (pl of му́ж) 7
музе́й museum 31
   музе́й в Петродворце́ museum in the Petrodvo-
    rets 16
му́зыка music 13
МХАТ (Моско́вский Худо́жественный академи́-
   ческий теа́тр) Moscow Art Theater 31
мы́ we 1
мы́ло soap 25
мы́сль (f) idea, thought 18
мы́ть, мо́ют (I) to wash 25
мы́ться, мо́ются (I) to wash (oneself) 25
мы́шь (f) mouse 32
мя́гкий (мя́гко) soft 12
   мя́гкий ваго́н first-class coach 12
   мя́гко выража́ясь to put it mildly, to say the
    least 34
мя́гче (compar of мя́гкий) softer 23g
мя́со meat 18
мясокомбина́т meat-packing plant 18

Н н

на́ (stressed particle) here you are! take it! 23
на (*plus* acc *or* prep) on, onto, to, at, in, for 1
   на бу́дущей неде́ле next week 26
   на ва́шем (*or* твоём) ме́сте in your place, if I
    were you 23
   на вся́кий слу́чай just in case 25
   на дня́х the other day, one of these days 20
   на па́мять as a souvenir, to remember one by 32
набра́ться, наберу́тся (pfv I) to accumulate, pile up
   34
наве́рно probably, likely 8
наве́рх up, upstairs 16
   наверху́ upstairs, on top, in the upper 12
на́волока (*or* на́волочка) pillow case 28
над, надо (*plus* instr) above, over 19
надева́ть (I) to put on 27
наде́жда hope 18
Наде́жда Nadezhda (Hope) 18
наде́ть, наде́нут (pfv I) to put on 25
наде́яться, наде́ются (I) to hope, count on 18
на́до [it's] necessary, one has to 9
   не на́до! don't! 15
надое́сть, надоедя́т (irreg pfv) (*like* есть) to be
   bored, be sick and tired 34
надо́лго for long 35
На́дя (var. of Наде́жда) Nadya 18
наза́д back, ago 17
тому́ наза́д ago 17
назва́ть, назову́т (pfv I) to name 10
назна́чить (pfv II) to set, designate, appoint 16
наибо́лее the most 34
наибо́льший the largest, the greatest 4
   ГУМ — наибо́льший универса́льный магази́н в
   стране́ GUM, the largest general store in the
   country 4
наиме́нее the least 34
найти́, найду́т (pfv I) to find 17
найти́сь, найду́тся (pfv I) to turn up, be found 21

наказа́ть, нака́жут (pfv I) to punish 28
   нака́зан (ppp of наказа́ть) punished 28
наконе́ц at last, finally 29
накорми́ть (pfv II) to feed 32
нала́дить (pfv II) to put right, adjust; to set up 36
   свя́зь нала́жена communication has been established 36
нале́во on the left, to the left 12
налива́ть (I) to pour, fill 33g
нали́ть, налью́т (pfv I) to pour, fill 18
на́м (dat of мы́) 14
на́ми (instr of мы́) 17
наоборо́т on the contrary, backwards, the other
   way around 36
написа́ть, напи́шут (pfv I) to write 4, 7, 12
   напи́сан (ppp of написа́ть) written 30
   напиши́те (imper of написа́ть) 4
напра́во on (*or* to) the right 12
напра́сно to no purpose, in vain, there's no use (*or*
   point) 33
наприме́р for example 11
напуга́ть (pfv I) to frighten, scare 22
наре́жь, наре́жьте (imper of наре́зать) 5
наре́зать, наре́жут (pfv I) to cut, slice 12
наро́д people, folk 7
   наро́дный folk, popular, people's 13
наря́дный dressed up, dressy 33
на́с (gen, acc, prep of мы́) 5
   у на́с (есть) we have 5
наско́лько as far as, to what extent, how much, so
   much 32
на́сморк head cold 38
настоя́щий real, present 28
настрое́ние mood 36
насчёт (*plus* gen) about 5
Ната́ша (var. of Ната́лья) Natasha 11
нау́ка science, knowledge 18
   во́т тебе́ нау́ка! let that be a lesson to you! 18
научи́ть (pfv II) to teach 20
научи́ться (pfv II) to learn 18
нау́чный scientific, scholarly 18
находи́ть (II) to find 17
находи́ться (II) to be located 17
национа́льность (f) nationality 33
нача́ло beginning, start 16
нача́льник boss, chief 34
нача́ть, начну́т (pfv I) to start, begin 18
   на́чатый (ppp of нача́ть) begun, started 34g
нача́ться, начну́тся (pfv II) to begin, start 21g
начина́ть (I) to start, begin 21g
начина́ться (I) to start, begin 21
на́ш, на́ша, на́ше, на́ши our, ours 5, 7
не not (negative particle) 1
   не ра́з more than once, not just once 25
   не то́, что not like, a far cry from 22
небеса́ (pl of не́бо) skies, heavens 20
не́бо sky 20
небольшо́й small, not large 12
нева́жный unimportant; indifferent; not good 22
невероя́тно inconceivable, incredible 29
неве́ста fiancée, bride-to-be 26
невозмо́жно impossible 17
не́где there's nowhere, there's no place 25
него́ (gen, acc of о́н and оно́) 8, 10
   у него́ [есть] he has 8
негодя́й villain, scoundrel 21

неда́вно   recently, not long ago, a while ago 5
недалеко́   not far, close, near 15
неде́ля   week 8
   дни́ неде́ли   days of the week 10
   на бу́дущей неде́ле   next week 18
   на сле́дующей неде́ле   the next week 8
   на про́шлой неде́ле   last week 18
   на э́той неде́ле   this week 8
недово́лен, –льна, etc.   dissatisfied, displeased 17
недое́сть, недоедя́т (pfv) (*like* есть)   to get less than enough to eat 31g
недорабо́тать (pfv I)   to work less than expected 31g
недослы́шать (pfv II)   to fail to hear, miss what is said 31g
недосмотре́ть (pf VII)   to overlook, not watch carefully enough 31g
недоспа́ть (pfv II)   to not get enough sleep 31g
неё (gen, acc of она́) 4, 8, 10
   у неё (éсть)   she has 4
ней (prep, dat, instr of она́) 7, 14, 17
   с ней   with her 10
не́когда   there's no time 26, 36g
не́кого, не́кому, etc.   there isn't anyone, there's no one 36
не́который   some, certain 15
не́куда   there's nowhere 26, 36g
некульту́рный   uncultured 35
нелегко́   [it's] hard, [it's] not easy 26
нельзя́   [it's] impossible, one can't 15
нём (prep of óн and оно́) 7
не́мец, не́мца   German man 33
неме́цкий   German (adj) 33
не́мка   German woman 33
немно́го   a little, somewhat 10
нему́ (dat of óн and оно́) 14, 16
ненави́деть (II)   to hate 35
необходи́мый   necessary, essential, indispensable 26
непло́хо   not badly 6
   неплохо́й   not half bad, pretty good 7
непра́вильно   [it's] wrong, [it's] incorrect 3
непреме́нно   surely, certainly, without fail 28
не́рвничать (I)   to become nervous 22
несимпати́чный   not nice, not likable 16
не́сколько   several, some, a few 17
нести́, несу́т (I)   to be carrying, be taking 22
несча́стный   unhappy, unfortunate 16
   несча́стье   bad luck, misfortune, unhappiness 16
не́т   no; there's no, there isn't any 1, 7
   не́ту (var. of не́т)   there isn't any, there aren't any 26
неудо́бный   uncomfortable, inconvenient 12
неуже́ли!   really! you don't say! 13
нефтяно́й   oil, petroleum (adj) 26
не́чего, не́чему, etc.   there's nothing, there isn't anything 36
   не́чем дыша́ть   it's impossible to breathe 20
ни   not (negative particle) 13
   ни в ко́ем слу́чае   under no circumstances 29
   ни ра́зу   not once, never 25
ни... ни...   neither . . . nor 25
нигде́   nowhere 7, 20g
ни́же (compar of ни́зкий)   lower, shorter; below 35
ни́жний, –яя, –ее   lower 12
ни́зкий   low, short 26

ника́к   in no way, by no means 9
никако́й   not . . . any, none at all 15, 29
Ники́тич (patronymic, son of Ники́та) 9
никогда́   never 3
Никола́евич (patronymic, son of Никола́й) 7
Никола́й   Nikolay (Nicholas) 6
никто́   nobody, no one 19
никуда́   nowhere 20g
ни́м (dat of они́, instr of óн and оно́) 10, 14
   с ни́м   with him (*or* it) 10
   к ни́м   to them 14
ни́ми (instr of они́) 10
   с ни́ми   with them 10
Ни́на   Nina 1
ниско́лько   not at all, not in the least 24
ни́тка   thread 23
ни́х (gen, acc, prep of они́) 7, 8, 10
   у ни́х [éсть]   they have 8
ничего́   nothing; all right 4, 6
но   but 1
новосе́лье   housewarming 33
но́вость (f)   news, novelty 13
но́вый   new 13
   что́ но́вого?   what's new? 13
нога́   leg, foot 16
но́ж   knife 5
но́ль (*or* ну́ль) (m)   zero 35
но́мер   number, size; hotel room; issue 12, 27
   восьмо́й но́мер   size eight; room eight 27
норма́льный   normal 28
но́с   nose 22
носи́льщик   porter 12
носи́ть   to carry, wear 15
носо́к, носка́   sock, short stocking 27
но́чь (f)   night 11
   по ноча́м   nights 16
   споко́йной но́чи   good night 11
   но́чью   at night, during the night 11
ноя́брь (m)   November 21
нра́виться (II)   to like, please, appeal to 11, 16
ну́   well, why 1
   ну́, ка́к?   well, how about it? 11
   ну́, что́ вы́!   why, what do you mean! 6
   ну́, что́ та́м!   whatever for! not at all! 9
ну́жен, нужна́, –о, –ы́   necessary 8
   мне́ нужна́ ка́рта Евро́пы   I need a map of Europe 8
ну́ль (*or* но́ль) (m)   zero 35
Нью-Йо́рк   New York 36

О о

о, об, обо (*plus* prep)   about, concerning 7, 22
о́!   oh! 12
о́ба, обо́их, обо́им, обо́ими (m, n)   both 22
о́бе, обе́их, обе́им, обе́ими (f)   both 22
обе́д   dinner; noon 5
   до обе́да   before noon 9
   по́сле обе́да   after noon, in the afternoon 9
обе́дать (I)   to dine; eat dinner 5
обезья́на   monkey 32
обеща́ть (I)   to promise 28
оби́деть (pfv II)   to offend, slight, hurt 29
оби́деться (pfv II)   to be offended, be slighted, be hurt 29
обижа́ть (I)   to offend, slight, hurt 29

обижа́ться (I) to be offended, be slighted, be hurt 29

о́бласть (f) region, sphere, province, field 29

обме́н exchange 36

обо́их, обо́им, обо́ими (*see* о́ба *both*) 22

обра́доваться (pfv I) to be glad, rejoice 32

о́браз form, image 30

гла́вным о́бразом mainly, chiefly 30

каки́м о́бразом how, in what way 30

обрати́ться (pfv II) to consult, turn to 16

обра́тно back 24

обра́тный return, reverse 24

обраща́ть (I) to turn 33

обраща́ть внима́ние (на plus acc) to pay attention (to) 33

обраща́ться (I) to consult, turn to 16

обслу́живание service 24

бюро́ обслу́живания service bureau 24

обстано́вка furnishings 26

общежи́тие dormitory 4

о́бщий general, overall, common 15

в о́бщем on the whole, all in all 35

объявле́ние notice, announcement 13

объясни́ть (pfv II) to explain 27

объясня́ть (I) to explain 27

обы́чай custom, tradition 33

обы́чно usually 15

обы́чный usual 15

обяза́тельно for sure, without fail 20

о́вощи vegetables 34

ого́нь, огня́ (m) fire; light 35

огонёк, –нька́ small light 13

«Огонёк» *Ogonyok* (magazine) 13

огро́мный enormous, huge, vast 32

огурцы́ (pl of огуре́ц) cucumbers 5

одева́ть (I) to dress (someone) 27

одева́ться to dress (oneself) 27

оде́жда clothing 27

Оде́сса Odessa 12

оде́сский Odessa (adj) 31

оде́т, –а, –ы (ppp of оде́ть) 17

оде́ть, оде́нут (pfv I) to dress (someone) 27

оде́ться, оде́нутся (pfv I) to dress (oneself) 27

одея́ло blanket 28

оди́н, одна́, одно́ one, a, one and the same; alone 6

одина́ковый identical 27

оди́ннадцатый eleventh 21

оди́ннадцать eleven 19

одолжи́ть (pfv II) to lend; to borrow 27

ожида́ние waiting, wait, expectation 12

за́л ожида́ния waiting room 12

ожида́ть (I) to expect, wait 8

о́зеро lake 15

о́зеро Ри́ца в Кавка́зских гора́х Lake Ritsa in the Caucasus Mts. 26

оказа́ться, ока́жутся (pfv I) to turn out to be, prove to be; to find oneself 19

океа́н ocean 36

пла́вать по океа́ну to sail the ocean 36

окно́ window 5

о́коло (*plus* gen) near, by, about 9

око́нчен, –а, –о, –ы finished, over, done with 18

око́нчить (pfv II) to finish, graduate from 18

око́шко window 30

октя́брь (m) October 21

Оле́г Oleg 5

О́лин, –а, –о Olya's 26

О́ля (var. of О́льга) Olya 4

о́н he, it 1

она́ she, it 1

они́ they 1

оно́ it 1

опа́здывать (I) to come (*or* be) late 11

опозда́ть (pfv I) to be late 11

опа́снее (compar of опа́сный) more dangerous 23

опа́сный (опа́сен) dangerous 23

о́пера opera 10

в Ленингра́дской о́пере at the Leningrad opera 10

опи́санный (ppp of описа́ть) described 34

описа́ть, опи́шут (pfv I) to describe 34

опи́сывать (I) to describe 34

определённый definite, certain, sure 28

о́пыт experience, experiment 28

опя́ть again 5

ора́нжевый orange (colored) 25

о́рден order, medal, decoration 32

орке́стр orchestra 33

Орло́в Orlov (last name) 7

Орло́ва Miss Orlov, Mrs. Orlov 7

освежи́ться (pfv II) to refresh oneself 36

осе́нний, –яя, –ее autumn (adj) 33

о́сень (f) fall, autumn 2

о́сенью in fall, in autumn 11

с о́сени since fall, since autumn 2

О́сипов Osipov (last name) 16

осма́тривать (I) to sightsee; to look over, inspect, examine 31

осмотре́ть (pfv II) to sightsee; to look over, examine, inspect 31

осно́ванный (ppp of основа́ть) founded, established 35

основа́ть (pfv I) to found, establish 35

осо́бенно especially, particularly 18

осо́бенный special, particular 18

остава́ться, остаю́тся (I) to remain, be left 26g

оста́вить (pfv II) to leave 7

оста́вить в поко́е to leave alone 34

остально́й the rest, the remaining 26

остана́вливаться (I) to stop, come to a stop; to stop over, stay 22

останови́ться (pfv II) to stop, come to a stop; to stop over, stay 22

остано́вка stop 22

оста́ться, оста́нутся (pfv I) to remain, be left 17

осторо́жен, –жна, etc. careful 16

осторо́жнее (compar of осторо́жный) more careful 19

осторо́жный careful 16

остроу́мный witty, clever 31

о́стров island 32

Остро́вский Ostrovsky (writer) 30

о́стрый sharp 31

от, ото (*plus* gen) from, away from 9

отве́т answer 13

отве́тить (pfv II) to answer, reply 3

отве́тить на вопро́с to answer a question 33

отве́тственный reponsible 34

отве́тственный рабо́тник executive 34

отвеча́ть (I) to answer, reply 3

отврати́тельный repulsive, disgusting 32

отдава́ть, отдаю́т (I) to give back, hand over, return; to pay 26g отда́ть, отдаду́т (pfv) (*like* да́ть) to give back, hand over, return; to pay 20

  отда́ть в чи́стку to send out to be cleaned 24

отделе́ние department, branch, division, section; compartment 23

отде́льный separate, individual 26

отдохну́ть (pfv I) to rest 14

о́тдых rest, relaxation 34

отдыха́ть (I) to rest 14

отдыха́ющий vacationer 34

оте́ц, отца́ father 15

открове́нный frank, outspoken 34

  открове́нно говоря́ frankly (speaking) 34

открыва́ть (I) to open 11

открыва́ться (I) to open, be opened 21g

откры́т, –а, –о, –ы open, opened 5

откры́тка post card 30

откры́ть, откро́ют (pfv I) to open 3, 7

отку́да from where 9

отли́чник "A" student 18

отли́чно excellent, excellently 7

отнести́ (pfv I) to take, bring, deliver; to take away 33

отодви́нуть (pfv I) to move aside, move back; to put off 29

отойти́, отойду́т (pfv I) to step back, come away, move off 29g

отплы́ть, отплыву́т (pfv I) to swim off, swim away, float away 29g

отпра́вить (pfv II) to send (forward), dispatch 30

отпра́виться (pfv II) to depart, leave, start out 19

отправля́ться (I) to depart, leave, start out 19

о́тпуск leave, vacation 31

отпусти́ть (pfv II) to let go, release 21

отстава́ть, отстаю́т (I) to lag behind, be slow 19

отсю́да from here, hence 15

отту́да from there, thence 15

отходи́ть (II) to depart, move off, step aside 29

о́тчество patronymic 11

  Ка́к ва́ше и́мя [и] о́тчество? What are your first name and patronymic? 11

отъе́зд departure 36

отъезжа́ть (I) to drive off, depart (by vehicle) 29

отъе́хать, отъе́дут (pfv I) to drive off, depart, leave (by vehicle) 29

офо́рмлен, –а, –о (ppp of офо́рмить) registered, certified as official 24

офо́рмить (pfv II) to register, certify as official 24

офо́рмиться (pfv II) to be registered, be officially certified 24

оформля́ть (I) to register, certify as official 24

оформля́ться (I) to be registered, be officially certified 24

очеви́дно [it's] obvious, obviously 25

о́чень very, very much, really 4

о́чередь (f) line, turn 4, 30

о́черк sketch, essay, feature story 13

о́чи (*poetic for* глаза́) eyes 13

  «О́чи чёрные» "Dark Eyes" (song) 13

оши́бка mistake, error 12

П п

павильо́н pavilion 32

Па́влович (patronymic, son of Па́вел) 2

па́дать (I) to fall, drop 22

па́лец, па́льца finger; toe 27

па́лка stick 17

пальто́ (indecl n) overcoat 23

па́мятник monument, memorial statue 31

  па́мятник Пу́шкину на Пу́шкинском скве́ре и кино́ «Росси́я» memorial statue to Pushkin in Pushkin public garden and the movie theater "Russia" 11

па́мять (f) memory 32

  на па́мять as a souvenir, as a keepsake 32

папиро́са cigarette (with hollow filter) 29

па́пка folder, cardboard case (for carrying documents) 19

па́ра pair, couple 29

  па́ру ра́з a couple of times 29

паренёк, паренька́ lad, my boy 21

па́рень, па́рня (m) fellow, lad, boy 10

па́рк park 9

  па́рк в Петродворце́ park at the Petrodvorets 20

парохо́д steamer, steamship 30

па́смурный cloudy, overcast 35

па́спорт passport 24

пассажи́р passenger 31

пассажи́рский passenger (adj) 31

па́чка pack, packet, package 29

певе́ц, певца́ singer (m) 13

певи́ца singer (f) 13

пединститу́т teachers college 18

пей, пе́йте (imper of пи́ть) 13

пельме́ни (pl only) pelmeni, dumplings 34

пе́ние singing 1

  уро́к пе́ния singing lesson 1

пе́рвый first 6

перебежа́ть (pfv) (*like* бежа́ть) to cross running, run across; to defect 30g

перева́ривать (I) to overcook; to boil too long 33g

перевари́ть (pfv II) to overcook; to boil too long 30g

перевезти́ (pfv I) to drive across, cross (driving) 30g

перевести́, переведу́т (pfv I) to take across, transfer; to translate 30

  перевести́ де́ньги to remit money; to send a money order 30

перево́д translation 30

  почто́вый перево́д postal money order 30

переводи́ть (II) to take across, transfer; to translate 30

  переводи́ть на (*plus* acc) to translate into (another language) 30

  переводи́ть с (*plus* gen) to translate from (another language) 30

перево́дчик translator, interpreter 30

перегна́ть, перего́нят (pfv II) to outdistance, surpass 20

пе́ред, пе́редо (*plus* instr) in front of, before 18

  пе́ред те́м как before, prior to 34

передава́ть, передаю́т (I) to broadcast, announce; hand over, pass 20

переда́ть, передаду́т (irreg pfv) (*like* да́ть) to pass, hand 18

передвига́ть (I) to shift, move across 26

передви́нуть (pfv I) to shift, move across 26

переде́лать (pfv I) to redo, do over 30g

переде́лывать (I) to redo, do over 33g

перее́хать, перее́дут (pfv I) to drive across; to run over; to move (to another residence) 26 переж́ить, переживу́т (pfv I)   to survive, live through 30g

переигра́ть (pfv I)   to outplay; to play again 30g

перейти́, перейду́т (pfv I)   to go across, go over, to switch 14

перекрёсток, –тка   crossing, crossroad(s) 29

перекупа́ться (pfv I)   to bathe too long 30g

перележа́ть (pfv)   to lie around too long 30g

перели́ть, перелью́т (pfv I)   to transfer by pouring; to pour too much 30g

переме́рить (pfv II)   to remeasure; to try on 30g

перемы́ть, перемо́ют (pfv I)   to rewash 30g

перенести́ (pfv I)   to take across, transfer 30g; to endure, bear 36

переноси́ть (II)   to take across, transfer; to endure, bear 36

перепакова́ть (pfv I)   to repack 30g

перепако́вывать (I)   to repack 33g

перепе́ть, перепою́т (pfv I)   to outsing 30g

перепе́чься, перепеку́тся (pfv I)   to be overbaked; to bake too long 30g

переписа́ть, перепи́шут (pfv I)   to rewrite, recopy 30g

перепи́сывать (I)   to rewrite, recopy 33g

перепи́ть, перепью́т (pfv I)   to outdrink 30g

перепи́ться, перепью́тся (pfv I)   to drink too much, get drunk 30g

переплати́ть (pfv II)   to overpay 30g

переплы́ть, переплыву́т (pfv I)   to cross by swimming, cross by boat 30g

переползти́ (pfv I)   to crawl across 30g

перерасти́, перерасту́т (pfv I)   to exceed in growth 30g

пересе́сть, переся́дут (pfv I)   to transfer (from one vehicle to another); to change seats 31

пересла́ть, перешлю́т (pfv I)   to send over; to forward; to remit 30g

пересма́тривать (I)   to examine thoroughly, reexamine, look over again; to revise 33g

пересмотре́ть (pfv II)   to examine thoroughly, reexamine, look over again; to revise 30g

переспо́рить (pfv II)   to outargue, win an argument 30g, 36

переста́вить (pfv II)   to shift over, transpose 30g

перестара́ться (pfv I)   to try too hard, overdo a thing 30g

переста́ть, переста́нут (pfv I)   to stop, cease 29

перестира́ть (pfv I)   to relaunder, launder over again 30g

перестоя́ть (pfv II)   to stand too long 30g

перестра́ивать (I)   to rebuild, reconstruct 33g

перестро́ить (pfv II)   to rebuild, reconstruct 30g

пересчита́ть (pfv I)   to recount, count again 30g

переу́лок, –лка   alley 23

переходи́ть (II)   to go across, go over 14

перечи́стить (pfv II)   to reclean 30g

перечита́ть (pfv I)   to reread 30g

перешива́ть (I)   to resew 33g

переши́ть, перешью́т (pfv I)   to resew 30g

перо́   pen point, pen 6

перча́тка   glove 28

пе́рья (pl of перо́) 7

пе́сня   song 13

песо́к, песка́   sand 34

Пётр   Pyotr (Peter) 9

Петро́в   Petrov (last name) 11

Петро́ва   Miss Petrov, Mrs. Petrov 7

Петро́вич (patronymic, son of Пётр) 11

Петро́вна (patronymic, daughter of Пётр) 9

пе́ть, пою́т (I)   to sing 13

Пе́тя (var. of Пётр)   Petya (Pete) 17

пече́нье   cookies 17

пе́чь, пеку́т (I)   to bake 17

пешко́м   on foot 12

пи́во   beer 19

пиджа́к   jacket, suit-coat 23

пионе́р   pioneer 32

пирамидо́н   pyramidon (headache remedy) 28

пиро́г   pirog 17

писа́тель (m)   writer 33

писа́ть, пи́шут (I)   to write 4, 7, 12

писа́ться, пи́шутся (I)   to be written; to be spelled 21g

пи́сьменный   writing, written 26

    пи́сьменный сто́л   desk, writing table 26

письмо́   letter; writing 1

пи́ть, пью́т (I)   to drink 5, 12

пиши́те (imper of писа́ть) 4

пи́ща   fare, food, diet 5

пла́вать (I)   to swim, float, drift; to sail 20

пла́кать, пла́чут (I)   to cry 33

пла́мя, пла́мени   flame 35

пла́н   plan, scheme, map (of city) 15, 34

пласти́нка   record (phonograph) 13

плати́ть (II)   to pay 12

плато́к, –тка́   handkerchief, kerchief 17

пла́тье   dress 4

    материа́л на пла́тье   dress material 4

пла́щ   raincoat 25

плечо́   shoulder 22

пло́хо   poorly 1

плохо́й   poor, bad 14

пло́щадь (f)   square 23

плы́ть, плыву́т (I)   to be swimming, be floating; to be sailing 20

плю́с   plus 35

пля́ж   beach 34

по (plus prep)   after, on 36

по (plus dat)   by, on, about, in, via, along, around, through 15

    по-америка́нски   [in] American style 27

    по-англи́йски   [in] English 6

    по-ва́шему   in your opinion, according to you; your way 27

побесе́довать (pfv I)   to chat, have a talk 33

поби́ть, побью́т (pfv I)   to beat 28g

побри́ться, побре́ются (pfv I)   to shave 24

побыва́ть (pfv I)   to visit, be (for a time) 31

побы́ть, побу́дут (pfv I)   to be, spend some time 18

повезти́ (pfv I)   to take, carry (by vehicle) 19; to be lucky 30

    ему́ повезло́   he was lucky 30

пове́рить (pfv II)   to believe 15

поверну́ть (pfv I)   to turn, make a turn 23

поверну́ться (pfv I)   to turn, turn around, be turned 26

повесели́ться (pfv II)   to have fun, have a good time 33

повести́, поведу́т (pfv I)   to take, lead, conduct 22

повсю́ду   everywhere 31

повтори́ть (pfv II)   to repeat 1

поговори́ть (pfv II)   to have a talk, talk 11

погода   weather 14

погуля́ть (pfv I)   to go for a walk, stroll 14

под, подо (plus instr or acc)   under, underneath, beneath 17

подари́ть (pfv II)   to give, make a present of 32

пода́рок, –рка   present, gift 4

пода́ть, подаду́т (irreg pfv) (like да́ть)   to give, serve, submit 9

подде́рживать (I)   to keep up, maintain 36

поде́лать (pfv I)   to do 17

   что́ ж поде́лаешь!   it can't be helped! what can you do! 17

подело́м мне́   serves me right 28

поде́ржанный   secondhand 13

подкла́дка   lining 21

подкрепи́ться (pfv II)   to fortify oneself, refresh oneself 32

подмоско́вный   suburban Moscow (adj) 36

поднима́ть (I)   to raise, lift 28

поднима́ться (I)   to rise, raise oneself 28

подня́ть, подни́мут (pfv I)   to raise, lift 28

подня́ться, подни́мутся (pfv I)   to rise, raise oneself 28

подожда́ть, подожду́т (pfv I)   to wait (for awhile) 8

подозрева́ть (I)   to suspect 28

подойти́, подойду́т (pfv I)   to go up to, come over to, approach 7

   подойди́(те) к телефо́ну!   answer the phone! 7

подро́сток, –тка   youngster, teenager 30

подру́га   girl friend 13

подтя́гивать (I)   to pull up, pull together 34

подтя́гиваться (I)   to pull oneself up, brace oneself; to catch up 34

подтяну́ть (pfv I)   to pull up, pull together, tighten up 34

подтяну́ться (pfv I)   to pull oneself up, brace oneself; to catch up 34

поду́мать (pfv I)   to think 7

поду́шка   pillow 28

подходи́ть (II)   to approach; to be suitable, fit 27

подходя́щий   suitable, fitting 26

по́езд   train 12

пое́здить, пое́здят (pfv II)   to do some riding 18

пое́здка   trip, outing 35

поезжа́й! поезжа́йте!   drive! ride! go! 12

пое́м, пое́шь, пое́ст, поеди́м, поеди́те, поедя́т (fut of пое́сть to eat) 20

пое́сть, поедя́т (irreg pfv)   to eat 20

пое́хать, пое́дут (pfv I)   to go (by vehicle) 12

пожа́ловаться (pfv I)   to complain 31

пожени́ться (pfv II)   to get married 26

поживáть (I)   to get along 35

   Ка́к вы́ поживáете?   How are you (getting along)? 35

пожа́луй   perhaps, that's an idea, I wouldn't mind 14

пожа́луйста   please; don't mention it; you first 1

пожи́ть, поживу́т (pfv I)   to stay, live (for a time) 18

позабо́титься (pfv II)   to look after, see to it 25

поза́втракать (pfv I)   to have breakfast (or lunch) 19

позади́ (plus gen)   behind, in back 31

позанима́ться (pfv I)   to study 18

позва́ть, позову́т (pfv I)   to call for, summon 24

позвони́ть (pfv II)   to call, telephone 7

по́здно   late 3

поздравля́ть (I)   to congratulate 35

   поздравля́ю ва́с (с plus instr)   congratulations (on) 35

по́зже   later, later on 16

познако́мить (pfv II)   to introduce 10

познако́миться (pfv II)   to meet, to be introduced 6

поигра́ть (pfv I)   to play (for a while) 18

поиска́ть, поищут (pfv I)   to look for 18, 28g

пой, по́йте (imper of пе́ть) 15

пойдём   let's go 10

пойма́ть (pfv I)   to catch 20

пойти́, пойду́т (pfv I)   to go (on foot) 3, 6

пока́   so long; while, meanwhile, as long as; for the present 6, 30

   пока́ не (plus pfv verb)   until 28

   пока́ что   in the meantime, meanwhile 26

показа́ть, пока́жут (pfv I)   to show 15

пока́зывать (I)   to show 15

поката́ть (pfv I)   to take for a ride 21g

поката́ться (pfv I)   to go for a ride 21g

поко́й   rest, peace 34

   оста́вить в поко́е   to leave alone 34

покупа́ть (I)   to buy 4

по́л   floor 19

пол- (полу-)   half 28

полбуты́лки   half a bottle 28

полвосьмо́го   half past seven 24

полго́да   half a year, six months 28

по́лдень (gen sg полу́дня)   noon, midday 29g

по́ле   field 15

полежа́ть (pfv II)   to lie down (for awhile) 18

поле́зный   useful 35

полете́ть (pfv II)   to fly 18

ползти́, ползу́т (I)   to be crawling; to be creeping 17

полива́ть (I)   to pour; to water 33g

поликли́ника   out-patient clinic 28

поли́ть, полью́т (pfv I)   to begin to pour, come pouring down; to water 25

по́лка   shelf, bookcase 6

по́лночь (gen sg полу́ночи)   midnight 29g

по́лный   full, complete 20

   по́лное собра́ние сочине́ний   the complete works, the complete writings 20

полови́на   half 24

положе́ние   position, situation 29

положи́ть (pfv II)   to put, lay 12

полоте́нце   towel 25

   мохна́тое полоте́нце   bath towel, Turkish towel 25

полтора́ (m, n)   one and a half 28

полтора́ста   one hundred and fifty 35

полторы́ (f)   one and a half 28

получа́ть (I)   to receive; obtain, get 26

получи́ть (pfv II)   to receive, get 9

полчаса́   half an hour 16

полюби́ть (pfv II)   to become fond of, grow to like 28g

по́льзоваться (I)   to use 24

помаха́ть, пома́шут (pfv I)   to wave 29

помечта́ть (pfv I)   to dream 28g

помеша́ть (pfv I)   to bother, interfere 28g

помеще́ние   place, quarters, premises 32

помидо́р   tomato 25

поми́н: лёгок на поми́не   speak of the devil 22

помира́ть (I)   to die 31

   помира́ть со́ смеху   to die laughing 31

помнить (II)   to remember 11
помнится (as introductory word)   I remember, I seem to recall 31
помогать (I)   to help 16
по-моему   in my opinion, I think 7
помочь, помогут (pfv I)   to help 16
помощник   assistant, aide 18
помыть, помоют (pfv I)   to wash 25
помыться, помоются (pfv I)   to wash oneself 25
понедельник   Monday 10
понести (pfv I)   to take, carry 22
понимание   understanding, grasp 11
понимать (I)   to understand 3
понравиться (pfv II)   to like 11, 16
понятие   idea, notion, concept 33
понять, поймут (pfv I)   to understand 28
пообедать (pfv I)   to eat dinner 5
попасть, попадут (pfv I)   to get in, get to, make it to; to hit; to fall 31
поплыть, поплывут (pfv I)   to set out swimming (or sailing) 20
пополнеть (pfv I)   to put on weight 34
поправиться (pfv II)   to recover, get well, improve 28
поправляться (I)   to recover, get well, improve 28
попробовать (pfv I)   to try; to taste 30
попросить (pfv II)   to ask, request 7
популярный (популярен)   popular 33
попутчик   traveling companion, fellow traveler 12
пора   time, it's time 6
   до тех пор   until then, before that time 28
   с каких пор   since when, how long 25
   с тех пор   since then, since that time 22
поработать (pfv I)   to work (a bit) 18
порок   vice, defect 33
   бедность не порок   poverty is no crime 33
портить (II)   to spoil, ruin 22
портрет   portrait, likeness 30
портфель (m)   briefcase 4
по-русски   [in] Russian 6
порция   portion, helping 29
порядок, -дка   order, arrangement 6, 15
   всё в порядке   everything's O.K. 6
посадить (pfv II)   to plant; to place, put; to seat 34
посередине   in the center, in the middle 35
посетитель (m)   visitor 32
посидеть (pfv II)   to sit (for awhile) 18
послать, пошлют (pfv I)   to send 1, 12
после (plus gen)   after 8
   после того как   after 25
последний, -яя, -ее   last, latest 13
послезавтра   day after tomorrow 10
послушать (pfv I)   to listen (to) 13
послушаться (pfv I)   to listen to, obey 28
посмотреть (pfv II)   to take a look 4
посоветовать, –уют (pfv I)   to advise 13
посольство   embassy 13
поспать, поспят (pfv II)   to sleep (for awhile) 18
поспорить (pfv II)   to argue; to bet 20
поставить (pfv II)   to put (in a standing position) 19
постараться (pfv I)   to try 24
постель (f)   bed 28
постирать (pfv I)   to do the wash 18
постоять (pfv II)   to stand (for awhile) 18
построить (pfv II)   to build 15

поступать (I)   to enroll, enter; behave 3
поступить (pfv II)   to enroll, enter; behave 18
постучать (pfv II)   to knock 18
посуда   dishes 26
посылать (I)   to send 19
посылка   package, parcel 23
потанцевать, –уют (pfv I)   to dance (for awhile) 18
потерять (pfv I)   to lose 17
потолще   a little thicker; as thick as possible 23
потом   afterward, later on, then 18
потому что   because 22
потушить (pfv II)   to extinguish, put out 29
поужинать (pfv I)   to have supper 24
походить (pfv II)   to walk (a bit) 18
похожий   resembling, similar, like 21
   быть похожим на (plus acc)   to resemble, look like 21
похудеть (pfv I)   to grow thin, lose weight 34
почаще   a bit more often; as often as possible 36
почему?   why? 10
почему-то   for some reason 19
почистить (pfv II)   to clean 24
почта   post office, mail 1
почтамт   post office 30
почти   almost 6
почтовый   postal, post (adj) 30
   почтовый ящик   mailbox, letter box 30
почувствовать (pfv I)   to begin to feel 36
пошёл, пошла, etc. (past of пойти) 8, 15
пошли!   let's go! 6
пошутить (pfv II)   to joke 19
поэт   poet 35
поэтому   therefore, for that reason 28
пою, поёшь, etc. (pres of петь) 15
пояс   belt 27
прав, –а, –о, –ы   right 16
правда   truth; that's true, isn't it, isn't that so 4, 6
   «Правда»   Pravda (newspaper) 13
правило   rule, regulation 23
правильно   right, that's right 3
правильный   correct, right 19
правительство   government 29
правление колхоза   kolkhoz office 35
   правление и клуб колхоза «Тундра» в северной Сибири   office and club of the "Tundra" kolkhoz in northern Siberia 35
праздник   holiday 31
практика   practice, practical experience 18
превосходнейший   absolutely perfect, magnificent 34
превосходный   excellent, superb, perfect 34
предлагать (I)   to suggest, propose, offer 14
предложить (pfv II)   to suggest, propose, offer 9
предмет   subject, topic 36
предпочесть, предпочтут (pfv I)   to prefer 29
предпочитать (I)   to prefer 29
предсказание   prediction, forecast 20
представить (pfv II)   to present, introduce 16
   представить себе   to imagine 16
представлять (I)   to present, introduce 15
   представлять себе   to imagine 15
предъявить (pfv II)   to produce, show 30
прекрасно   fine, excellent, splendid 12
преподаватель (m)   instructor, teacher 18
преподавать, преподают (I)   to instruct, teach 18
привет   greetings! regards! hi! 1

при (*plus* prep) in the presence of, in front of; during, under; connected with, attached to 33

при чём тут (*plus* nom) what has . . . got to do with it 34

приблизи́тельно approximately 24

привезти́ (pfv I) to bring, deliver (by vehicle) 33g

привести́, приведу́т (pfv I) to bring to, lead to, take to 22

приводи́ть (II) to bring to, lead to, take to 22

привы́к, –ла (past of привы́кнуть) 14

привы́кнуть (pfv I) to get used to 14

привы́чка habit 14

пригласи́ть (pfv II) to invite 15

приглаша́ть (I) to invite 15

пригоди́ться (pfv II) to be useful, come in handy 33

приго́товить (pfv II) to prepare, make ready, fix; to cook 25

прие́зд arrival (by vehicle) 36

прие́хать, прие́дут (pfv I) to arrive (by vehicle) 12

признава́ться, признаю́тся (I) to confess, admit 28

призна́ться, призна́ются (pfv I) to confess, admit 28

призна́ться (as introductory word) I must confess, to tell the truth 19

прийти́, приду́т (pfv I) to come, arrive (on foot) 14

прийти́сь (pfv I) to have to, to be forced to 17

прикури́ть (pfv II) to get a light (from another cigarette) 29

приме́рить (pfv II) to try on 27

примеря́ть (I) to try on 27

принести́, принесу́т (pfv I) to bring (on foot) 8

принима́ть (I) to accept, take 23

приноси́ть (II) to bring (on foot) 13

приня́ть, при́мут (pfv I) to accept, take 23

приходи́ть (II) to come, arrive (on foot) 14

приходи́ться (II) to have to 26

пришёл, пришла́, etc. (past of прийти́) came, arrived 15

пришива́ть (I) to sew on 23

приши́ть, пришью́т (pfv I) to sew on 23

пришло́сь (past of прийти́сь) 17

прия́тель (m) friend 27

прия́тно pleased; [it's] nice 6

прия́тный pleasant, nice, agreeable 19

про (*plus* acc) about, concerning 27

пробежа́ть (irreg pfv) (*like* бежа́ть) to run past, run through 31g

проби́ть, пробью́т (pfv I) to pierce, break through 31g

про́бовать (I) to try 30

пробы́ть, пробу́дут (pfv I) to stay, spend some time 24

прове́рить (pfv II) to check, verify 19

провести́, проведу́т (pfv I) to take through (*or* past), lead through (*or* past); to pass, spend (time) 31

провести́ о́тпуск to spend one's vacation 31

прове́триться (pfv II) to get some fresh air; take an airing 28

проводни́к conductor, guide 12

провожа́ть (I) to accompany, see off 19

проговори́ть (pfv II) to spend some time talking; to pronounce 31g

проголода́ться (pfv I) to feel hungry, get hungry, be starved 32

програ́мма program, itinerary 31

продава́ть, продаю́т (I) to sell 13

продавщи́ца saleslady 8

прода́жа sale, selling 8

прода́жа кни́г на Не́вском проспе́кте в Ленингра́де selling [of] books on the Nevsky Prospect in Leningrad 8

прода́жа грибо́в на ленингра́дском база́ре selling [of] mushrooms at the Leningrad market 17

про́дан, –а́, –о, (ppp of прода́ть) sold 30

прода́ть, продаду́т (irreg pfv) to sell 30

продвига́ться (I) to move forward, advance, push on 31

продли́ться (pfv II) to last, continue, draw out 28

продолжа́ть (I) to continue, keep on 16

продолжа́ться (I) to continue, last, go on 28g

проду́кт product, produce; (pl) food, groceries 21

прое́хать, прое́дут (pfv I) to drive through, pass through (by vehicle) 31g

прожда́ть, прожду́т (pfv I) to wait through, spend time waiting 31g

проже́чь, прожгу́т (pfv I) to burn (a hole) through 31g

прозанима́ться (pfv I) to study through, spend time studying 31g

проигра́ть (pfv I) to lose (gambling); to play through to the end 20, 31g

прои́грыватель (m) record player 13

прои́грывать (I) to lose (gambling); to play through to the end 33g

произво́дство production, manufacture 18

рабо́тать на произво́дстве to work in a factory 18

происше́ствие happening, occurrence, accident, event, incident 13

пройти́, пройду́т (pfv I) to pass, go by 6

пролежа́ть (pfv II) to spend time lying down; to lie down through 31g

пролете́ть (pfv II) to fly through (*or* past) 31g

промочи́ть (pfv II) to soak through 31g

промы́шленность (f) industry 32

промы́шленный industrial 32

пропада́ть (I) to be lost, be missing, disappear 34

Где́ ты́ пропада́л? Where have you been keeping yourself? 34

пропа́сть, пропаду́т (pfv I) to be lost; to perish 18

пропива́ть (I) to squander on drink, drink away 33g

прописа́ть, пропи́шут (pfv I) to prescribe; to register 28

пропи́ть, пропью́т (pfv I) to squander on drink, drink away 31g

проплы́ть, проплыву́т (pfv I) to swim (*or* sail) past 31g

проползти́ (pfv I) to crawl past, crawl through 31g

про́пуск pass, entry permit 13

прораба́тывать (I) to work through 33g

прорабо́тать (pfv I) to work through, spend some time working 31g

просиде́ть (pfv II) to sit through 31g

проси́ть (II) to request, ask for 12

прослу́шать (pfv I) to listen through 31g

прослу́шивать (I) to listen through 33g

просну́ться (pfv I) to wake up 18

проспа́ть (pfv II) to oversleep, sleep through 31g

проспо́рить (pfv II) to lose a bet 31g

прости́ть (pfv II) to excuse, forgive 36

про́сто just, simply 13

простой simple 13
просторный spacious, roomy 26
простоять (pfv II) to stand through, spend some time standing 31g
простуда cold 28
простудиться (pfv II) to catch a cold 27
простужен, –а, –о sick with a cold 27
  Он сильно простужен. He has a bad cold. 27
простыня sheet 28
просыпаться (I) to wake up 18
просьба request, favor 9
протанцевать (pfv I) to spend some time dancing 31g
против (*plus* gen) opposite, across from, against 6
протокол official record, report of proceedings, minutes 21
профессиональный professional 27
профессия profession, calling 18
профессор professor 7
прохладный cool, fresh, chilly 25
проходить (II) to pass, go by 9
прочесть, прочтут (pfv I) to read (through), finish reading 33
прочитать (pfv I) to read (through), finish reading 13
прочь away, off, be off! 19
  Я не прочь. I don't mind *or* I don't object. 19
прошёл, прошла, etc. (past of пройти) 6
прошить, прошьют (pfv I) to sew through, stitch 31g
прошлое the past 18
прошлый past, last 18
  на прошлой неделе last week 18
прощай, прощайте good-bye, farewell 18
прощальный farewell (adj) 18
прощание farewell, parting 36
прощаться (I) to say good-bye, part 36
проще (compar of простой) simpler 23g
прыгать (I) to jump, leap 20
прыгнуть (pfv I) to jump, leap 20
прямо straight, straight ahead, directly; just, simply 12, 20
прятать, прячут (I) to hide, conceal 19
прятаться (I) to hide oneself, be hidden 21g
птица bird 22
публика audience, public 31
пугать (I) to frighten, scare 22
пуговица button 23
пускать (I) to allow, let; to let in 32
пустить (pfv II) to allow, let; to let in; to start, open 32
пустой empty 20
пустыня desert 34
пусть let! have! 17, 27
путеводитель (m) guidebook 32
путешествие journey, voyage 36
путёвка travel pass, travel permit 34
путь (irreg m) way, route, path 23
пьеса play 31
пьяный drunk 23
пятеро (group of) five 27
пятидесятый fiftieth 21
пятилетка five-year plan 29
пятисотый five-hundredth 36
пятнадцатый fifteenth 21
пятнадцать fifteen 19

пятница Friday 10
пятно spot, stain, blot 25
пятый fifth 12
пять five 10
пятьдесят fifty 15
пятьсот five hundred 32

Р р

работа work, written paper 7
работать to work 2
работник worker 34
  ответственный работник executive 34
работница worker, maid, servant (f) 34
рабочий worker 18
  простой рабочий unskilled worker 18
рад, –а, –ы glad 2, 3
ради (*plus* gen) for the sake of 34
радио (indecl n) radio 13
радоваться (I) to rejoice, be glad 32
раз occasion, time; once 5
  как раз just, it just happens 5
  на этот раз this time 10
разбежаться (irreg pfv) (*like* бежать) to run (in different directions) 31g
разбивать (I) to break, smash 33g
разбить, разобьют (pfv I) to break, smash; to hurt badly 22
разбиться, разобьются (pfv I) to be smashed, be broken; to be smashed up; to be badly hurt 22
разбудить (pfv II) to awaken (someone) 24
разве really; is it possible! 8
  разве что unless maybe 11
развеселиться (pfv II) to cheer up 36
разговаривать (I) to converse, talk 27
разговор conversation 4
раздевалка dressing room 25
раздеваться (I) to undress; to take off one's coat 28
раздеться, разденутся (pfv I) to undress; to take off one's coat 28
раздумать (pfv I) to change one's mind 36
разливать (I) to spill; to pour out 33g
разлить, разольют (pfv I) to spill; to pour out 25
разлюбить (pfv II) to fall out of love, stop loving 31g
разменять (pfv I) to change, give change for 31
размер size, dimension, measure 27
разница difference 27
  Какая разница? What's the difference? 27
  В чём разница? What's the difference? 27
разный different, various, diverse 27
разобрать, разберут (pfv I) to take apart, analyze, sort out 31g
разойтись, разойдутся (pfv I) to go off (in different directions) 31g
разрешение permission, permit 15
разрешить (pfv II) to permit, allow 12
разучиться (pfv II) to unlearn, forget how 31g
разъезд departure 24
  в разъезде departed, out, on the move 24
разъехаться, разъедутся (pfv I) to drive off (in different directions) 31g
район district, region 34
ранний, –яя, –ее early 36
рано early 3

ра́ньше earlier, before 16

раскры́ть, раскро́ют (pfv I) to open up wide, expose 31g

расписа́ние schedule, timetable 19

расплати́ться (pfv II) to pay up, settle accounts 31g

распоряже́ние disposal, instruction, order 24

распро́дан, –а, –о, –ы sold out 13

рассерди́ть (pfv II) to anger (someone), make angry 21g

рассерди́ться (pfv II) to become angry, get mad 16

рассе́янный absent-minded; scattered 28

расска́з story

рассказа́ть, расска́жут (pfv I) to tell, narrate, recount, relate 34

расска́зывать (I) to tell, narrate, recount, relate 34

расслы́шать (pfv II) to make out, catch what is said 31g

рассма́тривать (I) to examine thoroughly, scrutinize 33g

рассмотре́ть (pfv II) to examine thoroughly, scrutinize 31g

расстава́ться, расстаю́тся (I) to part (with) 22

расста́ться, раста́нутся (pfv I) to part (with) 22

расстоя́ние distance 35

рассчи́тывать (I) to count on; to calculate 26

растеря́ться (pfv I) to lose one's head, be lost, become confused 31g

расти́, расту́т (I) to grow 17

ребёнок, –нка baby, child 17

ребя́та kids, fellows, guys 5

револю́ция revolution 34

до само́й револю́ции right up to the revolution 34

регистра́тор desk clerk, registering clerk, registrar 24

ре́дко rarely, seldom 3

редча́йший the rarest 34

ре́же (compar of ре́дкий, ре́дко) rarer, more rarely 23g

результа́т result 7

река́ river 20

рекомендова́ть (I) to recommend, advise 28

рекла́ма advertisement, publicity 13

ре́ктор chancellor, president 6

ремо́нт repair, reconditioning 25

рестора́н restaurant 9

рестора́н гости́ницы «Ленингра́дская» в Москве́ Leningrad Hotel restaurant in Moscow 18

реце́пт prescription; recipe 16

реши́ть (pfv II) to decide, solve 18

ро́вно even, exactly, sharp (on the hour) 19

ро́вный smooth, even, equal 19

роди́тели parents 15

роди́ться (pfv II) to be born 21

родны́е close relatives, one's own people 19

ро́дственник relative, relation 19

ро́дственница relative, relation (f) 19

рожде́ние birth 4

де́нь рожде́ния birthday 4

Рождество́ Christmas 36

рома́н novel 10

рома́нс love song 13

ро́с, росла́, etc. (irreg past of расти́) 17

Росси́я Russia 30

ро́ст height, stature, growth 26

ро́т, рта́ mouth 25

роя́ль (m) piano 36

игра́ть на роя́ле to play the piano 36

руба́шка shirt, slip 17

ру́бль (m) ruble 12

рука́ hand, arm 17

ру́сский Russian 6

ру́чка penholder, pen 6

ры́ба fish 5

ры́нок, ры́нка market 35

ры́нок в Самарка́нде market at Samarkand 34

ры́ть, ро́ют (I) to dig, mine 35

ря́д row, series, rank 36

ря́дом close by, next to each other 19

ря́дом с (plus instr) next to, alongside 19

С с

с, со (plus gen) since, from 2, 9

с мину́ты на мину́ту any minute now 25

с, со (plus instr) with, together with 3, 10, 17

с не́й with her 10

с ни́м with him 10

с ни́ми with them 10

са́д garden, orchard 22

сади́ться (II) to sit down 14

сади́ться (or се́сть) в авто́бус to get on the bus, board the bus 25

сади́ться (or се́сть) на авто́бус to take a bus, catch a bus 25

сала́т salad, lettuce 34

салфе́тка napkin 18

са́м, –а́, –о́, са́ми oneself (myself, yourself, etc.) 15

самова́р samovar 33

самолёт airplane 19

са́мый the most, the very 23

то́ же са́мое the same thing 25

в са́мом де́ле indeed 19

санато́рий sanatorium 34

са́ни (pl only) sleigh 35

сати́ра satire 31

са́хар sugar 17

Са́ша (var. of Алекса́ндр, –дра) Sasha (Sandy) 4

сбе́гать (pfv I) to run to (and back), make a quick round trip 28, 32g

сбежа́ть (irreg pfv) (like бежа́ть) to run down, descend running 32g

сбежа́ться (irreg pfv) (like бежа́ть) to converge running, come together running 32g

сбива́ть (I) to knock down 33g

сби́ть, собью́т (pfv I) to knock down, knock off 21

сбо́р gathering, assembly 18

в сбо́ре together, present 18

сбро́сить (pfv II) to throw off, drop, shed 34

сва́дьба wedding 26

свари́ть (pfv II) to cook (by boiling) 17

све́жий fresh 14

свежо́ cool, chilly, fresh 14

свезти́ (pfv I) to drive down; to take down; to bring together (by vehicle) 32g

сверну́ть (pfv I) to turn 22

сверну́ть в сто́рону to turn aside, turn to the side 22

свести́, сведу́т (pfv I) to lead down, take down; to bring together (leading) 32g

све́т light, world 26

Све́та (var. of Светла́на) Sveta 22

све́тлый   light, bright 26
свети́ть (II)   to shine 35
свини́на   pork 34
сви́нство   swinishness; dirty trick 33
свинья́   pig 32
свобо́да   freedom, liberty 18
свобо́дно   freely, fluently 16
свобо́дный   free, unoccupied 14
свой   one's own (my own, your own, etc.) 7
связа́ться, свя́жутся (pfv I)   to get in touch with, contact 36
связь (f)   contact, connection, communication 30
   связь нала́жена   communication is established 36
сговори́ться (pfv II)   to come to an agreement 32g
сгоре́ть (pfv II)   to burn down 35
сдава́ться, сдаю́тся (I)   to be for rent; to surrender 26
сда́ча   change (money); surrender 29
сде́лан, –а, –о (ppp of сде́лать)   done, made 29
сде́лать (pfv I)   to do, get done 9, 11
сдружи́ться (pfv II)   to become friends 36
себя́   oneself (refl pers pron) 9
   у себя́   in one's room (or office) 9
се́вер   north 22
Се́верная Аме́рика   North America 30
се́верный   north, northern 30
сего́дня   today 5
сего́дняшний, –яя, –ее   today's 33
седьмо́й   seventh 21
сейча́с   now, right away 6
секрета́рь (m)   secretary 9
селёдка   herring 5
село́   village 15
Семён   Semyon (Simon) 2
Семёнов   Semyonov (last name) 8
се́меро   (group of) seven 27
семидеся́тый   seventieth 21
семиле́тка   seven-year plan 29
семисо́тый   seven-hundredth 36
семна́дцатый   seventeenth 21
семна́дцать   seventeen 19
семь   seven 10
се́мьдесят   seventy 21
семьсо́т   seven hundred 32
семья́   family 15
сентя́брь (m)   September 21
Серге́й   Sergey 16
серди́ться (II)   to be angry, be mad 16
се́рдце   heart 36
середи́на   middle 35
се́рия   series 30
се́рый   gray 26
серьёзный   serious 18
сестра́   sister 6
сесть, ся́дут (pfv I)   to sit (down) 25
сиби́рский   Siberian 35
Сиби́рь (f)   Siberia 35
сигаре́та   cigarette 29
сиде́нье   seat 19
сиде́ть, сидя́т (II)   to sit, be sitting 10
   сиде́ть до́ма   to stay home 10
си́дя   sitting, while sitting 35
си́ла   strength, force 35
си́льный   strong 27
   Он си́льно просту́жен.   He has a bad cold. 27

симпати́чный   nice, likable 16
си́ний, –яя, –ее   dark blue 13
си́тцевый   cotton print, calico 33
скажи́те (imper of сказа́ть) 1
сказа́вший (prap of сказа́ть)   he who said 35
ска́зан (ppp of сказа́ть)   said 32
сказа́ть, ска́жут (pfv I)   to say, tell 12
скаме́йка   bench 29
ска́терть (f)   tablecloth 25
сквер   public garden, small park 29
ско́лько   how much, how many 10
   во ско́лько   at what time 10
ско́лько лет (plus dat)   how old 22
   Ско́лько вам лет?   How old are you? 22
ско́рбный   sorrowful 35
скоре́е, скоре́й   quick, hurry up; sooner, faster 17
ско́ро   soon 11
скри́пка   violin 36
   игра́ть на скри́пке   to play the violin 36
скуча́ть (I)   to be bored; to be lonely 36
ску́чно   dull, boring 3
слабе́е   weaker, more feeble 23
сла́бость (f)   weakness 28
   У меня́ така́я сла́бость.   I feel so weak. 28
сла́бый   weak, feeble 23
сла́ва   glory, fame 21
   сла́ва Бо́гу!   thank goodness! 21
сла́дкий   sweet 29
сла́дкое (as noun)   dessert 29
сладча́йший   the sweetest 34g
сле́довать (I)   to follow 36
сле́дующий   next 8
   на сле́дующей неде́ле   next week 8
слета́ть (pfv I)   to make a flying round trip 32g
слете́ть (pfv II)   to fly down, descend flying 32g
слете́ться (pfv II)   to converge flying, come together flying 32g
сли́ва   plum, plum tree 32
сли́вки (pl only)   cream 29
сли́вочный   cream (adj), creamy; vanilla 29
слить, сольют (pfv I)   to combine by pouring 32g
сли́шком   too, too much 18
слова́рь (m)   dictionary, vocabulary 8
слове́чко (var. of сло́во) 9
   замо́лвите за меня́ слове́чко!   put in a good word for me! 9
сло́во   word 9
сло́жный   complicated, intricate, complex 30
слома́ть (pfv I)   to break 16
слома́ться (pfv I)   to be broken, get broken 28g
слон   elephant 32
слу́жащий   employee, clerk 30
слу́жба   job, service, work 4
служи́ть (II)   to work, serve 30
слу́чай   case, occasion, incident, event, chance 16
   во вся́ком слу́чае   in any case, in any event 16
случи́ться (pfv II)   to happen 16
слу́шать (I)   to listen 7
слу́шаться (I)   to listen to, obey, mind 28
слу́шаю   hello (on telephone) 7
слыха́л (= слы́шал)   heard 27
слы́шать (II)   to hear 2
смех   laughter 31
   помира́ть со́ смеху   to die laughing, split one's sides laughing 31
смешно́й   funny, ridiculous 32

смея́ться (I) to laugh 32

смея́ться над (*plus* instr) to laugh at 32

смогу́, смо́жешь, etc. (fut of смочь) 7

смотре́ть (II) to look, see 5

смотря́ (verbal adverb) looking, while looking 35

смотря́ како́й (*or* смотря́ ка́к) depending on, it depends on 33

смочь, смо́гут (pfv I) to be able, can 7

смы́ть, смо́ют (pfv I) to wash off 32g

снару́жи outside, from outside 31

снача́ла at first, from the beginning, at the beginning 25

снег snow 20

идёт снег it's snowing 20

шёл снег it snowed 20

сне́жный snowy 35

снести́ (pfv I) to carry down; to bring together (by carrying) 32g

снима́ть (I) to take off, take a picture 15

сни́мок, –мка snapshot, photo 15

снять, сни́мут (pfv I) to take off, remove; to take down, take (a picture); to rent 25

соба́ка dog 32

собира́ть (I) to collect, gather 21g

собира́ться (I) to assemble, gather; to plan 18

собо́р cathedral 31

собра́ние meeting, gathering, collection 1

собра́ть, соберу́т (pfv I) to collect, gather; to pick 21g, 32g

собра́ться, соберу́тся (pfv I) to assemble, gather, get together 32g

со́бственный own, personal 28

соверше́нный perfect, absolute 24

соверше́нно ве́рно quite right 24

сове́т advice, council; soviet 28

сове́товать (I) to advise 13

Сове́тский Сою́з Soviet Union 24

совреме́нный contemporary, modern 36

совсе́м completely, quite, altogether 7

совхо́з State farm 15

совхо́з в Краснода́рском кра́е a State farm in the Krasnodarsk region 15

согла́сен, –сна, etc. agreed, agreeable 14

сожале́ние regret, pity 24

к сожале́нию unfortunately 24

созва́ть, созову́т (pfv I) to call together, convene 32g

созвони́ться (pfv II) to get together by phone 32g

сойти́, сойду́т (pfv I) to go off, get off, come down, go down 16

сойти́ с ума́ to be out of one's mind; to go crazy 16

вы́ с ума́ сошли́! you're out of your mind! 16

сойти́сь, сойду́тся (pfv I) to come together, converge 32g

сок juice 25

со́лнце sun 20

соль (f) salt 20

соляно́й salt (adj) 35

сомнева́ться (I) to doubt 22

Со́ня (var. of Со́фья) Sonya 34

сообща́ть (I) to inform, let know, report 24

сообщи́ть (pfv II) to inform, let know, report 24

соревнова́ние competition, contest, meet 22

со́рок forty 19

сороково́й fortieth 21

сосе́д neighbor (m) 15

сосе́дка neighbor (f) 15

сосе́дкин, –а, –о the neighbor lady's 27g

сосе́дний, –яя, –ее neighboring, next 15

сосла́ть, сошлю́т (pfv I) to exile, deport, banish 35

соста́вить (pfv II) to compile, draw up, put together 21

со́тня a hundred 35

со́тый hundredth 21

со́ус sauce, gravy 34

сочине́ние composition 7

сочу́вствовать (I) to sympathize with 36

спа́льня bedroom 34

спаси́бо thanks, thank you 2

большо́е спаси́бо thanks very much 9

спа́ть, спя́т (II) to sleep, be asleep 12, 13

спеть, спою́т (pfv I) to sing 28g

специали́ст specialist 16

специа́льный special 24

спечь, спеку́т (pfv I) to bake 28g

спеши́ть (II) to hurry 2

спе́шка hurry, rush, hurrying 25

списа́ться, спи́шутся (pfv I) to arrange by correspondence 32g

спи́чка match 29

сплю́, спи́шь, спи́т, etc. (pres of спать) 12, 13

споко́йно quietly, calmly, in peace 24

споко́йный calm, quiet 11

споко́йной но́чи good night 11

сползти́ (pfv I) to crawl down 32g

сползти́сь (pfv I) to come crawling together 32g

спо́рить (II) to argue, bet 20

спорт sport, sports 22

спо́соб method, device, way 34

спосо́бный capable, clever, gifted 26

спра́вочный information (adj) 19

спра́вочное бюро́ information desk 19

спра́шивать (I) to ask (a question), inquire 8

спроси́ть (pfv II) to ask (a question), inquire 8

спря́тать, спря́чут (pfv I) to hide, conceal 19

спря́таться, спря́чутся (pfv I) to hide (oneself); to be hidden 21

спу́тник sputnik, satellite 30

срабо́таться (pfv I) to work together in harmony 32g

сра́зу immediately, right 8

среда́ Wednesday 10

среди́ (*plus* gen) among, amidst 33

сре́дний, –яя, –ее middle, average 34

в сре́днем on the average 34

Сре́дняя А́зия Central Asia 34

сре́зать, сре́жут (pfv I) to cut off 32g

срок date, term, deadline 29

сро́чный urgent, pressing 29

СССР (Сою́з Сове́тских Социалисти́ческих Респу́блик) U.S.S.R. 7

ссыла́ть (I) to exile, deport, banish 35

ста́вить (II) to stand (something), put, place (in standing position) 19

стадио́н stadium 12, 27

стадио́н им. Ле́нина и МГУ Lenin Stadium and Moscow State University 12

стака́н glass 8

станови́ться (II) to stand, become, grow, get; to step 16

ста́нция station 12

стара́ться (I) to try, attempt 24

старинный   ancient, antique, old 31
старомодный   old-fashioned 33
старше (compar of старый)   older 23
старший   older, oldest, senior 27
старый   old 9
стать, станут (pfv I)   to stand, become, grow, get; to step 18
стена   wall 19
степь (f)   steppe (Russian prairie) 35
стирать (I)   to launder, wash 17
стихи   verses, poetry 10
стó   one hundred 21
стóить (II)   to cost 12
   сколько это стóит?   how much is this? 12
   не стóит   it's no use, it isn't worthwhile 18
стóл   table, desk 5
столóвая   dining hall, dining room, café 5
   в столóвой МГУ   in the Moscow State University dining hall 5
столóвая лóжка   tablespoon 28
стóлько   so much, so many 25
   стóлько... скóлько   as much . . . as, as many . . . as 25
сторонá   side 22
стоять (II)   to be standing, to stand 4
странá   country 15
странный   strange 13
страшный   terrible, awful, frightful 31
стрóгий   strict, severe 34
строжáйший   the strictest 34
стрóже (compar of строгий)   stricter 34
стрóить (II)   to build 15
стрóиться (II)   to be built 21g
студéнт   student (m) 1
   студéнты играют в шáхматы в Крáсном уголкé общежúтия   students playing chess in a dormitory recreation room 14
студéнтка   student (f), coed 1
стýл   chair 7
стýлья (pl of стул) 7
ступúть (pfv II)   to step, take a step 30
   ступúть шáг   to make a move, do a thing 30
стучáть (II)   to knock, pound, rap 17
стыдно   ashamed; it's a shame 20
   Кáк тебé не стыдно!   Aren't you ashamed of yourself?
суббóта   Saturday 10
сумасшéдший   madman 22
сумéть (pfv I)   to be able, know how 20
сýмка   pocketbook, bag, pouch 19
сýмочка (var. of сýмка)   small bag, handbag, purse 19
сýп   soup 17
сурóвый   rigorous, severe 35
сýтки, сýток (pl only)   a whole day, twenty-four hours 35
сухóй   dry 26
сýщность (f)   essence, main point 35
   в сýщности говоря   actually, as a matter of fact 35
сходúть (pfv II)   to go (and return), make a round trip (on foot) 32g
счастлúвый   happy 26
счáстье   happiness, luck 18
счёт   bill, check, account 23
   в двá счéта   in a jiffy, in two shakes 23

счúстить (pfv II)   to clean off, brush off; to clear away 32g
считáть (I)   to count, consider 10
считáться (I)   to be counted, be considered 28g
США (Соединённые Штáты Амéрики)   U.S.A. 13
сшúть, сошьют (pfv I)   to sew 23
съéздить (pfv II)   to make a round trip (by vehicle) 32g
съéден (ppp of съесть)   eaten 33g
съéм, съешь, съéст, съедúм, съедúте, съедят (fut of съесть) 20
съéсть, съедят (irreg pfv)   to eat up, finish eating 20
съéхаться, съéдутся (pfv I)   to converge (by vehicle) 32g
съéхать, съéдут (pfv I)   to drive down (or off) 32g
сыгрáть (pfv I)   to play a game 14
сын   son 17
сыновья (pl of сын) 17
сюдá   here, over here 10

Т т

тá (see тот)   that, that one, the latter 6, 25
таблéтка   tablet, pill 28
тайгá   taiga (Siberian forest) 35
так (unstressed)   then, in that case 3
тáк   so, as, that way, thus 3
   тáк и быть   so be it; well, all right then 28
   тáк и éсть   just as I thought, I was right 19
   тáк как   inasmuch as, since, because 26
   тáк, кáк   just as 16
тáкже   as well, likewise, also 30
такóй   such, so 11
таксú (indecl n)   taxi 12
талóн   coupon 24
тáм   there 1
Тамáрочка (var. of Тамáра)   Tamara, Tamara dear 22
тáнец (sg of тáнцы) 10
танцевáть, танцýют (I)   to dance 10
тáнцы   dance(s), dancing 10
Тáня (var. of Татьяна)   Tanya 17
Ташкéнт   Tashkent 12
ташкéнтский   Tashkent (adj) 31
твёрдый   hard, solid, firm 35
твóй, твоя, твоё, твои   your(s) 6
тé (pl of тот) 13
тé же   the same 13
теáтр   theater 9
   Теáтр сатúры   Satiric Theater 31
театрáльный   theatrical, theater (adj) 13
тебé (prep, dat of ты) 6, 14
тебя (gen, acc of ты) 6, 9, 10
телевúдение   T.V., television 36
телевúзор   T.V. set 36
телеграмма   telegram, wire 36
телефóн   telephone, phone 7
   звонúт телефóн   the phone's ringing 7
   звонúть по телефóну   to phone 16
   подойдú(те) к телефóну!   answer the phone! 7
телеграф   telegraph office 36
тéло   body 27
тéм бóлее   all the more, the more so 28
тéм врéменем   in the meantime, meanwhile 30
тéма   topic, theme, subject 33

темнее (compar of тёмный)   darker 26
тёмный (темно́)   dark 26
температу́ра   temperature 28
те́ннис   tennis 11
   игра́ть в те́ннис   to play tennis 11
тепе́рь   now 2
тёплый   warm 14
   тепло́   [it's] warm 14
   тёплое месте́чко   a nice, cushy job 18
терпе́ть (II)   to endure, suffer, stand 36
терра́риум   terrarium 32
теря́ть (I)   to lose 17
те́сный   tight, cramped, crowded 26
тетра́дь (f)   notebook 6
тётя   aunt 17
те́хник   technician 18
те́хника   technology, engineering 18
ти́гр   tiger 32
типи́чный   typical 33
ти́хий   quiet, silent, calm, soft; slow 26
ти́ше (compar of ти́хий)   quieter, softer; more
   slowly; quiet! 26
тка́нь (f)   fabric, cloth, textile 32
то́ (*see* то́т *that*) 6, 25
то́   then, in that case 19
   а то́   otherwise, or else 19
тобо́й (instr of ты́) 17
това́рищ   comrade, friend, colleague 9
   това́рищ по ко́мнате   roommate 10
тогда́   then, in that case 6
то́же   too, also, either 2, 8
толку́чка   flea market, secondhand market 13
Толсто́й, Ле́в   Tolstoy, Leo (name of writer) 11
то́лстый   thick, coarse, heavy (duty) 23
то́лще (compar of то́лстый)   thicker, coarser 23
то́лько   only, just 5
   то́лько что   just, just now 8
То́ля (var. of Анато́лий)   Tolya 18
тома́т   tomato, tomato paste (*or* sauce) 25
тома́тный   tomato (adj) 25
тому́ наза́д   ago 17
то́нкий   thin, fine, slender 23
то́ньше (compar of то́нкий)   thinner, finer, more
   slender 23
торопи́ть (II)   to rush (someone *or* something) 21g
торопи́ться (II)   to rush, be in a hurry 19
то́рт   cake 17
тоскли́вый   sad, melancholy 36
то́т, та́, то́   that, that one, the latter 6, 25
то́т же, та́ же, то́ же   the same 13
то́чка   dot, point, period 17
то́чный   exact, precise 16
трава́   grass 17
трамва́й   streetcar 31
трём, тремя́ (*see* три́) 23g
тренирова́ться (I)   to train, practice 22
тре́тий, тре́тья, тре́тье   third 21
трёх, трём, тремя́ (*see* три́) 23g
трёхсо́тый   three-hundredth 36
три́, трёх, трём, тремя́   three 10, 23g
тридца́тый   thirtieth 21
три́дцать   thirty 12, 23g
трина́дцатый   thirteenth 21
трина́дцать   thirteen 19
три́ста   three hundred 30
тро́е   (group of) three 27

тро́йка   troika (team of three horses) 35
тролле́йбус   trolley 31
тру́д   labor, work, difficulty 32
труди́ться (II)   to labor, toil, work hard, go to some
   trouble 35
тру́дный (тру́дно)   difficult, hard 13
трудово́й   labor (adj), working 32
трудя́щийся   working man, laborer 35
трусы́ (pl only)   trunks, shorts 27
тря́пка   rag, (pl) clothes 33
туда́   there, to that place 5
тума́н   fog, mist 35
тума́нный   foggy, misty 35
тупо́й   blunt, dull, obtuse, stupid 31
тури́ст   tourist 15
ту́т   here 4
ту́фля   woman's shoe, slipper 33
ту́ча   dark cloud, storm cloud 20
тушёный   stewed 34
   тушёное мя́со   stew 34
туши́ть (II)   to turn out, put out, extinguish 29
ты́   you (familiar) 1
ты́сяча   thousand 21
ты́сячный   thousandth 36
тяжеле́е (compar of тяжёлый)   heavier; harder 23
тяжёлый (тяжело́)   heavy; hard, difficult 23
тя́жесть (f)   load, weight 23
тяну́чка   toffee, caramel 25

У у

у (*plus* gen)   at, by, from, on, at the place of 4, 9g
   У меня́ боли́т голова́.   I have a headache. 19
   у на́с [е́сть]   we have 5
   у него́ [е́сть]   he has 8
   у неё [е́сть]   she has 4
   у ни́х [е́сть]   they have 8
убива́ть (I)   to kill 17
убира́ть (I)   to take away, remove, tidy up 34
   убира́ть (*or* убра́ть) **со стола́**   to clear the table 34
убо́рная   toilet, lavatory 12
убо́рщица   cleaning woman 7
убра́ть, уберу́т (pfv I)   to take away, remove, tidy
   up 34
уве́ренный (уве́рен)   sure, assured, certain 21
уви́деться (pfv II)   to see each other 21g
увлека́ться (I)   to be fascinated by; to have as a
   hobby 30
увле́чься, увлеку́тся (pfv I)   to be fascinated by; to
   be carried away by 30
угада́ть (I)   to guess 34
у́гол, угла́   corner, angle 8
уголо́к, –лка́   little corner 13
   кра́сный уголо́к   recreation room (*lit.* red corner)
   13
уви́деть (pfv II)   to see, catch sight of 10
угости́ть (pfv II)   to treat, entertain 29
угоща́ть (I)   to treat, entertain 29
угоща́ться (I)   to be treated, treat oneself, be one's
   guest 29
угоща́йся, угоща́йтесь   help yourself, be my guest
   29
уда́в   boa constrictor 32
уда́рить (pfv II)   to strike, hit; to kick 27
уда́ться (irreg pfv) (*like* да́ть)   to succeed, be lucky
   enough, manage 27
   мне́ удало́сь   I succeeded, I managed 27

уда́ча luck, good luck 11
удиви́тельный surprising, astonishing, amazing 32
удивля́ть (I) to surprise 21g
удивля́ться (I) to be surprised 12
удо́бный convenient, comfortable 12
удо́бство convenience, comfort 12
удово́льствие pleasure 3
   с удово́льствием with pleasure, gladly 3
уезжа́ть (I) to go away (by vehicle) 16
уе́хать, уе́дут (pfv I) to go away (by vehicle) 16
ужа́сный terrible, awful 32
уже́ already, (by) now 2
   уже́ не no longer, not . . . anymore 13
у́же (compar of у́зкий) narrower 34
у́жин supper 24
у́жинать (I) to eat supper 24
у́зкий narrow 34
узнава́ть, узнаю́т (I) to find out, learn; to recognize, know 25
узна́ть (pfv I) to find out, learn; to recognize 7
уйти́, уйду́т (pfv I) to go away, leave 23
«Украи́на» The Ukraine (hotel) 12
украи́нец –нца Ukrainian 7
украи́нский Ukrainian 32
укра́сть, украду́т (pfv I) to steal 19
укры́ть, укро́ют (pfv I) to cover 28
улете́ть (pfv II) to fly away, leave (by air) 19
у́лица street 13
у́личный street (adj) 7, 25
   у́личная прода́жа ква́са street vending of kvas
   у́личный продаве́ц пила́ва в Ташке́нте street seller of pilaf in Tashkent 7
улучша́ть (I) to improve (something) 29
улучша́ться (I) to improve, get better 29
улу́чшить (pfv II) to improve (something) 29
улу́чшиться (pfv II) to improve, get better 29
у́м, mind, sense 16
   вы́ с ума́ сошли́! you're out of your mind! 16
умён, умна́, –о́ (short forms of у́мный) wise, smart, intelligent 22g
умере́ть, умру́т (pfv I) to die 20
   умере́ть с го́лоду to starve to death 20
уме́ть (I) to be able; to know how 20
умира́ть (I) to die 20
у́мный wise, smart, intelligent 16
умыва́льник washstand, wash basin 25
   под умыва́льником at the washstand (or wash basin) 25
умыва́ться (I) to wash up, wash oneself 26
умы́ться, умо́ются (pfv I) to wash up, wash oneself 26
университе́т university 3
уничтожа́ть (I) to destroy, annihilate 32
уничто́жить (pfv II) to destroy, annihilate 32
упа́сть, упаду́т (pfv I) to fall, fall down 16
уползти́, уползу́т (pfv I) to crawl away, creep off 17
ура́! hurrah! 20
уро́к lesson, class 1
урони́ть (pfv II) to drop 28
услы́шать (pfv II) to hear 13
Успе́нский собо́р, постро́енный в 1475–79 гг. Uspensky Cathedral, built in 1475–79 36
успе́ть (pfv I) to manage in time, make it, succeed 11

успе́х success, luck 18
   де́лать больши́е успе́хи to do very well, make excellent progress 18
уста́ть, уста́нут (pfv I) to be tired, get tired 14
устра́ивать (I) to arrange, set up, establish 33
   устра́ивать (or устро́ить) вечери́нку to throw a party, give a party 33
устро́ить (pfv II) to arrange, fix up, organize 18
устро́иться (pfv II) to get fixed up, get established, get settled 18
у́тка duck 34
утону́ть (pfv I) to drown, be swallowed up 34
у́тро morning 4
   у́тром in the morning; this morning 19
   по утра́м in the mornings 16
у́ф! ugh! ooh! 14
уха́ fish soup, fish chowder 17
у́хо (pl у́ши) ear 27
ухо́д departure, going away 28
уходи́ть (II) to go away, leave (on foot) 23
учёный scholar, learned man, scientist 18
учи́тель (m) teacher 7
учи́тельница teacher (f) 7
учи́ть (II) to teach; to study 6, 20
учи́ться (II) to learn, study 18
у́ши (pl of у́хо) ears 27
ую́тный cozy, comfortable 26

Ф ф

фа́брика factory 9
факульте́т department 7
фами́лия last name, family name 11
Фаренге́йт Fahrenheit 28
февра́ль (m) February 21
Фе́дя (var. of Фёдор) Fedya (Ted) 28
фи́зик physicist 18
фи́зика physics 8
физкульту́рник athlete, gymnast 27
   физкульту́рники на моско́вском стадио́не «Дина́мо» athletes at the Moscow Dynamo Stadium 27
филатели́ст stamp collector 30
филатели́я stamp collecting 30
Фили́ппович (patronymic, son of Фили́пп) 2
фи́льм film, movie 10
фокстро́т dance tune, fox-trot 33
фо́рточка window vent 28
фо́то (indecl n) photograph, picture 15
Фра́нция France 30
францу́женка French woman 33
францу́з Frenchman 33
францу́зский French 33
фрукто́вый fruit (adj) 25
фру́кты (sg фру́кт) fruit 25
Фу́ ты́! Darn it all! 23
футбо́л soccer 11
   игра́ть в футбо́л to play soccer 11
футболи́ст soccer player 27

Х х

хара́ктер character, nature, temperament 22
Ха́рьков Kharkov 12
ха́рьковский Kharkov (adj) 31

хвата́ть (I)   to suffice, be enough 19
  не хвата́ть   to be short, be lacking; to run out of 19
хвати́ть (pfv II)   to suffice, be enough; to have enough; to last 20
хи́мик   chemist 18
хими́ческий   chemical 23
  хими́ческий каранда́ш   indelible pencil 23
хи́мия   chemistry 8
Хитро́в   Khitrov (last name) 2
хлеб   bread 5
ходи́ть (II)   to go, attend, walk 11
хозя́ева (pl of хозя́ин)   landlords, owners, hosts 26
хозя́йка   landlady, housewife, lady of the house, hostess 26
хозя́ин   landlord, owner, host; boss 26
хоккей   hockey 11
  игра́ть в хоккей   to play hockey 11
хо́лод   cold; (pl) cold weather 35
холоди́льник   refrigerator, icebox 25
холо́дный   cold 14
  хо́лодно   [it's] cold 14
хоро́ший   good 9
хорошо́   good, fine, well, nice 1
  хорошо́ бы   it'd be nice 20
хоте́ть (irreg pres: хочу́, хо́чешь, хо́чет, хоти́м, хоти́те, хотя́т)   to want 3, 4, 5
хотя́   although 14
  хотя́ бы   even if only 14
хо́чется   [one] feels like 5
хочу́, хо́чешь, хо́чет, etc. (see хоте́ть) 3, 4, 5
храм   temple, cathedral 31
  храм Васи́лия Блаже́нного   St. Basil's Cathedral 31
хрома́ть (I)   to limp 27
худо́жественный   artistic, art (adj) 31
  Худо́жественный теа́тр   Art Theater, Moscow Art Theater 31
худо́жник   artist, painter 31
ху́же   worse 16

Ц ц

Цара́пкин   Tsarapkin (last name) 2
цвет   color 13
  цветно́й   in color, colored 15
цел, –а́, –о (це́лый)   whole, intact, unbroken, in one piece 22
целина́   virgin soil, uncultivated land, frontier 34
це́лый   entire, whole 18
Це́льсий   centigrade 28
цена́   price 31
цензу́ра   censorship 34
це́нный   valuable 36
центр   center 24
  центр го́рода   right downtown, the heart of town 24
центра́льный   central 35
це́рковь, це́ркви (f)   church 15

Ч ч

чай   tea 5
  ча́йная ло́жка   teaspoon 28

час   hour 10, 19
  Кото́рый час?   What time is it? 19
  в кото́ром часу́?   at what time? 19
ча́стный   private, personal 13
ча́сто   often, frequently 3
часть (f)   part 26
часы́   watch, clock 19
ча́шка   cup 8
ча́ще (compar of ча́сто)   more often 23g
чего́-то (gen of что́-то)   something 19
  чего́-то не хвата́ет   there's something missing 19
чей, чья́, чьё, чьи   whose 6
челове́к   person, human being, man 13
чем   than 3
  лу́чше по́здно, чем никогда́   better late than never 3
чем (instr of что) 17
чемода́н   suitcase 19
чемода́нчик   (small) suitcase 19
через (plus acc)   through, across, in 13, 15, 24
  через неде́лю   in a week 24
  через час   in an hour 13
  дней через пять   in about five days 16
черепа́ха   tortoise, turtle 31
чёрный   black 13
четве́рг   Thursday 10
че́тверо   (group of) four 27
четвёртый   fourth 21
че́тверть (f)   fourth, quarter 19
  без че́тверти   quarter of, quarter to 19
  че́тверть пя́того   quarter past four 24
четы́ре   four 10
четы́реста   four hundred 30
четырёхсо́тый   four-hundredth 36
четы́рнадцать   fourteen 19
четы́рнадцатый   fourteenth 21
Че́хов   Chekhov (name of writer) 33
че́шский   Czech (adj) 29
число́   date, number 21
чи́стить (II)   to clean, brush, scrub; to peel 24
чи́стка   cleaning 24
  отда́ть в чи́стку   to have (something) cleaned 24
чи́стый   clean 25
чита́льный   reading (adj) 13
  чита́льный зал в одно́м из домо́в культу́ры   reading room in one of the Houses of Culture 13
чита́ть (I)   to read 1, 10
чита́ться   to be read 21g
что   that, who, which 6
что   what 3
  что вы!   you're not serious! 3
  да что (plus nom)   who cares about, to heck with 22
  что за (plus nom)   what, what a, what kind of 35
  что с (plus instr)   what's the matter with 21
  что ли   perhaps, possibly, maybe 18
  что но́вого?   what's new? 13
  что это   why is it, how come 16
чтобы   in order to, to 18
что́-нибудь   anything, something or other 9
что́-то   something 14
чу́вство   feeling 18
чу́вствовать, чу́вствуют (I)   to feel 16
  чу́вствовать себя́   to be feeling 16

чудеса́ (pl of чу́до) miracles, wonders 34
   во́т так чудеса́! will wonders never cease!
   amazing! 34
чу́до wonder, miracle 34
чуло́к (pl чулки́) stocking 33
чу́ть не all but, darned near, almost 16
чьё (n of чей) 6
чьи (pl of чей) 6
чья (f of чей) 6

Ш ш

ша́г step, pace 22
   в дву́х шага́х отсю́да a couple of steps away,
   a short way from here 23
   на ка́ждом шагу́ with every step, at every turn
   11
шампа́нское champagne 32
ша́пка cap 17
ша́хматы (pl only) chess, chess board 14
   игра́ть в ша́хматы to play chess 14
ша́хта mine 35
шве́йная маши́на sewing machine 23
шёл, шла́, шло́, шли́ (past of идти́) 12, 15
   шёл до́ждь it rained 20
   шёл сне́г it snowed 20
шёлковый silk (adj) 33
шерстяно́й wool (adj), woolen 33
ше́стеро (group of) six 27
шестидеся́тый sixtieth 21
шестиле́тний, –яя, –ее six-year old, of six years 22
   с шестиле́тнего во́зраста since the age of six 22
шестисо́тый six-hundredth 36
шестна́дцатый sixteenth 21
шестна́дцать sixteen 16
шесто́й sixth 21
ше́сть six 10
шестьдеся́т sixty 21
шестьсо́т six hundred 32
ше́я neck 27
ши́ре (compar of широ́кий) wider, broader 34
ширина́ width 35
широ́кий wide, broad 34
ширпотре́б consumer goods 29
ши́ть, шью́т (1) to sew 23
шка́ф cupboard, dresser 5
   в шкафу́ in the cupboard 5
шко́ла school 6
шко́льник schoolboy, school child 30
   шко́льники осма́тривают пе́рвый спу́тник school
   children examine first satellite 30
шля́па hat 19
шокола́д chocolate 25

шокола́дный chocolate (adj) 29
шофёр driver (of car) 12
шпио́н spy 19
шту́ка item, piece; trick 20
   не́сколько шту́к several, several of them 20
шу́ба fur coat 35
шути́ть (II) to joke 19
шу́тка joke 18

Щ щ

щи́ (pl only) schi (cabbage *or* sauerkraut soup) 5

Э э

экза́мен examination, exam 7
экспона́т display, exhibit 32
электри́ческая бри́тва electric razor 29
электри́чество lights, electricity 15
Эрмита́ж the Hermitage (museum) 24
   в Эрмита́же inside the Hermitage 24
эта́ж floor, story 12
э́ти these, those 6
э́то it, this, that 2
э́тот, э́та, э́то this, that 2

Ю ю

ю́бка skirt 17
ю́г south 22
Ю́жная Аме́рика South America 30
ю́жный southern, south (adj) 30
ю́ный young 32
Ю́рий Yury (George) 16

Я я

я I 1
я́блоко apple 32
язы́к language, tongue 6
яи́чница omelet 25
яйцо́ egg 25
яку́т Yakut
яку́тский Yakut (adj) 32
Я́лта Yalta 12
янва́рь (m) January 21
япо́нец, –нца Japanese man 33
Япо́ния Japan 33
япо́нка Japanese woman 33
япо́нский Japanese 33
я́сный clear, lucid; serene 35
я́щик drawer, box (wooden) 5

INDEX

Russian words are in boldface and English translations in italics. The numbers refer to pages on which the items are discussed and drilled. The following abbreviations are used:

acc	accusative		N	note
adj	adjective, adjectival		n	neuter
adv	adverb, adverbial		neg	negative, negation, negated
aff	affirmative		nom	nominative
asp	aspect		obj	object
con	consonant		pers	person, personal
conj	conjugation		pfv	perfective
constr	construction		pl	plural
dat	dative		poss	possessive
decl	declension, declensional		ppp	past passive participle
demonstr	demonstrative		prap	present active participle
dir obj	direct object		pred	predicate
f	feminine		prep	preposition, prepositional
fn	footnote		pres	present
fut	future		pres-fut	present-future
gen	genitive		pron	pronoun
imper	imperative		refl	reflexive
impers	impersonal		reg	regular
indecl	indeclinable		sg	singular
inf	infinitive		subj	subject
instr	instrumental		u-d	unidirectional
interrog	interrogative		var	variant
ipfv	imperfective		vb	verb
irreg	irregular		vs	versus
m	masculine		vwl	vowel
m-d	multidirectional			

accusative case: after vbs класть and прятать 490 fn; preps за and под with acc vs instr 498–500; summary of uses of 681–85

active participles: past active participles 903–06; praps 874–78

adjectives: comparatives—ending in –e 587–90, ending in –ee 585–87; decl of poss adjs ending in suffix –ин 676–78; formation, endings, and usage of 562–65; formed by means of unstressed neg prefix не– 725–26; иностранный *foreign* vs заграничный *foreign* (i.e., *foreign-made*) 741 N; praps functioning as adjs 878; referring to inhabitants of various countries and their languages 816–17, 824–26; superlative adjs formed by means of suffixes –ейш– and –айш– 851–54; used with instr case—довольный (доволен), недовольный (недоволен), болен 729

adverbs: comparatives—ending in –e 587–90, ending in –ee 585–87; formed by means of unstressed neg prefix не– 725–26; indefinite advs formed by means of unstressed particles –нибудь and –то 496–98; neg advs—никогда, нигде, никуда, and никак 521–23, некогда *there's no time*, негде and некуда *there's nowhere* 901–03; referring to inhabitants of various countries and their languages 816–17, 824–26

age: telling age in Russian 571–72

all весь: decl of 524–26

as . . . as possible: various ways of expressing 890 N

before: до vs перед 606 N; preps до and перед vs conjunctive phrases до того как and перед тем как 854–56

both: use of оба, обе vs и тот и другой and и... и 574

ending in suffix **–ин** 676–78; **–ейш–** and **–айш–** as means of forming superlative adjs 851–54; ppps—short forms ending in **–т** and **–н** 753–55, **–ен (–ён)** 822–24; **–я (–а)**—as means of forming a few pfv verbal advs 899–901, as means of forming ipfv verbal advs 869–72; **–щ–** as means of forming praps 877; stem suffixes **–ва–**, **–ыва–**, and **–ива–** used in forming secondary ipfvs 827–29; vbs that lose suffix **–ну–** in past tense—**привы́кнуть** and **исче́знуть** 527–29

suggestions in which speaker volunteers to perform activity: 680–81

superlatives (*see also* comparison): simple superlatives ending in **–ейший** or **–айший** and compound superlatives with **наибо́лее** *the most* and **наиме́нее** *the least* 851–54; simple vs compound comparatives and superlatives 611–12

surnames (*see also* names): decl of surnames ending in **–ов, –ёв, –ев,** and **–ин** 654–55

time: expressions with instr case forms 729–32; months of year 537; ordinal numbers as last element of year dates 545–47; telling at a quarter past and half past the hour 609–11; telling in minutes—official vs colloquial style 662–63; telling on the hour and at a quarter to the hour 502–04; use of—gen case to express concepts A.M. and P.M. 730–32,—"hundred" system in dates 538 N, ordinal numbers in month dates 542–44

transitive verbs: of motion with paired ipfvs 567–69

two-stem verbs: ending in **–овать** or **–евать** 529–30; review of two-stem 1st conj vbs 702–05

unidirectional verbs of motion: intransitive vbs of motion with paired ipfvs—m-d vs u-d 565–67; **плы́ть** (u-d) vs **пла́вать** (m-d) 514 N; transitive vbs of motion with paired ipfvs—m-d vs u-d 567–69

verbal adverbs: ipfv verbal advs ending in **–я (–ясь)** or **–а (–ась)** 869–72; pfv verbal advs ending in **–в** (non-refl) and **–вшись** or **–шись** (refl) 893–96; special pfv verbal advs ending in **–я** or **–а** 899–901

verbal prefixes (*see also* verbs, prefix): general remarks on 745; pfv vbs—formed by means of prefix **до–**

771–74, formed by means of prefix **за–** 745–48, formed by means of prefix **пере–** 750–53, formed by means of prefix **про–** 774–76, formed by means of prefix **раз–** 781–83, formed by means of prefix **с–** 801–04; vbs of motion with directional prefixes **в–, под–, при–, вы–, от–,** and **у–** 719–22

verbs: closed-stem vbs with infs ending in **–сть, –сти, –зть, –зти,** and **–чь** 500–02; further drills on refl vbs 705–06; general remarks on verbal prefixes 747; intransitive vbs of motion with paired ipfvs 565–67; irreg vbs **е́сть** *to eat*, **пое́сть,** and **съе́сть** 518–20; **ката́ться, поката́ться** vs **е́здить** and **е́хать** 510 N; **купа́ться, вы́купаться** vs **пла́вать** and **плы́ть** 513 N; *to study* and *to teach*—**учи́ть, научи́ть, учи́ться, научи́ться,** and **преподава́ть** 513–14 N; motion vbs with directional prefixes **в–, под–, при–, вы–, от–,** and **у–** 719–22; non-refl vs refl vbs 544–45; of *lying, sitting,* and *standing*—**ложи́ться, ле́чь; сади́ться; се́сть; станови́ться, ста́ть** vs **лежа́ть, полежа́ть; сиде́ть, посиде́ть; стоя́ть, постоя́ть** 631–33; **жени́ться, пожени́ться** vs **выходи́ть (вы́йти) за́муж** 656–58; *of putting*—**кла́сть, положи́ть** vs **ста́вить, поста́вить** 630–631; pfv vbs—formed by means of prefix **до–** 771–74, formed by means of prefix **за–** 745–48, formed by means of prefix **пере–** 750–53, formed by means of prefix **про–** 774–76, formed by means of prefix **раз–** 781–83, formed by means of prefix **с–** 801–04; refl vbs formed from non-refl vbs 547–49; review of two-stem 1st conj vbs 702–05; transitive vbs of motion with paired ipfvs 567–69; use of stem suffixes **–ва–, –ыва–,** and **–ива–** in forming secondary ipfvs 827–29; used with instr case—**боле́ть, заболе́ть, по́льзоваться, воспо́льзоваться, занима́ться, позанима́ться, интересова́ться, заинтересова́ться** 729; with infs ending in— **–ава́ть (–ава́ться)** 658–59, **–нуть (–нуться)** 527–29, **–овать** or **–евать** 529–30

verbs of motion: intransitive vbs of motion with paired ipfvs 565–67; **пла́вать** (m-d) vs **плы́ть** (u-d) 514 N; transitive vbs of motion with paired ipfvs 567–69; with directional prefixes **в–, под–, при–, вы–, от–,** and **у–** 719–22

worker: **рабо́чий** vs **рабо́тник** 836 N

B 6
C 7
D 8
E 9
F 0
G 1
H 2
I 3
J 4